355

Test T

5M—8—52—HA

Über allen Gipfeln ist Ruh'

(See page 119)

First Book in German

REVISED EDITION

By

JAMES A. CHILES

and

JOSEF WIEHR

GINN AND COMPANY

BOSTON · NEW YORK · CHICAGO · ATLANTA · DALLAS · COLUMBUS
SAN FRANCISCO · TORONTO · LONDON

PREFACE

First Book in German is two books in a single cover: I, a complete presentation of the essentials of German grammar; II, carefully graded reading material, placed immediately after the grammatical treatment in each lesson. Most teachers nowadays use an elementary reader in connection with the grammar from the very start. The authors believe that there is a decided advantage in combining grammar and reader in one volume.

Part I is divided into three sections with the following arrangement of lesson material:

Section A. A model passage in German. Questions in German based on the model passage. Vocabulary.

Section B. Grammatical forms and syntax.

Section C. Direct-method exercises. English sentences for translation into German.

The vocabulary of sections *B* and *C* is based upon that of section *A*. The total vocabulary of these sections, exclusive of proper names, approximates 1100 words, of which fully 90 per cent appear in the latest standard word lists.

Part II, represented by section *D* of each lesson, consists of reading material only. The selections in this section are intended to take the place of an independent reader. They are designated as "optional" because they may be omitted without affecting the completeness of the book as a first-year grammar. The new words of section *D* are put in footnotes or included in the general German-English Vocabulary.

The reading material is diversified in content and treats of topics which the authors have found of interest to their

students. A number of poems and songs have been included. Difficult passages have been carefully explained
or translated into English. Most of the prose passages of
section *D* contain information which will be helpful in
more advanced work in German.

A list of grammatical terms in German has been included in the introduction for the use of those teachers
who would like material of this kind.

The book should prove suitable for beginners in either
high school or college. Treatment and material are not
beyond the level of the average high-school pupil, nor of
such a puerile character as to give offense to the intelligence
of more mature students. In a high-school course it should
be possible to cover the ground, including section *D*, in one
full year and the fall term of the second year. College
students will find no difficulty in accomplishing the same
result by the middle of the second semester (before the
spring recess) of the first year.

PREFACE FOR REVISED EDITION

The success of this book in its original form made it seem
inadvisable to introduce many changes into the new edition.
In the light of recent German history, however, it has been
necessary to modify certain material.

J. A. C.
J. W.

CONTENTS

Contents

Contents

First Book in German

INTRODUCTION

1. The Alphabet

German is commonly printed in German characters, given on pages 4, 5, and 6; but in certain instances, particularly in books on science, Roman letters (as found in English) are used.

The German script, given on pages 4–6, is still used by some Germans in their correspondence. However, both the German script and the Roman script (as used in English) are taught in the German schools.

The combinations ch, ck, ß, and tz represent single characters, each combination being printed from a single type.

Do not confuse 𝕭 and 𝖁; ℭ and 𝕰; 𝕶, 𝕹, and 𝕽; 𝕺 and 𝕼; c and e; f and ſ; n and u; r and x.

Capital *I* and capital *J* have the same form in German, namely, ℑ. If a vowel follows the ℑ, the latter is a consonant and is pronounced as j: ℑahr. If a consonant follows, ℑ is a vowel and is sounded as i: ℑnſel.

Of the two forms for small s, the short form, s, is used, as a rule, at the end of a word or of a syllable: Eis, aus= gehen, Hänschen. Elsewhere the long form, ſ, is used: ſingen, blaſen (bla=ſen), iſt.

Double ſ appears either as ſſ or ß, both combinations being sounded alike. The combination ſſ is used between vowels when the preceding vowel is short: Flüſſe, wiſſen. Elsewhere ß is used: Füße, wüßte, Fluß. When German is printed in Roman (English) letters, ſſ appears as *ss*, and ß as either ß or *sz*.

When spelling words, always use the German names of the letters.

3

German Type		German Name	Roman Type		German Script
𝔄	a	ah	A	a	
𝔅	b	bay	B	b	
ℭ	c	tsay	C	c	
𝔇	d	day	D	d	
𝔈	e	ay	E	e	
𝔉	f	eff	F	f	
𝔊	g	gay	G	g	
ℌ	h	hah	H	h	
ℑ	i	ee	I	i	
ℑ	j	yot	J	j	
𝔎	k	kah	K	k	
𝔏	l	ell	L	l	
𝔐	m	emm	M	m	

German Type	German Name	Roman Type	German Script
𝔑 n	*enn*	N n	
𝔒 o	*oh*	O o	
𝔓 p	*pay*	P p	
𝔔 q	*koo*	Q q	
𝔑 r	*air*	R r	
𝔖 ſ s	*ess*	S s	
𝔗 t	*tay*	T t	
𝔘 u	*oo*	U u	
𝔙 v	*fow*	V v	
𝔚 w	*vay*	W w	
𝔛 ḳ	*ix*	X x	
𝔜 ŋ	*ipsilon*	Y y	
ℨ ʒ	*tset*	Z z	

German Type	German Name	Roman Type	German Script
ch	tsay-hah'	ch	
ck	tsay-kah'	ck	
ß	ess-tset' ss	ß sz	
tz	tay-tset'	tz	

MODIFIED VOWELS (Umlaute)

Ä	ä	a-Umlaut	Ä	ä	
Ö	ö	o-Umlaut	Ö	ö	
Ü	ü	u-Umlaut	Ü	ü	
Äu	äu	au-Umlaut	Äu	äu	

Exercise

Buchstabieren Sie (= *Spell*):

Tisch *table*
Bank *bench*
Apfel *apple*
Dorf *village*
Garten *garden*
Jahr *year*

Maus *mouse*
Quelle *spring*
Vater *father*
Wasser *water*
Axt *ax*
Zeit *time*

2. Example of German Script

The following is the first six lines of Die Schule, page 29:

3. Pronunciation

German is pronounced more vigorously and energetically than English. Both consonants and vowels are uttered more forcibly. In the use of lip and tongue and in the expenditure of breath English is a lazy language in comparison with German.

The only silent letters in German are h after a vowel and e in the combination ie. When so used, h and e indicate a long vowel: wöhnen, Uhr, dīe, bīeten. In a few words derived from the Latin, however, the e after i is sounded: Fami'lie (ie = i + e), Jta'lien (ie = i + e).

German vowels are pure vowels, retaining the same sound throughout their utterance. They do not glide off into other vowel sounds, as the English vowels often do, particularly the long vowels (*gate* = gā + ēet, *rode* = rō + ōod).

Vowels are pronounced distinctly and, with the exception of unaccented e, are never slurred, as is so common in English.

The difference between long vowels and short vowels is greater than in English, long vowels being pronounced very long, and short vowels very short.

Lip-rounding, as for o and u, and lip-retraction, as for e and i, are much more pronounced and energetic than is the case for similar sounds in English.

Accented initial vowels are preceded by a glottal stop. The breath is stopped for an instant in the throat by the closing of the glottis, which opens suddenly with a slight puff or explosion as the accented initial vowel is spoken. The glottal stop prevents the carrying over of consonants, as is commonly done in English.

Native German words, as a rule, are accented on the root syllable, which is generally the first syllable. Accents are not printed in German, but will be used in this book to indicate the pronunciation whenever the stress is not on the first syllable.

4. The Simple Vowels

Quantity. A vowel is long when doubled or followed by ŋ: Beet, Haar, ſtehlen, Ohr.

A stressed vowel is usually long when followed by a single consonant: Brot, Hut, beten.

A vowel is always short when followed by a double consonant: Bett, Kiſſen.

A vowel is usually short when followed by two or more consonants (of which the first is not ḥ): Banf, Heft, Kinder. Note, however, that a long vowel remains long even when the addition of inflectional endings causes it to stand before two consonants: lēben *live*, er lēbt *he lives*, er lēbte *he lived*.

Before ch and ß a vowel may be long or short: hōch, dŏch, grōß, nǟß; e and i, however, are regularly short in this position.

A number of very common prepositions and pronouns have a short vowel, although only one consonant follows the vowel; for example, an, bis, in, mit, um, von, das, es, was, man.

Unaccented vowels are usually short: hā'bĕn.

The length of vowels is not indicated in German; however, in the vocabularies of this book the long and short signs, ‾ and ˅, will be placed above vowels whose quantity is doubtful or irregular.

In the following paragraphs English equivalents for the German sounds are given whenever possible. It is to be borne in mind, however, that these equivalents are often only approximate. The exact German sounds must be acquired from the instructor.

a long is like English *a* in *father*: fam, Haar, Bahn.

a short is the same sound as the preceding, but pronounced more quickly: Kamm, haft, Banf.

e long is like English *a* in *mate*, but with energetic lip-retraction and without diphthongal glide: Beet, neh-men, heben.

e short is like English *e* in *met*: Bett, nennen, helfen.

e in unaccented syllables is slurred like English *a* in *comma* or *e* in *the boy*: habe, geben, getan'.

i long (often written ie) is like English *i* in *machine*, but with tense lip-retraction and without diphthongal glide : liegen, Biene, ihm.

i short is like English *i* in *hit* : Mitte, nimmer, im.

o long is like English *o* in *go*, but with energetic lip-rounding and without diphthongal glide : Bohne, Hof, Lohn.

o short is a sound not found in English; it must be learned by imitation of the instructor : Bonn, floß, Gott.

u long is like English *oo* in *pool*, but with tense lip-rounding and without diphthongal glide : Kuh, Mut, Bube.

u short is like English *u* in *pull*, but with the lips more rounded : Kunst, Mutter, dumm.

y is pronounced either like German i or like German ü ; it occurs chiefly in foreign words : Lyrik, Myrte.

5. The Modified Vowels (Umlaute)

ä long = long German e : Fäden, Käse, Läden. Some Germans give to long ä a more open sound, similar to English *e* in *there*; this is the stage pronunciation.

ä short = short German e : älter, Bänder, hätte.

ö long = long German e pronounced with energetic lip-rounding : hören, Öfen, Töne. Distinguish heben — höben, bete — böte, Sehne — Söhne.

ö short = short German e pronounced with rounded lips : Götter, Röcke, öffnen. Distinguish stecke — Stöcke, kennen — können, kennte — könnte.

ü long = long German i uttered with tense lip-rounding : Hüte, müde, über. Distinguish Biene — Bühne, vier — für, Tier — Tür.

ü short = short German i uttered with rounded lips : dünn, Hütte, Mündung. Distinguish Kissen — Küssen, Listen — Lüsten.

6. The Diphthongs

Diphthongs are long.

ai and ei = English *i* in *mine*: Mai, Main, mein, nein. Do not confuse ei and ie: Beine — Biene, bleiben — blieben, heißen — hießen.

au = English *ou* in *house*: Haus, Maus, kaufen.

eu and äu = English *oi* in *oil*: Leute, heute, neun, Bäume, Häuser, Räuber.

7. The Consonants

Double consonants are pronounced like single consonants. They indicate that the preceding vowel is short.

Final consonants are cut off sharply after a short vowel. Do not prolong l, m, or n as in English: Ball, Fall, dumm, Kamm, denn, Mann.

A number of the consonants have approximately the same sound as in English. These are not treated in the following paragraphs.

b final and before f, t, and st = English *p*: Dieb, gab, Erbse, lobt, lebte, liebst. By "final" is meant (1) at the end of a word: Lob; (2) at the end of any component of a compound word: Korbball, abnehmen; (3) before a suffix beginning with a consonant: Knäbchen, Erleb'nis.

c is found only in foreign words except in the combinations ch, ck, and sch. Before e, i, y, and the umlauts it is pronounced like English *ts*: Cent, Cäsar. Elsewhere c is pronounced like English *k*: Cousi'ne (ou = u) (also written Kusine).

ch has two sounds, referred to as the ach sound and the ich sound, neither of which occurs in English. They must be learned from the instructor. The ach sound is heard after a, o, u, and au; the ich sound occurs after the other vowels and diphthongs and after consonants:

Dach, noch, Buch, rauchen; Becher, dich, Dächer, Bücher, reich, euch, mancher. Note that the suffix =chen always has the sound of ch in ich: Brüderchen.

In words from the French ch = English *sh*: Charlot'te, Chef.

In some words from the Greek, initial ch = English *k*: Chor, Christ. It has the ch sound of ich in Chemie' and China.

chs or **chſ** = English *x* except when the s or ſ is an inflectional ending or a part of it: Fuchs, sechs, wachsen. But Besuchs' (genitive of Besuch), Besuch + s; wachſt (second person singular, present indicative, of wachen), wach + ſt.

ck = double k: Backe, Ecke, Stück.

d final and before s, t, and ſt = English *t*: Band, Landsmann, Stadt, lädſt, Handschuh, Mädchen.

g = English *g* in *go*, except when final or before s, t, and ſt; in this position it is pronounced either as English *k* or as German ch. The *k* sound is the pronunciation of the stage and the one commonly recommended to American students: Tag, Berg, Sieg, Gebirgs'gegend, sagt, fragte, lagſt. For the suffix =ig, however, the ch sound is usually recommended: fertig, König.

h initial, that is, at the beginning of a word, of any component of a compound word, or of a suffix = English *h* in *have*: haben, Hirtenhaus, Freiheit. Elsewhere *h* is silent: Bahn, Kuh, gehen, Höhe.

j = English *y* in *yes*: ja, jener, Jugend, Juli.

kn = English *kn*, both sounds being uttered closely together: Knabe, Kneipe, Knospe.

l is pronounced farther forward and more distinctly than English *l*. In pronouncing German l press the front of the tongue firmly against the upper teeth and gums: Lied, alles, Ball.

ng = English *ng* in *singer*, not *ng* in *finger* : fingen, Finger, Engel, jung.

pf = English *pf*, both sounds being uttered closely together : Pfarrer, Pferd, Pflaume. ̤

ph = English *f* : telephonie'ren, philofo'phifch.

qu = English *kv*, both sounds being uttered closely together : Quelle.

r has two pronunciations, the uvular r and the tongue, or trilled, r.

The uvular r is made by the vibration of the uvula. It is widely used, but is difficult for English-speaking people to acquire.

The tongue r is formed by vibrating the tip of the tongue against the upper gums. It is used on the stage and to some extent off the stage : reden, Rofe, Frau, Herr.

f when initial before a vowel and when between two vowels or between l, m, n, or r and a vowel = English *z* : fagen, Sohn, Auffatz, langfam, lefen, Rofe, Felfen.

In fp initial and ft initial, f = English *sh* : fpringen, verfprechen, Stein, vorftellen.

Elsewhere f = English *s* in *son* : Erbfe, faft, ift.

s = English *s* in *son* : anderswo, das, Röslein.

ff and tz = English *ss* in *less* : laffen, Kiffen, Füße, Nuß.

fch = English *sh* : fchon, Schule, Tifch.

th = English *t* : Thea'ter, Thüringer, Bibliothef', Goethe (oe = ö).

ti before a vowel = English *tsĭ* : Nation', Patient', Portion'.

tz = English *ts* : Fritz, Katze.

v = English *f* : Vater, viel, Vogel. In foreign words v = English *v*, except when final : Advofat', Novem'ber.

w = English *v* : Waffer, Winter, fchwimmen.

z = English *ts* : zehn, Zimmer, zwei.

8. Syllabication

The most important rules for the division of words into syllables are:

1. A single consonant goes with the following vowel: re=den.

2. The consonant combinations ſch, ß, ſt, ch, ph, and th go with the following vowel: Bü=cher, Fü=ße, ko=ſten, Wi=ſcher.

3. Of two or more consonants, the last one goes with the following vowel: Meſ=ſer, Rich=ter, ſin=gen, kämp=fen.

4. ck becomes k=k: Dek=ke (Decke).

5. Compounds are divided into their component parts: Haus=tier, dar=aus, hin=ein.

9. Capitals

1. All nouns, and words used as nouns, begin with a capital: der Stuhl *the chair,* der Alte *the old man,* etwas Neues *something new.*

2. The formal pronoun of address Sie *you,* its oblique cases, and its possessive Ihr *your* begin with a capital.

3. The pronoun ich *I* is *not* written with a capital.

4. Adjectives denoting nationality are *not* written with a capital: ein deutſches Wörterbuch *a German dictionary.*

10. Punctuation

1. All subordinate clauses are set off by a comma or commas: Ich weiß nicht, wo er wohnt. *I do not know where he lives.* Der Mann, der geſtern hier war, iſt ihr Onkel. *The man who was here yesterday is her uncle.*

2. A comma is generally used before infinitive phrases when modified, and always before ohne zu, um zu, zu = um zu: Es wäre kaum möglich, es heute fertigzumachen. *It would hardly be possible to finish it today.* Er ging hinaus, ohne ein Wort zu ſagen. *He went out without saying a word.* But Er fing an zu lachen. *He began to laugh.*

3. A comma is used before unb and and ober when they introduce a complete clause, that is, one that has both subject and verb: Mein Bruder war krank, und ich fühlte mich auch nicht ganz wohl. *My brother was sick, and I did not feel quite well, either.* But the comma is sometimes omitted when the clauses are closely connected in structure and thought: Wo ist Tante Klara und was macht sie? *Where is Aunt Clara and what is she doing?* The comma is omitted regularly when the clauses have one subject: Er stand auf und ging ans Fenster. *He got up and went to the window.*

4. No comma is used before unb and and ober in a series: Hans, Fritz und Wilhelm. *Jack, Fred, and William.*

5. Commas are not used to set off single parenthetical words: Der kleine Junge aber hörte nicht auf zu weinen. *The little boy, however, did not stop crying.*

6. No comma is used between the month and the year in dates: Berlin, den 28. September 1934.

7. Either a comma or a semicolon may be used between independent clauses of a compound sentence when these clauses are not joined by a coördinating conjunction: Ich frage Fritz, der wird es wissen, or Ich frage Fritz; der wird es wissen. *I shall ask Fred; he will know it.*

8. An exclamation point is used after an imperative: Gehen Sie an die Tafel! *Go to the board.*

9. An exclamation point is used after the salutation in letters: Liebe Mutter! However, the use of a comma after the salutation in letters is gaining ground.

10. A hyphen (=) is seldom used in compounds: dieses Schulgebäude *this school building*. It is, however, frequently used to indicate that the last part of a compound has been suppressed and is to be supplied from the last part of the compound following: Gas= und Wassermesser = Gasmesser und Wassermesser *gas meters and water meters*.

11. Quotation marks are used thus: Er ſagte: „Ich habe kein Geld." *He said, "I have no money."* Note the use of the colon before the quotation.

12. An apostrophe is not used to indicate the genitive of a proper name except where it takes the place of an inflectional ending in names of persons ending in a sibilant (s, ß, x, z, tz, ſch): Leos Hut *Leo's hat,* Fritz' Bücher *Fred's books.*

13. Italics are not used in German. Emphasis is indicated by spaced type or by bold-faced type: **Dir** ſage ich es, aber ſonſt niemand. *I will tell you, but no one else.*

11. The Relations between German and English

German and English are both Germanic languages and contain a large number of words of common origin, so-called cognates. Some of these are almost identical in both languages in spelling and pronunciation; others differ considerably, owing to certain uniform sound changes that have taken place in High German. The laws governing the development of the vowels in the two languages are too complex to be considered here. The development of the consonants was, however, simpler, and a knowledge of the main changes is a great aid in recognizing cognates at sight. Sometimes cognates have ceased to be synonyms, but usually the relationship is clear despite the differences in meaning. In the examples below, the English synonym follows the cognate if the two are not identical.

COGNATES WHICH SHOW NO CHANGE OF CONSONANTS

der Baum *beam, tree*	der Raum *room, space*
das Bein *bone, leg*	der Stein *stone*
die Hand *hand*	der Stock *stick*
das Haus *house*	der Stuhl *stool, chair*
die Maus *mouse*	treu *true, loyal*

ENGLISH *p* = GERMAN f, ff, MEDIALLY AND FINALLY AFTER VOWELS AND l AND r

der Affe *ape*	reif *ripe*
auf *up*	das Schaf *sheep*
die Harfe *harp*	scharf *sharp*
der Haufen *heap*	das Schiff *ship*
helfen *help*	schlafen *sleep*
laufen *leap, run*	der Streifen *strip*
offen *open*	tief *deep*

ENGLISH *p* = GERMAN pf INITIALLY AND AFTER CONSONANTS OTHER THAN l AND r

der Dampf *damp, steam*	der Pfennig *penny*
der Krampf *cramp*	die Pflanze *plant*
das Kupfer *copper*	der Pfosten *post*
der Pfad *path*	der Pfuhl *pool*
die Pfanne *pan*	das Pfund *pound*
der Pfeffer *pepper*	der Rumpf *rump, trunk, body*
die Pfeife *pipe*	der Stumpf *stump*

ENGLISH *t* = GERMAN ß, ff, tz, MEDIALLY AND FINALLY AFTER VOWELS

aus *out*	das Los *lot*
beißen *bite*	die Nessel *nettle*
essen *eat*	die Nuß *nut*
grüßen *greet*	die Straße *street*
der Haß *hate (hatred)*	was *what*
heiß *hot*	das Wasser *water*
lassen *let*	weiß *white*

AFTER SOME SHORT VOWELS ENGLISH *t* = GERMAN tz IN A NUMBER OF WORDS

die Grütze *grit, meal*	setzen *set*
die Hitze *heat*	sitzen *sit*
die Katze *cat*	wetzen *whet*
das Netz *net*	der Witz *wit, joke*

ENGLISH *t* = GERMAN ʒ INITIALLY AND AFTER CONSONANTS

der Bolzen *bolt*	das Zinn *tin* (metal)
das Malz *malt*	zu *to* and *too*
das Salz *salt*	die Zunge *tongue*
schmelzen *smelt, melt*	zwanzig *twenty*
zehn *ten*	der Zweig *twig*
die Zeit *tide, time*	der Zwilling *twin*

ENGLISH *k* = GERMAN ch MEDIALLY AND FINALLY AFTER
VOWELS AND SOME CONSONANTS

brechen *break*	die Sache *sake, thing*
das Buch *book*	stechen *stick*
kochen *cook*	der Storch *stork*
machen *make*	suchen *seek*
die Milch *milk*	wachen *awake, be awake*
der Rechen *rake*	das Zeichen *token*

ENGLISH *d* = GERMAN t

alt *old*	halten *hold*
breit *broad*	reiten *ride*
das Brot *bread*	der Spaten *spade*
die Falte *fold*	das Tal *dale, valley*
der Gott *god*	trinken *drink*
gut *good*	weit *wide*

ENGLISH *th* = GERMAN d

das Bad *bath*	die Erde *earth*
das *that*	die Feder *feather*
der Dieb *thief*	das Kleid *cloth, dress*
der Dorn *thorn*	das Leder *leather*
drei *three*	der Schmied *(black)smith*
dünn *thin*	der Süden *south*

Note, however,

die Mutter *mother*	der Wert *worth, value*
der Vater *father*	das Wetter *weather*

The sound changes illustrated above give a simple picture of the *second sound shift*, not taking into account any details, irregularities, and exceptions. High German was differentiated from the other Germanic languages by this sound shift. Aside from German and English, the other important Germanic languages in use now are Dutch, Flemish, Danish, Swedish, Norwegian, and Icelandic.

Certain other changes, not included in the second sound shift, are fairly uniform and deserve attention:

English *v* = German b

der Abend *eve, evening*	der Rabe *raven*
eben *even, just now*	die Salbe *salve*
geben *give*	schieben *shove*
haben *have*	sterben *starve, die*
leben *live*	die Taube *dove*
lieben *love*	weben *weave*

English *f* = German b

der Dieb *thief*	die Schaube *sheaf, bundle of*
halb *half*	*straw*
das Kalb *calf*	selbst *self*
der Laib *loaf*	der Stab *staff*
das Laub *leaf, foliage*	taub *deaf*
	das Weib *wife*

Note that these English words, with the exception of the adjective *deaf*, have *v* in the plural; the plural of *staff* is either *staffs* or *staves*, according to the meaning.

English *mb* = German mm

dumm *dumb, stupid*	die Nummer *number*
der Kamm *comb*	der Schlummer *slumber*
die Kammer *chamber*	tummeln *tumble (about), romp*
das Lamm *lamb*	das Zimmer *timber, room*

ENGLISH *gh(t)* = GERMAN ch(t)

doch *though*	leicht *light* (in **weight**)
durch *through*	das Licht *light*
hoch *high*	die Macht *might*
der Nachbar *neighbor*	die Nacht *night*
acht *eight*	recht *right*
fechten *fight*	die Tochter *daughter*

ENGLISH *ch* = GERMAN k IN A NUMBER OF WORDS, MOST OF
THEM LOAN WORDS *

die Bank *bench* (also *bank* for money)	die Kapelle *chapel*
die Birke *birch*	das Kapitel *chapter*
der Fink *finch*	der Käse *cheese*
der Kalk *chalk, lime*	kauen *chew*
die Kammer *chamber*	das Kinn *chin*
die Kanzel *chancel, pulpit*	die Kirche *church*
	die Kiste *chest*

ENGLISH *s* = GERMAN sch

schlafen *sleep*	der Schwarm *swarm*
der Schlummer *slumber*	schwellen *swell*
schmal *small, narrow*	das Schwert *sword*
schmuggeln *smuggle*	schwimmen *swim*
der Schnee *snow*	schwingen *swing*
die Schwalbe *swallow*	schwören *swear*

ENGLISH *sc* = GERMAN sch

schaden *scathe, harm*	scheuern *scour*
der Scharlach *scarlet*	der Schorf *scurf*
die Schärpe *scarf*	der Schotte *Scot*
der Schaum *scum, foam*	die Schraube *screw*
schelten *scold*	der Schreiber *scribe*
die Scherbe *scrap*	schrubben *scrub*

* That is, words borrowed from a foreign language, as Latin, Greek,
French, or English.

The following is a poem in Low German, by Theodor
Storm, together with the High German version:

Gode Nacht

Öfer de ſtillen Straten
Geit klar de Klokkenſlag;
God Nacht! Din Hart will ſlapen,
Und morgen is ok en Dag.

Din Kind liggt in de Weegen,
Un ik bin ok bi di;
Din Sorgen und din Leben
Is allens um un bi.

Noch eenmal lat uns ſpräken:
Goden Abend, gode Nacht!
De Maand ſchient ob de Däken,
Unſ' Herrgott hölt de Wacht.

Gute Nacht

Über die ſtillen Straßen
Geht klar der Glockenſchlag[1];
Gut' Nacht! Dein Herz will ſchlafen,
Und morgen iſt auch ein Tag.

Dein Kind liegt in der Wiege(n),
Und ich bin auch bei dir;
Dein Sorgen und dein Leben
Iſt alles um dich hier (herum und bei).

Noch einmal laß uns ſprechen:
Guten Abend, gute Nacht!
Der Mond ſcheint über'n Dächern,
Unſer Herrgott[2] hält die Wacht.[3]

1. Stroke of the clock *or* bell. 2. Lord God. 3. watch *or* guard.

12. Grammatical Terms in German *

1. Das Geſchlechtswort (–s, „er)   oder   der Arti'kel (–s, —)
   beſtimmt (*definite*)
   unbeſtimmt (*indefinite*)

2. Das Hauptwort   oder   das Subſtantiv' (–s, –e)

   das Geſchlecht (–s, –er)   oder   das Genus (—, Genera)
      (*gender*)
       männlich   das Maskuli'num (–s, Maskulina)
       weiblich   das Femini'num (–s, Feminina)
       ſächlich   das Neutrum (–s, Neutra)
   biegen (str.) (*inflect, de-* oder deklinie'ren (wk.)
      cline)
   die Biegung (—, –en) (*in-* oder die Deklination' (—, –en)
      flection, declension)
   die Einzahl   oder   der Singular' (–s, –e)
   die Mehrzahl   oder   der Plural' (—, –e)
   der Fall (–es, „e)   oder   der Kaſus (—, —)
   der Werfall   oder   der Nominativ' (–s, –e)
   der Wesfall   oder   der Genitiv' (–s, –e)
   der Wemfall   oder   der Dativ' (–s, –e)
   der Wenfall   oder   der Akkuſativ' (–s, –e)
   ſtark
   ſchwach
   gemiſcht (*mixed*)
   unregelmäßig (*irregular*)

---

* Grammatical terms have not been included in the German-English Vocabulary. If the teacher uses German in presenting grammar and syntax, the students can hardly fail to acquire the meaning, pronunciation, and correct use of the terms involved. In the German schools some of the rigorists have attempted the exclusion of words derived from the Latin, although the German equivalents are often clumsy and obscure in meaning. In the present list both the loan word from the Latin and the German equivalent have been given in most instances. Consistency in the use of these terms is hard to attain, and frequently not at all commendable. Common sense and personal preference will determine the compromise which the individual teacher will make in regard to this matter.

3. Das Zeitwort

	oder	das Verb (v = w) (-s, -en)
abwandeln (wk.) (*inflect, conjugate*)	oder	konjugie'ren (wk.)
die Abwandlung (—, -en) (*inflection, conjugation*)	oder	die Konjugation' (—, -en)
die Zeitform (—, -en) (*tense*)	oder	das Tempus (—, Tempora)
die Gegenwart	oder	das Präsens
die Vergangenheit	oder	das Imperfekt'
die Vorgegenwart	oder	das Perfekt'
die Vorvergangenheit	oder	das Plusquamperfekt'
die Zukunft	oder	das Futu'rum
die Vorzukunft	oder	das Futu'rum exak'tum
die Aussageweise (—, -n) (*mood*)	oder	der Modus (—, Modi)
die Wirklichkeitsform	oder	der Indikativ'
die Möglichkeitsform	oder	der Konjunktiv'
die Bedingungsform	oder	der Konditional' (-s, -e)
die Befehlsform	oder	der Imperativ'
die Nennform	oder	der Infinitiv'
das Mittelwort	oder	das Partizip' (-s, -ien)
		das Partizip des Präsens
		das Partizip des Perfekts
das Hilfszeitwort	oder	das Hilfsverb (-s, -en)
die Tätigkeitsform	oder	das Aktiv'
die Leideform	oder	das Passiv'
zielend	oder	transitiv'
nichtzielend	oder	intransitiv'
rückzielend	oder	reflexiv'
unpersönlich (*impersonal*)		
zusammengesetzt (*compound*)		
trennbar (*separable*)		
untrennbar (*inseparable*)		

Die Grundformen (*principal parts*) eines Zeitworts sind der Infinitiv, die dritte Person der Einzahl des Präsens und des Imperfekts, und das Partizip des Perfekts.

4. Das Eigenschaftswort   oder   das Adjektiv' (–s, –e)

steigern	oder	komparie'ren
die Steigerung	oder	die Komparation'
die Grundstufe	oder	der Positiv'
die Höherstufe	oder	der Komparativ'
die Höchststufe	oder	der Superlativ'

5. Das Umstandswort   oder   das Adverb' (v = w) (–s, –ien)

des Ortes
der Zeit
der Art und Weise

6. Das Fürwort   oder   das Prono'men (–s, Pronomina)

persönlich	das Personal'pronomen
bezüglich	das Relativ'pronomen
fragend	das Interrogativ'pronomen
besitzanzeigend	das Possessiv'pronomen
hinweisend	das Demonstrativ'pronomen
rückbezüglich	das Reflexiv'pronomen

unbestimmt (*indefinite*)
sich beziehen auf (acc.) (*refer to*)
das Beziehungswort (*antecedent*)

7. Das Verhältniswort   oder   die Präposition' (—, –en)

Die Verhältniswörter regieren den Wesfall, den Wemfall usw.

8. Das Bindewort   oder   die Konjunktion' (—, –en)

beiordnend	oder	koordinie'rend
unterordnend	oder	subordinie'rend

9. Das Zahlwort   oder   das Numera'le (–s, Numeralien)

die Grundzahl (—, –en)	oder	die Kardinal'zahl
die Ordnungszahl (—, –en)	oder	die Ordinal'zahl

10. Das Ausrufwort   oder   die Interjektion' (—, –en)

Andere häufig gebrauchte grammatische Bezeichnungen (*designations, terminology*) sind:

der Satz (–es, ⸚e) (*sentence*)	oder	die Perio'be (—, –n)
der Hauptsatz (*principal clause*)		
der Nebensatz (*subordinate clause*)		
der Satzgegenstand (–s, ⸚e)	oder	das Subjekt' (–s, –e)
die Satzaussage (—, –n)	oder	das Prädikat' (–s, –e)
die Ergänzung (—, –en)	oder	das Objekt' (–s, –e)
die Wortfolge (—, –n) (*word order*)		
regelmäßig (*normal*)		
umgekehrt (*inverted*)		die Inversion' (v = w)
nebensätzlich (*transposed*)		
die Silbe (—, –n) (*syllable*)		
die Vorsilbe	oder	das Präfix' (–es, –e)
die Nachsilbe	oder	das Suffix' (–es, –e)
unabhängig (*independent, direct*)	oder	direkt'
abhängig (*dependent, indirect*)	oder	indirekt'
die abhängige Rede (*indirect discourse*)	oder	die indirekte Rede
der Mitlaut (–s, –e)	oder	der Konsonant' (–en, –en)
der Selbstlaut	oder	der Vokal' (v = w) (–s, –e)
der Zwielaut	oder	der Diphthong' (–s, –e)
Zeichen setzen (*punctuate*)	oder	interpunktie'ren (wk.)
die Zeichensetzung (*punctuation*)	oder	die Interpunktion'
die Satzzeichen (*punctuation marks*)	oder	die Interpunktions'zeichen
der Punkt (–es, –e) (*period*)		
der Beistrich (–s, –e)	oder	das Komma (–s, –s)
der Strichpunkt	oder	das Semiko'lon (–s, –s)
der Doppelpunkt	oder	das Kolon (–s, –s)
das Fragezeichen (–s, —) (*question mark*)		
das Ausrufungszeichen (*exclamation point*)		
das Auslassungszeichen	oder	der Apostroph' (–s, –e)
der Bindestrich (*hyphen*)		
die Anführungszeichen (*quotation marks*)		
der Gedankenstrich (*dash*)		

die Klammern (*parentheses* or *brackets*)
das Tonzeichen   oder   der Akzent' (–s, –e)
betonen (*wk.*) (*accent*)
betont (*accented*)
tonlos (*unaccented*)

13. Classroom Expressions

Herr, Fräulein, Frau	*Mr., Miss, Mrs.*
Guten Morgen!	*Good morning.*
Guten Tag! (for an afternoon class)	*Good afternoon* or *How do you do?*
Wer fehlt heute?	*Who is absent today?*
Niemand fehlt.	*No one is absent.*
Machen Sie das Buch auf!	*Open your books.*
Machen Sie das Buch zu!	*Close your books.*
Das Lesebuch, die Grammatik	*The reader, the grammar*
Wo fängt die Aufgabe an?	*Where does the lesson begin?*
Auf Seite 10, mit Zeile 4.	*On page 10, with line 4.*
Fangen Sie zu lesen (zu übersetzen) an!	*Begin to read (to translate).*
Weiter!	*Continue.*
Lesen Sie weiter!	*Continue to read.*
Es genügt.	*That is sufficient.*
Sprechen Sie die Wörter deutlich aus!	*Pronounce the words distinctly.*
Lesen Sie den Satz (die Stelle, das Gedicht) vor!	*Read the sentence (the passage, the poem) aloud.*
Betonen Sie die erste (letzte) Silbe!	*Accent the first (last) syllable.*
Buchstabieren Sie das Wort!	*Spell the word.*
Noch einmal, bitte!	*Once more, please.*
Verstehen Sie es? — Jawohl!	*Do you understand it? — Yes indeed.*
Nein, ich verstehe es nicht.	*No, I do not understand it.*
Was bedeutet das Wort auf englisch?	*What does the word mean in English?*
Wie sagt man . . . auf deutsch?	*How do you say . . . in German?*

Ich weiß es nicht.	*I don't know.*
Übersetzen Sie ins Deutsche (ins Englische)!	*Translate into German (into English).*
Wiederholen Sie das Wort (die Antwort, die Frage), bitte!	*Repeat the word (the answer, the question), please.*
Danke sehr! or Danke schön!	*Thank you (very much).*
Bitte sehr! or Bitte schön!	*You are (quite) welcome.*
Das ist falsch (richtig).	*That is incorrect (correct).*
Sie haben einen Fehler gemacht.	*You made a mistake.*
Verbessern Sie den Fehler!	*Correct the mistake.*
Gehen Sie (Kommen Sie) an die Tafel!	*Go (Come) to the blackboard.*
Nehmen Sie (Bringen Sie) Ihr Buch mit!	*Take (Bring) your book with you.*
Wischen Sie die Tafel ab!	*Wipe off the blackboard.*
Schreiben Sie das Wort (den Satz) an die Tafel!	*Write the word (the sentence) on the blackboard.*
Wischen Sie das Wort (den Satz) aus!	*Erase the word (the sentence).*
Wie schreibt man das Wort?	*How is the word spelled?*
Sie haben das Wort falsch geschrieben.	*You have misspelled the word.*
Gehen Sie an Ihren Platz!	*Go to your seat.*
Seien Sie aufmerksam! or Geben Sie acht!	*Pay attention.*
Tragen Sie das Gedicht vor!	*Recite the poem.*
Wer kann die Frage beantworten?	*Who can answer the question?*
Antworten Sie auf deutsch, nicht auf englisch!	*Answer in German, not in English.*
Die Aufgabe für morgen ist von Seite . . ., Zeile . . ., bis Seite . . ., Zeile . . . (bis zum Lesestück, bis zum Ende der Lektion).	*The assignment for tomorrow is from page . . ., line . . ., to page . . ., line . . . (to the reading selection, to the end of the lesson).*
Lernen Sie das Gedicht auswendig!	*Learn the poem by heart.*

Übersetzen Sie die Sätze auf Seite
... schriftlich!

Bereiten Sie die Sätze auf Seite
... zur mündlichen Übersetzung
vor!

Schreiben Sie Ihre Hausarbeit
immer mit Feder und Tinte,
nicht mit Bleistift!

Reichen Sie Ihre Hefte (Ihre
schriftlichen Arbeiten) ein!

Sammeln Sie die Hefte ein und
bringen Sie mir dieselben ans
Pult!

Das genügt für heute.

Auf Wiedersehen! Bis morgen!

*Give a written translation of the
sentences on page ...*

*Prepare the sentences on page ...
for oral translation.*

*Always write your home work
with pen and ink, not with a
pencil.*

*Hand in your notebooks (your
written work).*

*Collect the notebooks and bring
them here to me at the desk.*

That is sufficient for today.

Good-by! I'll see you tomorrow.

LESSON I

Gender · Nominative Singular of Definite Article · Personal Pronouns er, fie, es

A

Die Schule

Wir sind in der Schule. Das Zimmer ist groß und hell. Der Tisch ist klein aber neu. Der Stuhl ist alt, er ist nicht sehr schön. Das Buch ist grün. Der Bleistift ist gelb, er ist lang und neu. Die Tinte ist schwarz, und das Papier ist weiß. Die Tafel ist lang und schwarz. Aber das Stück Kreide ist kurz 5 und weiß.

Ist die Tinte gut? — Nein, sie ist nicht gut, sie ist zu dick. — Wie ist das Papier? — Es ist auch nicht gut. — Ist es dünn? — Ja, es ist sehr dünn.

Fragen

The answers to questions should always be in the form of complete sentences.

1. Wo sind wir?
2. Wie ist das Zimmer?
3. Ist der Tisch alt?
4. Wie ist der Stuhl?
5. Ist das Buch gelb?
6. Ist die Tinte gut?

Vocabulary

aber but
alt old
auch also; auch nicht gut not good either
der Bleistift pencil
das Buch book

der, die, das the
dick thick
dünn thin
er (sie, es) ist he (she, it) is
die Frage (pl.* Fragen) question
gelb yellow

* For explanation of abbreviations see page 488.

groß large
grün green
gut good
hell bright, light
ja yes
klein small, little
die Kreide chalk
kurz short
lang long
nein no
neu new
nicht not
das Papier′ paper
schön beautiful, pretty, fine
die Schule school; in der Schule
    dat. case after in at school

schwarz black
sehr very
das Stück piece; das Stück Kreide
    piece of chalk
der Stuhl chair
die Tafel blackboard
die Tinte ink
der Tisch table
und and
weiß white
wie how
wir sind we are
wo where
das Zimmer room
zu too

An accent, as in Papier′, or a quantity mark, as in Buch, is sometimes used for the guidance of the student. They should be omitted in writing the exercises.

B

1. Gender

There are three genders in German: *masculine, feminine,* and *neuter.* Names of lifeless objects, as well as of living beings, may be of any gender.

2. Definite Article

The definite article has the following forms in the nominative singular:

    der before a masculine noun: der Tisch *the table*
    die before a feminine noun: die Tinte *the ink*
    das before a neuter noun: das Buch *the book*

The nominative singular of a noun should always be learned with the definite article.

3. Personal Pronouns er, fie, es

Whether denoting a living being or a lifeless object, a masculine noun is referred to by er (literally, *he*) in the nominative singular, a feminine by fie (literally, *she*), a neuter by es (literally, *it*) :

Ift der Tiſch klein? Ja, er iſt klein. *Is the table small? Yes, it (literally, he) is small.*
Ift die Tinte ſchwarz? Ja, ſie iſt ſchwarz. *Is the ink black? Yes, it (literally, she) is black.*
Ift das Buch grün? Ja, es iſt grün. *Is the book green? Yes, it is green.*

der er   die ſie   das es

C

1. Copy the following sentences, substituting for each blank the definite article :

1. _ _ _ _ _ Schule iſt groß. 2. _ _ _ _ _ Stuhl iſt neu, aber _ _ _ _ _ Tiſch iſt alt. 3. _ _ _ _ _ Kreide iſt weiß, und _ _ _ _ _ Papier iſt auch weiß. 4. _ _ _ _ _ Buch iſt zu dick. 5. _ _ _ _ _ Bleiſtift iſt nicht gut, _ _ _ _ _ Tinte iſt auch nicht gut. 6. _ _ _ _ _ Zimmer iſt klein aber hell und ſchön. 7. _ _ _ _ _ Frage iſt zu lang. 8. _ _ _ _ _ Stück Kreide iſt ſehr kurz.

2. Copy the following sentences, substituting for each blank er, ſie, or es :

1. Ift das Zimmer groß? — Ja, _ _ _ _ _ iſt ſehr groß. 2. Ift der Stuhl neu? — Nein, _ _ _ _ _ iſt nicht neu. 3. Ift die Tinte grün? — Nein, _ _ _ _ _ iſt ſchwarz. 4. Wie iſt der Bleiſtift? — _ _ _ _ _ iſt gelb. 5. Wie iſt der Tiſch? — _ _ _ _ _ iſt klein aber neu. 6. Wie iſt das Papier? — _ _ _ _ _ iſt dünn. 7. Ift die Tafel lang und ſchwarz? — Ja, _ _ _ _ _ iſt lang und ſchwarz. 8. Ift das Buch dünn? — Nein, _ _ _ _ _ iſt dick. 9. Ift die Schule klein? — Nein, _ _ _ _ _ iſt groß. 10. Ift die Frage lang? — Ja, _ _ _ _ _ iſt ſehr lang. 11. Wie iſt das Stück Kreide? — _ _ _ _ _ iſt kurz und weiß.

3. Translate into German:

1. Where are we? — We are at school. 2. Is the room small? — No, it is large and bright. 3. Is the chair new? — Yes, it is new. 4. But the table is old. It is not very pretty. 5. The ink is not good. It is too thin. 6. The paper is not good either. It is too thick. 7. The blackboard is small but new. 8. The book is green. The paper is yellow. The pencil is long. The piece of chalk is short and white.

D　　[Optional]

Merkreime [1]

Das Buch ift rot, das Heft ift blau.

Das Pult ift braun, die Wand ift grau.

Die Tafel ift fchwarz, die Kreide ift weiß.

Der Winter ift kalt, der Sommer ift heiß.

5　　Die Feder ift leicht, der Ofen ift fchwer.

Die Taffe ift voll, der Teller ift leer.

Der Ochs ift langfam, fchnell ift der Wind.

Der Mann ift groß, klein ift das Kind.

Der Stein ift hart, der Schnee ift weich.

10　　Der Knabe ift arm, das Mädchen ift reich.

Der Tee ift fchlecht, die Milch ift gut.

Das Kleid ift gelb, grün ift der Hut.

1. *Verses to Memorize.*

Fragen

Was ift dunkel, was ift hell?

Was ift langfam, was ift fchnell?

Was ift warm, was ift kalt?

Wer ift jung, wer ift alt?

Was ist grob, was ist fein?
Was ist schmutzig, was ist rein?
Was ist gerade, was ist krumm?
Wer ist klug, wer ist dumm?

Sprichwörter[1]

Aller[2] Anfang ist schwer.
Ohne Fleiß kein Preis.
Übung macht[3] den[4] Meister.
Ende gut, alles gut.

1. *Proverbs.*   2. *Every.*   3. *makes.*   4. Accusative (direct object form) of der *the* after macht.

LESSON II

Nominative and Accusative Singular of **der, ein,** and **kein** · Present Indicative of **sein** and **haben** · **Du, ihr,** and **Sie** · Use of Nominative and Accusative Cases

A

Die Schule (Schluß)

Ich bin der Lehrer (die Lehrerin). Karl, du bist ein Schüler. Herr Braun, Sie sind auch ein Schüler. Anna, du bist eine Schülerin. Fräulein Müller, Sie sind auch eine Schülerin. Sie sind alle jung, gesund und stark, aber Sie sind nicht alle
5 fleißig. Anna und Karl, seid ihr fleißig? — Ja, wir sind sehr fleißig. — Wo sind Paul und Gertrud? Sind sie hier? — Nein, sie sind nicht hier. Sie sind krank.

Karl, hast du eine Füllfeder und ein Heft? — Nein, Herr Lehrer, ich habe keine Füllfeder und auch kein Heft, aber ich
10 habe einen Bleistift und Papier. — Was haben Sie, Herr Braun? — Ich habe eine Feder und ein Heft.

Was ist das, Anna? — Das ist ein Stück Kreide. — Ist das eine Feder, Fräulein Müller? — Nein, das ist keine Feder, das ist ein Bleistift. — Wie ist der Bleistift? — Er ist lang
15 und neu.

Fragen

1. Was bin ich? Was ist Karl? Was ist Anna?
2. Sind Sie alle fleißig?
3. Wer ist nicht hier?
4. Hat Karl eine Füllfeder und ein Heft?
5. Was hat er?
6. Hat Herr Braun eine Feder oder einen Bleistift?

Vocabulary

alle all
das *dem. pron.* that
ein a, an
die Feder pen
fleißig diligent, industrious
Fräulein Müller Miss Müller
die Füllfeder fountain pen
Gertrud Gertrude
gesund' healthy, well, healthful
haben have
das Heft notebook
Herr Braun Mr. Braun
Herr Lehrer *in direct address*
   Mr. *plus name of the in-*
   structor

hier here
jung young
Karl Charles
kein no, not a, not an, not any
krank sick
der Lehrer teacher (man)
die Lehrerin teacher (woman)
oder or
der Schluß close, conclusion
der Schüler pupil (boy)
die Schülerin pupil (girl)
sein be
stark strong
was what
wer who

auch kein Heft no notebook either

Proper names that are spelled alike in German and English will not, as a rule, be listed in the vocabularies.

B

1. Nominative and Accusative Singular of der, ein, and kein

Nom.	der	die	das	ein	eine	ein	kein	keine	kein
Acc.	den	die	das	einen	eine	ein	keinen	keine	kein

2. Present Indicative of sein and haben

ich bin *I am*
du bist *you are*
er (sie, es) ist *he (she, it) is*

wir sind *we are*
ihr seid *you are*
sie sind *they are*
Sie sind *you are*

ich habe *I have*
du hast *you have*
er (sie, es) hat *he (she, it) has*

wir haben *we have*
ihr habt *you have*
sie haben *they have*
Sie haben *you have*

3. Du, ihr, and Sie

These words all mean *you,* but they may not be used interchangeably. The form du is used in addressing a near relative, an intimate friend, or a child; ihr is the plural of du; in other cases Sie, always capitalized in this sense, is used when addressing either one person or more than one:

[Speaking to one's brother]
Du bist stark. *You are strong.*

[Speaking to one's brother and sister simultaneously]
Ihr seid jung. *You are young.*

[Speaking to Mr. Braun alone]
Sind Sie krank? *Are you sick?*

[Speaking to Mr. Braun and Mr. Müller simultaneously]
Sie sind sehr fleißig. *You are very industrious.*

4. Use of Nominative and Accusative Cases

The subject is in the nominative:

Der Tisch ist klein aber neu.

A predicate noun is in the nominative:

Ich bin der Lehrer.

The direct object is in the accusative:

Er hat keinen Bleistift.

C

1. Copy the following sentences, substituting for each blank the definite article:

1. Herr Braun ist _ _ _ _ _ Lehrer. 2. Er hat _ _ _ _ _ Füllfeder. 3. _ _ _ _ _ Lehrerin ist krank. 4. Hast du _ _ _ _ _ Feder oder _ _ _ _ _ Bleistift? 5. Ich habe _ _ _ _ _ Heft und _ _ _ _ _ Tinte. 6. _ _ _ _ _ Schüler ist stark und gesund. 7. _ _ _ _ _ Schülerin ist sehr jung. 8. _ _ _ _ _ Zimmer ist groß und hell. 9. Wer hat _ _ _ _ _ Stuhl? 10. _ _ _ _ _ Schluß ist sehr schön.

2. Copy the following sentences, substituting for each blank the indefinite article:

1. Was ift das? — Das ift _ _ _ _ _ Heft. 2. Das ift _ _ _ _ _ Feder, und das ift _ _ _ _ _ Stück Kreide. 3. Das ift _ _ _ _ _ Tisch, und das ift _ _ _ _ _ Tafel. 4. Habt ihr _ _ _ _ _ Füllfeder oder _ _ _ _ _ Bleiftift? 5. Karl hat _ _ _ _ _ Buch. 6. Fräulein Müller, haben Sie _ _ _ _ _ Heft und auch _ _ _ _ _ Feder? 7. Wer hat _ _ _ _ _ Stuhl oder _ _ _ _ _ Tisch?

3. Copy the following sentences, substituting for each blank the proper form of kein:

1. Ift das ein Heft? — Nein, das ift _ _ _ _ _ Heft. 2. Ift das eine Füllfeder? — Nein, das ift _ _ _ _ _ Füllfeder. 3. Ift das ein Stuhl? — Nein, das ift _ _ _ _ _ Stuhl. 4. Gertrud, haft du eine Feder? — Nein, Herr Lehrer, ich habe _ _ _ _ _ Feder und auch _ _ _ _ _ Bleiftift. 5. Paul hat _ _ _ _ _ Papier, und Anna hat _ _ _ _ _ Heft. 6. Der Lehrer hat _ _ _ _ _ Tisch. 7. Die Schülerin hat _ _ _ _ _ Buch. 8. Wir haben _ _ _ _ _ Tinte und auch _ _ _ _ _ Kreide.

4. Copy the following sentences, substituting for each blank the verb:

1. Wo _ _ _ _ _ du? — Ich _ _ _ _ _ in der Schule. 2. _ _ _ _ _ ihr fleißig? — Ja, wir _ _ _ _ _ alle fleißig. 3. Wer _ _ _ _ _ nicht hier? — Gertrud und Karl _ _ _ _ _ nicht hier. 4. _ _ _ _ _ Sie krank, Herr Braun? — Nein, ich _ _ _ _ _ nicht krank. 5. Die Tinte und das Papier _ _ _ _ _ nicht gut. 6. Die Schülerin _ _ _ _ _ eine Feder, und der Schüler _ _ _ _ _ einen Bleiftift. 7. Anna und Paul, _ _ _ _ _ ihr Papier? — Nein, Herr Lehrer, wir _ _ _ _ _ kein Papier. 8. Was _ _ _ _ _ du, Karl? — Ich _ _ _ _ _ ein Stück Kreide. 9. _ _ _ _ _ Sie eine Füllfeder, Fräulein Müller? 10. Gertrud und Anna _ _ _ _ _ kein Buch.

5. Copy the following sentences, substituting for each blank a pronoun:

1. Wo ift die Lehrerin? — _ _ _ _ _ ift in der Schule. 2. Wo ift der Lehrer? — _ _ _ _ _ ift hier. 3. Wie ift die Schülerin? — _ _ _ _ _ ift jung und schön. 4. Wie ift das Heft? — _ _ _ _ _ ift zu dünn. 5. Wie

ift der Tiſch? — _ _ _ _ _ ift klein aber neu. 6. Iſt die Tafel lang oder
kurz? — _ _ _ _ _ ift lang. 7. Iſt der Bleiſtift gelb oder grün? —
_ _ _ _ _ ift gelb. 8. Iſt die Tinte dick oder dünn? — _ _ _ _ _ ift dick.
9. Sind der Tiſch und der Stuhl alt oder neu? — _ _ _ _ _ find neu.
10. _ _ _ _ _ ift krank? _ _ _ _ _ haſt du? Iſt _ _ _ _ _ eine Füllfeder?

6. Translate into German :

1. The pen, a pen, no pen; the notebook, a notebook, no
notebook; the pencil, a pencil, no pencil. 2. Gertrude, have
you a notebook and a pencil? — No, I have no notebook and
no pencil either. 3. Have you a fountain pen, Miss Miller?
Where is it? 4. We have ink and paper, but no pen. 5. Who
is not here? — Mr. Brown is not here. He is sick. 6. Are you
sick, Charles? — No, I am strong and healthy. 7. Are you industrious, Miss Miller? — Yes, we are all industrious. 8. What
is that? — That is a piece of chalk. 9. Who has the pencil
and the notebook? 10. Anna and Paul, have you no paper?
You are not very industrious.

D [Optional]

Scherzreime [1]

Ich habe keinen Schuh, du haſt keinen Strumpf.
Das Meſſer ift ſcharf, die Feder ift ſtumpf.   .

Der Kaufmann hat Geld, der Bauer hat Land.
Das ift ein Finger, und das eine Hand.

5   Wir haben keinen Wein, und wir haben kein Bier,
Aber Fritz hat ein Bein, und der Herbſt ift ſchon hier.

Das ift ein Hügel, und das ift ein Berg.
Der Rieſe ift groß, aber klein ift der Zwerg.

Wir find in der Klaſſe.
10   Wer hat eine Taſſe?

Was ift naß?
Wer ift blaß?

Wo ist der Vetter?
Wie ist das Wetter?
Gertrud hat keinen Hut. 15
Heinrich hat keinen Mut.
Herr Bäcker hat gar kein Kinn.
Dies alles hat keinen Sinn.

1. *Comic Verses.*

Sprichwörter

Erfahrung macht klug.
Morgenstunde hat Gold im[1] Munde.
Hunger ist der beste[2] Koch.
Lust und Liebe zu einem Ding macht alle Müh'[3] und Arbeit
gering.
Keine Antwort ist auch eine Antwort. 5

1. im = in dem, dat. of der *the.*   2. The endings of attributive adjec
tives are explained in Lesson XI.   3. Mühe.

Rätsel[1]

Was hat keinen Körper und ist doch sichtbar?

[Der Schatten]

Welcher Schuh hat keine Sohle?

[Der Handschuh]

1. *Riddles.*

LESSON III

Declension of **der**, **ein**, and **kein** and of Nouns in the Singular · Use of Genitive and Dative Cases · Diminutives · Present Indicative of **sagen**

A

In der Klasse

Wir sitzen in der Klasse und lernen fleißig. Hans und Leo Treutler lernen Deutsch, Fritz Bolz lernt Französisch. Fritz ist der Sohn des Lehrers. Der Lehrer hat nur den einen Sohn und eine Tochter.

5   Der Lehrer fragt einen Schüler: „Herr Braun, haben Sie einen Bleistift und Papier?" Herr Braun sagt: „Nein, Herr Lehrer, ich habe keinen Bleistift und auch kein Papier, aber ich habe eine Füllfeder und ein Heft." Er zeigt dem Lehrer die Füllfeder und das Heft.

10   Der Lehrer reicht dann einer Schülerin ein Stück Kreide und sagt: „Schreiben Sie, bitte, das Wort **Töchterchen** und auch das Wort **Töchterlein** an die Tafel!"

Fragen

1. Wo sitzen wir?
2. Was lernen Hans und Leo Treutler?
3. Was lernt Fritz Bolz?
4. Wer ist Fritz?
5. Hat der Lehrer nur den einen Sohn?
6. Hat er auch eine Tochter?
7. Wer hat keinen Bleistift und kein Papier?
8. Was hat Herr Braun?

9. Was zeigt Herr Braun dem Lehrer?
10. Was reicht der Lehrer einer Schülerin?
11. Was schreibt die Schülerin an die Tafel?

Vocabulary

bitte (*for* ich bitte I beg) please
dann then
Deutsch German (language)
ein a, an, one
fragen ask
Französisch French (language)
Fritz Fred
Hans Jack
die Klasse class
lernen learn, study
nur only
reichen reach, hand

sagen say
schreiben write; schreiben Sie (*imperative*) an die Tafel (*acc.*)! write on the blackboard
sitzen sit
der Sohn son
die Tochter daughter
das Töchterchen little daughter
das Töchterlein little daughter
das Wort word
zeigen show

B

1. Declension of der, ein, and kein in the Singular

	Masc.	Fem.	Neut.	Masc.	Fem.	Neut.
Nom.	der	die	das	ein	eine	ein
Gen.	des	der	des	eines	einer	eines
Dat.	dem	der	dem	einem	einer	einem
Acc.	den	die	das	einen	eine	ein

Kein is declined in the singular like ein; ein has no plural.

2. Declension of Nouns in the Singular

a. Feminine nouns do not change:

Nom.	die Klasse	eine Tochter
Gen.	der Klasse	einer Tochter
Dat.	der Klasse	einer Tochter
Acc.	die Klasse	eine Tochter

b. The following rules apply to most masculine and neuter nouns : The ending of the genitive is usually ⸗e§ for monosyllables and ⸗§ for polysyllables. However, all nouns ending in a sibilant (§, ſch, ß, tz, ç, ȝ) add ⸗e§.

In the dative monosyllables generally add ⸗e, while polysyllables are regularly without ending.

The accusative is like the nominative.

		Nom. —	Dat. –(e)
		Gen. –(e)§	Acc. —

Nom.	der Lehrer	ein Stuhl	kein Buch
Gen.	des Lehrers	eines Stuhles	keines Buches
Dat.	dem Lehrer	einem Stuhle	keinem Buche
Acc.	den Lehrer	einen Stuhl	kein Buch

3. Use of Genitive and Dative Cases

a. The genitive is used to denote possession :

> des Lehrers Stuhl or der Stuhl des Lehrers *the teacher's chair,* or *the chair of the teacher*

With feminine nouns and those denoting lifeless objects use only the order der Stuhl der Lehrerin, das Papier des Buches.

b. The indirect object is in the dative :

> Ich reiche dem Schüler das Buch. *I hand the pupil the book,* or *I hand the book to the pupil.*

> Er zeigt dem Lehrer die Feder. *He shows the teacher the pen,* or *he shows the pen to the teacher.*

4. Diminutives

The suffixes ⸗chen and ⸗lein form neuter diminutives from other nouns, the stem vowel usually taking umlaut when possible :

> das Töchterchen or das Töchterlein (from die Tochter) *little daughter*
> das Tischchen or das Tischlein (from der Tisch) *little table*

The north-German ⸗ʧen is commoner in the literary language than the south-German ⸗lein.

Diminutives may express endearment as well as smallness: Töchterchen may also mean *dear daughter*.

5. Present Indicative

We name verbs by their present infinitive form. Most infinitives end in ⸗en, some in ⸗n. By cutting off the ending of the infinitive we have the stem of the verb. The present indicative of most verbs is formed by adding to the stem the endings ⸗e, ⸗st, ⸗t, ⸗en, ⸗t, ⸗en.

Present Indicative of fagen *say*, Stem fag⸗

ich fage *I say*	wir fagen *we say*
du fagst *you say*	ihr fagt *you say*
er (fie, es) fagt *he (she, it) says*	fie fagen *they say*
	Sie fagen *you say*

Verbs whose stems end in a sibilant (s, ff, ß, ʒ, ʃ, ʒ) usually drop the f of the inflectional ending ⸗st in the second person singular: Wo fitzt du in der Klasse?

6. *a.* No Progressive Forms

German has nothing corresponding to the English progressive forms composed of *be* plus the present participle:

We are sitting in the class. Wir fitzen in der Klasse.
Fred is studying French. Fritz lernt Französisch.
Are you studying German? Lernen Sie Deutsch?

b. No Auxiliary corresponding to English *do*

Literary German has no auxiliary corresponding to English *do*:

He does not study diligently. Er lernt nicht fleißig.
Where do you sit in the class? Wo fitzt du in der Klasse?
What does he write on the blackboard? Was schreibt er an die Tafel?

c. Note, then, that

ich fage = *I say, I am saying, I do say*
er fchreibt = *he writes, he is writing, he does write*
fragft bu = *are you asking, do you ask*
zeigen fie = *are they showing, do they show*

7. No Adverbial Suffix

Most adjectives in German may also be used as adverbs. There is no special adverbial suffix corresponding to English *-ly* : fleißig renders both *diligent* and *diligently*. Adverbs will therefore, as a rule, not be listed separately in the vocabularies.

C

1. *a.* Decline :

der Tifch	ein Sohn	kein Stuhl
die Feder	eine Tochter	keine Klaffe
das Zimmer	ein Töchterchen	kein Wort

b. Conjugate :

1. Ich zeige dem Lehrer die Kreide.
2. Ich fitze in der Klaffe.
3. Ich habe kein Papier.
4. Wo bin ich?
5. Was fchreibe ich an die Tafel?

c. Form diminutives from

der Sohn	das Heft
die Feder	das Wort

2. *a.* Copy the following sentences, substituting for each blank the definite article :

1. _ _ _ _ _ Buch _ _ _ _ _ Schülers ift neu und gut. 2. _ _ _ _ _ Lehrers Tochter ift fleißig. 3. _ _ _ _ _ Zimmer _ _ _ _ _ Tochter ift groß und fchön. 4. _ _ _ _ _ Lehrer zeigt _ _ _ _ _ Klaffe _ _ _ _ _ Füll= feder. 5. _ _ _ _ _ Lehrerin reicht _ _ _ _ _ Schüler _ _ _ _ _ Bleiftift. 6. Wer hat _ _ _ _ _ Stuhl _ _ _ _ _ Lehrerin?

b. Copy the following sentences, substituting for each blank the indefinite article:

1. Gertrud ift die Tochter _ _ _ _ _ Lehrerin. 2. Friß ift der Sohn _ _ _ _ _ Lehrers. 3. Ich reiche _ _ _ _ _ Schüler _ _ _ _ _ Stück Kreide. 4. Hans zeigt _ _ _ _ _ Schülerin _ _ _ _ _ Heft. 5. Leo hat _ _ _ _ _ Bleiftift und auch _ _ _ _ _ Feder.

c. Copy the following sentences, substituting for each blank the proper form of fein:

1. _ _ _ _ _ Schüler hat ein Heft. 2. Leo fagt: „Herr Lehrer, ich habe _ _ _ _ _ Bleiftift, _ _ _ _ _ Füllfeder und auch _ _ _ _ _ Papier." 3. Friß zeigt _ _ _ _ _ Schüler das Buch. 4. Haft du _ _ _ _ _ Stuhl, Anna?

3. Copy the following sentences, substituting for each blank the correct ending:

1. Was lern_ _ Sie in der Schule? — Wir lern_ _ Deutfch. 2. Was lern_ _ du, Hans? — Ich lern_ _ Französifch. 3. Leo Treutler und Friß Bolz lern_ _ nicht fleißig. 4. Was zeig_ _ Fräulein Müller dem Lehrer? — Sie zeig_ _ dem Lehrer das Heft. 5. Was fag_ _ fie dann? — Sie frag_ _ den Lehrer: „Hab_ _ Sie eine Füllfeder?" 6. Herr Braun, fchreib_ _ Sie, bitte, das Wort **Töchterlein** an die Tafel! 7. Herr Braun fchreib_ _ fehr fchön. 8. Karl und Friß, wo fiß_ _ ihr? — Wir fiß_ _ in der Klaffe. 9. Was frag_ _ du, Paul? — Hab_ _ Sie nur einen Sohn? 10. Ich hab_ _ nur einen Sohn und eine Tochter.

4. Copy the following sentences, substituting for each blank the proper pronoun:

1. Die Tinte ift nicht gut, _ _ _ _ _ ift zu dick. 2. Das Papier ift auch nicht gut, _ _ _ _ _ ift fehr dünn. 3. Ift der Bleiftift lang oder kurz? — _ _ _ _ _ ift lang und neu. 4. Wie ift der Stuhl? — _ _ _ _ _ ift alt und nicht fehr fchön. 5. Wie ift die Tafel? — _ _ _ _ _ ift lang und fchwarz.

5. Translate into German:

1. Fred Bolz is the teacher's son. He does not study very diligently. 2. Anna Treutler is the daughter of the teacher.

A Farmhouse in the Black Forest

She is studying French. 3. The teacher has only one son and
one daughter. 4. What are you studying, Jack? — I am studying German. 5. The teacher hands a notebook to a pupil and
asks: "Have you a pen?" 6. The pupil says: "No, I have no
pen, but I have a pencil." 7. He shows the teacher the pencil.
8. Miss Miller, please write the word Töchterchen on the blackboard. 9. She is writing a word on the blackboard. 10. What
is that? — That is a fountain pen.

D [Optional]

Die Familie

Der Vater und die Mutter des Kindes sind die Eltern.
Der Bruder und die Schwester des Kindes sind die Geschwister.
Der Bruder des Vaters oder der Mutter ist ein Onkel, und
die Schwester des Vaters oder der Mutter ist eine Tante. Der
Sohn des Onkels und der Tante ist ein Vetter, und die 5
Tochter des Onkels und der Tante ist eine Cousine. Der
Sohn des Bruders oder der Schwester ist ein Neffe, die Tochter
des Bruders oder der Schwester ist eine Nichte. Der Großvater
ist der Vater des Vaters oder der Mutter, und die Großmutter
ist die Mutter des Vaters oder der Mutter. Der Großvater 10
und die Großmutter sind die Großeltern des Kindes.

Sprichwörter

Vorsicht ist die Mutter der Weisheit.
Hochmut kommt vor dem Fall.
Not kennt kein Gebot.
Geld regiert die Welt.

LESSON IV

Plural of der and fein · Strong Declension of Nouns, Class I · Prepositions with the Dative or the Accusative

A

In der Klaſſe (Schluß)

Der Lehrer ſteht am Tiſche vor der Klaſſe. Ein Heft, ein Bleiſtift und eine Feder liegen auf dem Tiſche. Der Lehrer legt eine Uhr neben das Heft und ein Meſſer zwiſchen den Bleiſtift und die Feder. Er geht dann an die Tafel und ſchreibt: „ein 5 Vater, zwei Väter, eine Mutter, zwei Mütter, ein Bruder, zwei Brüder, Fritz ſitzt hinter den Brüdern" und ſo weiter.

Aber die Klaſſe ſchaut nicht auf die Tafel. Das Wetter iſt ſehr ſchön, es iſt warm, und die Fenſter des Zimmers ſind alle offen. Die Schüler ſchauen in den Garten. Nur Fräulein 10 Müller ſchaut auf die Tafel und den Lehrer. Sie iſt fleißig und klug und lernt ſchnell und genau.

Fragen

1. Wo ſteht der Lehrer?
2. Was liegt auf dem Tiſche?
3. Was legt der Lehrer auf den Tiſch?
4. Wohin geht er dann?
5. Was ſchreibt er an die Tafel?
6. Wie iſt das Wetter?
7. Wie ſind die Fenſter des Zimmers?
8. Schauen die Schüler auf die Tafel?
9. Schaut Fräulein Müller auch in den Garten?
10. Wie iſt Fräulein Müller und wie lernt ſie?

Lesson IV

Vocabulary

am *contr. of* an dem
an at, to
auf upon, on
der Bruder brother
das Fenster window
der Garten garden
gehen go
genau' exact, accurate
hinter behind
in in, into
flug intelligent, bright, smart
legen lay
liegen lie
das Messer knife
die Mutter mother
neben beside
offen open

schauen look; auf die Tafel schauen look at the blackboard
schnell quick, fast
so so
stehen stand
die Uhr watch
der Vater father
vor before, in front of
warm warm
weiter farther, further; und so weiter and so forth
das Wetter weather
wohin' whither, where
zwei two
zwischen between

die Krankenschwester, nurse

die Schwester the sister

B

1. Plural of der and fein

	M. F. N.		M. F. N.
NOM.	die		feine
GEN.	der		feiner
DAT.	den		feinen
ACC.	die		feine

2. Declension of Nouns

There are three declensions of nouns in German: *strong, weak,* and *mixed.* The strong declension is subdivided into three classes. The distinction between the declensions is based upon the manner of forming the genitive singular and the nominative plural.

Note (1) that the nominative, genitive, and accusative plural of all nouns are alike; (2) that the dative plural is formed by adding =n to the nominative plural unless the latter ends in =n, in which case all the plural forms are identical.

3. Strong Declension, Class I

The nouns of this group have the nominative plural identical with the nominative singular, except some two dozen, which modify the stem vowel in the plural.

Remember that feminine nouns do not change in the singular. All masculine and neuter nouns of Class I add =ß in the genitive singular.

SINGULAR

Nom.	der Lehrer	der Garten	die Mutter	das Fenster
Gen.	des Lehrers	des Gartens	der Mutter	des Fensters
Dat.	dem Lehrer	dem Garten	der Mutter	dem Fenster
Acc.	den Lehrer	den Garten	die Mutter	das Fenster

PLURAL

Nom.	die Lehrer	die Gärten	die Mütter	die Fenster
Gen.	der Lehrer	der Gärten	der Mütter	der Fenster
Dat.	den Lehrern	den Gärten	den Müttern	den Fenstern
Acc.	die Lehrer	die Gärten	die Mütter	die Fenster

The following nouns of Class I occur in Lessons I–IV:

SINGULAR	PLURAL
der Bruder	die Brüder
das Fenster	die Fenster
der Garten	die Gärten
der Lehrer	die Lehrer
das Messer	die Messer
die Mutter	die Mütter
der Schüler	die Schüler
die Tochter	die Töchter
das Töchterchen	die Töchterchen
das Töchterlein	die Töchterlein
der Vater	die Väter
das Zimmer	die Zimmer

4. Membership

To Class I of the strong declension belong

a. Masculine and neuter nouns ending in =el, =en, and =er.

b. Nouns in =djen and =lein.

c. Neuter nouns with the prefix Ge= and the suffix =e.

d. The two feminines die Mutter and die Todjter.

There are no nouns of one syllable in this class.

5. Prepositions with the Dative or the Accusative

The following prepositions govern either the dative or the accusative:

an *at, to* (objects)	neben *beside*
auf *upon, on* (= on top of)	über *over, above*
hinter *behind*	unter *under, beneath, among*
in *in, into*	vor *before, in front of*
	zwijchen *between*

These prepositions govern the dative when locality or position is denoted, the accusative when motion toward the object of the preposition is expressed; or, to state it differently, they take the dative in answer to the question wo? *where?* and the accusative in answer to the question wohin? *whither?*

> Jdj lege das Budj auf den Tijdj. *I lay the book on the table.*
> Das Budj liegt auf dem Tijdje. *The book is lying on the table.*
> Er geht an das Fenjter. *He goes to the window.*
> Er steht an dem Fenjter. *He is standing at the window.*

While the meanings of the prepositions given in the vocabularies are the usual ones, other renderings are often necessary, depending upon the words with which the prepositions are associated; compare, for example, the following expressions:

> in der Sdjule *at school*
> auf die Tafel jdjauen *look at the blackboard*
> an die Tafel jdjreiben *write on the blackboard*

6. Contractions

Some of the prepositions often contract with certain forms of the definite article. The following contractions are very common:

am for an dem	ans for an das
im for in dem	aufs for auf das
	ins for in das

C

1. Decline in the singular and plural:

der Bruder	kein Zimmer	kein Garten
die Tochter	der Vater	das Töchterchen

2. Conjugate:

1. Ich gehe an den Tisch.
2. Ich stehe am Tische.
3. Ich schaue auf die Tafel.
4. Was lege ich auf den Stuhl?

3. Express the following sentences in the plural:

1. Wohin geht der Schüler? 2. Der Bruder lernt schnell und genau. Er ist sehr klug. 3. Du zeigst dem Schüler das Messer. 4. Der Garten ist sehr schön. 5. Ist das Fenster offen? 6. Ich gehe ins Zimmer.

4. Copy the following sentences, substituting for each blank the definite article, and contracting it with the preposition where possible:

1. Er legt das Buch unter _ _ _ _ _ Stuhl. 2. Die Mutter sitzt an _ _ _ _ _ Fenster. 3. Ich lege das Papier über _ _ _ _ _ Feder. 4. Der Lehrer steht vor _ _ _ _ _ Tische. 5. Der Bleistift liegt zwischen _ _ _ _ _ Feder und _ _ _ _ _ Messer. 6. Ich gehe an _ _ _ _ _ Fenster. 7. Sie legt die Füllfeder neben _ _ _ _ _ Uhr. 8. Ein Stück Kreide liegt unter _ _ _ _ _ Papier. 9. Fritz steht hinter _ _ _ _ _ Stuhle. 10. Du sitzt neben _ _ _ _ _ Lehrerin. 11. Wir legen zwei Messer auf _ _ _ _ _ Tisch. 12. Bitte, schreiben Sie das Wort **Wetter** an _ _ _ _ _ Tafel! 13. Die Feder liegt auf _ _ _ _ _ Papier. 14. Wir sitzen in _ _ _ _ _ Klasse und lernen Deutsch. 15. Der Lehrer geht hinter _ _ _ _ _ Tisch. 16. Sie legt das Stück Kreide zwischen _ _ _ _ _ Füllfeder und _ _ _ _ _ Bleistift.

View across the Rhine toward the Castle of Marksburg

5. Translate into German:

1. We are at school. It is warm, and the windows are all open. 2. Fred is standing at a window and is looking into the garden. He does not study diligently. 3. Anna and Gertrude are the daughters of the teacher. He has two daughters and one son. 4. They are intelligent and industrious; they learn German quickly and accurately. 5. The teacher goes into the room. He goes to the table. 6. He is standing behind the table. A piece of chalk and a pencil are lying on the table. 7. The teacher lays a fountain pen between the piece of chalk and the pencil. 8. He goes to the blackboard and writes: "one knife, two knives, no knives, two rooms, no gardens, the brothers of the teacher, the fathers of the pupils, the book is lying under the table, I lay the knife beside the pencil," and so forth. 9. But the pupils do not look at the blackboard. They are not very industrious; the weather is too warm.

D　　　　[Optional]

Satzreihen[1]

Ich sitze an meinem[2] Platze.

Ich stehe auf.[3]

Ich gehe an die Tafel.

Ich schreibe einen Satz an die Tafel.

5　　Ich mache einen Fehler.

Ich verbessere (korrigiere) den Fehler.

Ich lege die Kreide hin.[4]

Ich nehme den Wischer.

Ich wische den Satz aus.[5]

10　　Ich lege den Wischer hin.

Ich gehe wieder an meinen[2] Platz.

Ich setze mich[6] auf die Bank (den Stuhl).

---

1. *Sentence Series.*　2. *my.*　3. stehe auf *get up, rise.*　4. lege . . . hin *lay . . . down.*　5. wische . . . aus *erase.*　6. setze mich *sit down.*

Karl sitzt an seinem [1] Platze.

Er steht auf.

Er geht an die Tür.

Er ergreift den Türknopf.

Er dreht den Türknopf. 5

Er öffnet [2] die Tür.

Er geht in den Flur hinaus.[3]

Er kommt an die Tür zurück.[4]

Er tritt [5] wieder in das Klassenzimmer.

Er schließt die Tür. 10

Er geht an seinen [1] Platz.

Er setzt sich [6] auf die Bank (den Stuhl).

1. *his.*   2. *opens.*   3. geht ... hinaus *goes out.*   4. kommt ...
zurück *comes back.*   5. *steps.*   6. setzt sich *sits down.*

Marie sitzt an ihrem [1] Platze.

Sie nimmt [2] das Lesebuch.

Sie öffnet es.

Sie wendet [3] die Blätter [4] des Buches.

Sie findet [5] Seite vierzig. 5

Sie liest [6] die Geschichte auf dieser Seite.

Sie schließt das Buch.

Sie öffnet das Pult.

Sie legt das Lesebuch hinein.[7]

Sie schließt das Pult. 10

Sie nimmt ein Heft.

Sie schreibt jetzt einen deutschen Aufsatz.

Sie legt den Aufsatz auf das Pult des Lehrers.

Sie geht wieder an ihren [1] Platz.

Sie setzt sich auf die Bank (den Stuhl). 15

1. *her.*   2. *takes.*   3. *turns.*   4. *leaves.*   5. *finds.*   6. *reads.*
7. legt ... hinein *puts ... in it.*

Witze [1]

„Warum verhauen Sie Ihren [2] Jungen?"

„Morgen bringt er sein Schulzeugnis, und ich muß heute abend [3] verreisen." [4]

1. *Jokes.*　　2. *your.*　　3. heute abend *this evening.*　　4. muß . . .
verreisen *must leave on a trip.* The infin. usually stands at the end of a
simple sentence or a principal clause.

„Fritz, dein [1] Aufsatz über den Hund ist wörtlich derselbe
wie der von [2] deinem Bruder. Wie kommt das?"

„Er ist derselbe Hund, Herr Lehrer!"

1. *your.*　　2. wie der von *as that of.*

„Ich habe dir [1] nun die Wirkungen [2] von Wärme und Kälte
erklärt,[3] Fritzchen. Also in der Wärme dehnen sich die Körper
aus,[4] und in der Kälte ziehen sie sich zusammen.[5] Kannst [6] du
mir [7] ein Beispiel nennen?"

5　　„Die Ferien, Herr Lehrer!"

„Wieso denn [8] die Ferien?"

„Nun,[9] im Sommer sind sie sechs Wochen [10] lang, und im
Winter nur zwei!"

1. *to you.*　　2. *effects.*　　3. habe . . . erklärt *have explained.* In the
pres. perf. and past perf. tenses the past part. stands at the end of a
simple sentence or a principal clause.　　4. dehnen sich . . . aus *expand.*
5. ziehen . . . sich zusammen *contract.*　　6. *can.*　　7. *me.*　　8. *then.*　　9. *well.*
10. *weeks.*

LESSON V

Kein-words · Prepositions with the Dative · Prepositions
with the Accusative · Use of the Definite Article · Names
of Persons

A

Zu Hause

Es ist endlich Mittag, die Schule ist aus, und die Schüler
gehen nach Hause. Karl geht mit seinem Freunde Hans
Treutler bis an die Gartenstraße. Sein Freund wohnt dort.
Karls Vater hat ein Haus in der Parkstraße. Karl geht um
das Haus und kommt durch die Küche ins Eßzimmer. Seine 5
Schwester und das Dienstmädchen sind im Eßzimmer und
decken den Tisch.

Die Mutter kommt aus dem Wohnzimmer und sagt zu ihrer
Tochter: „Ist das Essen noch nicht fertig? Dein Vater ist sehr
hungrig." Karl ruft den Vater. Er ist im Wohnzimmer, 10
sitzt am Pulte und schreibt. Die Familie geht nun zu Tisch.
Der Vater geht nach dem Mittagessen wieder ins Geschäft,
Karl geht zur Schule, und seine Schwester geht ins Kino.

Fragen

1. Wohin gehen die Schüler?
2. Wer geht mit Karl?
3. Wo wohnt Karls Freund?
4. Wo hat Karls Vater ein Haus?
5. Wer ist im Eßzimmer?
6. Wer kommt aus dem Wohnzimmer?
7. Wer ist sehr hungrig?

57

8. Wo ist der Vater?

9. Wohin geht der Vater nach dem Mittagessen?

10. Wohin gehen Karl und seine Schwester?

Vocabulary

aus *adv.* out; *prep.* out of

bis an as far as

decken cover; den Tisch decken set the table

dein your

das Dienstmädchen servant girl

dort there

durch through

endlich finally, at last

das Essen eating, meal, dinner, supper

das Eßzimmer dining-room

die Fami'lie (ie = i + e) family

fertig finished, done, ready

der Freund friend

die Gartenstraße Garden Street

das Geschäft' business; ins Geschäft gehen go to one's place of business

das Haus house; zu Hause at home; nach Hause gehen go home

hungrig hungry

ihr her

das Kino movies; ins Kino gehen go to the movies

kommen come

die Küche kitchen

mit with

der Mittag noon

das Mittagessen dinner

nach after

noch still, yet; noch nicht not yet

nun now

die Parkstraße Park Street; in der Parkstraße on Park Street

das Pult desk

rufen call

die Schwester sister

sein his

um around

wieder again

wohnen live, reside

das Wohnzimmer living-room

zur Schule gehen go to school

zu Tisch gehen sit down to dinner, supper, etc.

Of the nouns in this vocabulary, the following belong to Class I of the strong declension:

das Dienstmädchen   das Eßzimmer

das Essen   das Mittagessen

das Wohnzimmer

B

1. Kein-words

Like kein are declined the possessive adjectives mein *my*, dein *your*, sein *his*, ihr *her*, sein *its*, unser *our*, euer *your*, ihr *their*, Ihr *your*:

	SINGULAR			PLURAL
	Masc.	*Fem.*	*Neut.*	*M. F. N.*
Nom.	mein	meine	mein	meine
Gen.	meines	meiner	meines	meiner
Dat.	meinem	meiner	meinem	meinen
Acc.	meinen	meine	mein	meine

Kein, ein, and the possessives are referred to as the kein-words. Note that they are without an inflectional ending in the nominative singular masculine and in the nominative and accusative singular neuter. The kein-words, as treated so far, are adjectives. When used as pronouns, they have a slightly different declension; see Lesson XVI.

The inflected forms of unser and euer are usually shortened by dropping the e of the stem:

unsres instead of unseres   eures instead of eueres
unsrem instead of unserem   eurem instead of euerem
unsre instead of unsere   eure instead of euere
        etc.   etc.

The distinction between dein, euer, Ihr *your* is the same as between du, ihr, Sie *you*:

Karl, hast **du dein** Heft? *Charles, have you your notebook?*
Anna und Gertrud, habt **ihr euer** Papier? *Anna and Gertrude, have you your paper?*
Herr Braun, haben **Sie Ihr** Messer? *Mr. Braun, have you your knife?*
Herr Braun und Herr Müller, haben **Sie Ihre** Tinte? *Mr. Braun and Mr. Müller, have you your ink?*

2. Prepositions with the Dative

The following prepositions govern the dative:

aus *out of, from*

außer *out of, besides, except*

bei *by, at, at the house of, with*

mit *with*

nach *after, to* (places), *according to*

seit *since*

von *of, from, by*

zu *to* (persons)

Contractions:

beim for bei dem

vom for von dem

zum for zu dem

zur for zu der

3. Prepositions with the Accusative

The following prepositions govern the accusative:

bis *until, to, up to, as far as*; bis is usually followed by another preposition

durch *through*

für *for*

gegen *against, toward*

ohne *without*

um *around*

wider (used only in certain phrases) *against, contrary to*

Contractions:

fürs for für das   ums for um das

4. Use of the Definite Article

a. The definite article is used with the names of meals and streets:

nach dem Mittagessen *after dinner*

in der Parkstraße *on Park Street*

b. The definite article is often used in place of the possessive adjective in referring to the members of a family or to other relatives:

Die Mutter (that is, seine Mutter or ihre Mutter or meine Mutter or deine Mutter, etc., as the context may show) kommt aus dem Wohnzimmer.

5. Names of Persons

Names of persons, including feminine names, add =ᵄ in the genitive singular:

> Karls Vater *Charles's father*
> Annas Mutter *Anna's mother*
> Fräulein Müllers Feder *Miss Müller's pen*

If the nominative ends in a sibilant (ᵄ, ſch, ß, tz, x, z), a genitive in =ens is frequently used, as Fritzens Bruder, Hansens Schwester, or the genitive is indicated by means of an apostrophe.

C

1. a. Decline in the singular and plural:

> sein Bruder   ihre Tochter   unser Zimmer

b. Complete:

> Ich habe mein Messer, du hast dein Messer, etc.

c. Conjugate:

> 1. Ich rufe den Vater.
> 2. Ich gehe noch nicht nach Hause.
> 3. Ich bin hungrig.

2. Copy the following sentences, substituting for each blank the correct form of dein, of euer, and of Ihr:

1. _ _ _ _ _ Schwester ist in der Küche. 2. Wer wohnt in _ _ _ _ _ Hause? 3. Sie geht mit _ _ _ _ _ Mutter ins Kino. 4. Die Fenster _ _ _ _ _ Zimmers sind alle offen. 5. Ich zeige dem Lehrer _ _ _ _ _ Tisch.

3. Copy the following sentences, substituting for each blank the correct ending:

1. Fritz ist der Sohn mein_ _ Lehrers. 2. Sie reicht ihr_ _ Mutter die Tinte. 3. Das Wohnzimmer unsr_ _ Hauses ist groß und hell. 4. Der Vater eur_ _ Lehrerin wohnt in der Gartenstraße. 5. Das Dienstmädchen hat kein_ _ Schwester und auch kein_ _ Bruder.

6. Sein＿＿ Familie ist nicht zu Hause. 7. Jhr＿＿ Brüder lernen Deutsch. 8. Der Lehrer geht mit sein＿＿ Schülern bis an die Park= straße. 9. Hast du ein Heft für dein＿＿ Freund? 10. Jch zeige dem Lehrer mein＿＿ Uhr.

4. Copy the following sentences, substituting for each blank the definite article, and contracting it with the prep- osition where possible:

1. Sie kommen um ＿＿＿＿＿ Haus in ＿＿＿＿＿ Garten. 2. Der Schüler kommt nach ＿＿＿＿＿ Lehrer in ＿＿＿＿＿ Zimmer. 3. Er geht nicht ohne ＿＿＿＿＿ Bruder. 4. Gertrud kommt durch ＿＿＿＿＿ Küche in ＿＿＿＿＿ Eßzimmer. 5. Was hat sie gegen ＿＿＿＿＿ Lehrer? 6. Er wohnt bei ＿＿＿＿＿ Vater des Lehrers. 7. Das Dienstmädchen kommt aus ＿＿＿＿＿ Eßzimmer und sagt: „Das Mittagessen ist fertig." 8. Herr Braun geht nach ＿＿＿＿＿ Essen wieder in ＿＿＿＿＿ Geschäft. 9. Der Lehrer geht nun von ＿＿＿＿＿ Pulte an ＿＿＿＿＿ Fenster. 10. Wer ist außer ＿＿＿＿＿ Lehrer dort? 11. Er geht endlich wieder zu ＿＿＿＿＿ Schule. 12. Er sagt zu ＿＿＿＿＿ Vater der Schülerin: „Jhre Tochter ist klug und fleißig." 13. Er legt die Uhr auf ＿＿＿＿＿ Pult zwischen ＿＿＿＿＿ Füllfeder und ＿＿＿＿＿ Bleistift. 14. Dein Messer liegt auf ＿＿＿＿＿ Tische neben ＿＿＿＿＿ Feder. 15. Er geht an ＿＿＿＿＿ Fenster; er steht an ＿＿＿＿＿ Fenster. 16. Die Schüler schauen durch ＿＿＿＿＿ Fenster in ＿＿＿＿＿ Garten. 17. Er legt das Papier über ＿＿＿＿＿ Messer. 18. Er geht um ＿＿＿＿＿ Pult und steht vor ＿＿＿＿＿ Klasse. 19. Jch sitze hinter ＿＿＿＿＿ Sohne der Lehrerin. 20. Die Feder liegt unter ＿＿＿＿＿ Papier.

5. Translate into German:

1. His mother, her father, our sister, your brothers, their knives. 2. Paul's book, Gertrude's pencil, Jack's pen, Fred's ink. 3. Through my room, with his knife, the windows of our house. 4. Where is your notebook, Leo? Where is your foun- tain pen, Miss Miller? 5. It is noon and school [1] is out. Jack and Leo are going home. 6. They go with their friend Charles as far as Park Street. Their friend lives there. 7. Charles's father is not at home. His mother is in the kitchen. The servant girl is setting the table. 8. Dinner is finally ready. Charles is

very hungry. He calls his sister Anna. 9. Anna is in the garden. She comes into the house, and they [2] sit down to
dinner. 10. Jack and Leo live on Garden Street. They go
through the garden into the kitchen. 11. Their mother is in
the dining-room. She has no servant girl. 12. Jack and Leo go
to the movies after dinner.[3]

    1. the school.   2. Place after the verb.   3. after dinner to the
movies.

D   [Optional]

Das älteste[1] deutsche lyrische Gedicht

Du bist mein, ich bin dein,
Des sollst du gewiß sein.[2]
Du bist beschlossen [3]
In meinem Herzen;
Verloren [4] ist das Schlüsselein: 5
Du mußt immer drinnen [5] sein.

(Um das Jahr 1200 [6])

    1. *oldest.*   2. Des sollst du gewiß sein *Of that thou art to feel sure.*
3. *locked up.*   4. *lost.*   5. *in it, in there.*   6. Read: zwölfhundert.

Unser Schulzimmer

Unser Schulzimmer ist groß und hell. Es hat vier hohe [1]
Fenster und eine Tür. Der Fußboden ist aus Holz. An der
Decke sind elektrische Lichter,[2] an den Wänden [3] sind Wandta=
feln,[4] Landkarten [5] und Bilder.[6] Hinter dem Pulte des Lehrers
hängt eine Wanduhr. Es [7] sind fünfzig Pulte [8] im Zimmer, 5
und hinter jedem [9] Pulte steht ein Stuhl. In einer Ecke steht
ein kleiner, runder Tisch, darauf [10] ist eine Büste von Goethe,
und auch eine von Schiller.

Ich sitze vorn in der Klasse [11] und gebe immer gut acht.[12]
Mein Bruder aber sitzt hinten in der Klasse.[13] Er heißt Kurt. 10

Ewing Galloway

School for Girls, Berlin. Typical Classroom. The Desks are Grouped around the Teacher's Desk in Semicircular Formation. Indirect Lighting from the Windows is Obtained by a Method of Diffusion

Er geht nicht gern [14] zur Schule. Wir lernen Englisch, Französisch, Mathematik und Geschichte. Die englische Stunde ist um neun Uhr,[15] die französische um elf. Ich lerne sehr gern [16] fremde Sprachen.[17] Wie [18] Goethe sagt: „Wer [19] fremde 15 Sprachen nicht kennt,[20] weiß [21] nichts von seiner eignen." [22] Hoffentlich kann ich einst Frankreich, England und auch Amerika besuchen. Ich lese sehr viel über [23] diese Länder.[24] Aber Amerika ist sehr weit entfernt von Deutschland, und die Reise dorthin kostet [25] eine Masse Geld.

1. From hoch *high.*   2. *lights.*   3. *walls.*   4. *blackboards.*   5. *maps.*
6. *pictures.*   7. *There.*   8. *desks.*   9. *each.*   10. *thereon, on it.*
11. vorn in der Klasse *in the front part of the class.*   12. gebe . . . gut acht *pay close attention.*   13. hinten in der Klasse *in the back part of the class.*
14. geht nicht gern *does not like to go.*   15. um neun Uhr *at nine o'clock.*
16. lerne sehr gern *like very much to study.*   17. *languages.*   18. *As.*
19. *He who, Whoever.*   20. In subordinate clauses the verb stands last.
21. *knows.*   22. *own.*   23. *about.*   24. *countries.*   25. *costs.*

Zum Schnellsprechen[1]

1. Bierbrauer[2] Brauer[3] braut braun Bier.
2. Hans hackt Holz hinterm Hirtenhaus.
3. Esel essen Nesseln[4] nicht,
   Nesseln essen Esel nicht.
4. Schneiderschere[5] schneidet[6] scharf,
   Scharf schneidet Schneiderschere.
5. Fischers[3] Fritz fischt frische Fische,
   Frische Fische fischt Fischers Fritz.

1. *To be Spoken Rapidly.*   2. *(beer-)brewer.*   3. *Family name.*
4. *nettles.*   5. *tailor's shears* or *scissors.*   6. *cuts.*

Witze

„Gefallen Ihnen[1] die Damen,[2] die[3] viel reden, besser als[4]
die anderen?"

„Welche anderen?"

1. Gefallen Ihnen *Do you like.*   2. *ladies.*   3. *who.*   4. besser als
better than.

Lehrer: „Was ist weiter von uns entfernt,[1] der Mond oder
Afrika?"

Schüler: „Afrika."

Lehrer: „Wie kommst du darauf?"[2]

Schüler: „Nun,[3] den Mond können wir sehen, Afrika aber
nicht."

1. weiter von uns entfernt *farther away from us.*   2. Wie kommst du
darauf? *What makes you think that?*   3. *Well.*

„Weißt du,[1] Ortrud, was ich an dir[2] am meisten[3] bewun=
dere?" fragt eine Freundin die andere.

„Nein."

„Deine Augen." [4]

5 „Sehr schmeichelhaft. Und weißt du, was ich an dir am meisten bewundere?"

„Nun?" [5]

„Deinen guten Geschmack."

1. Weißt du *Do you know.* 2. an dir *in you.* 3. am meisten *most.*
4. *eyes.* 5. *Well.*

LESSON VI

**Dieſer-words · Strong Declension of Nouns, Class II ·
Adverbs of Time and of Place**

A

Nach der Schule

Karl kommt um drei Uhr mit ſeinen Freunden Hans und
Leo Treutler nach Hauſe. Seine Mutter iſt nicht im Hauſe,
ſie iſt im Garten. Im Garten ſind zwei Bäume, und unter
jedem Baume ſteht eine Bank. Karls Mutter ſitzt auf einer
von den Bänken und ſchreibt Briefe. Sie grüßt Karls Freunde 5
und fragt nach ihrer Mutter. Hans ſagt: „Die Mutter iſt
heute nicht zu Hauſe. Sie iſt auf dem Lande beim Großvater.
Wir gehen morgen auch aufs Land zum Großvater."

Karl und ſeine Freunde ſpielen Tennis. Karl ſagt: „Dieſe
Bälle ſind nicht gut, ſie ſind zu alt." Sie ſpielen aber eine 10
Stunde und machen dann einen Spaziergang. Das Wetter
iſt ſchön, es iſt warm, und die Vögel ſingen in den Bäumen.
Hans und Leo gehen um fünf Uhr nach Hauſe. Sie wohnen in
der Gartenſtraße. Karl kommt müde und durſtig nach Hauſe.
Er trinkt ein Glas Waſſer und geht auf ſein Zimmer. 15

Fragen

1. Wann kommt Karl nach Hauſe?
2. Wo iſt ſeine Mutter?
3. Was macht ſie dort?
4. Wo iſt Hans und Leo Treutlers Mutter?
5. Was ſpielen Karl und ſeine Freunde?
6. Was machen ſie dann?

7. Wie ist das Wetter?
8. Was machen die Vögel?
9. Wann gehen Hans und Leo nach Hause?
10. In welcher Straße wohnen sie?
11. Was trinkt Karl?
12. Wohin geht er dann?

Vocabulary

(The matter in parentheses after some of the nouns is explained in section 4, page 71.)

aber but, however
der Ball (–es, ⸚e) ball
die Bank (—, ⸚e) bench
der Baum (–es, ⸚e) tree
der Brief (–es, –e) letter
dieser this, this one
drei three
durstig thirsty
fünf five
das Glas glass; ein Glas Wasser a glass of water
der Großvater (–s, ⸚) grandfather; beim (zum) Großvater at (to) grandfather's
grüßen greet
heute today
jeder each, every, each one, everyone
das Land land, country; auf dem Lande in the country; aufs Land gehen go to the country

machen make, do
morgen tomorrow
müde tired
singen sing
der Spazier'gang (–s, ⸚e) walk; einen Spaziergang machen take a walk
spielen play
die Straße street; in welcher Straße on what street
die Stunde hour
das Tennis (—) tennis
trinken drink
die Uhr timepiece, watch, clock; o'clock; um drei Uhr at three o'clock
der Vogel (–s, ⸚) bird
wann when
das Wasser (–s, —) water
welcher which, which one, what

fragen nach ask about
nach der Schule after school
auf sein Zimmer gehen go to one's room

B

1. Dieſer-words

	SINGULAR			PLURAL
	Masc.	*Fem.*	*Neut.*	*M. F. N.*
NOM.	dieſer	dieſe	dieſes	dieſe
GEN.	dieſes	dieſer	dieſes	dieſer
DAT.	dieſem	dieſer	dieſem	dieſen
ACC.	dieſen	dieſe	dieſes	dieſe

Like dieſer *this, this one,* are declined jeder (no plural) *each, each one, every, everyone;* jener *that, that one;* mancher *many a, many a one, some;* ſolcher *such, such a;* and welcher *which, which one, what* (as adjective). The dieſer-words are used either as adjectives or as pronouns:

Dieſer Tiſch iſt zu groß, jener (*that one*) iſt zu klein.

Note that the dieſer-words have the same endings as the kein-words except in the nominative singular masculine and in the nominative and accusative singular neuter, where the kein-words are without case endings:

	Dieſer-words				Kein-words			
	SINGULAR			PLURAL	SINGULAR			PLURAL
	Masc.	*Fem.*	*Neut.*	*M.F.N.*	*Masc.*	*Fem.*	*Neut.*	*M.F.N.*
NOM.	⸗er	⸗e	⸗es	⸗e	—	⸗e	—	⸗e
GEN.	⸗es	⸗er	⸗es	⸗er	⸗es	⸗er	⸗es	⸗er
DAT.	⸗em	⸗er	⸗em	⸗en	⸗em	⸗er	⸗em	⸗en
ACC.	⸗en	⸗e	⸗es	⸗e	⸗en	⸗e	—	⸗e

Bear in mind that unſer and euer are kein-words, the ⸗er being a part of the stem and not an inflectional ending as in the dieſer-words:

	NOMINATIVE SINGULAR	
Masc.	*Fem.*	*Neut.*
dieſ | er	dieſ | e	dieſ | es
unſer	unſr | e	unſer
euer	eur | e	euer

GENITIVE SINGULAR

dief | es	dief | er	dief | es
unfr | es	unfr | er	unfr | es
eur | es	eur | er	eur | es

2. Strong Declension of Nouns, Class II

The nouns of this group add ⸗e to form the nominative plural. Most masculines and all feminines take umlaut if possible; the neuters do not have umlaut.

SINGULAR

Nom.	der Baum	die Bank	das Pult	das Papier
Gen.	des Baumes	der Bank	des Pultes	des Papiers
Dat.	dem Baume	der Bank	dem Pulte	dem Papier
Acc.	den Baum	die Bank	das Pult	das Papier

PLURAL

Nom.	die Bäume	die Bänke	die Pulte	die Papiere*
Gen.	der Bäume	der Bänke	der Pulte	der Papiere
Dat.	den Bäumen	den Bänken	den Pulten	den Papieren
Acc.	die Bäume	die Bänke	die Pulte	die Papiere

The following nouns of Class II occur in the previous lessons:

SINGULAR	PLURAL
der Bleiftift	die Bleiftifte
der Freund	die Freunde
das Gefchäft	die Gefchäfte
das Heft	die Hefte
der Mittag	die Mittage
der Schluß	die Schlüsse
der Sohn	die Söhne
das Stück	die Stücke
der Stuhl	die Stühle
der Tisch	die Tische

* Plural = *documents*.

3. Membership

To Class II of the strong declension belong

a. Nearly all of the masculine, about one third of the feminine, and about two thirds of the neuter monosyllables.

b. Polysyllables in ⸗idʒ, ⸗ig, ⸗funft, ⸗ling, ⸗nis, and ⸗fal, and a few others.

4. Principal Parts

The nominative and genitive singular and the nominative plural are the principal parts of a noun. From them the remaining cases can be inferred. The principal parts will be indicated in the vocabularies as follows:

> das Messer (–s, —) = das Messer, des Messers, die Messer
> die Tochter (—, ⸗) = die Tochter, der Tochter, die Töchter
> der Baum (–es, ⸗e) = der Baum, des Baumes, die Bäume
> der Brief (–es, –e) = der Brief, des Briefes, die Briefe
> die Bank (—, ⸗e) = die Bank, der Bank, die Bänke
> das Tennis (—) = das Tennis, des Tennis, no plural

5. Compounds

A compound noun has the gender, and follows the declension, of its last component part:

> das Dienstmädchen (composed of der Dienst *service* and das Mädchen *girl*)
> des Dienstmädchens, die Dienstmädchen

6. Adverbs of Time and of Place

Adverbial expressions of time precede adverbial expressions of place:

> Karl kommt um drei Uhr nach Hause. *Charles comes home at three o'clock.*
> Die Mutter ist heute nicht zu Hause. *Mother is not at home today.*
> Wir gehen morgen aufs Land. *We are going to the country tomorrow.*

C

1. a. Decline in the singular and plural:

dieſer Brief euer Vogel ihr Bleiſtift

welcher Ball jenes Heft unſer Freund

b. Decline in the singular:

jeder Stuhl ſolches Waſſer manche Familie

2. Copy the following sentences, substituting for each blank the correct form of the definite article, of the demonstrative dieſ__, and of unſer:

1. _____ Zimmer iſt groß und hell. 2. _____ Klaſſe lernt Deutſch. 3. Die Tochter _____ Lehrers iſt klug und fleißig. 4. In _____ Garten ſind drei Bäume. 5. _____ Stühle ſind neu. 6. Der Sohn _____ Lehrerin lernt ſchnell und genau. 7. Sie gehen alle in _____ Garten.

3. Express the following sentences in the plural:

1. Die Bank ſteht unter jenem Baume. 2. Dieſer Tiſch iſt alt, jener aber iſt neu. 3. Das Heft liegt auf dem Pulte. 4. Sein Freund iſt heute nicht hier. 5. Auf welchem Stuhle ſitzt du? 6. Dieſer Vogel ſingt ſehr ſchön.

4. Copy the following sentences, substituting for each blank the correct ending:

1. Was lieg__ auf jen__ Bank? 2. Mit welch__ Feder ſchreib__ du? 3. Er ſteh__ an dieſ__ Fenſter und ſchau__ in den Garten. 4. Jed__ Schüler hat ein__ Uhr. 5. Wir ſpiel__ ein__ Stunde Tennis und mach__ dann ein__ Spaziergang. 6. Ich trink__ ein Glas Waſſer und geh__ auf mein Zimmer. 7. Er leg__ auf jed__ Pult ein__ Bleiſtift. 8. Manch__ Schüler lernen nicht fleißig. 9. Solch__ Papier iſt zu dünn. 10. In welch__ Straße wohn__ du? 11. Dieſ__ Ball iſt zu alt, wie iſt jen__? 12. Wann geh__ wir nach Hauſ__? 13. Er grüß__ Fritz__ Freunde und frag__ nach ihr__ Vater. 14. Der Vater ſitz__ am Pulte und ſchreib__ Brief__.

5. Copy the following sentences, substituting for each blank the definite article, and contracting it with the preposition where possible:

1. _____ Mutter ist auf _____ Lande bei _____ Großvater.
2. Ich gehe morgen auf _____ Land zu _____ Großvater. 3. Was macht ihr nach _____ Schule? 4. _____ Dienstmädchen deckt _____ Tisch. 5. Der Vater geht nach _____ Mittagessen wieder in _____ Geschäft. 6. Karl geht um _____ Haus und kommt durch _____ Küche in _____ Eßzimmer. 7. _____ Wetter ist schön, und _____ Vögel singen in _____ Bäumen.

6. Complete:

1. Ich gehe auf mein Zimmer, du gehst auf dein Zimmer, etc.
2. Ich grüße meine Freunde, du grüßt deine Freunde, etc.

7. Conjugate:

1. Ich mache einen Spaziergang.
2. Ich komme um fünf Uhr nach Hause.
3. Ich spiele Tennis.
4. Ich bin müde und durstig.
5. Ich sitze auf einer Bank.

8. Translate into German:

1. This chair, our chair, which chair, those chairs; that desk, every desk, our desk, five desks. 2. These balls, those benches, which trees, your letters, three birds, such weather, every glass. 3. With those balls, through this room, out of that garden, for each pupil. 4. I come home at five o'clock. I am tired and thirsty. 5. I drink a glass of water and go to my room. 6. We play tennis in the garden behind our house. We then* take a walk. 7. Anna is going to the country tomorrow. Her grandfather lives in the country. 8. Jack and Paul are going to the movies at three o'clock. On what street do they live? 9. Fred is not at school today. He is sick. 10. What do you do after school, Charles? — I play tennis, I take a walk, I go to the movies, I study German, I write letters, and so forth.

* We take then.

D [Optional]

Wiegenlied

Schlaf,[1] Kindlein, schlaf!
Der Vater hütet[2] die Schaf',[3]
Die Mutter schüttelt's[4] Bäumelein,[5]
Da fällt herab[6] ein Träumelein.[7]
5   Schlaf, Kindlein, schlaf!

1. Imperative, *Sleep.* 2. *is tending.* 3. Schafe.   4. schüttelt das.
5. Bäumlein. 6. fällt herab *falls down.* 7. Träumlein.

Vergißmeinnicht

Es[1] blüht ein kleines Blümchen
Auf einer grünen Au,
Sein Aug'[2] ist wie[3] der Himmel,
So heiter und so blau.

5   Es hat nicht viel zu sagen,
Und alles, was[4] es spricht,[5]
Ist immer nur dasselbe[6] —
Ist nur: Vergißmeinnicht.

1. *There.* 2. Auge. 3. *like.* 4. *that.* 5. *speaks* or *says.*
6. *the same.*

Der Körper des Menschen

Der Körper des Menschen besteht aus[1] dem Kopfe, dem
Rumpfe, den Armen und den Beinen. Auf dem Kopfe sind die
Haare. An beiden Seiten des Kopfes sind die Ohren. Vorn
am Kopfe[2] ist das Gesicht. Im Gesicht sind die Augen, die
5 Nase, der Mund, die Lippen, das Kinn, die Stirn und die
Backen oder die Wangen. Im Munde sind die Zähne und
die Zunge.

A Street in Meersburg, on the Lake of Constance

Zwischen dem Kopfe und dem Rumpfe ist der Hals. Die
Schultern, die Brust, die Hüften und der Rücken sind Teile des
10 Rumpfes. In der Brust sind die Lunge und das Herz.

Die Arme und die Beine heißen Glieder. An den Armen sind
die Hände, und an den Beinen sind die Füße. Jede Hand hat
fünf Finger, und jeder Fuß hat fünf Zehen.

Wir atmen mit der Lunge, wir sehen mit den Augen, wir
15 hören mit den Ohren, und wir sprechen mit dem Munde. Mit
der Nase riechen wir, mit den Zähnen beißen wir, und mit der
Zunge schmecken wir. Die Füße gebrauchen wir zum Gehen[3]
und die Hände zum Greifen.[4]

1. besteht aus *consists of.*   2. Born am Kopfe *On the front of the head.*
3. zum Gehen *for walking.*   4. zum Greifen *for seizing* or *grasping.*

Sprichwörter

Ein frohes Herz, gesundes Blut, ist besser als viel Geld und
Gut.

Arbeit, Mäßigkeit und Ruh' schließt dem Arzt die Türe zu.[1]
Gesundheit ist der größte[2] Reichtum.
5 Was Hänschen nicht lernt, lernt Hans nimmermehr.[3]
Ein guter Name ist besser als Silber und Gold.
Man muß das Eisen schmieden, solange es warm ist.
Wider den Tod ist kein Kraut gewachsen.[4]
Eine Schwalbe macht noch keinen Sommer.
10 Mit den Wölfen muß man heulen.[5]
Jugend hat keine Tugend.[6]

1. schließt ... zu *locks.*   2. *greatest.*   3. *Learn when young, else you
never will,* or *You can't teach an old dog new tricks.*   4. *There is no cure for
death.*   5. *When in Rome, do as the Romans do.*   6. *Boys will be boys.*

Abzählreime[1]

Ich und du,
Bäckers Kuh,
Müllers Esel,
Der[2] bist du!

Eins, zwei, drei, vier, fünf,   5
Strick' mir[3] ein Paar Strümpf',[4]
Nicht zu groß und nicht zu klein,
Sonst mußt du der Haschmann[5] sein.

1. *Counting-out rimes,* to determine who is "it," that is, to determine who shall be the catcher in games like Blindekuh (*blindman's buff*), Versteckenspielen (*hide and seek*), and the like.   2. *It,* literally, *That.* 3. Strick' mir *Knit me.*   4. Strümpfe.   5. *catcher.*

LESSON VII

Present Indicative of arbeiten · Normal and Inverted Word Order · Expressions of Measure

A

Nach dem Abendessen

Um sechs Uhr ißt die Familie zu Abend. Sie haben Käse,
Wurst, Brot, Butter und Obst. Der Vater trinkt eine Tasse
Kaffee, Karl und seine Schwester Marie trinken Milch, die
Mutter nur Wasser. Die Familie geht nach dem Abendessen
5 ins Wohnzimmer. Dort bleiben alle bis neun Uhr. Die
Mutter näht, Marie spielt Klavier, und Karl lernt Englisch.
Der Vater sitzt am Pulte und rechnet oder zeichnet. Zu
Hause hat er kein Arbeitszimmer, denn er arbeitet meistens
im Geschäft.
10 Um neun Uhr gehen Karl und Marie zu Bett. Die Mutter
geht nach oben und öffnet die Fenster der Schlafzimmer. Karl
geht ins Badezimmer. Er badet jeden Abend kalt, Marie aber
nicht. Sie badet morgens warm. Nach dem Bade geht Karl
gleich zu Bett. Manchmal redet er in der Nacht im Traume.
15 Der Vater sagt, der Tag ist nicht lang genug für Karl.

Fragen

1. Wann ißt Karl zu Abend?
2. Wohin gehen alle nach dem Abendessen?
3. Was machen sie im Wohnzimmer?
4. Hat der Vater zu Hause ein Arbeitszimmer?
5. Wo arbeitet er meistens?
6. Wann gehen Karl und Marie zu Bett?

78

7. Was macht die Mutter oben?
8. Wann und wie badet Karl?
9. Wann redet er manchmal?

Vocabulary

der **Abend** (–s, –e) evening;
  jeden Abend *acc. of time when*
  every evening
das **Abendessen** (–s, —) supper
arbeiten work
das **Arbeitszimmer** (–s, —)
  workroom
das **Bad** bath
baden bathe; kalt (warm) baden
  take a cold (warm) bath
das **Badezimmer** (–s, —) bathroom
das **Bett** bed
bleiben remain, stay
das **Brot** (–es, –e) bread, loaf of
  bread
die **Butter** (—) butter
denn *conj.* for
Englisch English (language)
genug' enough
gleich immediately
ißt (*3d sg. pres. indic. of* essen
  eat) eats; zu Abend essen eat
  supper
der **Kaffee** (–s) coffee
kalt cold
der **Käse** (–s, —) cheese
das **Klavier'** (v = w) (–s, –e)

piano; Klavier spielen play
  the piano
manchmal sometimes
Marie' (*fem.*) (–s) Mary
meistens mostly, for the most
  part, generally
die **Milch** (—) milk
der **Morgen** (–s, —) morning;
  morgens in the morning
die **Nacht** (—, ⸚e) night; in der
  Nacht at night
nähen sew
neun nine
oben *adv.* above, upstairs; nach
  oben gehen go upstairs
das **Obst** (–es) fruit
öffnen open
rechnen calculate, figure
reden talk
das **Schlafzimmer** (–s, —) bedroom
sechs six
der **Tag** (–es, –e) day
die **Tasse** cup; eine Tasse Kaffee
  a cup of coffee
der **Traum** (–es, ⸚e) dream
die **Wurst** (—, ⸚e) sausage
zeichnen draw

im Geschäft at one's place of business
im Traume reden talk in one's sleep

B

1. Present Indicative of arbeiten

arbeiten *work*, stem arbeit–

ich arbeite	wir arbeiten
du arbeitest	ihr arbeitet
er arbeitet	sie arbeiten

Like arbeiten are conjugated those verbs whose stems end (1) in =b or =t, (2) in =m or =n preceded by a consonant other than h, l, m, n, r.

2. Normal and Inverted Word Order

a. Normal word order is that order in which the subject is the first element and the verb (that is, the personal verb, or inflected part) is the second element of the sentence:

Der Lehrer | steht | vor der Klasse.

b. Inverted word order is that order in which the personal verb precedes the subject. This is the regular order of direct questions in both German and English. However, there is a marked difference between the two languages in the case of simple declarative sentences: (1) German is much freer than English in beginning the sentence with some element other than the subject — for example, with an adverb, an object, or a predicate adjective or noun. (2) Whenever the sentence begins with some element other than the subject, the latter is put after the verb:

Um sechs Uhr | ißt | die Familie zu Abend.
Kaffee | trinkt | er nicht.
Müde | bin | ich nicht.

To state the matter differently: The personal verb is always the second element in the simple declarative sentence in German:

Das Wetter | ift | heute nicht fehr fdön.
Heute | ift | das Wetter nicht fehr fdön.
Sehr fdön | ift | das Wetter heute nicht.

Der Lehrer | reidt | dem Sdüler einen Bleiftift.
Dem Sdüler | reidt | der Lehrer einen Bleiftift.
Einen Bleiftift | reidt | der Lehrer dem Sdüler nidt.

Since the verb must be the second element in the sentence, it naturally follows that only one element may precede it. For example, a sentence may not begin with two different adverbial elements, nor with both an adverbial element and a predicate adjective, nor with both a direct and an indirect object. Neither may an adverb stand between the subject and the verb, as in *He then hands the pupil a piece of chalk*. All these constructions violate the rule that the verb must be the second element in the sentence. The sentence just given may be rendered either by Er reidt dann dem Sdüler ein Stüd Kreide or by Dann reidt er dem Sdüler ein Stüd Kreide

Note that coördinating conjunctions, such as aber, denn, oder, und, etc., have no effect upon the word order:

Zu Haufe hat der Vater kein Arbeitszimmer, denn er arbeitet meiftens im Gefdäft.

3. Expressions of Measure

The appositional construction is used, instead of the genitive, in expressions of measure:

eine Taffe Kaffee *a cup of coffee*
ein Glas Waffer *a glass of water*
ein Stüd Land *a piece of land*

Nouns of measure, except feminines in =e, are uninflected in the plural:

zwei Glas Mild *two glasses of milk*
but zwei Taffen (plural) Kaffee *two cups of coffee*

C

1. Conjugate:

    1. Ich bade morgens kalt.
    2. Ich öffne die Fenster des Schlafzimmers.
    3. Ich lerne Deutsch.
    4. Ich rede manchmal im Traume.

2. Decline in the singular and plural:

  der Abend   jener Tag   die Nacht
  der Traum   unser Schlafzimmer sein Brief

3. Copy the following sentences, substituting for each blank the ending of the verb:

    1. Du rechn_ _ und zeichn_ _ jeden Abend bis neun Uhr. **2.** Fritz arbeit_ _ heute im Garten. **3.** Die Mutter sitz_ _ im Wohnzimmer und näh_ _ _. **4.** Bleib_ _ du heute zu Hause? **5.** Wann geh_ _ ihr zu Bett? **6.** Er bad_ _ morgens warm. **7.** Hans lern_ _ Französisch. **8.** Wir ess_ _ um sechs Uhr zu Abend. **9.** Öffn_ _ du die Fenster deines Schlafzimmers? **10.** Ihr red_ _ manchmal im Traume. **11.** Ich trink_ _ Kaffee, Marie trink_ _ Milch. **12.** Spiel_ _ du Klavier?

4. Restate the following sentences, beginning with the words in heavy type:

    1. Ich gehe gleich **nach dem Bade** zu Bett. **2.** Er geht **jeden Abend** ins Kino. **3.** Der Tag ist nicht lang genug **für Karl**. **4.** Morgen gehen **wir** aufs Land. **5.** Ich bin **um drei Uhr** immer im Geschäft. **6.** Er bleibt bis neun Uhr **dort**. **7.** Die Tinte ist nicht **zu dick**. **8.** Die Familie ißt **um sechs Uhr** zu Abend. **9.** Marie legt **das Brot** auf die Bank, die Wurst auf den Stuhl. **10.** Er zeigt **dem Vater** das Messer nicht. **11.** Ich habe **zu Hause** kein Arbeitszimmer, denn ich arbeite meistens im Geschäft. **12.** Um sechs Uhr kommt **der Vater** nach Hause. **13.** Karl lernt Englisch und Französisch **in der Schule**. **14.** Wir gehen **nach dem Abendessen** ins Wohnzimmer. **15.** Du redest **manchmal in der Nacht** im Traume. **16.** Er geht **dann** nach oben auf sein Zimmer. **17.** Ich mache **jeden Abend** einen Spaziergang. **18.** Karl kommt endlich **müde und durstig** nach Hause. **19.** Karl und Marie bleiben **bis neun Uhr** im Wohnzimmer.

5. Copy the following sentences, substituting for each blank the definite article, and contracting it with the preposition where possible :

1. Auf _dem_ Tische stehen Butter, Brot und Käse. 2. Sie legt das Messer zwischen _das_ Glas und _die_ Tasse. 3. Die Lehrerin schreibt das Wort Obst an _____ Tafel. 4. Das Fenster _____ Badezimmers ist offen. 5. Der Lehrer reicht _____ Schüler ein Stück Kreide. 6. Wir essen in _____ Küche zu Abend. 7. Er geht um _____ Haus in _____ Garten. 8. Der Lehrer steht an _____ Tische vor _____ Klasse. 9. Sie legt die Feder neben _____ Uhr. 10. Die Mutter kommt aus _____ Eßzimmer und sagt: „Das Essen ist fertig."

6. Give the genitive singular and nominative plural of

das Klavier	ihre Tochter	dieses Pult
diese Wurst	mein Bruder	der Ball
der Garten	Ihr Freund	die Mutter
welcher Baum	der Stuhl	der Vater
jene Bank	euer Zimmer	jener Vogel
unser Lehrer	der Tisch	unser Dienstmädchen
sein Sohn	das Heft	dein Bleistift

7. Translate into German :

1. A piece of cheese, a cup of coffee, a glass of water, two glasses of milk. 2. Mary and Charles come home at three o'clock. 3. They play in the garden behind their house until five o'clock. 4. At six o'clock their father comes home. They eat supper in the kitchen. 5. They have bread and butter with cheese or sausage, and also fruit. 6. After supper their mother plays the piano. Their father sits at the desk and figures. 7. At nine o'clock their mother goes upstairs and opens the windows of the bedrooms. 8. Mary and Charles then go to bed. Charles takes a cold bath every evening.* 9. Charles's father says: "The day is not long enough for Charles, for he talks in his sleep at night."* 10. Mary and Charles are studying English, French, and German at school.

* Follow the German model in section *A*.

D

Deutſchlands Lage [1]

Deutſchland liegt in der Mitte Europas. Es grenzt im Norden an die Nordſee, Dänemark und die Oſtſee; im Oſten an Polen; im Süden an die Tſchechoſlowakei, Öſterreich und die Schweiz; im Weſten an Frankreich, Belgien und Holland.
5 Deutſchland iſt ein kleines Land. Es iſt nur wenig größer als der Staat Kalifornien und ungefähr ein Zwanzigſtel ſo groß wie die Vereinigten Staaten ohne Alaska. Deutſchland hat aber einige fünfzig Millionen Einwohner.

1. See map backing page 160.

Die Tiere

Es gibt [1] Haustiere und wilde Tiere. Die Haustiere leben in der Nähe des Hauſes. Wir halten ſie und füttern ſie, weil ſie uns [2] nützlich ſind. Haustiere ſind die Kuh, das Pferd, der Eſel, das Schwein, das Schaf, die Ziege, der Hund und die
5 Katze. Auch die Hühner, Enten, Gänſe und Tauben nennt man [3] Haustiere.

Unter [4] den wilden Tieren ſind der Haſe, das Eichhörnchen, der Hirſch, der Fuchs, der Wolf und der Bär. Andere wilde Tiere ſind der Affe, der Löwe, der Tiger, der Elefant und das Kamel.
10   Zu den Tieren gehören auch die Vögel, wie der Adler, der Storch, die Nachtigall, die Lerche, die Schwalbe, das Rot=kehlchen, der Sperling und viele andere.

Die Deutſchen haben allerlei Tierverſchen, beſonders für die Kinder, wie zum Beiſpiel die folgenden [5]:

Muh,[6] muh, muh!
So ruft im Stall die Kuh.
Sie gibt uns [7] Milch und Butter,
Wir geben ihr [8] das Futter.
Muh, muh, muh!   5
So ruft im Stall die Kuh.

Alle meine Enten
Schwimmen auf dem See,
Köpfchen in dem Wasser,
Schwänzchen in die Höh'.[9]   10

Storch, Storch, Langbein,[10]
Bring mir [11] ein kleines Brüderlein!
Storch, Storch, bester,[12]
Bring mir eine kleine Schwester!

Bauer, bind den Pudel an,[13]   15
Daß [14] er mich [15] nicht beißen kann!
Beißt er [16] mich, verklag' ich dich,[17]
Hundert Taler kostet's [18] dich.[19]

1. Es gibt *There are.*   2. *to us.*   3. *we* (literally, *one*).   4. *Among.*
5. *following.*   6. *Moo.*   7. gibt uns *gives us.*   8. *her.*   9. in die Höh'
in the air.   10. *long legs.*   11. *me.*   12. *dear stork* (literally, *best
one*).   13. bind . . . an *tie up.*   14. *So that.*   15. *me.*   16. Beißt er
If he bites.   17. verklag' ich dich *I will sue you.*   18. kostet es *it will cost.*
19. In place of the acc. dich, present usage requires here the dat. dir.

Rätsel

Was für [1] Haare hat ein Schimmel?

[Pferdehaare.]

Welcher Vogel sieht dem Storch am ähnlichsten? [2]

[Die Störchin.]

Wie weit geht das Reh in den Wald?

[Bis in die Mitte, dann geht es wieder hinaus]

Wann tun dem Hasen die Zähne weh? ³

[Wenn die Hunde ihn , beißen]

5 Warum fressen die weißen Schafe mehr als ⁵ die schwarzen?

[Weil es mehr weiße Schafe gibt als schwarze]

Wie nennt man „kleine Maus" mit einem Worte?

[Mäuschen]

1. Was für *What kind of.*   2. sieht . . . am ähnlichsten *resembles most.*
3. tun . . . weh *hurt.*   4. *him.*   5. *than.*

Sprichwörter

Ein Sperling in der Hand ist besser als zehn Tauben auf dem Dache.

Wenn die Katze nicht zu Hause ist, tanzen die Mäuse auf Tischen und Bänken.

LESSON VIII

Strong Declension of Nouns, Class III · Vowel Change in the Present Indicative · Use of the Articles

A

Ein Besuch

Am Sonnabend vormittag spielt Karl auf der Wiese hinter den Häusern. Er wird endlich müde und geht nach Hause. Um ein Uhr ißt er zu Mittag. Zum Mittagessen haben sie im Sommer Fleisch, Kartoffeln, Gemüse und den Nachtisch. Im Winter kocht die Mutter immer eine Suppe für die Kinder. 5 Karl ist sehr hungrig und läßt nichts auf seinem Teller. Der Vater ist heute nicht zu Hause. Er ist auf dem Lande bei seinem Bruder.

Am Nachmittag geht Karl zu seinem Freunde Paul. Pauls Vater ist Arzt. Er ist im Garten und gräbt. Karl nimmt den 10 Hut vom Kopfe und sagt: „Guten Tag, Herr Doktor! Ist Paul zu Hause?" Herr Doktor Karsten grüßt freundlich und antwortet: „Paul ist auf seinem Zimmer und liest." „Danke sehr!" sagt Karl und geht nach oben.

Karl öffnet die Tür und tritt ins Zimmer. Er findet den 15 Freund am Tische vor seinen Büchern. Paul lernt aber nicht, denn das Wetter ist zu schön, und so bleibt es nicht mehr lange. Der Winter ist vor der Tür, und dann kommen Eis und Schnee. „Bist du endlich hier?" ruft Paul und wirft seine Bücher aufs Bett. 20

Fragen

1. Wo spielt Karl am Sonnabend vormittag?
2. Wann ißt Karl zu Mittag?

3. Was haben sie zum Mittagessen?
4. Ist der Vater heute zu Hause?
5. Wohin geht Karl am Nachmittag?
6. Was ist Pauls Vater?
7. Wo ist Paul?
8. Lernt er fleißig?
9. Was ist vor der Tür?
10. Was kommt mit dem Winter?
11. Wohin wirft Paul seine Bücher?

Vocabulary

antworten *dat. of person* answer

der Arzt (–es, ⸚e) physician

der Besuch' (–s, –e) visit

danken *dat. of person* thank; danke sehr (= ich danke Ihnen (*dat.*) sehr) thank you very much

der Doktor doctor; Herr Doktor *in direct address* Doctor; Herr Doktor Karsten *in reference to Dr. Karsten* Dr. Karsten

das Eis (Eises) ice

finden find

das Fleisch (–es) meat

freundlich friendly

das Gemü'se (–s, —) vegetable

graben dig

der Hut (–es, ⸚e) hat; den Hut vom Kopfe nehmen take off one's hat

immer always

die Kartof'fel (*pl.* Kartoffeln) potato

das Kind (–es, –er) child

kochen cook; eine Suppe kochen make soup

der Kopf (–es, ⸚e) head

lange *adv.* long, a long time, for a long time; so bleibt es nicht mehr lange it will not remain so much longer

lassen leave

lesen read

mehr more

der Nachmittag (–s, –e) afternoon; am Nachmittag in the afternoon

der Nachtisch (–es) dessert

nehmen take

nichts nothing

rufen call, cry, exclaim

der Schnee (–s) snow

der Sommer (–s, —) summer; im Sommer in summer

der **Sonnabend** (–s, –e) Saturday; am Sonnabend vormittag
(on) Saturday forenoon

die **Suppe** soup

der **Teller** (–s, —) plate

treten step

die **Tür** door; vor der Tür sein
be close at hand

der **Vormittag** (–s, –e) forenoon

werden become, get

werfen throw

die **Wiese** meadow; auf der Wiese
in the meadow

der **Winter** (–s, —) winter; im
Winter in winter

[handwritten: die Luft – the air]

auf seinem **Zimmer** in his room

guten **Tag** how do you do

zu **Mittag** essen eat dinner

zum **Mittagessen** for *or* at dinner

[handwritten: füllen – fill]
[handwritten: heissen – to be called]
[handwritten: er heist Paul – his name is Paul]
[handwritten: leer – empty]
[handwritten: voll – full]
[handwritten: leicht – light, easy]
[handwritten: schwer – heavy, diff.]

B

1. Strong Declension of Nouns, Class III

The nouns of this group add ⸗er to form the nominative
plural; all take umlaut if possible:

SINGULAR

NOM.	das Buch	das Haus	das Kind
GEN.	des Buches	des Hauses	des Kindes
DAT.	dem Buche	dem Hause	dem Kinde
ACC.	das Buch	das Haus	das Kind

PLURAL

NOM.	die Bücher	die Häuser	die Kinder
GEN.	der Bücher	der Häuser	der Kinder
DAT.	den Büchern	den Häusern	den Kindern
ACC.	die Bücher	die Häuser	die Kinder

The following nouns of Class III occur in the previous
lessons : *[handwritten: das Buch]*

SINGULAR	PLURAL
das Bad	die Bäder
das Glas	die Gläser
das Land	die Länder
das Wort	die Wörter

[handwritten: das Kind]
[handwritten: das Haus]

2. Membership

To Class III of the strong declension belong

a. About one third of the neuter monosyllables.

b. A few masculine monosyllables.

c. Polysyllables in ⸗tum, and a few others.

There are no feminine nouns in Class III.

3. Vowel Change in the Present Indicative

Most strong * verbs with the stem vowel α or ε change the stem vowel in the second and third person singular of the present indicative as follows:

a. α becomes ä.

b. Short ε becomes short i.

c. Long ε changes in some verbs to long i, written ie; in others, to short i. In gehen, heben (*lift*), stehen, and weben (*weave*), long ε remains unchanged.

The following is a list of the verbs, used so far, that show vowel change in the two forms mentioned:

Infin.	ich	du	er	wir	ihr	fie
essen	esse	ißt	ißt	essen	eßt	essen
graben	grabe	gräbst	gräbt	graben	grabt	graben
lassen	lasse	läßt	läßt	lassen	laßt	lassen
lesen	lese	liest	liest	lesen	lest	lesen
nehmen	nehme	nimmst	nimmt	nehmen	nehmt	nehmen
treten	trete	trittst	tritt	treten	tretet	treten
werden	werde	wirst	wird	werden	werdet	werden
werfen	werfe	wirfst	wirft	werfen	werft	werfen

4. Use of the Articles

a. The indefinite article is omitted before an unmodified predicate noun denoting occupation:

Er ist Arzt.   *He is a physician.*

Er ist Lehrer.   *He is a teacher.*

* The term "strong verb" will be explained in Lesson X.

b. The definite article is used with names of seasons, months, and days:

im Sommer *in summer*   im Winter *in winter*
am Sonnabend vormittag *(on) Saturday forenoon*
Der Winter ist vor der Tür. *Winter is close at hand.*

The article is omitted, however, when the noun is used, without attributive adjective, as the object of haben; frequently also when such a noun is used, without attributive adjective, in the predicate nominative:

Endlich haben wir Sommer. *We are having summer at last.*
Es ist heute Sonnabend. *Today is Saturday.*

c. Differences between German and English in the use of the articles occur in various phrases and expressions which must be learned by observation:

in der Schule *at school*
zur Schule gehen *go to school*
ins Geschäft gehen *go to one's business*
Klavier spielen *play the piano*
eine Suppe kochen *make soup*
im Traume reden *talk in one's sleep*

C

1. Decline in the singular and plural:

das Wort, jenes Glas, unser Kind, ihr Hut, dieser Teller.

2. Conjugate:

1. Ich grabe im Garten. 2. Ich trete ins Zimmer. 3. Ich nehme nichts. 4. Ich lese den Brief. 5. Ich werde alt. 6. Um ein Uhr esse ich zu Mittag. 7. Ich antworte dem Kinde freundlich.

3. Copy the following sentences, substituting for each blank the definite article, contracting it with the preposition where possible; and use the correct forms of the verbs in parentheses:

1. In _____ Winter (werden) es hier sehr kalt. 2. Was (lesen) du? 3. Zu _____ Mittagessen (essen) er Fleisch, Kartoffeln und Gemüse, aber keinen Nachtisch. 4. In _____ Zimmer (nehmen) du _____ Hut von _____ Kopfe. 5. _____ Wetter (bleiben) nicht mehr lange so schön. 6. Heute (machen) Marie einen Besuch bei ihrem Großvater auf _____ Lande. 7. Du (lassen) nichts auf deinem Teller. 8. Er (sitzen) an _____ Tische vor einem Buche, aber er (lesen) nicht. 9. Du (sein) jung und gesund, du (werden) nicht müde. 10. Herr Doktor Karsten (treten) an _____ Fenster und (schauen) in _____ Garten. 11. Karl (antworten): „Danke sehr!" und (gehen) dann nach oben. 12. Mit _____ Winter (kommen) Eis und Schnee. 13. An _____ Nachmittag (graben) er immer eine Stunde in _____ Garten. 14. Fritz (werfen) seine Bücher hinter _____ Tür, (gehen) in _____ Küche und (trinken) ein Glas Wasser. 15. Dann (spielen) er Tennis auf _____ Wiese hinter _____ Hause. 16. (Kochen) du in _____ Winter eine Suppe für _____ Kinder? 17. Wo (spielen) ihr an _____ Sonnabend vormittag? 18. „Morgen gehen wir auf _____ Land zu _____ Großvater!" (rufen) Hans. „In _____ Sommer ist es auf _____ Lande sehr schön." 19. Karl (finden) _____ Vater seines Freundes in _____ Garten. „Guten Tag, Herr Doktor!" (sagen) er. „Ist Paul auf seinem Zimmer?" 20. _____ Arzt (wohnen) in _____ Parkstraße; er (kommen) um fünf Uhr nach Hause. 21. _____ Lehrerin (öffnen) _____ Tür, (treten) in _____ Zimmer und (grüßen) _____ Klasse freundlich. 22. _____ Winter ist vor _____ Tür. In _____ Winter (haben) wir Eis und Schnee.

4. a. Express the following sentences in the plural:

1. Der Schüler schreibt das Wort ins Heft. 2. Das Glas steht auf dem Tische. 3. Das Buch liegt auf dem Pulte. 4. Das Kind spielt hinter dem Hause. 5. Was machst du mit dem Glase?

b. Express the following sentences in the singular:

1. Sie lassen nichts auf ihren Tellern. 2. Ihr werft eure Bücher unter die Stühle. 3. Ihr werdet groß und stark. 4. Die Lehrer nehmen die Hefte der Schüler. 5. Wann eßt ihr zu Mittag?

5. Restate the following sentences, beginning with the words in heavy type:

1. Karl spielt **nach der Schule** auf der Wiese hinter seinem Hause. 2. Heute ist Karls Vater nicht zu Hause. 3. Wir wohnen **im Sommer** auf dem Lande. 4. Er ist nicht **fleißig.** 5. Sie zeigt **der Mutter** den Teller nicht.

6. Translate into German:

1. These books, those houses, our children, the physicians, three plates, two glasses, two glasses of milk. 2. Anna is reading; her mother is sewing; Paul is studying German; Dr. Karsten is digging in the garden. 3. Mr. Bolz is a teacher. Fred's father is a physician. 4. It is becoming cold. Winter is close at hand. 5. Charles eats dinner at one o'clock.[1] He leaves nothing on his plate, for he is very hungry. 6. He goes to his friend Paul in the afternoon. 7. He finds Paul's father in the garden and says: "How do you do, Doctor? Where is Paul?" 8. Dr. Karsten answers: "Paul is in his room. He is studying French." 9. Charles goes upstairs and steps into Paul's room. 10. Paul throws his book on a chair and exclaims, "Are you here at last?"

1. at one o'clock dinner.

D   [Optional]

Der Garten

Auf der einen Seite unsres Hauses ist ein schöner Blumen=
garten. Da wachsen Rosen, Lilien, Tulpen und viele andere
hübsche Blumen. Hier blühen auch das Stiefmütterchen, das
Veilchen und das kleine Vergißmeinnicht. Die Schmetterlinge
flattern von Blume zu Blume, die Bienen sammeln Honig, und   5
die Vögelchen singen fröhlich auf den Zweigen der alten Linde.
Unter der Linde ist eine Laube, worin[1] wir alle gern sitzen,[2]
wenn das Wetter schön ist.

Auf der anderen Seite des Hauses ist der Gemüsegarten.
10 Hier wachsen allerlei Gemüse, wie Bohnen, Erbsen, Kartoffeln,
Rüben, Kohl und so weiter. Im Gemüsegarten wachsen auch
Erdbeeren und Trauben.

Hinter dem Hause ist der Hof, und hinter dem Hofe ist der
Obstgarten. Im Obstgarten wächst allerlei schönes Obst:
15 Äpfel, Birnen, Kirschen und Pflaumen. Der Obstgarten ist
von [3] einem Zaune und der Hof von einer Mauer umgeben.[4]

1. in which.   2. gern sitzen *like to sit*.   3. *by*.   4. *surrounded*.

Sprichwörter

Der Apfel fällt nicht weit vom Stamm.[1]
Von einem Streiche fällt keine Eiche.
Kleider machen Leute.
Glück und Glas, wie leicht bricht das!

1. Like father, like son.

Satzreihen

Ich esse das Frühstück.
Ich nehme meine Schulbücher.
Ich sage den Eltern Lebewohl.
Ich verlasse das Haus.
5 Ich gehe zu Fuß in die Schule.
Ich komme an das Schulgebäude.
Ich gehe hinein.[1]
Ich gehe die Treppe hinauf.[2]
Ich komme an die Tür des Klassenzimmers.
10 Ich trete in das Zimmer.
Ich grüße den Lehrer.
Ich gehe an meinen Platz und setze mich.

1. *in*.   2. *up*.

Winter in Garmisch, Bavaria

Heinrich nimmt einen Bogen Papier und eine Feder.

Er schreibt einen Brief an seine Mutter.

Er schreibt das Datum oben [1] auf die rechte Seite des Bogens.

5 Er beginnt den Brief: „Liebe Mutter!"

Er erzählt seiner Mutter von seiner Arbeit und seinen Kameraden.

Er schließt den Brief mit den Worten: „Dein Dich liebender Sohn [2] Heinrich."

10 Er faltet den Brief und steckt ihn [3] in einen Briefumschlag.

Er klebt [4] den Briefumschlag zu und eine Briefmarke auf.

Er schreibt die Adresse auf den Umschlag und wirft den Brief in den Briefkasten, oder er bringt ihn auf die Post.

1. *at the top.* 2. Dein Dich liebender Sohn *Your loving son.* 3. *it.*
4. klebt goes with both zu and auf, meaning *seals* and *sticks on* respectively.

Witze

Besucher (zur Hausfrau): „Ihren Sohn sieht man immer studieren. [1] Er scheint großen Wissensdurst zu haben."

Hausfrau: „Ja. Den Durst hat er von seinem Vater, das Wissen von mir."   1. *studying.*

„Man sagt, die glücklichen Ehen sind diejenigen, [1] in denen [2] der Mann und die Frau dasselbe [3] lieben."

„So ist es bei uns! [4] Ich liebe Richard, und er liebt sich [5] auch."

1. *those.*   2. *which.*   3. *the same thing.*   4. bei uns *with us.*
5. *himself.*

„Ist Ihre Frau sparsam?"

„Manchmal; gestern hatte sie ihren vierzigsten Geburtstag, auf ihrem Kuchen waren aber nur sechsundzwanzig Kerzen."

„Mutter, wenn ich ‚danke schön‘[1] sage, das ist doch[2] höf=
lich?"

„Gewiß, Liebling."[3]

„Und wenn ich mit vollem Munde spreche, das ist doch un=
gezogen?"[4]

„Sogar sehr,[5] Liebling."

„Und wenn ich nun mit vollem Munde ‚danke schön‘ sage,
ist das nun ungezogen oder höflich?"

1. danke schön *thank you very much.*   2. *isn't it.*   3. *my dear.*
4. *ill-mannered.*   5. sogar sehr *very much so.*

LESSON IX

Weak Declension of Nouns · Suffix =in · Mixed Declension · Use of the Present Tense for the Future · Position of Predicate Adjectives and Nouns

A

Ein Beſuch (Fortſetzung)

„Wo ſind deine Tanten heute?" fragt Karl. Herr Doktor Karſten hat nämlich zwei Schweſtern. Sie ſind beide Lehre= rinnen. Fräulein Klara lehrt Franzöſiſch, Fräulein Emma Spaniſch. „Tante Emma iſt unten," antwortet Paul, „aber
5 Tante Klara iſt in der Schule und korrigiert Hefte. Sie kommt erſt um halb ſechs nach Hauſe."

Da klopft es, und Tante Emma tritt in das Zimmer und ſagt: „Junge, biſt du mit deinen Schularbeiten noch nicht fertig? Warum arbeiteſt du ſo langſam? Du biſt ein Faul=
10 pelz. Wir gehen heute nachmittag zu Onkel Heinrich und Tante Helene, und es wird ſpät. Natürlich gehſt du mit uns, Karl."

„Das iſt viel zu weit," antwortet Paul, „es wird ſchon um ſechs Uhr dunkel." Aber Tante Emma lacht und ſagt: „Haſt
15 du ſonſt noch etwas auf dem Herzen? Wir haben Mondſchein, und der Mond kommt ſchon um ſieben. Du trägſt meinen Korb mit den Blumen. Dann wirſt du hübſch müde und ſchläfſt gut."

Fragen

1. Was ſind Fräulein Klara und Fräulein Emma Karſten?
2. Was lehrt Fräulein Emma?
3. Wo iſt Tante Emma?

4. Wo ist Tante Klara?

5. Was macht sie?

6. Wann kommt sie nach Hause?

7. Wohin geht Tante Emma heute nachmittag mit Paul und Karl?

8. Wann wird es dunkel?

9. Wann kommt der Mond?

10. Wer trägt den Korb?

11. Was ist in dem Korbe?

Vocabulary

beide both

die Blume (—, -n) flower

da *adv.* then, there

dunkel dark

erst first; erst um halb sechs not until half past five

etwas something, anything

der Faulpelz (-es, -e) lazy person, lazybones

die Fortsetzung (—, -en) continuation

gut *adv.* well

halb half; halb sechs half past five

Heinrich (*masc.*) (-s) Henry

Helene (*fem.*) (-s) Helen

das Herz (-ens, -en) heart; etwas auf dem Herzen haben have something on one's mind

hübsch pretty; hübsch müde very tired, "good and tired"

der Junge (-n, -n) boy *der Knabe*

Klara (*fem.*) (-s) Clara

klopfen knock; es klopft somebody knocks *or* is knocking

der Korb (-es, ⸗e) basket

korrigie'ren correct

lachen laugh

langsam slow

lehren teach

der Mond (-es, -e) moon

der Mondschein (-s) moonlight

nämlich namely, you see, you must know, for

natür'lich naturally, of course

der Onkel (-s, —) uncle

schlafen (er schläft) sleep

schon already

die Schularbeit (—, -en) school work, lesson

sieben seven

sonst else, otherwise; sonst noch etwas anything else

Spanisch Spanish (language)

spät late

die Tante (—, -n) aunt

tragen (er trägt) carry, wear   viel much
uns *dat. of* wir us   warum' why
unten *adv.* below, downstairs   weit far

   heute nachmittag this afternoon
   mit etwas fertig sein be through with something
   wir gehen zu Onkel Heinrich we are going to Uncle Henry's

B

1. Weak Declension of Nouns

The nouns of this declension add ⸗n, ⸗en, or ⸗nen to form the nominative plural. Those ending in ⸗e, ⸗el, or ⸗er add ⸗n; those ending in ⸗in add ⸗nen; the others add ⸗en. Weak nouns never take umlaut as a means of forming the plural.

Of the masculine nouns in this declension those ending in ⸗e add ⸗n, the others add ⸗en, to form the genitive, dative, and accusative singular.

SINGULAR

Nom.	die Uhr	die Blume	die Lehrerin	der Junge
Gen.	der Uhr	der Blume	der Lehrerin	des Jungen
Dat.	der Uhr	der Blume	der Lehrerin	dem Jungen
Acc.	die Uhr	die Blume	die Lehrerin	den Jungen

PLURAL

Nom.	die Uhren	die Blumen	die Lehrerinnen	die Jungen
Gen.	der Uhren	der Blumen	der Lehrerinnen	der Jungen
Dat.	den Uhren	den Blumen	den Lehrerinnen	den Jungen
Acc.	die Uhren	die Blumen	die Lehrerinnen	die Jungen

The following weak nouns occur in the previous lessons:

die Familie	die Küche	die Suppe
die Feder	die Schule	die Tafel
die Frage	die Schülerin	die Tasse
die Füllfeder	die Schwester	die Tinte
die Kartoffel	die Straße	die Tür
die Klasse	die Stunde	die Wiese

2. Membership

To the weak declension belong

a. All feminine polysyllables except bie Mutter and bie
Tochter of the strong declension, Class I, and a few in
=kunft, =nis, and =sal of the strong declension, Class II.

b. About two thirds of the feminine monosyllables.

c. A few masculine monosyllables.

d. Masculine polysyllables in =e, denoting living beings.

e. A number of foreign masculine nouns accented on the
last syllable.

There are no neuter nouns in the weak declension.

3. Suffix =in

The suffix =in forms feminine nouns from masculines,
the stem vowel usually taking umlaut if possible:

ber Lehrer *teacher* (man)	bie Lehrerin *teacher* (woman)
ber Schüler *pupil* (boy)	bie Schülerin *pupil* (girl)
ber Arzt *physician* (man)	bie Ärztin *physician* (woman)

4. Mixed Declension

A few nouns are declined strong in the singular and
weak in the plural:

Irreg   *Irreg*

SINGULAR

Nom.	ber Doktor	bas Bett
Gen.	bes Doktors	bes Bettes
Dat.	bem Doktor	bem Bette
Acc.	ben Doktor	bas Bett

PLURAL

Nom.	bie Dokto'ren	bie Betten
Gen.	ber Dokto'ren	ber Betten
Dat.	ben Dokto'ren	ben Betten
Acc.	bie Dokto'ren	bie Betten

Note the shifting of accent in the plural of Doktor.
Nouns in =or accent this ending in the plural, =ŏr becoming =ō'ren. These nouns are of Latin origin.

5. Summary of Declensional Endings of Nouns

	S I*	S II	S III	Weak	Mixed
			SINGULAR		
Nom.	—	—	—	—	—
Gen.	–ȥ	–(e)ȥ	–(e)ȥ	–(e)n	–(e)ȥ
Dat.	—	–(e)	–(e)	–(e)n	–(e)
Acc.	—	—	—	–(e)n	—
			PLURAL		
Nom.	—	–e	–er	–(e)n	–(e)n
Gen.	—	–e	–er	–(e)n	–(e)n
Dat.	(–n)	–en	–ern	–(e)n	–(e)n
Acc.	—	–e	–er	–(e)n	–(e)n

Feminine nouns do not change in the singular.
The following take umlaut in the plural:

Strong declension I: about two dozen.
Strong declension II: most masculines and all feminines if
possible; no neuters.
Strong declension III: all if possible.
Weak declension: none.
Mixed: none.

6. Declension of Herr and Herz

	SINGULAR	
Nom.	der Herr	das Herz
Gen.	des Herrn	des Herzens
Dat.	dem Herrn	dem Herzen
Acc.	den Herrn	das Herz
	PLURAL	
Nom.	die Herren	die Herzen
Gen.	der Herren	der Herzen
Dat.	den Herren	den Herzen
Acc.	die Herren	die Herzen

Herr renders *Mr., gentleman, Lord, master.*

* *S I* = Strong declension, Class I.

7. Use of the Present Tense for the Future

The use of the present tense for the future, to express something definitely intended or confidently expected, is more common in German than in English:

> Du trägst meinen Korb mit den Blumen. Dann wirst du hübsch müde und schläfst gut. *You will carry my basket with the flowers. Then you will become "good and tired" and will sleep well.*

8. Predicate Adjectives and Nouns

Predicate adjectives and nouns usually follow adverbial modifiers:

> Es wird schon um sechs Uhr dunkel. *By six o'clock it is getting dark.*
> Die Tage sind im Winter kurz. *The days are short in winter.*

C

1. Decline in the singular and plural:

meine Tante	ihre Schwester	welche Tür
unser Onkel	dieser Korb	die Schülerin

2. Give the genitive singular and the nominative plural of

die Schularbeit	das Haus	der Herr
der Mond	der Doktor	die Kartoffel
die Feder	die Tasse	die Tochter
der Arzt	der Junge	der Sohn
das Bett	die Lehrerin	das Herz
der Kopf	der Bruder	die Uhr
die Straße	das Land	der Teller

3. Conjugate:

1. Ich trage den Korb. 2. Ich schlafe gut. 3. Ich esse keinen Nachtisch. 4. Ich werfe die Bücher aufs Pult. 5. Ich öffne die Türen. 6. Ich lerne Deutsch. 7. Was lese ich? 8. Ich korrigiere die Hefte.

4. Copy the following sentences, substituting the missing ending for each blank, and use the correct forms of the verbs in parentheses:

1. Was (**haben**) du auf dem Herz__? 2. Da (**werden**) er hübſch müde und (**ſchlafen**) gut. 3. Dieſe Bett__ (**ſein**) nicht groß genug. 4. Der Vater dieſer Junge__ iſt Lehrer. 5. Karl (**nehmen**) den Hut vom Kopf__ und (**ſagen**): „Gut__ Tag, Herr Doktor!" 6. Tante Klara (**kommen**) erſt um halb ſieben nach Hauſ__. 7. Wer (**tragen**) den Korb mit den Blume__? 8. „Sind dein__ Tante__ zu Hauſe?" (**fragen**) Karl. Herr Doktor Karſten (**haben**) nämlich zwei Schweſter__. 9. Paul (**arbeiten**) ſehr langſam; er (**ſein**) ein Faulpelz. 10. Onkel Heinrich (**graben**) im Garten und Tante Helene (**kochen**) ein__ Suppe für die Kind__. 11. Seine Schweſter__ ſind beide Lehrerin__; Fräulein Emma (**lehren**) Spaniſch, Fräulein Klara Franzöſiſch. 12. Warum (**lachen**) du ſo viel?

5. Restate the following sentences, beginning with the words in heavy type:

1. Die Jungen gehen **natürlich** mit uns. 2. Im Winter wird es ſehr kalt. 3. Im Sommer ſind **die Tage** lang, im Winter kurz. 4. Wir gehen **heute nachmittag** aufs Land zu Onkel Heinrich. 5. Ich trage die Bücher, du trägſt **den Korb mit den Blumen.** 6. Dann wirſt **du** hübſch müde. 7. Jeden Abend geht **er** ins Kino. 8. Die Schweſtern ſind **heute** nicht zu Hauſe.

6. Translate into German:

1. Paul Karsten is in his room. Aunt Emma is downstairs. 2. Aunt Clara is at school and will not come home until half past six. 3. Paul is sitting at the table and is reading. 4. Somebody knocks, but Paul does not answer. 5. Then Aunt Emma opens the door and steps into the room. 6. "You lazybones!" she exclaims. "Are you not yet ready? We are going to Uncle Henry's this afternoon, and it is already late." 7. "It is too far," Paul answers. "I shall stay at home. At six o'clock it is already dark. 8. I am tired and I am not yet through with my lessons."[1] 9. "Have you anything else on your mind?"

Three Lions

Goethe's Garden House at Weimar

asks Aunt Emma. "We have moonlight, and we shall come home at half past eight. 10. You will carry the basket with the plates, and Charles will carry the flowers. 11. Then you will both become very tired, and you will sleep well."

 1. Follow the German model in section *A*.

D   [Optional]

Einige Berufe und Handwerke

 Herr Treutler ift Arzt; er ift ein guter Arzt. Herr Nagel ift Advofat; er ift ein berühmter Advofat. Herr Braun ift Lehrer; er lehrt am Gymnafium. Herr Weber ift Pfarrer; er predigt Sonntags in der Kirche.

 Was tut der Barbier? — Er rafiert uns und fchneidet uns 5 die Haare.[1] — Was tut der Kaufmann? — Er verfauft allerlei

Waren in seinem Laden. — Was kaufen wir beim Bäcker?[2] — Brot. — Was kaufen wir beim Fleischer? — Fleisch. — Was macht der Fabrikant? — Er macht allerlei Waren aus Wolle,

10 Baumwolle, Seide, Eisen, Holz, Leder usw. — Was macht der Schneider? — Er macht Anzüge. Er arbeitet mit der Schere, dem Fingerhut und der Nadel. — Was tut der Schuhmacher? — Er bessert alte Schuhe aus[3] und macht neue.[4]

15 „Schuster, bleib bei deinem Leisten!"[5] sagt das Sprichwort, und das ist ein guter Rat.

1. uns die Haare *our hair.* 2. beim Bäcker *at the baker's.* 3. bessert ... aus *mends.* 4. *new ones.* 5. „Schuster, bleib bei deinem Leisten!" *"Cobbler, stick to your last"*; that is, don't meddle with what you don't understand. (Der Leisten *last* (of a shoemaker).)

Zum Schnellsprechen

Der Metzger wetzt das Metzgermesser.[1]

Die Bürsten mit schwarzen Borsten bürsten besser, als[2] die Bürsten mit weißen Borsten.

Zwischen zwei Zwetschenzweigen[3] sitzen zwei zwitschernde[4]
5 Schwalben.

Hinter Hermann Hannes' Haus
Hängen hundert Hemden 'raus,[5]
Hundert Hemden hängen 'raus
Hinter Hermann Hannes' Haus.

10 Hör',[6] du Bub',[7] sag'[8] deinem Buben,[9] daß dein Bub' meinen Buben keinen Buben mehr[10] heißt,[11] denn mein Bub' leidt's nicht[12] von deinem Buben, daß dein Bub' meinen Buben einen Buben heißt.

1. *butcher's knife.* 2. *than.* 3. *plum-tree branches.* 4. *twittering.* 5. *out.* 6. *Listen.* 7. *rascal.* 8. *tell.* 9. *boy.* 10. *any more.* 11. *call.* 12. leidt's nicht = leidet es nicht *will not endure it.*

Rätsel

Welchen Hut setzt man nie auf den Kopf?

[Den Fingerhut.]

Wo haben die Städte keine Häuser?

[Auf der Landkarte.]

Wann ist der Müller ohne Kopf in der Mühle?

[Wenn er den Kopf aus dem Fenster steckt.]

Welcher Unterschied ist zwischen einem Baume und einer
Glocke?

[Die Glocke hat ein G, der Baum hat Zwei-ge.] 5

Mailied

Wie herrlich leuchtet
Mir [1] die Natur!
Wie glänzt die Sonne!
Wie lacht die Flur!

Es [2] dringen Blüten   5
Aus jedem Zweig
Und tausend Stimmen
Aus dem Gesträuch,

Und Freud' und Wonne
Aus jeder Brust.   10
O Erd', o Sonne!
O Glück, o Lust!   **GOETHE**

1. *to me.*   2. *There.*

Sprichwörter

Jeder ist seines Glückes Schmied.
Dummheit und Stolz wachsen auf einem Holz.[1]

1. *branch* (literally, *wood*).

REVIEW OF LESSONS I–IX

1. Put (*a*) the definite article, (*b*) the indefinite article, before each of the following nouns:

Tisch	Pult	Blume	Küche
Buch	Tag	Tür	Morgen
Tafel	Straße	Kopf	Faulpelz
Stuhl	Teller	Mond	Gemüse
Heft	Vogel	Familie	Tante
Uhr	Abend	Ball	Stück
Fenster	Klavier	Kartoffel	Brief
Bank	Wurst	Klasse	Schule
Korb	Wiese	Wort	Bad
Haus	Hut	Traum	Frage

2. Decline in the singular and plural

der Bruder	dieser Junge	unser Haus
mein Zimmer	jene Tasse	welches Bett
das Glas	die Nacht	das Herz

3. Give the genitive singular and the nominative plural of

die Schülerin	die Schwester	der Garten	der Stuhl
der Arzt	die Tochter	der Sohn	der Doktor
die Stunde	der Brief	das Heft	das Kind
der Winter	der Herr	die Mutter	der Onkel
das Land	der Baum	die Uhr	der Freund
das Töchterchen	die Suppe	die Feder	das Buch

4. Form diminutives from

der Bruder	die Schwester	das Haus
die Mutter	das Fenster	der Korb

108

5. Copy the following sentences, substituting for each blank the ending that has been omitted:

1. Der Vater dief___ Schüler___ ist Arzt. 2. Er zeigt sein___ Bruder das Messer nicht. 3. Jed___ Schüler und jed___ Schülerin hat ein___ Bleistift. 4. Die Mutter jen___ Kinder ist krank. 5. Sie reicht ihr___ Schwester ein Stück Kreide. 6. Habt ihr eur___ Hefte?

6. Replace the words in heavy type with personal pronouns:

1. **Das Papier** ist dünn. 2. **Der Bleistift** ist kurz. 3. **Die Tinte** ist zu dick. 4. **Die Stühle** sind alt. 5. Wo ist **der Korb?** 6. **Die Füllfeder** liegt auf dem Tische.

7. Conjugate:

1. Ich bin in der Schule. 2. Ich habe keine Tinte. 3. Ich schreibe die Wörter an die Tafel. 4. Ich öffne die Fenster. 5. Ich schlafe in diesem Zimmer. 6. Ich lese den Brief. 7. Ich esse das Brot. 8. Ich werde fleißig.

8. Use the correct forms of the verbs in parentheses:

1. Wo (**sitzen**) du in der Klasse? 2. Klara (**treten**) ins Zimmer. 3. Karl (**nehmen**) den Hut vom Kopfe. 4. Ihr (**reden**) zu viel. 5. Gertrud (**arbeiten**) in der Küche. 6. Hans (**graben**) im Garten. 7. Heinrich (**lernen**) Deutsch. 8. Paul (**tragen**) keinen Hut. 9. Was (**sagen**) du? 10. Er (**antworten**) nicht.

9. Copy the following sentences, substituting for each blank the definite article, and contracting it with the preposition where possible:

1. Hans schaut aus _____ Fenster in _____ Garten. 2. Vor _____ Hause sind zwei Bäume. 3. Ich lege das Messer neben _____ Teller. 4. Die Mutter kocht in _____ Winter eine Suppe für _____ Kinder. 5. Paul tritt an _____ Pult. 6. Der Lehrer steht an _____ Fenster. 7. Fritz wirft seinen Hut auf _____ Stuhl. 8. Marie geht durch _____ Garten in _____ Küche. 9. Die Familie geht

nach _____ Abendeſſen in _____ Wohnzimmer. 10. Emma wohnt bei _____ Großvater auf _____ Lande. 11. Er kommt nicht ohne _____ Bruder. 12. Die Kinder ſpielen auf _____ Wieſe hinter _____ Hauſe. 13. Leo geht mit _____ Schweſter zu _____ Schule. 14. Das Buch liegt unter _____ Bank. 15. Der Lehrer legt die Füllfeder zwiſchen _____ Bleiſtift und _____ Stück Kreide.

10. Restate the following sentences, beginning with the words in heavy type:

1. Wir bleiben **heute** zu Hauſe. 2. Ihr kommt **natürlich** mit uns. 3. Du wirſt **dann** hübſch müde und ſchläfſt gut. 4. Das iſt nicht **zu weit.** 5. Im Winter ſind **die Tage** kurz. 6. Er legt **den Bleiſtift** neben die Füllfeder. 7. Sie zeigt **der Mutter** den Korb nicht. 8. Die Kinder ſpielen bis ſechs Uhr **auf der Wieſe.** 9. Mit meinen Schular=beiten bin **ich** noch nicht fertig. 10. Wir bleiben eine Stunde **dort.** 11. Das Wetter iſt nicht **ſehr ſchön.** 12. Um drei Uhr kommt **Karl** nach Hauſe. 13. Dann gehen ſie aufs Land. 14. Nach dem Mittag=eſſen geht **der Vater** wieder ins Geſchäft. 15. Heute iſt **Paul** nicht hier. 16. Schon um ſechs Uhr wird es dunkel.

11. Translate into German:

1. Which house, our house, his house; this chair and that one, every chair, my chair; those tables, these benches, their books; such meat, many a mother, your room, no paper. 2. Paul's sister, Mary's brother, Fred's father, Jack's knife. 3. A piece of bread, a glass of milk, a cup of coffee, two glasses of water, three cups of coffee. 4. Clara's father is a teacher. Her uncle is a physician. 5. Mr. Brown lives on Garden Street. In summer he lives in the country. 6. After dinner Charles goes to school again. He is not very diligent. 7. The teacher is sitting at the desk. He is correcting the notebooks. 8. Charles, is your father at home? What is he doing? 9. Do you play the piano, Gertrude? Do you draw? Do you study diligently? 10. I shall stay at home this afternoon.— No, you are going with us. We shall not stay there long. We shall come home at five o'clock.

Market Scene at Eisenach, Thuringia

12. Translate into English:

1. Fräulein Müller ist fleißig und klug und lernt schnell und genau.
2. Karls Schwester deckt den Tisch. Das Essen ist noch nicht fertig.
3. Die Familie geht nun zu Tisch. 4. Wir essen um sechs Uhr zu
Abend. 5. Die Mutter geht mit den Kindern nach oben. 6. Karl
badet jeden Abend kalt. 7. Manchmal redet er in der Nacht im
Traume. 8. Karl nimmt den Hut vom Kopfe und sagt: „Guten Tag,
Herr Doktor!" 9. Paul ist auf seinem Zimmer und liest. 10. „Danke
sehr!" antwortet Karl. 11. Der Winter ist vor der Tür, und dann
kommen Eis und Schnee. 12. Da klopft es, und Tante Emma tritt in
das Zimmer. 13. Hast du sonst noch etwas auf dem Herzen? 14. Sie
spielen eine Stunde Tennis und machen dann einen Spaziergang.
15. Sie kommen erst um halb sechs nach Hause.

LESSON X

Past Indicative

A

Ein Besuch (Schluß)

Read

Onkel Heinrich ist Pastor und wohnt in einem Dorfe. Er hat vier Kinder, einen Sohn und drei Töchter. Tante Emma und die Knaben fanden ihn mit seiner Familie im Garten. Er grüßte die Gäste herzlich und fragte nach ihrem Befinden, sprach eine Zeitlang mit Tante Emma über ihre Arbeit in der Schule, 5 und ging dann ins Haus und schrieb einige Briefe.

Karl und Paul spielten nun mit Heinz, dem Vetter Pauls, Ball. Die Mädchen blieben bei ihrer Mutter und Tante Emma. Bald wurde es kühl, und die Frauen gingen in die Küche. Die Knaben blieben bis sechs Uhr draußen. Da rief Tante Helene 10 die Kinder zum Abendessen. Karl und Paul waren sehr hungrig und aßen wie die Wölfe.

Um sieben Uhr kam der Mond, aber erst um acht Uhr sagten die Gäste Lebewohl. Karl und Paul redeten auf dem Heim= weg nicht viel, denn sie waren jetzt wirklich müde und sahen den 15 Weg kaum. Karl schlief die Nacht [1] wie ein Murmeltier bis weit in den Sonntag hinein. Er kam fast zu spät in die Kirche.

1. die Nacht *that night.*

Fragen

1. Wo wohnt Onkel Heinrich?
2. Was ist er?
3. Wie viele Kinder hat er?
4. Wo fanden die Gäste den Pastor?

113

5. Worüber sprach er eine Zeitlang mit Tante Emma?
6. Wer spielte mit Karl und Paul Ball?
7. Wohin gingen die Frauen?
8. Wer rief die Kinder zum Abendessen?
9. Wann sagten die Gäste Lebewohl?
10. Wie lange schlief Karl?
11. Wohin kam er fast zu spät?

Vocabulary

acht eight
die Arbeit (—, –en) work
bald soon
das Befin'den (–s) health
das Dorf (–es, ⸚er) village
draußen outside, out of doors
einige some
fast almost
die Frau (—, –en) woman, wife, Mrs.
der Gast (–es, ⸚e) guest, visitor
der Heimweg (–s) way home
Heinz (masc.) (Heinz' or –ens) Harry
herzlich hearty, cordial, affectionate
hinein' adv. into; bis weit in den Sonntag hinein until far into Sunday
ihn acc. of er him
jetzt now
kaum scarcely, hardly
die Kirche (—, –n) church; in die Kirche kommen (gehen) come (go) to church

der Knabe (–n, –n) boy
kühl cool
das Lebewohl (–s) farewell, good-by
das Mädchen (–s, —) girl
das Murmeltier (–s, –e) marmot; wie ein Murmeltier schlafen sleep like a log or top
der Pastor (–s, Pasto'ren) pastor, minister
sehen (er sieht, er sah) see
der Sonntag (–s, –e) Sunday
sprechen (er spricht, er sprach) speak, talk; sprechen über acc. speak about
der Vetter (–s, –n) cousin (male)
viele many; wie viele how many
vier four
der Weg (–es, –e) way
wie as, like, how
wirklich real
der Wolf (–es, ⸚e) wolf; wie die Wölfe essen eat like wolves
eine Zeitlang for some time, for a while

B

1. Weak and Strong Verbs

Verbs are divided into two main groups, called weak and strong, according to their method of forming the past tense.

Weak verbs form the first person singular of the past indicative by adding =te or =ete to the stem of the infinitive.

Strong verbs form the first person singular of the past indicative by changing the stem vowel.

Whether a given verb is weak or strong cannot be told from the infinitive. It is a matter of observation. Weak verbs are, however, by far the more numerous.

2. Past Indicative

The past indicative forms of weak verbs of the fagen type are derived by adding =te, =teft, etc., as indicated below, to the stem of the infinitive.

Weak verbs of the arbeiten type add =ete, =eteft, etc., as indicated below.

Strong verbs are without ending in the first and third person singular; otherwise they have the endings of the present tense.

Although certain helpful classifications of strong verbs will be made in later lessons of this text, the past indicative of a strong verb is best learned by observation.

PAST INDICATIVE

fagen	arbeiten	fchreiben	finden
ich fagte	arbeitete	fchrieb	fand
du fagteft	arbeiteteft	fchriebft	fandeft
er fagte	arbeitete	fchrieb	fand
wir fagten	arbeiteten	fchrieben	fanden
ihr fagtet	arbeitetet	fchriebt	fandet
fie fagten	arbeiteten	fchrieben	fanden

Note that idj fagte means *I said, I was saying,* or *I did say.*

The following weak and strong verbs occur in Lessons I–X:

WEAK

fagen Type			arbeiten Type
banfen	ladjen	fagen	antworten
beđen	legen	fdjauen	arbeiten
fragen	leĥren	fpielen	baben
grüßen	lernen	woĥnen	öffnen
flopfen	madjen	zeigen	redjnen
fodjen	näĥen		reben
forrigieren	reidjen		zeidjnen

STRONG

Pres. Infin.	Past Indic.	Pres. Infin.	Past Indic.
bleiben	blieb	fdjlafen	fdjlief
effen	āß	fdjreiben	fdjrieb
finben	fanb	feĥen	faĥ
geĥen	ging	fingen	fang
graben	grub	fißen	fāß
fommen	fam	fpredjen	fprādj
laffen	ließ	fteĥen	ftanb
lefen	las	tragen	trug
liegen	lag	treten	trat
neĥmen	naĥm	trinfen	tranf
rufen	rief	werfen	warf

3. Past Indicative of ĥaben, fein, and werben

idj ĥatte	idj war	idj wurbe
bu ĥatteft	bu warft	bu wurbeft
er ĥatte	er war	er wurbe
wir ĥatten	wir waren	wir wurben
iĥr ĥattet	iĥr wart	iĥr wurbet
fie ĥatten	fie waren	fie wurben

C

1. Conjugate in the present and the past indicative:

1. Ich spiele im Garten. 2. Ich öffne die Türen. 3. Ich spreche Deutsch. 4. Ich stehe am Fenster. 5. Ich sehe ihn nicht. 6. Ich schlafe gut.

2. Decline in the singular and plural:

die Frau	unser Vetter	dieses Dorf	das Mädchen
welcher Knabe	der Pastor	mein Gast	jene Kirche

3. Copy the following sentences, substituting the missing ending for each blank, and put the verbs in the past indicative:

1. Wir liegen unter jen___ Baume und schlafen. 2. Es wird bald kühl, und die Mädchen gehen ins Haus. 3. Sie grüßt uns herzlich und fragt nach unsr___ Befinden. 4. Herr Doktor Karsten hat nur ein___ Bruder. 5. Um vier Uhr kommt er mit sein___ Freunde nach Hause. 6. Er ist Pastor und wohnt in ein___ Dorfe. 7. Er badet jed___ Abend kalt. 8. Er ist sehr hungrig und läßt nichts auf sein___ Teller. 9. Sie liest den Brief ihr___ Freundes. 10. Er trägt kein___ Hut. 11. Am Nachmittag gräbt er ein___ Stunde im Garten. 12. Ihr zeigt dem Lehrer eur___ Hefte nicht.

4. Copy the following sentences, substituting for each blank the definite article, contracting it with the preposition where possible; and put the verbs in the past indicative:

1. Heinz nimmt _____ Hut von _____ Kopfe und sagt: „Guten Tag, Frau Karsten!" 2. _____ Vater sitzt an _____ Pulte und rechnet oder zeichnet. 3. Sie öffnen _____ Tür und treten in _____ Zimmer. 4. Ich rede auf _____ Heimweg nicht viel, denn ich bin jetzt wirklich müde und sehe _____ Weg kaum. 5. Sie werden von _____ Wege nach _____ Dorfe müde. 6. An _____ Sonntag gehen wir alle in _____ Kirche. 7. Ich antworte _____ Lehrer nicht, denn ich habe kein Buch. 8. Leo kommt erst um acht Uhr nach

Haufe und ſchläft wie ein Murmeltier bis weit in _ _ _ _ _ Tag hinein.
9. Wir ſind hungrig und eſſen wie _ _ _ _ _ Wölfe. 10. Er geht auf
ſein Zimmer und ſchreibt einige Briefe. 11. Er lacht und wirft ſeine
Bücher auf _ _ _ _ _ Bett. 12. Er öffnet _ _ _ _ _ Fenſter und ruft
_ _ _ _ _ Vater. 13. _ _ _ _ _ Wetter iſt ſchön, und _ _ _ _ _ Vögel
ſingen in _ _ _ _ _ Bäumen. 14. Er bleibt faſt eine Stunde dort.
15. Wie viele Federn haſt du? 16. Die Kinder ſpielen bis ſieben Uhr
draußen in _ _ _ _ _ Garten. 17. Ich ſpreche eine Zeitlang mit _ _ _ _ _
Lehrer über ſeine Arbeit in _ _ _ _ _ Schule. 18. Tante Klara iſt in
_ _ _ _ _ Schule und korrigiert Hefte. 19. Er findet _ _ _ _ _ Freund
an _ _ _ _ _ Tiſche vor ſeinen Büchern. 20. In _ _ _ _ _ Winter kocht
_ _ _ _ _ Mutter immer eine Suppe für _ _ _ _ _ Kinder. 21. Das
Dienſtmädchen iſt in _ _ _ _ _ Eßzimmer und deckt _ _ _ _ _ Tiſch.
22. Nur Fräulein Müller ſchaut auf _ _ _ _ _ Tafel und _ _ _ _ _ Lehrer.

5. Give the meaning and the principal parts * of

Weg	Junge	Korb	Winter	Wurſt	Gemüſe
Wolf	Herz	Tante	Abend	Klavier	Arbeit
Blume	Onkel	Kopf	Nacht	Käſe	Mond

6. Translate into German:

1. Paul's uncle lived in a village. He was a minister and had
four children, a son and three daughters. 2. Paul and Charles
found Uncle Henry in the garden. He was sitting at a table
and was drinking coffee. 3. Aunt Helen and the girls were in
the kitchen. Paul's cousin Harry was not at home. 4. Uncle
Henry spoke with the boys about their school work. At five
o'clock Harry came home. 5. At six o'clock they ate supper.
Paul and Charles ate like wolves. 6. Paul drank two cups of
coffee, and Charles three glasses of milk. 7. After supper they
all went into the living-room. Aunt Helen played the piano,
and the children sang. 8. At eight o'clock Paul and Charles
said good-by. On the way home they did not talk much, for
they were both very tired. 9. They went to bed immediately
and slept like a log until far into Sunday.

* Always use the definite article with a noun when giving its principal parts.

D   [Optional]

Wanderers Nachtlied II[1]

Über allen Gipfeln

Ist Ruh',

In allen Wipfeln

Spürest[2] du

Kaum einen Hauch;   5

Die Vögelein schweigen im Walde.

Warte nur,[3] balde[4]

Ruhest[5] du auch.   GOETHE

In der Nähe von Ilmenau[6] ist ein Berg. Der Kickelhahn heißt er. Dort stand zu Goethes Zeiten eine einfache Hütte für 10 die Jäger, eine sogenannte Jagdhütte. Die Wände waren aus Brettern, und an eines dieser Bretter[7] schrieb der Dichter an einem Septemberabend des Jahres 1780[8] dieses kleine Gedicht. Es besteht nur aus wenigen Zeilen, und doch ist es eine Perle. Ein Lied ist das Gedicht zwar nicht, aber man hat es mehr als[9] 15 hundertmal komponiert.[10]

Ein halbes Jahr vor seinem Tode war Goethe zum letzten= mal[11] auf dem Kickelhahn. Seine beiden Enkel waren mit ihm,[12] und der Großvater erzählte ihnen[13] von seiner Jugend und zeigte ihnen die bekannten Orte. Es ging wieder auf den 20 Herbst zu.[14] An der Bretterwand der Jagdhütte standen noch jene Verse, und der Dichter las die verblaßte[15] Schrift. Die Tränen kamen ihm dabei in die Augen.[16] „Ja, warte nur, balde ruhest du auch", sagte er leise und trocknete sich die Wangen.[17] Goethe war damals zweiundachtzig Jahre alt. Ein langes 25 Leben, reich an Leid und Freude, aber vor allem[18] reich an Fleiß und Arbeit lag hinter ihm. Im folgenden[19] Jahre, gerade zu

*Hunting Lodge (Rebuilt 1874) on the Kickelhahn, where Goethe
wrote "Über allen Gipfeln ist Ruh'"*

Beginn des Frühlings, fand sein heißes, ungestümes Herz die
oft ersehnte [20] Ruhe. „Süßer Friede, komm, ach komm in
30 meine Brust!" schließt ein anderes Gedicht aus seiner Jugend.
Goethe starb am 22.[21] März 1832,[22] und nun war jene Bitte
erfüllt.

Johann Wolfgang von Goethe (1749–1832)[23] ist der
größte [24] Lyriker unter den deutschen Dichtern; viele halten
35 ihn für [25] den größten Lyriker aller Zeiten und Völker. Seine
lyrischen Gedichte sind einfach; oft spielt die Natur eine große
Rolle darin, und sie bringen alle die persönlichen Gefühle und

Erfahrungen des Dichters zum Ausdruck.²⁶ Ein großer Be=
wunderer Goethes war Longfellow. Er studierte längere Zeit ²⁷
in Deutschland, war ein guter Kenner der deutschen Dichtung 40
und übersetzte eine Anzahl deutscher Gedichte ins Englische,²⁸
darunter auch „Über allen Gipfeln ist Ruh'" :

> O'er all the hill-tops
> Is quiet now,
> In all the tree-tops   45
> Hearest thou
> Hardly a breath ;
> The birds are asleep in the trees :
> Wait ; soon like these
> Thou too shalt rest.   50

Der Einfluß Goethes und anderer deutscher Dichter auf Long=
fellows eigne Dichtung war bedeutend.

Goethes Lyrik ist aber nur ein kleiner Teil seiner Lebensar=
beit. Sein berühmtestes ²⁹ Werk ist „Faust", eine dramatische
Dichtung. Goethe begann „Faust" in seiner Jugend, und 55
erst ³⁰ kurz vor seinem Tode beendigte er dieses Werk. Man
nennt „Faust" oft die Bibel der Deutschen.

1. For „Wanderers Nachtlied I" see page 353.   2. Poetical for Spürst.
3. Warte nur *Just wait.*   4. balde, an older form of bald.   5. Poetical for
Ruhst.   6. A town in Thuringia.   7. eines dieser Bretter *one of these
boards.*   8. Read: siebzehnhundertundachtzig.   9. *than.*   10. hat . . . kom=
poniert *has set to music.*   11. zum letztenmal *for the last time.*   12. *him.*
13. *them.*   14. ging . . . auf den Herbst zu *was approaching autumn.*
15. *faded.*   16. ihm . . . in die Augen *into his eyes.*   17. sich die Wangen
his cheeks.   18. vor allem *above all.*   19. *following.*   20. *longed for.*
21. Read: zweiundzwanzigsten.   22. Read: achtzehnhundertzweiunddreißig.
23. 1749–1832. Read: siebzehnhundertneunundvierzig bis achtzehnhundertzwei=
unddreißig.   24. *greatest.*   25. halten ihn für *consider him.*   26. bringen
. . . zum Ausdruck *express.*   27. längere Zeit *for some time.*   28. ins
Englische *into English.*   29. *most famous.*   30. *not until.*

LESSON XI

Declension of Adjectives · Letters

A

Weihnachten (Ein Brief)

Ruhla, den 20. Dezember 1931.

Lieber, guter Onkel Heinrich!

Endlich haben wir Ferien, und ich bin zu Hause. Der Vater
holte mich selbst von der Bahn. Wir hatten klares, mildes
5 Wetter, und es war eine herrliche Fahrt durch den stillen Wald.
In einer Stunde waren wir zu Hause. Die Mutter und meine
kleinen Brüder standen auf der Treppe und riefen willkommen.
Unser alter Hund Karo war toll vor Freude und warf mich in
den tiefen, weichen Schnee.

10 Ich habe sehr hübsche Geschenke für die lieben Eltern und die
Brüder. Für den Vater habe ich einen Geldbeutel aus gelbem
Leder. Er ist sehr groß; der Vater sagt immer: „Dazu ist
mein Geldbeutel zu klein." Der Mutter gebe ich ein halbes
Dutzend schöne Taschentücher. Für Fritz habe ich ein Messer
15 und einen Ball, für Karl ein dickes Buch mit vielen Bildern.
Morgen gehe ich mit dem Vater in den Wald. Der gute, alte
Karo geht natürlich mit uns, aber für meine kleinen Brüder ist
der Weg zu weit. Auch liegt im Walde zu viel Schnee. Auf dem
Hügel hinter unsrem Hause steht ein schöner, kleiner Tannen=
20 baum. Das wird unser Christbaum, und in vier Tagen kommt
das Christkind. Hurra!

Gesunde und fröhliche Weihnachten! Mit herzlichem Gruß
Deine Dich liebende Nichte
Martha Hollmann.

122

Fragen

1. Wer holte Martha von der Bahn?
2. Wie war das Wetter?
3. Wo standen die Mutter und die kleinen Brüder, und was riefen sie?
4. Wie war der alte Hund vor Freude?
5. Wohin warf er Martha?
6. Was hat Martha für die Eltern und die Brüder?
7. Wohin geht Martha morgen mit dem Vater?
8. Wo steht der schöne, kleine Tannenbaum?
9. Wann kommt das Christkind?

Vocabulary

die Bahn (—, -en) track, road, railroad; von der Bahn holen meet at the station

das Bild (-es, -er) picture

der Christbaum (-s, ⸚e) Christmas tree

das Christkind (-s) the child Jesus, Santa Claus

da'zu to that, for that

der Dezem'ber (-(s), —) December; den 20. Dezember 1931 (see section 6, page 126)

das Dutzend (-s, -e) dozen; ein halbes Dutzend half a dozen

die Eltern pl. parents

die Fahrt (—, -en) drive, ride

die Ferien (ie = i + e) pl. vacation

die Freude (—, -n) joy

fröhlich merry, joyful

geben (er gibt, er gab) give

der Geldbeutel (-s, —) pocketbook

das Geschenk' (-s, -e) present

der Gruß (-es, ⸚e) greeting; in the conclusion of a letter regards, love

herrlich magnificent, glorious, splendid, delightful

holen (wk.) fetch, get

der Hügel (-s, —) hill

der Hund (-es, -e) dog

hurra' hurrah

klar clear

das Leder (-s) leather; aus Leder of leather

lieb dear

lieben (wk.) love; liebend pres. part. loving

mich acc. of ich me

[handwritten: der Neffe (-n, n) nephew]

mild mild

die Nichte (—, –n) niece

selbst *intensive pron. indecl.* myself, yourself, himself, etc.

still still, silent

der Tannenbaum (–s, ⸚e) fir tree

das Taschentuch (–s, ⸚er) handkerchief

tief deep

toll mad; toll vor Freude mad with joy

die Treppe (—, –n) (flight of) steps *or* stairs

der Wald (–es, ⸚er) forest

weich soft *[handwritten: short hard]*

die Weihnachten (—, —) Christmas

willkom'men welcome

B

1. Descriptive Adjectives in the Predicate

A predicate adjective is not declined:

> Der Vater ist **alt.**
> Die Mutter ist **alt.**
> Das Haus ist **alt.**
> Die Häuser sind **alt.**

2. Descriptive Adjectives Used Attributively

A descriptive adjective used attributively (that is, before a noun expressed or understood) must be inflected. It has two sets of endings, called *strong* and *weak*, the strong endings being identical with those of dieser except in the genitive singular, masculine and neuter:

	Strong Endings				Weak Endings			
	SINGULAR			PLURAL	SINGULAR			PLURAL
	M.	*F.*	*N.*	*M.F.N.*	*M.*	*F.*	*N.*	*M.F.N.*
Nom.	–er	–e	–es	–e	–e	–e	–e	–en
Gen.	–en	–er	–en	–er	–en	–en	–en	–en
Dat.	–em	–er	–em	–en	–en	–en	–en	–en
Acc.	–en	–e	–es	–e	–en	–e	–e	–en

3. Rule for the Use of Endings

The attributive adjective takes the weak endings when it is preceded by der, a dieser-word, or an inflected form of a fein-word; otherwise the attributive adjective has the strong endings:

Weak Declension

SINGULAR

N. der große Hund	diese schöne Blume	jenes alte Haus
G. des großen Hundes	dieser schönen Blume	jenes alten Hauses
D. dem großen Hunde	dieser schönen Blume	jenem alten Hause
A. den großen Hund	diese schöne Blume	jenes alte Haus

PLURAL

N. die großen Hunde	diese schönen Blumen	jene alten Häuser
G. der großen Hunde	dieser schönen Blumen	jener alten Häuser
D. den großen Hunden	diesen schönen Blumen	jenen alten Häusern
A. die großen Hunde	diese schönen Blumen	jene alten Häuser

Strong Declension

SINGULAR

Nom.	guter Kaffee	dünne Milch	kaltes Wasser
Gen.	guten Kaffees	dünner Milch	kalten Wassers
Dat.	gutem Kaffee .	dünner Milch	kaltem Wasser
Acc.	guten Kaffee	dünne Milch	kaltes Wasser

PLURAL

Nom.	hübsche Geschenke	liebe Freunde
Gen.	hübscher Geschenke	lieber Freunde
Dat.	hübschen Geschenken	lieben Freunden
Acc.	hübsche Geschenke	liebe Freunde

Note that the attributive adjective when preceded by a fein-word takes the strong endings in the nominative singular masculine and in the nominative and accusative singular neuter, and the weak endings elsewhere:

SINGULAR

Nom.	mein kleiner Bruder	seine neue Uhr
Gen.	meines kleinen Bruders	seiner neuen Uhr
Dat.	meinem kleinen Bruder	seiner neuen Uhr
Acc.	meinen kleinen Bruder	seine neue Uhr

PLURAL

Nom.	meine kleinen Brüder	seine neuen Uhren
Gen.	meiner kleinen Brüder	seiner neuen Uhren
Dat.	meinen kleinen Brüdern	seinen neuen Uhren
Acc.	meine kleinen Brüder	seine neuen Uhren

	SINGULAR	PLURAL
Nom.	unser liebes Kind	unsre lieben Kinder
Gen.	unsres lieben Kindes	unsrer lieben Kinder
Dat.	unsrem lieben Kinde	unsren lieben Kindern
Acc.	unser liebes Kind	unsre lieben Kinder

Observe that two or more descriptive adjectives before a noun have the same inflection, whether strong or weak:

> klares, mildes Wetter
> ein schöner, kleiner Tannenbaum
> der tiefe, weiche Schnee

4. Adjectives in ⸗e, ⸗el, ⸗en, ⸗er

Adjectives ending in ⸗e drop this e before the declensional endings; adjectives in ⸗el, ⸗en, ⸗er, likewise usually omit the e of the stem when inflected:

> Der Knabe ist müde.
> Der müde Knabe schlief wie ein Murmeltier.
> Das Zimmer ist dunkel.
> Es ist ein dunkles Zimmer.

5. *One* after an Adjective

The word *one* after an English adjective has no equivalent in German:

> My new pen does not write so well as the old one. Meine neue Feder schreibt nicht so gut wie die alte.

6. Letters

The date of a letter is put in the accusative, without punctuation between the month and the year:

> den 20. Dezember 1931 (= den zwanzigsten Dezember neunzehnhunderteinunddreißig) *December 20, 1931.*

The salutation is usually begun well toward the center of the line and is followed by an exclamation point.

No punctuation occurs between the concluding words and the name of the writer:

Deine Dich liebende Nichte   *Your loving niece,*
    Martha Hollmann.   *Martha Hollmann*

Deine Dich liebende Nichte means literally *Your you loving niece*; Dich is the accusative of Du (all pronouns of address and their possessives are capitalized in letters), and liebende is the inflected form of the present participle liebend, from lieben *love*.

C

1. *a.* Decline in the singular and plural:

der stille Wald	jenes schöne Bild	unser lieber, guter Onkel
ihr alter Hund	seine kleine Nichte	herzlicher Gruß
dein hübsches Geschenk	euer dickes Buch	diese lange Treppe

b. Decline in the singular:

große Freude	tiefer, weicher Schnee
gelbes Leder	klares, mildes Wetter

c. Decline in the plural:

fröhliche Weihnachten	herrliche Ferien

d. Change to the plural:

der schöne Christbaum	für seine kleine Nichte
mein junger Bruder	große Freude
liebes Kind	die fleißige Schülerin
im stillen Walde	in diesem großen Geldbeutel

e. Change to the singular:

ihre neuen Taschentücher	mit herzlichen Grüßen
diese hübschen Geschenke	ohne meine kleinen Schwestern
durch die großen Gärten	seit jenen fröhlichen Tagen
aus den dunklen Küchen	keine schönen Länder
unsre alten Häuser	die hungrigen Wölfe

2. Place the adjective before the noun (*a*) with the definite article, (*b*) with the indefinite article:

Example: Das Buch ist dick; das dicke Buch; ein dickes Buch.

1. Der Tannenbaum ist klein. 2. Die Treppe ist alt. 3. Das Fenster ist offen. 4. Der Hund ist toll. 5. Die Fahrt ist herrlich. 6. Der Wald ist still. 7. Das Bild ist schön. 8. Der Geldbeutel ist groß. 9. Die Küche ist dunkel. 10. Das Taschentuch ist neu.

3. Copy the following sentences, substituting the ending of the adjective for each blank:

1. Marthas gut___ Mutter und die klein___ Brüder standen vor der offn___ Tür. 2. Bei der Treppe war tief___, weich___ Schnee. 3. Der groß___, alt___ Tisch in meinem neu___ Zimmer ist nicht sehr schön. 4. Heinz hatte zwei Hunde, einen groß___, schwarz___, und einen klein___, weiß___. 5. Ihr neu___, grün___ Hut ist sehr schön. 6. Martha gab den klein___ Brüdern sehr schön___ Geschenke. 7. Die Eltern eures klein___ Freundes wohnen nicht weit von dem groß___ Dorfe Ruhla. 8. Für den Vater haben wir einen groß___ Geldbeutel aus weich___, schwarz___ Leder. 9. Ich schreibe immer mit schwarz___ Tinte, aber mein Bruder schreibt mit grün___. 10. Auf dem Hügel hinter unsrem Hause stehen zwei schön___, klein___ Tannenbäume. 11. Diese schön___ Blumen sind für unsre lieb___ Lehrerin. 12. Ich habe kein gelb___ Papier. 13. Euer jung___ Freund ist sehr fleißig. 14. Welches klein___ Mädchen war gestern nicht hier? 15. Mancher alt___ Herr, solches dünn___ Papier, jeder klein___ Knabe, ihr neu___ Lehrer, vier groß___ Teller.

4. Put into the third person singular, present and past tenses:

1. Ich gebe den kleinen Brüdern sehr hübsche Geschenke. 2. Ich zeichne die Bilder selbst. 3. Ich stehe auf der Treppe und rufe willkommen. 4. Dazu bin ich zu alt. 5. Ich hole den Lehrer von der Bahn. 6. Ich liebe dich. 7. Ich trage keinen Hut. 8. Ich habe eine neue Uhr. 9. Ich trinke nur Wasser. 10. Ich sehe die Kinder nicht. 11. Ich rufe den Vater zum Abendessen. 12. Ich lehre Spanisch.

5. Translate into German:

1. I am at home again at last.[1] Uncle Henry met me at the station. 2. The weather was clear and mild, and the ride through the silent forest was delightful. 3. Our old dog Karo is mad with joy; he is always throwing me into the deep snow. 4. My brothers have two new dogs, a large black one and a small white one. 5. Hurrah! Christmas is close at hand. Santa Claus will come in three days. 6. We shall go into the forest tomorrow and get our Christmas tree. 7. I have a very pretty present for Father, a large pocketbook of black leather. 8. For Mother I have half a dozen handkerchiefs, for Fred a fountain pen, and for Charles a thick book with many pictures. 9. Merry Christmas!

1. at last again at home.

D [Optional]

O Tannenbaum

(Sieh[1] Seite 420!)

Das Lied vom Tannenbaum ist schon über hundert Jahre alt. Es geht wirklich auf ein altes Volkslied zurück[2] und singt das Lob des Tannenbaums, der[3] als[4] Christbaum bei Jung und Alt in hohem Ansehen steht. Den Weihnachtsbaum [5] finden wir nun fast überall, doch die Sitte entstand erst[5] zu Anfang des siebzehnten Jahrhunderts am Rhein, breitete sich aber bald über ganz Deutschland und von dort nach anderen Ländern aus.[6] Man schmückt den Baum in Deutschland ähnlich wie in Amerika und hängt auch Äpfel, Nüsse und [10] allerlei Zuckerzeug daran. Der Weihnachtsmann oder das Christkind treten selten auf,[7] und die Verteilung der Geschenke, die sogenannte Bescherung, ist fast überall in Deutschland am Weihnachtsabend.

Am Nachmittag müssen die Kinder das Weihnachtszimmer [15] verlassen, die Eltern schmücken den Baum, und auf Tischen,

Stühlen und dem Fußboden bauen sie die Spielsachen und die anderen Geschenke auf,[8] aber nicht eingewickelt.[9] Dann zünden sie die Lichte an[10] und rufen die Kinder. Zuerst singen 20 sie gewöhnlich ein paar Weihnachtslieder und eilen dann zu ihren Geschenken. Die Familie bleibt bis spät in die Nacht zusammen, und ehe man zu Bett geht, wünscht man einander: „Gesunde und fröhliche Weihnachten!" Mit diesem Wunsche begrüßen sich[11] auch Freunde und Bekannte, wenn sie einander 25 während der Weihnachtsfeiertage treffen.

In den katholischen Gegenden Deutschlands findet man häufig die sogenannte Krippe: Maria und Joseph vor der Krippe mit dem Jesuskind, im Hintergrunde des Stalles der Ochs und der Esel, über dem Stall an einem Faden ein Engel 30 mit einem Spruchband[12] in den Händen. Die Aufschrift[13] ist oft lateinisch und lautet dann: "Gloria in excelsis Deo[14]!"

Der Weihnachtsbaum bleibt bis über Neujahr, oft bis zum Dreikönigstag stehen.[15] Am Silvesterabend macht man allerlei Losspiele[16]; man will[17] die Zukunft erfahren, wenn auch[18] 35 nur die[19] des kommenden Jahres. Um Mitternacht begrüßt man den Jahresanfang mit dem Rufe: „Prosit Neujahr!" oder „Ein glückliches Neues Jahr!" Im ganzen[20] feiert man in Deutschland den Beginn des neuen Jahres mehr zu Hause im Kreise der Familie, als auf den Straßen und Plätzen und 40 in den Hotels,[21] wie[22] in Amerika.

1. *See.* 2. geht . . . zurück *goes back.* 3. *which.* 4. *as.* 5. *not until.* 6. breitete sich . . . aus *spread.* 7. treten . . . auf *appear.* 8. bauen . . . auf *arrange.* 9. *wrapped up.* 10. zünden . . . an *light.* 11. *one another.* 12. *ribbon with a Biblical verse.* 13. *verse.* 14. "Gloria in excelsis Deo" *Glory to God in the highest.* 15. bleibt . . . stehen *is left standing.* 16. macht . . . Losspiele *plays fortune-telling games.* 17. *wants to.* 18. wenn auch *even if.* 19. *that.* 20. Im ganzen *On the whole.* 21. Nom. sg. das Hotel'. A few nouns of foreign origin form a plural in =s. 22. *as.*

LESSON XII

Present Perfect and Past Perfect Indicative · Present Perfect for English Past Tense · Present Participle

A

Weihnachten (Schluß)

Ruhla, den 29. Dezember 1931.

Herzlich geliebter Onkel!

Vielen, vielen Dank für den prachtvollen Mantel. Ich habe bis jetzt nie einen so teuren gehabt, und meine Freude ist riesig groß. Während der Feiertage haben wir viel Besuch gehabt, 5 das ganze Haus war voller Gäste, und so schreibe ich erst heute.

Am Montag morgen haben wir den Christbaum aus dem Walde geholt. Du hast nie einen so schönen gesehen. Das Wetter war kurz vor Mitternacht stürmisch geworden, und während der Nacht hatte es stark geschneit. Aber am Morgen 10 schien die Sonne wieder.

Dienstag und Mittwoch habe ich mit der Mutter fleißig in der Küche gearbeitet, Donnerstag nachmittag haben wir beide den Christbaum geputzt. Bald nach dem Abendessen kam das Christkind. Dann haben wir Lieder gesungen und fast bis Mit= 15 ternacht gespielt und Äpfel und Nüsse gegessen. Am Weihnachts= tag sind wir natürlich alle zur Kirche gefahren. Nun sind die Ferien schon wieder fast zu Ende. Sie sind viel zu kurz gewesen.

Nochmals tausend Dank für das herrliche Weihnachts= geschenk und viele Grüße und Küsse von 20

Deiner dankbaren Nichte

Martha Hollmann.

131

Fragen

1. Was hat der Onkel Martha geschenkt?

2. Was haben Marthas Eltern während der Feiertage gehabt?

3. Wann hat Martha mit dem Vater den Christbaum geholt?

4. Wie war das Wetter kurz vor Mitternacht geworden?

5. Wie war das Wetter am Morgen wieder?

6. Was haben Martha und ihre Mutter am Donnerstag nachmittag gemacht?

7. Wann kam das Christkind?

8. Wie lange haben die Kinder gespielt?

9. Was haben sie gegessen?

10. Wohin sind sie am Weihnachtstag alle gefahren?

Vocabulary

der **Apfel** (–s, ⸚) apple

der **Besuch'** (–s, –e) visit; company; viel Besuch lots of company

der **Dank** (–es) thanks; vielen Dank many thanks

dankbar thankful, grateful

der **Dienstag** (–s, –e) Tuesday

der **Donnerstag** (–s, –e) Thursday; (am) Donnerstag nachmittag (on) Thursday afternoon

das **Ende** (–s, –n) end; zu Ende sein be over

fahren (er fährt, er fuhr, er ist gefahren) drive, ride; zur Kirche fahren drive or ride to church

der **Feiertag** (–s, –e) holiday

ganz whole, entire

gestern yesterday

der **Kuß** (Kusses, Küsse) kiss

das **Lied** (–es, –er) song

der **Mantel** (–s, ⸚) cloak

die **Mitternacht** (—, ⸚e) midnight

der **Mittwoch** (–s, –e) Wednesday

der **Montag** (–s, –e) Monday; (am) Montag morgen (on) Monday morning

nie never *niemals*
nochmals once more, again
die Nuß (—, Nüffe) nut
prachtvoll magnificent, gorgeous
putzen (*wk.*) trim, decorate
riefig gigantic, immense
scheinen (es scheint, es schien, es hat geschienen) shine
schenken (*wk.*) give (as a present), present with
schneien (*wk.*) snow
die Sonne (—, –n) sun

ftart strong; *w. verbs of snowing or raining* hard
ftürmisch stormy *der Sturm*
taufend thousand, a thousand
teuer dear, expensive
voll full; voller Gäfte full of guests
während *prep. w. gen.* during
das Weihnachtsgeschenk (–s, –e) Christmas present
der Weihnachtstag (–s, –e) Christmas day; am Weihnachtstag (on) Christmas day

am Morgen in the morning
den 29. Dezember (= den neunundzwanzigften Dezember) December 29
ein fo such a(n)
viele Grüße lots of love
und fo schreibe ich erft heute and so I have not written till today

der Riese the giant

B

1. Past Participle

The past participle of most German verbs has the prefix ge=. The ending is =t for weak verbs of the fagen type, =et for weak verbs of the arbeiten type, and =en for strong verbs. The stem vowel is, with weak verbs, the same as that of the infinitive, while with strong verbs it must be learned by observation.

INFIN.	fagen	arbeiten	tragen	finden	werfen
PAST PART.	gefagt	gearbeitet	getragen	gefunden	geworfen

Weak verbs in =ie'ren omit the ge= of the past participle: korrigie'ren, past participle korrigiert'.

The following is a list of the strong verbs used in previous lessons, together with their past participles:

bleiben	geblieben	schreiben	geschrieben
essen	gegessen	sehen	gesehen
finden	gefunden	sein	gewesen
geben	gegeben	singen	gesungen
gehen	gegangen	sitzen	gesessen
graben	gegraben	sprechen	gesprochen
kommen	gekommen	stehen	gestanden
lassen	gelassen	tragen	getragen
lesen	gelesen	treten	getreten
liegen	gelegen	trinken	getrunken
nehmen	genommen	werden	geworden
rufen	gerufen	werfen	geworfen
schlafen	geschlafen		

2. Present Perfect and Past Perfect Indicative

The present perfect indicative is composed of the present indicative of the auxiliary haben or sein and the past participle of the verb that is being conjugated:

ich habe gesagt *I have said*	ich bin gekommen *I have come*
du hast gesagt *you have said*	du bist gekommen *you have come*
er hat gesagt　　*etc.*	er ist gekommen　　*etc.*
wir haben gesagt	wir sind gekommen
ihr habt gesagt	ihr seid gekommen
sie haben gesagt	sie sind gekommen

The past perfect indicative is composed of the past indicative of the auxiliary haben or sein and the past participle of the verb that is being conjugated:

ich hatte gesagt *I had said*	ich war gekommen *I had come*
du hattest gesagt *you had said*	du warst gekommen *you had come*
er hatte gesagt　　*etc.*	er war gekommen　　*etc.*
wir hatten gesagt	wir waren gekommen
ihr hattet gesagt	ihr wart gekommen
sie hatten gesagt	sie waren gekommen

In the present perfect and past perfect tenses the past participle stands at the end of a simple sentence or a principal clause:

> Ich habe bis jetzt nie einen so teuren gehabt. *I have never had such an expensive one before.*
>
> Es hatte stark geschneit. *It had snowed hard.*

3. Auxiliary of Perfect Tenses

a. All transitive verbs and most intransitive verbs are conjugated in the perfect tenses with the auxiliary haben.

b. (1) Intransitive verbs denoting a change of place or a change of condition are conjugated with sein.

(2) Bleiben *remain,* sein *be,* and two or three other intransitives not included in the above classification take sein.

When a verb is conjugated with sein, this fact will be indicated in the vocabularies. Where there is no reference to the auxiliary, the particular verb is conjugated with haben.

The following verbs, used in previous lessons, are conjugated with sein:

> bleiben, gehen, kommen, sein, treten, werden

4. Principal Parts of Verbs

The principal parts of a verb, from which the entire conjugation may be constructed, are the infinitive, the third person singular of the present indicative, the third person singular of the past indicative, and the third person singular of the present perfect indicative:

> sagen, er sagt, er sagte, er hat gesagt
> arbeiten, er arbeitet, er arbeitete, er hat gearbeitet
> tragen, er trägt, er trug, er hat getragen
> treten, er tritt, er trat, er ist getreten

5. Present Perfect for English Past Tense

German uses the present perfect tense, where English uses the past tense, in referring to a single isolated act or situation in past time:

> Donnerstag nachmittag haben wir den Christbaum geputzt. *Thursday afternoon we trimmed the Christmas tree.*
>
> Am Weihnachtstag sind wir alle zur Kirche gefahren. *Christmas day we all drove to church.*
>
> Er hat Hans gestern gesehen. *He saw Jack yesterday.*
>
> Wann ist er nach Hause gekommen? *When did he come home?*

In colloquial speech the present perfect tense is also often used, instead of the past tense, in narrating succeeding or related past actions and conditions:

> Er ist müde und durstig nach Hause gekommen, hat ein Glas Wasser getrunken und ist gleich auf sein Zimmer gegangen instead of Er kam müde und durstig nach Hause, trank ein Glas Wasser und ging gleich auf sein Zimmer.

It will be noted, then, that the German present perfect may be rendered in English in three ways: Er ist gekommen means *He has come, He came,* and *He did come.*

6. Present Participle

The present participle is formed by adding =end to the infinitive stem except where the infinitive stem ends in =el or =er, in which cases merely -nd is added: liebend.

7. Participles Used as Adjectives

When used as attributive adjectives, the present and the past participles are declined strong or weak in accordance with the rules given in Lesson XI for the declension of adjectives:

> Deine Dich liebende Nichte *Your loving niece*
> Herzlich geliebter Onkel *Dearly beloved Uncle*

C

1. Conjugate in the present perfect and the past perfect tense:

1. Ich spiele auf der Wiese. 2. Ich öffne die Tür. 3. Ich trete ans Fenster.

2. *a.* Change the tense of the verbs in the following sentences to the present perfect:

1. Der Knabe ging gestern in den Wald. 2. Dort fand er einen schönen, großen Tannenbaum. 3. Am Montag morgen holte er den Baum nach Hause. 4. Die ganze Familie fuhr am Weihnachtstag zur Kirche. 5. Am Donnerstag nachmittag putzten wir den Christbaum. 6. Das Christkind kam bald nach dem Abendessen. 7. Die Kinder spielten fast bis Mitternacht. 8. Dann sangen sie Lieder und aßen Äpfel und Nüsse. 9. Martha schrieb erst am Dienstag an ihren Onkel. 10. Die Ferien waren viel zu kurz.

b. Change the tense of the verbs in the following sentences to the past perfect:

1. Das Mädchen fand meinen Geldbeutel auf der Straße. 2. Während der Feiertage hatten wir viel Besuch. 3. Die Kinder wurden hungrig und müde. 4. Am Morgen schien die Sonne hell. 5. Am Nachmittag schneite es stark. 6. Jeden Abend war unser Haus voller Gäste. 7. Sie gab der Tante einen Kuß. 8. Er grub eine Stunde im Garten. 9. Wir arbeiteten bis spät in die Nacht hinein. 10. Sie sprachen Deutsch.

3. Put into the past, *Orally* present perfect, and past perfect:

1. Er schenkt seiner Nichte einen prachtvollen Mantel. 2. Ihre Freude ist riesig groß. 3. Er bleibt nie lange. 4. Mittwoch gehen wir aufs Land. 5. Ich korrigiere die Hefte in der Schule. 6. Während der Nacht wird das Wetter stürmisch. 7. Er sitzt am Pulte und rechnet. 8. Sie stehen am Fenster und schauen in den Garten. 9. Die Uhr liegt auf dem Tische. 10. Ich trinke ein Glas Wasser. 11. Paul wirft seine Bücher aufs Bett. 12. Karl nimmt den Hut vom Kopfe. 13. Tante Helene ruft die Kinder zum Abendessen. 14. Die Knaben reden auf dem Heimweg nicht viel.

4. Give the meaning and the principal parts of

leſen	zeigen	wohnen	laſſen	antworten
reichen	lachen	zeichnen	legen	machen
baden	tragen	ſehen	ſchlafen	lehren

5. a. Decline in the singular and plural:

> ihr teurer Mantel
> ſeine dankbare Nichte
> dieſes herrliche Weihnachtsgeſchenk

b. Decline in the singular:

gelbes Papier	heller Mondſchein
grüne Tinte	unſre geliebte Mutter

c. Decline in the plural:

ſtille Wälder	große Äpfel

6. Give the meaning and the principal parts* of

Kuß	Bild	Hügel	Leder	Vetter	Gaſt
Ende	Hund	Gruß	Dorf	Knabe	Weg
Sonne	Treppe	Freude	Frau	Mädchen	Lied

7. Translate into German:

1. It has become very cold, and during the night it snowed hard. 2. But now the sun is shining again. Martha is wearing her beautiful new cloak. 3. Uncle Henry gave Martha this magnificent Christmas present. She has never had such an expensive one. 4. Vacation[1] is almost over. Soon I shall go to school again.[2] 5. We have had lots of company during the holidays.[3] Every day[4] our house has been full of guests. 6. Yesterday we worked in the kitchen the whole afternoon,[4] for we had no servant girl. 7. After supper we played the piano and sang songs. Then we ate apples and nuts and drank coffee. 8. I called Aunt Helen, but she had already gone to bed. 9. I went to bed at one o'clock. I was very tired and slept like

---

* Always use the definite article with a noun when giving its principal parts.

a log.   10. Once more many, many thanks for the gorgeous cloak. With lots of love and a thousand kisses, Your loving niece, Martha Hollmann.

1. The vacation.   2. again to school.   3. during the holidays lots of company.   4. *acc.*

D   [Optional]

Stille Nacht, heilige Nacht

(Sieh Seite 421!)

Die Deutschen haben viele und sehr schöne Weihnachtslieder. Sehr beliebt ist „Stille Nacht, heilige Nacht". Der Dichter dieses Liedes war Joseph Mohr, Pfarrer zu Oberndorf, einem kleinen Orte in Tirol; die Musik ist von Franz Gruber, dem 5 Lehrer und Organisten[1] dieses Dorfes. Text[2] und Melodie stammen aus dem Jahre 1818.[3] Heute finden wir es überall, wo Christen wohnen, und zur Weihnachtszeit erklingt es in allen möglichen Sprachen. Die Gemeinde von Oberndorf sang dieses Lied zum erstenmal[4] am Weihnachtsabend jenes Jahres. 10 Die Orgel war schadhaft geworden, und Gruber konnte sie also nicht spielen. So begleitete er den Gesang auf der Laute. Dieses Instrument paßt wirklich sehr gut zu dem schlichten Liede.

Die alte Dorfkirche in Oberndorf steht nicht mehr, das Hochwasser[5] hat sie hinweggerissen.[6] Natürlich hat man eine neue 15 Kirche gebaut und dort auch dem Dichter und dem Komponisten ein Denkmal errichtet.[7] Es ist ein Reliefbild aus Bronze.[8] Der Pfarrer steht am Himmelsfenster und lauscht mit glücklichem Gesicht auf den Gesang der Engel; der Lehrer Gruber steht im Hintergrunde und begleitet die singenden Engel auf der 20 Laute. Die Welt hat die beiden Männer vergessen,[7] nur wenige wissen von ihnen. Viele halten „Stille Nacht, heilige Nacht" sogar für ein Volkslied. Das ist durchaus kein Wunder, denn

Tert und Melodie find aus der einfachen Volfsfeele entfprun=
25 gen.⁷ Jedes Kind verfteht den Inhalt, und die Melodie ift
auch nicht fchwer zu erlernen.

1. Nom. Organift' *organist.*   2. *Words.*   3. achtzehnhundertund=
achtzehn.   4. zum erftenmal *for the first time.*   5. *floods.*   6. Infin.
hinwěg'reißen *sweep away.* Verbs with certain prefixes, called separable
prefixes, insert the ge= of the past participle between the separable prefix
and the rest of the verb.   7. Verbs with certain prefixes, called inseparable prefixes, omit the ge= of the past participle.   8. Relief'bild (ie
= i + e) aus Bronze (on nasal as in French, z = ß) *relief in bronze.*

Sprüche

Schätze ¹ nicht zu hoch das Geld,

Es hat nur Wert für diefe Welt.

Ein Gewiffen, gut und rein,

Geht über ² Geld und Edelftein.

1. Imperative.   2. Geht über *Is worth more than.*

Willft du immer weiter fchweifen?

Willft ¹ du immer weiter fchweifen?

Sieh, das Gute liegt fo nah.

Lerne nur ² das Glück ergreifen,

Denn das Glück ift immer da.   GOETHE

1. *Want to.*   2. Lerne nur *Just learn to.*

Rätfel

Was brennt länger,¹ ein Wachslicht oder ein Talglicht?

[.reꟃꞁüꟘ əbiəd ²,niəꓘ]

Wohin geht man, wenn man zwölf Jahre alt ift?

[.rꓒⱯ ətnꞁəzꞁərb ꙅni ꭤꞁəꬶ nꭤⱮ]

Welche Krankheit hat noch in keinem Lande geherrfcht?

[ꞩuꬶ nꟃꙅɹꬶ nꬶꙅ əꞁⱯ]

1. *longer.*   2. *Neither.*   3. *shorter.*

Airplane View of Oberndorf

LESSON XIII

**Personal Pronouns · Compounds with da · Es as an
Introductory Word · Use of man · Adverbial Accusative
of Time**

A

Auf der Eisbahn

Der Vater gab mir zu Weihnachten ein Paar neue Schlitt=
schuhe. Sie sind sehr schön, und ich bin damit sehr zufrieden.
Meine alten waren zu klein für mich, und so habe ich sie meinem
Freunde Christoph geschenkt. Sie passen ihm und sind noch so
5 gut wie neu.

Letzten Sonnabend sind wir auf die Eisbahn gegangen. Wir
waren diesen Winter noch nicht dort gewesen. Meine kleine
Schwester Anna ging auch mit uns. Auf dem Wege trafen wir
Herrn Arndt. Wir grüßten ihn, und er dankte uns sehr freund=
10 lich. „Gehen Sie auf die Eisbahn?" fragte er. „Nun, ich
wünsche Ihnen viel Vergnügen! Man sagt, das Eis ist glatt
und fest. Das ist eine sehr schöne Mütze, Anna. Du trägst sie
heute zum ersten Male, nicht wahr?" „Jawohl, Herr Arndt",
antwortete Anna. „Sie ist ganz neu. Die Mutter hat sie mir
15 heute morgen gekauft."

Es waren viele Leute auf der Eisbahn. Christoph und ich
führten Anna, denn sie läuft noch nicht gut. Wir fielen ein
paarmal und lachten herzlich darüber. Um sechs Uhr gingen
wir nach Hause. Es war schon ganz dunkel, und man sah die
20 Bäume am Ufer kaum noch. „Es war herrlich", sagte Christoph
beim Abschied. „Nächsten Sonnabend gehen wir früher und
bleiben den ganzen Nachmittag. Nun, auf Wiedersehen!"

Fragen

1. Was gab der Vater Hermann zu Weihnachten?
2. Was machte Hermann mit seinen alten Schlittschuhen?
3. Wohin gingen die Freunde am Sonnabend nachmittag?
4. Wer ging mit ihnen?
5. Wen (*Whom*) trafen sie auf dem Wege?
6. Was trug Anna zum ersten Male?
7. Wer führte Anna auf der Eisbahn?
8. Wie war das Eis?
9. Wann gingen sie nach Hause?
10. Was sagte Christoph beim Abschied?

Vocabulary

der Abschied (–s, –e) leave, parting; beim Abschied at *or* on parting

Christoph (*masc.*) (–s) Christopher

damit' with it, with them

darü'ber over it, about it, at it

die Eisbahn (—, –en) place where one skates, ice for skating; auf der Eisbahn on the ice; auf die Eisbahn gehen go skating

fallen (er fällt, er fiel, er ist gefallen) fall

fest firm, solid

früh early; früher earlier, sooner

führen (*wk.*) lead

ganz *adv.* wholly, entirely, quite

glatt smooth

Hermann (*masc.*) (–s) Herman

jawohl' yes indeed

kaufen (*wk.*) buy   *verkaufen – sell*

laufen (er läuft, er lief, er ist gelaufen) run; (= Schlittschuh laufen) skate

letzt last

die Leute *pl.* people

das Mal (–es, –e) time; zum ersten Male for the first time   *not clock time*

man *indef. pron.* one, they, you

die Mütze (—, –n) cap

nächst *superl. of* nah(e) nearest, next

nun *interj.* well

das Paar (–es, –e) pair; ein Paar Schlittschuhe a pair of skates   *Paar – few*

passen (*wk.*) *dat. of person* fit

der Schlittschuh (–s, –e) skate

treffen (er trifft, er traf, er hat getroffen) meet, hit

das Ufer (—s, —) bank, shore; **am Ufer** on the bank

das Vergnü'gen (—s, —) pleasure, amusement, enjoyment; **ich wünsche Ihnen viel Ver-gnügen** I hope you will have a good time

wahr true; **nicht wahr?** is it not so? aren't you? isn't she? isn't it? etc.

wünschen (*wk.*) wish

zufrie'den satisfied, pleased

auf Wiedersehen! till we meet again! good-by!

ein paarmal a few times

heute morgen this morning

so + *adj. or adv.* + **wie** as + *adj. or adv.* + as

zu Weihnachten at *or* for Christmas

B

1. Declension of the Personal Pronouns

SINGULAR

	First Person	*Second Person*		*Third Person*		
NOM.	ich *I*	du *you*	Sie *you*	er *he*	sie *she*	es *it*
GEN.	meiner *of me*	deiner	Ihrer	seiner	ihrer	seiner
DAT.	mir *to me, me*	dir	Ihnen	ihm	ihr	ihm
ACC.	mich *me*	dich	Sie	ihn	sie	es

PLURAL

NOM.	wir *we*	ihr *you*	Sie *you*	sie *they*	
GEN.	unser *of us*	euer	Ihrer	ihrer	
DAT.	uns *to us, us*	euch	Ihnen	ihnen	
ACC.	uns *us*	euch	Sie	sie	

2. Agreement of the Personal Pronoun

The personal pronoun in the third person must agree in gender and number with the noun to which it refers:

> Das ist eine sehr schöne Mütze. Du trägst **sie** heute zum ersten Male, nicht wahr? *That is a very pretty cap. You are wearing it today for the first time, aren't you?*
>
> Wer hat dir diesen Bleistift gegeben? — Ich habe **ihn** gefunden. *Who gave you this pencil? — I found it.*

3. Compounds with ba

As a rule, German does not use the personal pronoun after a preposition to refer to an inanimate object or to an idea; instead, a compound of ba (bar before vowels) with the preposition is employed:

Die Schlittschuhe sind sehr schön, und ich bin **damit'** sehr zufrieden. *The skates are very pretty, and I am very pleased with them.* Wir fielen ein paarmal und lachten herzlich **darü'ber.** *We fell a few times and laughed heartily about it.*

4. Es as Introductory Word

The neuter es is often used to introduce a sentence, the subject then following the verb, in the manner of the English expletive *there*:

Es waren viele Leute auf der Eisbahn.* *There were many people on the ice.*
Es ist kein Tisch in meinem Zimmer. *There is no table in my room.*

Es must introduce the sentence. If any other element is placed first, es is omitted:

In meinem Zimmer ist kein Tisch. *In my room there is no table.*

5. Use of man

The indeclinable indefinite pronoun man *one* may often be rendered in English by the personal pronouns *we, you, they*, or by an indefinite word or expression as *a person, people*:

Man sagt, das Eis ist glatt und fest. *They say the ice is smooth and firm.*
Es war schon ganz dunkel, und **man** sah die Bäume am Ufer kaum noch. *It was already quite dark, and you (or a person) could scarcely see the trees on the bank any more.*
Man ißt zu viel. *We (or People) eat too much.*

* In sentences of this type es may be referred to as the grammatical subject, Leute as the logical or real subject. It will be observed that the verb agrees in number with the real subject.

6. Adverbial Accusative of Time

The accusative case without a preposition is used adverbially to express definite time or duration of time:

Leßten Sonnabend sind wir auf die Eisbahn gegangen. *Last Saturday we went skating.*

Nächsten Sonnabend gehen wir früher und bleiben **den ganzen Nachmittag.** *Next Saturday we shall go earlier and stay the whole afternoon.*

Sie spielten **eine Stunde** Tennis. *They played tennis (for) an hour.*

Instead of the accusative without a preposition, a prepositional phrase may often be used:

Donnerstag nachmittag (or Am Donnerstag nachmittag) haben wir den Christbaum geputzt. *Thursday afternoon (or On Thursday afternoon) we trimmed the Christmas tree.*

C

1. Use the correct forms of the personal pronouns in parentheses:

1. Die Schlittschuhe passen (**du**) gut. 2. Sie sind zu klein für (**ich**). 3. Wir haben (**er**) auf dem Wege getroffen. 4. Er hat (**wir**) sehr freundlich gegrüßt. 5. Wer hat (**Sie**) ein Paar Schlittschuhe geschenkt? 6. Christoph führte (**sie** *sg.*) auf der Eisbahn. 7. Er hat (**ich**) beim Abschied für die Schlittschuhe gedankt. 8. Sie hat (**sie** *pl.*) den Mantel gezeigt. 9. Hermann ist mit (**er**) gekommen. 10. Hat man (**du**) gesehen? 11. Ich wünsche (**ihr**) viel Vergnügen. 12. Die Mutter hat (**sie** *sg.*) heute morgen eine neue Mütze gekauft. 13. Ich habe nichts für (**ihr**). 14. Er hat (**wir**) einen langen Brief geschrieben.

2. Replace the words in parentheses by personal pronouns or by compounds with da:

1. (**Das Eis**) ist glatt und fest. 2. Ich habe ihm herzlich (**für die Mütze**) gedankt. 3. Man hatte (**den Tannenbaum**) sehr schön geputzt. 4. Ich habe (**meine Feder**) noch nicht gefunden. 5. (**Die**

Küche) ist groß und hell. 6. Man sah die Bäume (**am Ufer**) kaum noch. 7. Das Messer liegt (**unter dem Teller**). 8. Sie ist (**mit den Bildern**) zufrieden, nicht wahr? 9. (**Dieser Korb**) ist nicht groß genug. 10. Frau Arndt ist ein paarmal mit (**ihrer Nichte**) ins Kino gegangen. 11. Martha trägt (**ihren neuen Hut**) heute morgen zum ersten Male. 12. (**Deine Mütze**) ist noch so gut wie neu.

3. Translate into English:

1. Ich habe **sie** nicht gegrüßt. 2. Letzten Dienstag war **sie** nicht zu Hause. 3. Nun, was haben **sie** gesagt? 4. Was haben **Sie** mit den alten Schlittschuhen gemacht? 5. Der Onkel hat **ihr** einen prachtvollen Mantel geschenkt. 6. Habt **ihr** den Mantel gesehen? 7. Ist das **Ihr** Hund? 8. Ist das **ihr** Haus?

4. a. Put into the past, present perfect, and past perfect tenses:

1. Christoph läuft schnell nach Hause. 2. Das wünsche ich nicht. 3. Wir führen Anna auf der Eisbahn. 4. Er fällt ein paarmal. 5. Hermann trifft Herrn Arndt auf dem Wege. 6. Die Schlittschuhe passen mir nicht.

b. Decline in the singular and plural:

    die neue Mütze   mein kleiner Knabe   unser liebes Kind

c. Decline in the plural:

           alte Leute

d. Decline in the singular:

        glattes Eis   weicher Schnee

5. Give the meaning and the principal parts of

Ufer	Eisenbahn	Nuß	Kuß	scheinen
Paar	Sonne	Ende	Lied	putzen
Mütze	Apfel	Mantel	laufen	fahren

6. Translate into German:

1. Herman is laughing and singing. He has a pair of new skates. 2. His father gave him the skates. — When? — At Christmas. 3. His old ones were too small for him. — What

did he do with them? 4. He gave them to his friend Christopher. They are still as good as new. 5. Last Wednesday Herman went skating for the first time this winter. His sister Anna and Christopher went with him. 6. There were not very many people on the ice. They went home at half past six. It was quite dark. 7. "Next Tuesday we shall go earlier," said Christopher on parting, "and stay the entire afternoon. Well, goodby." 8. That is a new hat, isn't it, Anna? — Yes, indeed, Mr. Arndt. It is quite new; I bought it this morning. 9. Are you going skating? Well, I hope you will have a good time. 10. Thank you very much. They[1] say the ice is smooth and firm.

1. Man.

D [Optional]

O du fröhliche

(Sieh Seite 422!)

Das wirkliche Datum der Geburt Christi[1] wissen wir nicht, und man feierte sie im Anfang nicht überall an demselben[2] Tage. Erst der römische Bischof Liberus hat die Feier im
5 Jahre 354[3] auf den fünfundzwanzigsten Dezember festgelegt.[4] Dadurch fiel Weihnachten für die germanischen Völker mit dem alten heidnischen Fest der Wintersonnenwende[5] zusammen.[6] Manche von den alten Bräuchen aus jener Zeit leben noch heute weiter,[7] wenn auch nur in veränderter Form. In Norddeutsch=
10 land finden wir noch den Schimmelreiter.[8] Ein junger Bursche zieht in den Wochen vor Weihnachten durch die Gassen des Dorfes. Vor der Brust trägt er eine lange Stange, an der oben[9] ein Pferdekopf ist. Dieser Schimmelreiter ist der Wind=
gott[10] Wodan, der[11] in den „zwölf Nächten"[12] durch die Lüfte
15 brauste. Das Wort "Wednesday" hat seinen Namen von ihm.

In anderen Gegenden Deutschlands ist er zum[13] Knecht Ruprecht geworden, der[11] aber nun fast überall Sankt Nikolaus heißt. Er kommt am sechsten Dezember, manchmal vom Christkind begleitet. Dieses[14] teilt Äpfel, Nüsse und kleines Backwerk an die Kinder aus.[15] Wenn Sankt Nikolaus allein kommt, gibt er den Kindern die kleinen Geschenke. Aber er läßt der Mutter auch immer eine Rute[16] zurück,[17] damit[18] sie die ungehorsamen Kinder strafen kann. Im katholischen Süddeutschland kommt Sankt Nikolaus als Bischof gekleidet. Der[19] gibt dann den Kindern außer den Geschenken gute Lehren.

An manchen Orten gehen mehrere „Klause"[20] von Haus zu Haus, ein guter und ein oder mehrere böse. Sie machen Lärm mit einer Peitsche, oder Schellen und rasselnden Ketten, die[21] sie an sich hängen haben,[22] schlagen Vorübergehende,[23] teilen Geschenke aus und nehmen auch welche an.[24] Anderswo, wie zum Beispiel in Heidelberg, ziehen am fünften und sechsten Dezember abends verkleidete Knaben herum,[25] meist mit Bart und sackartigem Gewand, und betteln auf den Straßen und an den Türen, wobei sie Heischelieder[26] singen, die[21] oft schon Jahrhunderte alt sind.

Viel alter Aberglaube ist noch mit der Weihnachtszeit verbunden, aber auch schöne alte Bräuche. Man denkt am Weihnachtsabend nicht nur an die Armen und hilft ihnen durch Geschenke, sondern auch an die Tiere. In manchen Gegenden bekommen die Ziegen, Kühe und Pferde am Weihnachtsabend besseres Futter, oft Brot und Salz. Ja, sogar den Vögeln unter Gottes freiem Himmel streut man Körner. Früher war der Glaube allgemein, daß die Haustiere im Stall in der Christnacht sprechen und die Zukunft voraussagen können.

Das Gegenſtück zum Weihnachtsfeſt ſind die Johannisfeuer, die [21] man in Deutſchland und den ſkandinaviſchen Ländern am Abend des vierundzwanzigſten Juni anzündet. Sie gehen auf
50 das Feſt der Sommerſonnenwende [27] zurück. [28] Zu Beginn des Frühlings treibt man in vielen Gegenden den Tod, das heißt, [29] den Winter, aus, [30] der [21] den Tod in der Natur bedeutet. Man nennt dieſen Sonntag den Toten= [31] oder Sommerſonntag. Oft findet ein Kampf ſtatt [32] zwiſchen dem Winter und dem
55 Sommer, die [21] durch Burſchen in paſſender Verkleidung dargeſtellt werden. [33] Natürlich bleibt der Sommer immer der Sieger im Streit. Die Kirche hat aber all dieſen alten, heid= niſchen Bräuchen eine chriſtliche Bedeutung gegeben.

1. Latin gen. of Chriſtus *Christ.*   2. Nom. derſel'be *the same.*   3. drei= hundertvierundfünfzig.   4. Infin. feſtlegen *fix.*   5. *winter solstice.*   6. fiel . . . zuſam'men *coincided.*   7. leben . . . weiter *continue to exist.*   8. *rider of the gray horse.*   9. an der oben *on the top of which.*   10. *god of the winds.*   11. *who.*   12. The old Germanic celebration of the winter solstice lasted twelve days: December 25 to January 6.   13. Omit in translating.   14. *The latter.*   15. teilt . . . aus *distributes.*   16. *small bundle of birch twigs* (literally, *rod*).   17. läßt . . . zurück' *leaves behind.*   18. damit' *in order that.*   19. *He.*   20. Pl. of Klaus, abbreviation of Nikolaus.   21. *which.*   22. an ſich hängen haben *have hanging on them.*   23. *passers-by.*   24. nehmen auch welche an *also accept some.*   25. ziehen . . . herum *march about.*   26. *begging songs.*   27. *summer solstice.*   28. gehen . . . zurück' *go back.*   29. das heißt *that is.*   30. treibt . . . aus *drives out.*   31. The fourth Sunday of Lent.   32. findet . . . ſtatt *takes place.*   33. dargeſtellt werden *are represented.*

LESSON XIV

Comparison of Adjectives and Adverbs · Expressions of Comparison · The Article with Proper Names

A

Ein Brief

Marburg, den 1. März 1934.

Liebe Tante Marie!

Heute regnet es, und so finde ich Zeit zum Schreiben. Wir sind fünfundzwanzig Schüler in unsrer Klasse, natürlich alle Knaben. Fritz Bradler ist der jüngste, aber nicht der kleinste. 5 Er ist größer als die meisten anderen Knaben der Klasse. Der älteste ist Peter Brauer; er ist neun Monate älter als Fritz Bradler und auch etwas größer, aber nur sehr wenig. Peter Brauer lernt gut, aber Fritz Bradler lernt besser. Peter hat sicher den besseren Kopf, aber Fritz ist fleißiger. Der beste und 10 fleißigste Schüler ist der lange Gottfried Angermann. Anger= mann ist auch ein sehr guter Athlet. Er ist der beste Schwimmer, aber Fritz Bradler läuft schneller. Am schnellsten läuft der kleine Franz Huber.

Nun, der Frühling kommt bald. Die Tage werden immer 15 länger und das Wetter wärmer. Der Frühling ist wohl die schönste Jahreszeit: die Blumen blühen, die Vögel singen, das Gras ist am grünsten und der Himmel am blausten. Für mich ist der Herbst auch sehr schön, fast ebenso schön wie der Frühling. Im Herbst spielen wir alle Fußball. Ein Freund von mir, 20 ein Amerikaner, sagte neulich zu mir: „Sie spielen das englische Rugbyspiel. Das amerikanische Fußballspiel ist ganz anders."

Er sagt auch, in Amerika spielt man sehr viel Schlagball und Korbball.

25   Aber genug für heute, liebe Tante, es wird spät. Nächste Woche schreibe ich einen viel längeren Brief. Mit den herzlich= sten Grüßen

Dein getreuer Neffe

Heinrich Heuser.

Fragen

1. Wie viele Schüler sind in Heinrich Heusers Klasse?
2. Wer ist der jüngste Schüler? der älteste? der fleißigste?
3. Wer ist größer als die meisten Knaben in der Klasse?
4. Wer ist der beste Schwimmer?
5. Wer läuft am schnellsten?
6. Wie werden die Tage und das Wetter?
7. Wann ist das Gras am grünsten?
8. Wann spielen die Schüler Fußball?
9. Was sagte Heusers amerikanischer Freund neulich?
10. Spielt man in Deutschland Schlagball und Korbball?

Vocabulary

als than

Ame'rika (neut.) (–s) America

der Amerika'ner (–s, —) American

amerika'nisch American

ander other

anders adv. otherwise; es ist ganz anders it is quite different

der Athlet' (–en, –en) athlete

blau blue

blühen bloom

Deutschland (neut.) (–s) Germany

ebenso just as

englisch English

etwas adv. somewhat

Franz (masc.) (Franz' or –ens) Francis, Frank

der Frühling (–s, –e) spring

fünfundzwanzig twenty-five

der Fußball (–s) football

das Fußballspiel (–s) football game

gera'de *adv.* just
getreu' faithful
Gottfried (*masc.*) (–s) Godfrey
das Gras (Grases, Gräser) grass
groß ("er, "t) large, tall (*of persons*), great
der Herbst (–es, –e) autumn, fall
der Himmel (–s, —) heaven, sky
die Jahreszeit (—, –en) season
der Korbball (–s) basket ball
der März (–(es), –e) March
meist most; die meisten anderen Knaben most of the other boys

der Monat (–s, –e) month
der Neffe (–n, –n) nephew
neulich recently
regnen (*wk.*) rain
das Rugbyspiel (–s) Rugby game
der Schlagball (–s) baseball
der Schwimmer (–s, —) swimmer
sicher sure, certain
wenig little
die Woche (—, –n) week
wohl probably
die Zeit (—, –en) time; Zeit zum Schreiben time for writing

den 1. März 1934 (= den ersten März neunzehnhundertvierund= dreißig) March 1, 1934
der lange Gottfried Angermann tall and lanky Godfrey Angermann
ein Freund von mir a friend of mine
mit den herzlichsten Grüßen with best regards, with (best) love

B

1. Comparison of Adjectives

The comparative stem is formed by adding =er, the superlative by adding =st, to the positive:

POSITIVE	COMPARATIVE	SUPERLATIVE
klein	kleiner	kleinst
schnell	schneller	schnellst

If the positive ends in a sibilant (s, ß, sch, z, r, tz) or in =d or =t, the superlative adds =est:

| weiß | weißer | weißest |
| mild | milder | mildest |

Some monosyllabic adjectives with the stem vowel a, o, or u take umlaut in the comparative and superlative:

| lang | länger | längſt |
| furz | fürzer | fürzeſt |

Of the monosyllabic adjectives with the stem vowel a, o, or u, occurring so far, all take umlaut in the comparative and superlative except flar and toll; two others, geſund and glatt, have comparative and superlative forms either with or without umlaut.

The following adjectives, used in previous lessons, are irregular in their comparison:

groß	größer	größt
gut	beſſer	beſt
viel	mehr	meiſt

In the vocabularies the comparative and superlative degrees will be indicated when they take umlaut of the stem vowel or are irregular, as follows: lang (⸗er, ⸗ſt), gut (beſſer, beſt).

Adjectives ending in ⸗e, ⸗el, ⸗en, or ⸗er drop the e of these endings in the comparative:

müde	müder	müdeſt
dunkel	dunkler	dunkelſt
teuer	teurer	teuerſt

2. Declension of Comparative and Superlative Forms

The comparative and superlative forms of the adjective, when used attributively, follow the same rules of declension as the positive form:

> ſein jüngerer Sohn *his younger son*
> der jüngere Sohn *the younger son*
> die jüngeren Söhne *the younger sons*
> ihr älteſtes Kind *their oldest child*
> das älteſte Kind *the oldest child*
> die älteſten Kinder *the oldest children*

In the predicate position the comparative, like the positive, is not inflected:

Sie ist **älter** als ihre Schwester. *She is older than her sister.*

The uninflected form of the superlative, however, does not occur as a predicate adjective. Instead German employs a prepositional phrase composed of **am** plus the superlative in the dative case neuter:

Im Frühling ist das Gras **am grünsten.** *The grass is greenest* (literally, *at the greenest) in spring.*

Note that in sentences such as

Welcher von den Knaben ist der größte? — Fritz ist der größte. *Which of the boys is the tallest? — Fred is the tallest.*

we do not have a predicate adjective, but an attributive adjective, the noun Knabe *boy* being understood after der größte *the tallest*. However, here too the am construction is frequently employed.

3. Comparison of Adverbs

The comparative of adverbs is formed like the comparative of adjectives. It is not inflected.

Fritz läuft schneller als Gottfried. *Fred runs faster than Godfrey.*

The superlative of the adverb is expressed by the am construction:

Wer läuft am schnellsten? — Franz läuft am schnellsten. *Who runs fastest? — Frank runs fastest.*

4. Immer plus Comparative

The comparative preceded by **immer** renders the English double comparative:

Die Tage werden immer länger. *The days are becoming longer and longer.*

5. Expressions of Comparison

Karl ist so alt wie du. *Charles is as old as you.*

Der Herbst ist ebenso (or gerade so) schön wie der Frühling. *Autumn is just as pretty as spring.*

Marie ist nicht so groß wie ihre Schwester. *Mary is not so tall as her sister.*

Fritz ist fleißiger als Peter. *Fred is more industrious than Peter.*

6. The Article with Proper Names

When a proper name is preceded by an adjective, it takes the definite article:

Am schnellsten läuft **der** kleine Franz Huber. *Little Frank Huber runs fastest.*

In direct address, however, the article is omitted — for example, in the salutation in letters:

Lieber, guter Onkel Ernst!
Liebe Tante Marie!

C

1. Compare:

dick	alt	glatt	teuer	warm
tief	klar	herzlich	gut	hell
hübsch	fleißig	groß	fest	neu
klug	dunkel	toll	kalt	müde

2. Decline in the singular and plural:

das kleiner_ _ Kind   der kältest_ _ Tag

kein größer_ _ Glas   unser liebst_ _ Freund

3. Connect the following groups of words into sentences by using the comparative:

EXAMPLE. Der Tisch, der Stuhl, neu. — Der Tisch ist neuer als der Stuhl.

1. Der Frühling, der Herbst, schön. 2. Der Löffel, das Messer, lang. 3. Der Bleistift, die Feder, kurz. 4. Peter, Fritz, alt. 5. Das Wohnzimmer, das Eßzimmer, dunkel. 6. Die Tassen, die Teller, teuer.

4. Form sentences from the following groups of words by using the positive, the comparative, and the superlative:

EXAMPLE. Heinrich, Helene, ich, jung. — Heinrich ist jung, Helene ist jünger, ich bin am jüngsten.

1. Der Sommer, der Herbst, der Frühling, schön. 2. Heinz, Franz, Martha, klug. 3. Ich, Gertrud, Gottfried Angermann, fleißig lernen. 4. Du, mein Neffe, Marie, gut lernen. 5. Frau Karsten, Herr Braun, Fräulein Müller, schnell sprechen.

5. Replace the English words in parentheses by the German equivalent:

1. Es wurde (colder and colder). 2. Peter Brauer ist nicht (so) fleißig (as) Fritz Bradler. 3. Martha ist (as) groß (as) ihre Mutter. 4. Helene spielt (just as) gut Klavier (as) ihre Schwester. 5. Heinrich Heuser ist ein sehr guter Athlet, aber Peter Brauer ist (the best) in unsrer Schule. 6. Gottfried Angermann ist der beste Schwimmer, und der kleine Franz Huber läuft (fastest). 7. Peter ist etwas größer (than) Fritz, aber nur sehr wenig. 8. Marie wird (prettier and prettier). 9. In welchem Monat wird es (coldest)? 10. Im Frühling ist der Himmel (bluest) und das Gras (greenest).

6. Copy the following sentences, substituting the missing ending for each blank:

1. Klara ist ihr jüngst___ Kind. 2. Sie ist das schönst___ Mädchen in der Schule. 3. Hast du kein dünner___ Papier? 4. Peter und Fritz sind beide klug, aber Fritz ist der fleißiger___. 5. Franz und Gottfried sind die best___ Athleten in unsrer Klasse. 6. Nächst___ Woche schreibe ich einen viel länger___ Brief.

7. Put into the past, present perfect, and past perfect tenses:

1. Die Blumen blühen und die Vögel singen. 2. Es regnet die ganze Woche. 3. Im März ist es sehr kalt. 4. Der kleine Franz Huber läuft am schnellsten. 5. Im Herbst spielen wir alle Fußball. 6. Die Tage werden immer länger.

8. *a*. Replace the words in parentheses by personal pronouns or by compounds with ba:

1. Anna trägt (bie Müße) zum erſten Male. 2. Hermann hat (ben Brief) geſchrieben. 3. (Der Himmel) iſt im Frühling am blauſten. 4. Chriſtoph iſt (mit ben Schlittſchuhen) ſehr zufrieden. 5. Hans ging mit (ſeinen Freunden) ins Kino. 6 Es liegen einige Bücher (auf bem Tiſche).

b. Give the meaning and the principal parts of:

Woche	Zeit	Müße	fallen	führen
Monat	Neffe	Paar	treffen	wünſchen
Himmel	Ufer	Leute	laufen	paſſen
Gras	Baum	Herz	liegen	legen

9. Translate into German:

1. A brighter room, a larger table, smaller chairs, the more industrious pupils. 2. My prettiest hat, our youngest child, the oldest house, the shortest nights. 3. Yesterday it rained the whole day, and so I found time for writing. 4. There are twenty-five pupils in our class, naturally all boys. 5. The youngest is Fred Bradler; the oldest is Peter Brauer. 6. Peter is nine months older than Fred, but only a little taller. 7. He has certainly a better head than the other boys, but he is not so industrious as tall and lanky Godfrey Angermann. 8. Godfrey is probably the best athlete in our class, but little Frank Huber runs fastest. 9. For me autumn is the finest season, for in autumn we play football for three long months.[1] 10. I am, however, somewhat too small for football. I am smaller than most of the other boys. 11. We play the English Rugby game. The American football game is quite different. 12. A friend of mine, an American, told me so [2] recently. 13. In Germany we play baseball and also basket ball, but not as [3] in America. 14. Next Sunday I shall write a longer letter. With best love to [4] you all, Your faithful nephew, Henry

1. three long months football.　　2. *told me so* ſagte mir bas.　　3. ſo wie.　　4. an (acc.).

D [Optional]

Eine Geographiestunde[1]

Der nördliche Teil Deutschlands ist flach, der mittlere und südliche aber gebirgig. Die Gebirge werden immer höher von Norden nach Süden. Die wichtigsten deutschen Gebirge sind der Schwarzwald, die Bayrischen Alpen,[2] der Thüringer Wald, das Erzgebirge und das Riesengebirge. Der höchste Berg ist 5 die Zugspitze in den Bayrischen Alpen. Die Zugspitze ist fast 3 000[3] Meter (über 9 000[4] Fuß) hoch. Die Rocky Mountains sind aber viel höher als die deutschen Gebirge.

Auch die deutschen Flüsse sind viel kleiner und kürzer als die amerikanischen Flüsse. Die wichtigsten deutschen Flüsse sind 10 der Rhein, die Weser, die Elbe, die Oder und die Donau. Außer der Donau fließen sie alle von Süden nach Norden, die Donau aber fließt von Westen nach Südosten. Der Rhein, die Weser und die Elbe münden[5] in die Nordsee; die Oder mündet in die Ostsee, die Donau in das Schwarze Meer. 15

Die Donau fließt nur auf ihrem oberen Lauf durch Deutschland. Die Oder ist zwar fast ganz ein deutscher Fluß, doch die Weser ist der einzige von den größeren Flüssen, der[6] sowohl seine Quelle als[7] seine Mündung auf deutschem Gebiet hat. An ihrer Mündung liegt die berühmte Hafenstadt Bremen. 20 Hamburg, an der Mündung der Elbe, ist die größte Hafenstadt des europäischen Kontinents. Die ältesten deutschen Städte finden wir aber am Rhein. Der Rhein, welcher[6] der schönste und wichtigste deutsche Fluß ist, entspringt in der Schweiz und hat seine Mündung in Holland. Die größeren Nebenflüsse 25 des Rheins sind der Neckar, der Main, die Lahn und die Mosel.[8]

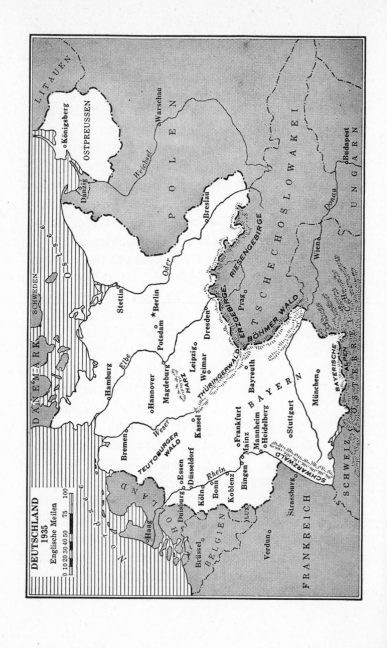

DEUTSCHLAND
1935
Englische Meilen
0 10 20 30 40 50   75   100

LITAUEN
Königsberg
OSTPREUSSEN
Danzig
Weichsel
Warschau
P O L E N
Oder
Breslau
RIESENGEBIRGE
T S C H E C H O S L O W A K E I
UNGARN
Budapest
Donau
Wien
ERZGEBIRGE
BÖHMER WALD
Prag
SCHWEDEN
SCHWEDEN
O-S-T-S-E-E
DÄNEMARK
Stettin
Berlin
Potsdam
Dresden
BAYERISCHE
Elbe
Hamburg
Leipzig
Weimar
THÜRINGERWALD
München
Hannover
Magdeburg
HARZ
Bayreuth
B A Y E R N
ALPEN
Ö-S-T-E-R-R-E-I-C-H
Weser
Bremen
TEUTOBURGER WALD
Kassel
Frankfurt
Mannheim
Heidelberg
Stuttgart
N-O-R-D-S-E-E
H-O-L-L-A-N-D
Haag
Essen
Duisburg
Düsseldorf
Köln
Bonn
Koblenz
Rhein
Mainz
Bingen
SCHWARZWALD
Strassburg
SCHWEIZ
Brüssel
B E L G I E N
LUX
Verdun
F R A N K R E I C H

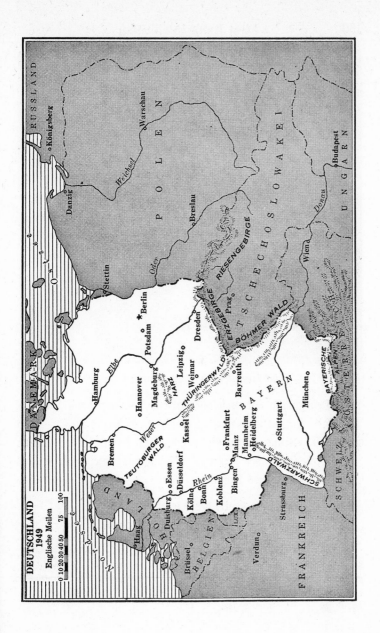

Three Lions

Old Inn at Bacharach, on the Rhine

Deutſchland hat ungefähr daſſelbe [9] Klima [10] wie Neueng=
land.[11] Am kälteſten wird es hoch oben in den Gebirgen. Das
30 mildeſte Klima finden wir im Rheintal [12] und in den Tälern
der Nebenflüſſe des Rheins. Deutſchland iſt ein ſehr kleines
und ein ſehr armes Land.

Der alte Gott, der [13] lebet [14] noch!
Was [15] willſt [16] du, Herz, verzagen?

1. Geographie'ſtunde *Lesson in Geography.*   2. For view, see page **95.**
3. dreitauſend.   4. neuntauſend.   5. *empty.*   6. *which.*   7. ſowohl' . . .
als *both . . . and.*   8. Mo'ſel *Moselle'.*   9. See derſel'be.   10. *climate.*
11. *New England.*   12. *Rhine valley.*   13. *he.*   14. Poetical for lebt.
15. *Why.*   16. Infin. wollen.

Witze

„Nun, Junge, wie war die Prüfung?"

„Gut, Vater. Der Lehrer war so freundlich und so fromm."

„Fromm? Wieso [1]?"

„Bei jeder Antwort, die [2] ich gab, schlug er die Hände zusam=
men [3] und rief: ‚Mein Gott! Mein Gott!'"   5

1. *How is that.*   2. *that.*   3. schlug . . . zusam'men *struck together.*

„Heinrich," sagte der Herr beim Erwachen [1] zu seinem
Diener, „wann bin ich eigentlich gestern abend nach Hause
gekommen?"

„Um drei Uhr morgens, gnädiger Herr.[2]"

„So, so — hm — und wann bin ich gestern morgen auf= 5
gestanden [3]?"

„Um acht Uhr abends, gnädiger Herr."

1. beim Erwa'chen *upon awaking.*   2. gnädiger Herr *sir.*   3. Infin.
aufstehen.

LESSON XV

Future and Future Perfect Indicative · Position of the
Infinitive · Future of Probability · Interrogative Pronouns wer and was · Compounds with wo · Other Interrogative Words

A

Die Hausfrau

„Wer hat eben telephoniert?" fragt Frau Weber ihre Tochter
Minna. „Es war Max Gadmer." „Und wovon habt ihr so
lange gesprochen?" „Max geht morgen ins Theater. Er hat
zwei Karten und bat mich, mit ihm zu gehen." „Was für ein
5 Stück gibt man morgen?" „‚Die Jungfrau von Orleans.'
Es wird sicher sehr schön sein, aber es ist ja nicht möglich, daß
ich gehe, denn wir haben morgen abend Besuch. Ich werde jetzt
zum Vater ins Geschäft gehen, Mutter, und komme dann mit
ihm nach Hause." „Es wird wohl zu spät sein", sagt Frau
10 Weber. „Es ist schon nach fünf Uhr, und der Vater wird das
Geschäft wohl schon geschlossen haben. Ich werde dich über=
haupt in der Küche brauchen." Dann öffnet Frau Weber die
Tür zum Kinderzimmer und ruft: „Kinder, warum schreit
ihr so? Ihr macht mich noch verrückt mit dem Lärm! Und
15 wessen Mütze liegt hier wieder auf dem Boden? Wie schmutzig
ihr seid!"

Jetzt kommt Anna, das Dienstmädchen, ins Zimmer.
„Anna, mit wem haben Sie so lange an der Ecke gesprochen?
Sie haben eine halbe Stunde bei dem jungen Manne gestanden.
20 Nun, schon gut! Es wird wohl wieder ein Vetter gewesen sein.
Und womit haben Sie heute morgen den Spiegel in meinem

Zimmer geputzt? Mit einem feuchten Handtuch, nicht wahr? Man sieht die Streifen noch immer. Nun, decken Sie jetzt den Tisch!" „Welches Tischtuch, welches Silber und welche Gläser wünschen Sie, gnädige Frau?" „Was für eine dumme Frage! 25 Wir haben heute abend keine Gäste. Also die gewöhnlichen!" Damit geht Frau Weber aus dem Zimmer.

Fragen

1. Mit wem hat Minna Weber lange gesprochen?
2. Wohin geht Max morgen abend?
3. Geht Minna mit Max ins Theater?
4. Welches Stück gibt man morgen?
5. Von wem ist „Die Jungfrau von Orleans"?
6. Wie spät ist es?
7. Ist Minnas Vater noch im Geschäft?
8. Wo sind die Kinder und was machen sie?
9. Mit wem hat Anna, das Dienstmädchen, an der Ecke gestanden?
10. Womit hat Anna den Spiegel in Frau Webers Zimmer geputzt?
11. Was sieht man noch immer auf dem Spiegel?
12. Was macht Anna jetzt?
13. Welches Silber und welche Gläser nimmt sie?

Vocabulary

also accordingly, therefore, then

bitten (er bittet, er bat, er hat gebeten) ask, request; bitten um *acc.* ask for

der Boden (—s, — *or* ⸚) floor

brauchen (*wk.*) need

da'mit with that

daß *conj.* that

dumm (⸚er, ⸚st) stupid

eben *adj.* even, level, smooth; *adv.* just

die Ecke (—, -n) corner; an der Ecke at the corner

feucht damp, moist

das Geschäft' (-s, -e) business, store, mercantile establishment

gewöhn'lich usual, ordinary

gnädig gracious; gnädige Frau madam

das Handtuch (-s, ⸚er) towel

die Hausfrau (—, -en) housewife, lady of the house

ja you know

die Jungfrau (—, -en) virgin, maid; „Die Jungfrau von Orleans" (pronounce Orleans as in French) "The Maid of Orleans" (Joan of Arc), title of a drama by Schiller

die Karte (—, -n) card, ticket

das Kinderzimmer (-s, —) children's room, nursery

der Lärm (-es) noise

der Mann (-es, ⸚er) man; husband

möglich possible

putzen (wk.) polish

schließen (er schließt, er schloß, er hat geschlossen) close

schmutzig dirty

schreien (er schreit, er schrie, er hat geschrieen) shout, scream

das Silber (-s) silver, silverware

der Spiegel (-s, —) mirror

der Streifen (-s, —) stripe, streak

das Stück (-es, -e) piece; play

telephonie'ren (wk.) telephone

das Thea'ter (-s, —) theater; ins Theater gehen go to the theater

das Tischtuch (-s, ⸚er) tablecloth

überhaupt' for that matter, anyway, aside from that at all

verrückt' crazy; ihr macht mich noch verrückt you will drive me crazy yet

womit' with what

wovon' of what, about what

eine halbe Stunde half an hour

heute abend this evening

morgen abend tomorrow evening

noch immer still

schon gut all right

was für ein what kind of? what a!

B

1. Future and Future Perfect Indicative

The future indicative is composed of the present indicative of werden and the present infinitive of the verb that is being conjugated:

ich werde sagen	*I shall say*	wir werden sagen	*we shall say*
du wirst sagen	*you will say*	ihr werdet sagen	*you will say*
er wird sagen	*he will say*	sie werden sagen	*they will say*

The future perfect indicative is composed of the present indicative of werden and the past infinitive of the verb that is being conjugated. The past infinitive consists of the past participle plus the auxiliary haben or sein.

ich werde gesagt haben *I shall have said*
du wirst gesagt haben *you will have said*
er wird gesagt haben   *etc.*
wir werden gesagt haben
ihr werdet gesagt haben
sie werden gesagt haben

ich werde gekommen sein *I shall have come*
du wirst gekommen sein *you will have come*
er wird gekommen sein   *etc.*
wir werden gekommen sein
ihr werdet gekommen sein
sie werden gekommen sein

2. Position of the Infinitive

In the future and future perfect tenses the infinitive stands at the end of a simple sentence or a principal clause:

Er wird es nicht finden. *He will not find it.*
Bis dann wird er es schon gemacht haben. *By that time he will already have done it.*

The dependent infinitive with zu usually stands at the end of a sentence or a clause; when modified, it is generally set off by a comma:

Er bat mich, morgen abend mit ihm zu gehen. *He asked me to go with him tomorrow evening.*

3. Future of Probability

The future is frequently used to express a present probability, and the future perfect to denote a past probability:

Es wird wohl zu spät sein. *It is probably too late.*

Der Vater wird das Geschäft wohl schon geschlossen haben. *Your father has probably already closed the store.*

Es wird wohl wieder ein Vetter gewesen sein. *It was probably a cousin again.*

4. Interrogative Pronouns wer and was

Nom.	wer *who*	was *what*
Gen.	wessen *whose, of whom*	wessen *of what*
Dat.	wem *to whom, whom*	(lacking)
Acc.	wen *whom*	was *what*

5. Compounds with wo

The interrogative pronoun *what* after a preposition is expressed in German by a compound of wo (wor before vowels) with the preposition if the preposition governs the dative case. If the preposition governs the accusative case, the use of the preposition and pronoun, as in English, is permissible, but the compound with wo is more common.

Wovon' habt ihr so lange gesprochen? *About what did you talk so long?*

Womit' haben Sie den Spiegel geputzt? *With what did you polish the mirror?*

Worauf' (or Auf was) bist du gefallen? *On what did you fall?*

6. Other Interrogative Words

The interrogative adjective and pronoun welcher has been treated in Lesson VI.

In the expression was für ein *what kind of* für is without prepositional force and does not affect the case of the following word:

> Was für ein Stuhl ist das? or Was ist das für ein Stuhl?
> *What kind of chair is that?*
>
> Was für ein Stück gibt man morgen? *What kind of play will they give tomorrow?*

Before nouns denoting material and before plural nouns ein is omitted:

> Was für Papier ist das? *What kind of paper is that?*
> Was für Bilder sind das? *What kind of pictures are those?*

In exclamations was für (ein) and welch (ein) have the force of *what (a)*:

> Was für eine dumme Frage! or Welch eine dumme Frage!
> *What a stupid question!*
>
> Was für dumme Fragen! or Welch dumme Fragen! *What stupid questions!*

C

1. Conjugate in the future and future perfect tenses:

1. Ich decke den Tisch. 2. Ich gehe ins Theater.

2. a. Put the following sentences into the future tense:

1. Man gibt „Die Jungfrau von Orleans". 2. Wir schenken euch zwei Karten. 3. Sie putzt den Spiegel mit einem feuchten Handtuch. 4. Das brauchen wir ja überhaupt nicht. 5. Du machst mich noch verrückt. 6. Er telephoniert seinem Bruder.

b. Put the following sentences into the future perfect tense:

1. Er macht keinen Lärm. 2. Man sieht die Streifen noch immer. 3. Der junge Mann steht eine halbe Stunde an der Ecke. 4. Du bleibst nicht zu Hause. 5. Es ist nicht möglich. 6. Sie wünscht also das gewöhnliche Silber.

3. Put the following sentences into the past, present perfect, past perfect, future, and future perfect tenses:

1. Er schließt das Geschäft um fünf Uhr. 2. Er bittet sie um ein Glas Wasser. 3. Warum schreien die Kinder so? 4. Er wird immer dümmer. 5. Das Tischtuch liegt auf dem Boden. 6. Du gehst zum Vater ins Geschäft.

4. Replace the English words in parentheses by the German equivalents:

1. Mit (whom) hast du eben gesprochen? 2. (Whom) haben Sie auf dem Wege getroffen? 3. (Who) hat die Tür zum Kinderzimmer geöffnet? 4. (Whose) Handtuch hast du, Max? 5. (What kind of) Tinte brauchen Sie, gnädige Frau? 6. (With what) haben Sie diesen Brief geschrieben? 7. (Which) Schüler lernt (most diligently)? 8. (Which one) ist der dümmste? 9. (Which) von den Mädchen ist größer (than) ihr Vater?

10. (What) Bücher wünschen Sie, Herr Doktor? 11. (What a) dummer Knabe! 12. (What) große Zimmer! 13. (On what) hast du es gelegt? 14. (What kind of) Feder ist das? 15. (Which) Stück gibt man heute abend? 16. Hat er (you) gebeten, morgen abend mit ihm zu gehen? 17. In (which) Jahreszeit ist das Gras (greenest)? 18. (Out of what) hat er die Milch getrunken? 19. (What kind of) Dienstmädchen hat die Hausfrau? 20. (With that) ging Frau Weber nach oben.

5. *a.* Compare:

feucht	dumm	klar	groß	kurz
schmutzig	alt	dunkel	jung	teuer
hell	hübsch	klug	kalt	tief

b. Give the meaning and the principal parts of

Karte	Geschäft	Silber	Himmel	brauchen
Mann	Boden	Theater	Gras	regnen
Spiegel	Ecke	Zeit	Woche	blühen
Stück	Lärm	Neffe	Monat	telephonieren
Tischtuch	Streifen	Bett	Tasse	lesen
Kopf	Traum	Nacht	Hut	grüßen

6. Translate into German:

1. Minna Weber and Max Gadmer are going to the theater tomorrow evening. 2. Max has two tickets, and he has asked Minna to go with him. 3. They are giving "The Maid of Orleans," and it will be very beautiful. 4. Where are you going, Minna? — To Clara Vogel's.[1] I shall not stay long, only half an hour. 5. Clara is probably not at home. She went to the country this morning, you know.[2] 6. Why are the children making so much noise? They will drive me crazy yet. 7. What made these streaks on the mirror? — Anna probably polished it with a damp towel. 8. How stupid! Where is Anna? — She is talking with a young man at the corner.[3] 9. Anna, with whom have you been talking at the corner for a whole hour? With a cousin, you say? 10. Well, all right. Set the table now; it is already late. 11. Which plates and cups do you wish, madam? — The usual ones, of course. Why do you ask?

1. To Clara Vogel.   2. *you know* ja, immediately following the verb.
3. at the corner with a young man.

D   [Optional]

Rübezahl

Die Sage von dem Berggeist [1] Rübezahl ist im Riesengebirge noch lebendig, wenn auch niemand mehr an ihn glaubt. Beschreiben kann man ihn nicht, denn er konnte seine Gestalt wechseln. Bald erschien er als reicher Herr, dann wieder als ein armer Köhler.[2] Oder er lag in der Gestalt eines Steins oder Baumstumpfs am Wege. Reichen, geizigen[3] Leuten spielte er Possen,[4] die ihnen schadeten. Armen Leuten half er auf heimliche Weise.

An einem heißen Sommertage wanderten zwei Gesellen,[5] Bartel und Anton, ins Gebirge hinauf. Ihr Ziel war eine kleine Stadt an der Südseite. Sie wurden bald müde und setzten sich an einen Ort, wo etwas Schatten war. Bald kam

eine schöne Kutsche [6] heran, in der ein reich gekleideter Herr
saß. Die Kutsche fuhr sehr langsam. Die Gesellen, die nicht
15 viel Geld in der Tasche hatten, traten an den Wagen heran und
baten um ein kleines Geschenk. Der Herr stieg aus, ging ins
Gebüsch [7] und schnitt zwei starke Stöcke ab. Er gab jedem einen
Stock und sagte: „Da habt ihr ein Geschenk, das euch weiter
helfen wird. Hütet es gut!“ Dann stieg er wieder in die
20 Kutsche und fuhr weiter. Bartel machte eine finsteres Gesicht,
aber Anton sagte: „Nun, den Stock kann ich brauchen.“ End=
lich waren sie auf dem Kamm, [8] der Weg wurde nun leichter,
denn es ging bergab. [9] Bartel warf seinen Stock weg und
bemerkte: „Was soll ich mit dem Ding? Wenn ich einen Stock
25 will, kann ich mir einen schneiden.“ Aber Anton behielt [10] den
seinigen. Gegen Abend kamen sie an ihr Ziel. Anton
bemerkte, daß sein Stock immer schwerer wurde. Er betrachtete
ihn und sah, daß der Stock zu reinem Golde geworden war.
Bartel schrie: „Du mußt mit mir teilen!“ Doch Anton ant=
30 wortete: „Ich denke nicht daran. Du hast deinen Stock gehabt,
und er war sogar viel dicker als meiner. Geh und suche ihn
dir!“ Es war am nächsten Morgen noch dunkel, als Bartel ins
Gebirge zurückging, um den Stock zu suchen, doch er fand ihn
nicht und kam auch nicht wieder zurück. Anton blieb in dem
35 Städtchen und wurde bald Meister in seinem Handwerk. Der
Stock wurde für ihn der Grundstein zu Glück und Wohlstand. [11]
Anton stieg Sonntags oft ins Gebirge hinauf; er hoffte Rü=
bezahl zu treffen, um ihm zu danken. Aber er hat ihn nie zu
Gesicht bekommen. [12] Sein Kamerad Bartel war und blieb
40 verschwunden.

1. *mountain spirit.*   2. *charcoal-burner.*   3. *stingy.*   4. *pranks.*
5. *fellow journeymen.*   6. *coach.*   7. *bushes.*   8. *ridge.*   9. *downhill.*
10. *kept.*   11. *prosperity.*   12. *caught sight of.*

Girls in Peasant Costume

Heidenröslein

Sah ein Knab' [1] ein Röslein stehn,
Röslein auf der Heiden,
War [2] so jung und morgenschön,
Lief er [3] schnell, es nah zu sehn,
5   Sah's mit vielen Freuden.
Röslein, Röslein, Röslein rot,
Röslein auf der Heiden.

Knabe sprach: Ich breche dich,
Röslein auf der Heiden!
10   Röslein sprach: Ich steche dich,
Daß [4] du ewig denkst an mich,
Und ich will's nicht leiden!
Röslein, Röslein, Röslein rot,
Röslein auf der Heiden.

15   Und der wilde Knabe brach
's [5] Röslein auf der Heiden.
Röslein wehrte sich [6] und stach,
Half ihm doch kein Weh und Ach, [7]
Mußt' es eben leiden. [8]
20   Röslein, Röslein, Röslein rot,
Röslein auf der Heiden.
                  GOETHE

1. Sah ein Knab' for Ein Knabe sah.   2. Es war.   3. Lief er for Er lief.
4. *So that.*   5. 's = Das.   6. wehrte sich *defended itself.*   7. Half ihm doch
kein Weh und Ach *But lamenting and wailing was of no avail.*   8. Mußt'
es eben leiden *It had to endure it just the same.*

REVIEW OF LESSONS X–XV

1. *a.* Conjugate in the past tense:

1. Ich hole den Christbaum aus dem Walde. 2. Ich rede nicht zu viel. 3. Ich nehme es. 4. Ich werde müde.

b. Conjugate in the present perfect and past perfect tenses:

1. Ich zeige es ihnen. 2. Ich öffne die Fenster. 3. Ich komme mit den Kindern.

c. Conjugate in the future and future perfect tenses:

1. Ich lache darüber. 2. Ich bleibe zu Hause.

2. Put into the past, present perfect, past perfect, future, and future perfect tenses:

1. Es wird kalt. 2. Ich habe keine Zeit. 3. Sie ist nicht zu Hause. 4. Er korrigiert die Hefte. 5. Wir gehen auf die Eisbahn. 6. Sie antworten dem Lehrer nicht. 7. Während der Nacht schneit es stark. 8. Spielt ihr auf der Wiese? 9. Du schenkst ihm die alten Schlittschuhe. 10. Franz Huber läuft am schnellsten.

3. Give the meaning and the principal parts of

essen	schauen	fahren	nähen
finden	sehen	scheinen	lassen
wohnen	singen	treffen	rechnen
graben	lieben	lachen	stehen
machen	sitzen	telephonieren	geben
nehmen	legen	schreien	klopfen
liegen	öffnen	bitten	putzen
bleiben	treten	blühen	schenken
rufen	trinken	wünschen	fallen
schlafen	lernen	baden	führen
schreiben	lesen	fließen	passen
zeichnen	kaufen	werfen	regnen

173

4. Decline in the singular and plural:

der schöne Christbaum   keine gute Schule
sein kleiner Bruder   mein teurer Mantel
dieses herrliche Geschenk   große Freude
unser neues Haus   herzlicher Gruß
jene alte Kirche   deine dankbare Nichte

5. Place the adjective before the noun (*a*) with the definite article, (*b*) with the indefinite article:

EXAMPLE. Der Hund ist toll; der tolle Hund; ein toller Hund.

1. Die Küche ist groß. 2. Das Handtuch ist feucht. 3. Das Tisch= tuch ist neu. 4. Der Spiegel ist schmutzig. 5. Der Mann ist groß. 6. Der Himmel ist blau. 7. Die Tür ist offen. 8. Das Zimmer ist dunkel. 9. Der Apfel ist grün. 10. Die Schülerin ist fleißig.

6. Copy the following sentences, substituting the ending of the adjective for each blank:

1. Der lieb___, gut___ Onkel hat Martha einen prachtvoll___ Mantel geschenkt. 2. Mein hübsch___, klein___ Bruder stand auf der Treppe und rief willkommen. 3. Der klein___ Schwester gab ich zwei dick___ Bücher mit schön___ Bildern. 4. Dieser groß___ Geldbeutel aus gelb___ Leder ist für den Vater. 5. Der lang___ Gottfried Angermann ist ein fleißig___ Schüler. 6. Die Eltern dieser klein___ Kinder sind beide krank. 7. Ich habe sehr schön___ Ge= schenke für meine jung___ Brüder. 8. Wir haben klar___, mild___ Wetter gehabt. 9. Es war eine herrlich___ Fahrt durch den still___ Wald. 10. Unser alt___ Hund warf mich in den tief___, weich___ Schnee. 11. Sie hat einen schwarz___ Mantel und eine weiß___ Mütze getragen. 12. Ihr neu___ Hut ist nicht so schön wie der alt___.

7. Compare:

schnell	klug	toll	gut	groß
tief	kalt	blau	kurz	teuer
weiß	hübsch	mild	jung	fleißig
feucht	dunkel	dick	klar	schwarz
müde	dumm	weich	herrlich	schmutzig

8. Decline in the singular and plural:

der kleiner＿＿ Knabe   unſer größt＿＿ Zimmer

ſein älter＿＿ Bruder   das ſchönſt＿＿ Lied

9. Replace the English words in parentheses by the German equivalents:

1. Klara iſt (older than) ihre Schweſter. 2. Anna iſt nicht (so pretty as) Gertrud. 3. Emma iſt (as tall as) ihre Mutter. 4. Marie iſt (just as industrious as) Helene. 5. Du wirſt (slower and slower). 6. Hier iſt das Waſſer (deepest). 7. Fritz läuft (faster than) Gottfried. 8. Franz Huber läuft (fastest). 9. (Whose) Meſſer iſt das? 10. (Whom) haſt du zu Hauſe getroffen?

11. (To whom) haben Sie das Silber gezeigt? 12. (Which) Mantel hat ſie gekauft? (Which one) hat ſie gekauft? 13. (What) Bücher brauchen Sie? 14. (What) hat er gefunden? 15. (What kind of) Tiſch iſt das? (What kind of) Stühle ſind das? 16. (What a) ſchöner Hut! (What) dünnes Papier! 17. (With what) haben Sie dieſes Bild gezeichnet? 18. (On what) lag er?

10. Use the correct forms of the personal pronouns in parentheses:

1. Mein Bruder gab (ich) ein Paar neue Schlittſchuhe. 2. Die Schlittſchuhe paſſen (Sie) gut. 3. Die alten ſind zu klein für (ich). 4. Er dankte (wir) ſehr freundlich. 5. Ich habe (er   ) en geſehen. 6. Wer hat (ihr) dieſe Bücher gegeben? 7. Wir haben (ſie sg.) das Bild geſchenkt. 8. Ich habe (ſie pl.) die Karten nicht gezeigt. 9. Hat er (du) gegrüßt? 10. Sie haben (wir) geſehen. 11. Die Tante rief (ſie pl.) zum Abendeſſen. 12. Wer iſt mit (du) gekommen?

11. Replace the words in parentheses by personal pronouns or by compounds with da:

1. (Der Tiſch) iſt ganz neu. 2. Geſtern habe ich (den Tiſch) gekauft. 3. Viele Bücher lagen (auf dem Tiſche). 4. (Die Feder) ſchreibt gut. 5. Ich legte (die Feder) neben den Bleiſtift. 6. Eine Karte liegt (unter dem Teller). 7. Ich habe (das Meſſer) gefunden. 8. Was haſt du (mit dem Obſt) gemacht? 9. Er iſt mit (ſeinem Bruder) ins Theater gegangen.

Three Lions

An Ancient Street in Rothenburg on the Tauber (Bavaria)

12. Translate into German:

1. He was standing behind the table; they were sitting upon a bench. 2. When did you buy the new cap? — I bought it yesterday. 3. It is much prettier than the old one. 4. Last Sunday we went to the country. 5. We stayed two days in the country. 6. He asked me to go with him to the movies. 7. There are two tables in our room. 8. There were only four people there. 9. They[1] say she is much younger than he.[2] 10. Little Charles is more industrious than his brother. 11. She is probably not there. She is probably at school. 12. He has probably already done it. 13. (*Close of a letter*) Lots of love and kisses from your grateful niece, Martha Hollmann. 14. (*Date of a letter*) Marburg, March 1, 1934.

1. Man.   2. Set off the subordinate clause by a comma.

13. Give the meaning and the principal parts of

Mann	Monat	Nuß	Bild	Hügel	Karte
Ecke	Gras	Apfel	Vetter	Ende	Pastor
Zeit	Ufer	Treppe	Mädchen	Weg	Stück
Woche	Mütze	Herr	Frau	Boden	Spiegel
Neffe	Sonne	Hund	Dorf	Wald	Kuß

14. Translate into English:

1. Die Knaben aßen wie die Wölfe. 2. Erst um acht Uhr sagten die Gäste Lebewohl. 3. Paul schlief die Nacht wie ein Murmeltier bis weit in den Sonntag hinein. 4. Der Vater holte mich selbst von der Bahn. 5. Der alte Karo war toll vor Freude. 6. Ich habe der Mutter ein halbes Dutzend schöne Taschentücher geschenkt. 7. Fröhliche Weihnachten! 8. Während der Feiertage haben wir viel Besuch gehabt. 9. Das ganze Haus war voller Gäste, und so schreibe ich erst heute. 10. Du hast nie einen so schönen Baum gesehen.

11. Bald nach dem Abendessen kam das Christkind. 12. Nun sind die Ferien schon wieder fast zu Ende. 13. Letzten Sonnabend sind wir auf die Eisbahn gegangen. 14. Nun, ich wünsche Ihnen viel Vergnügen! 15. Wir fielen ein paarmal und lachten herzlich darüber. 16. Auf Wiedersehen, Anna! 17. Wir sind fünfundzwanzig Schüler in unsrer Klasse, natürlich alle Knaben. 18. Fritz ist größer als die meisten anderen Knaben der Klasse. 19. Die Tage werden immer länger und das Wetter wärmer. 20. Im Frühling ist das Gras am grünsten und der Himmel am blausten.

21. Das amerikanische Fußballspiel ist ganz anders. 22. Ein Freund von mir, ein Amerikaner, sagte mir das neulich. 23. Wovon habt ihr so lange gesprochen? 24. Es ist ja nicht möglich, daß ich gehe, denn wir haben morgen abend Besuch. 25. Der Vater wird das Geschäft wohl schon geschlossen haben. 26. Ich werde dich überhaupt in der Küche brauchen. 27. Kinder, ihr macht mich noch verrückt mit dem Lärm! 28. Nun, schon gut! Es wird wohl wieder ein Vetter gewesen sein. 29. Welches Silber wünschen Sie, gnädige Frau? 30. Was für eine dumme Frage!

LESSON XVI

Imperative Mood · Possessive Pronouns · Use of gern ·
Definite Article in Place of Possessive Adjective · Das,
dies, and es in Expressions of Identity · Direct and
Indirect Object

A

Im Restaurant

Frau Nagel ging mit ihren beiden Kindern Hildegard und
Oswald in ein Restaurant. Der Kellner führte sie an einen
Tisch am Fenster und reichte Frau Nagel die Speisekarte.
„Bringen Sie uns, bitte, drei Portionen Kalbsbraten mit gel=
5 ben Rüben, Kartoffelbrei und Krautsalat!" sagte Frau Nagel.
„Ich esse nicht gern gelbe Rüben!" rief Oswald. „Ich auch
nicht!" sagte Hildegard. „Ich esse lieber Erbsen!" „Nun,
bringen Sie den Kindern Erbsen anstatt Rüben!" „Was
wünschen Sie zu trinken, gnädige Frau?" „Für die Kinder
10 Milch, für mich eine Tasse Kaffee."

Sie waren sehr hungrig, und das Essen schmeckte ihnen vor=
trefflich. „Aber Oswald, iß nicht mit den Fingern, nimm die
Gabel!" mahnte Frau Nagel. „Und eßt nicht so schnell, Kinder,
es ist nicht gesund! Trinkt eure Milch langsam! Und du,
15 Hildegard, stütze die Ellbogen nicht auf den Tisch!" Zum
Nachtisch aßen sie Gefrorenes und Kuchen. „Dein Stück Kuchen
ist größer als meins", sagte Oswald zu seiner Schwester.
„Das ist nicht wahr", antwortete Hildegard. „Deins ist ebenso
groß wie meins." „Schweigt doch!" rief die Mutter, „sonst
20 essen wir nicht wieder hier."

Auf dem Wege nach Hause trafen sie Kurt Meyer. Er trug

einen neuen Anzug und hatte mehrere Bücher unter dem Arme.
Kurt grüßte Frau Nagel und die Kinder, und gab ihnen die
Hand. „Das ist ein sehr schöner Anzug, Kurt", sagte Frau
Nagel. „Jawohl!" rief Oswald, „er ist viel schöner als meiner." 25
„Es ist ein Geburtstagsgeschenk", antwortete Kurt. „Was
machst du mit den Büchern?" fragte Frau Nagel. „Dies sind
nicht meine Bücher", sagte Kurt. „Richard Schmidt hat sie
gestern bei mir gelassen, und ich bringe sie ihm jetzt."

Fragen

1. Wohin ging Frau Nagel mit ihren beiden Kindern?
2. Wie heißen die Kinder?
3. Wohin führte der Kellner Frau Nagel und die Kinder?
4. Was für Fleisch und was für Gemüse aßen sie?
5. Was tranken sie?
6. Wie schmeckte ihnen das Essen?
7. Was aßen sie zum Nachtisch?
8. Wen trafen sie auf dem Wege nach Hause?
9. Was für einen Anzug trug Kurt?
10. Was hatte er unter dem Arme?
11. Essen Sie gern gelbe Rüben, Herr (Fräulein) ——?
12. Was trinken Sie lieber, Kaffee oder Tee?

Vocabulary

aber *interj.* why
anstatt' *prep. w. gen.* instead
of
der Anzug (–s, ⸚e) suit (of
clothes)
der Arm (–es, –e) arm
beide both, two

bringen (*irreg.* er bringt, er
brachte, er hat gebracht) bring
doch *adv. and conj.* yet, but,
still, however; *used w. imperative for emphasis* schweigt
doch hush, I tell you *or* be
quiet, will you

der Ellbogen (–s, —) elbow

die Erbſe (—, –n) pea

der Finger (–s, —) finger

die Gabel (—, –n) fork

das Geburts'tagsgeſchenk' (–s, –e) birthday present

Gefro'renes *adj. infl.* ice cream

gern (lieber, am liebſten) *adv.* gladly, willingly

die Hand (—, ⸚e) hand; er gab ihnen die Hand he shook hands with them

heißen (er heißt, er hieß, er hat geheißen) be called; wie heißen die Kinder what are the names of the children

der Kalbsbraten (–s, —) roast veal

der Kartof'felbrei (–s) mashed potatoes

der Kellner (–s, —) waiter

der Kraut'ſalat' (–s) slaw, cole-slaw

der Kuchen (–s, —) cake

mahnen (*wk.*) admonish, reprove

mehrere several

die Portion' (—, –en) helping (*or* plate) of meat, etc.; drei Portionen Kalbsbraten roast veal for three

das Reſtaurant' (*pronounce as in French*) (–s, –s) * restaurant

die Rübe (—, –n) = gelbe Rübe carrot

ſchmecken (*wk.*) taste

ſchweigen (er ſchweigt, er ſchwieg, er hat geſchwiegen) be silent

die Speiſekarte (—, –n) bill of fare, menu

ſtützen (*wk.*) support, prop, rest

der Tee (–s) tea

vortreff'lich excellent

ich auch nicht nor I, either *or* neither do I

zum Nachtiſch for dessert

uſw. *abbrev. of* und ſo weiter and so forth

B

1. Imperative Mood

The imperative occurs in German in three forms, corresponding to the three words for *you*: du, ihr, and Sie. All three forms are rendered alike in English. The pronouns du and ihr are regularly omitted unless they bear special emphasis; the pronoun Sie is never omitted.

* A small number of nouns of foreign origin form a plural in ⸗s.

a. The du form of weak verbs is derived by adding =e to the stem of the present infinitive: fage! rede! With strong verbs the =e is often omitted, no apostrophe being used to indicate the omission: fing[e]! geh[e]! Laffen is regularly without ending: laß!

Strong verbs with the stem vowel e that change the e to ie or i in the second and third person singular of the present indicative show the same vowel change in the du form of the imperative. These forms regularly omit the ending =e: fieh! iß! Note, however, that the imperative of werden is werde!

b. The ihr form of the imperative is derived by adding =t or =et to the stem of the present infinitive, the rule being the same as that for the formation of the second person plural of the present indicative: fagt! redet! feht! eßt!

c. The Sie form ends in =en or =n and is identical with the third person plural of the present indicative or with the infinitive: fagen Sie! reden Sie! fehen Sie! effen Sie!

IMPERATIVE

fage!	rede!	fing[e]!	fieh!	iß!
fagt!	redet!	fingt!	feht!	eßt!
fagen Sie!	reden Sie!	fingen Sie!	fehen Sie!	effen Sie!

2. Imperative of fein

The imperative forms of fein *be* are fei! feid! feien Sie!

3. Punctuation of Imperative Sentences

The exclamation point is generally used after imperative sentences:

Iß nicht mit den Fingern! *Don't eat with your fingers.*
Trinkt eure Milch langfam! *Drink your milk slowly.*
Bringen Sie den Kindern Erbfen anftatt Rüben! *Bring the children peas instead of carrots.*

4. Possessive Pronouns

The possessive pronouns are identical in form with the possessive adjectives except in three cases: the nominative singular masculine, and the nominative and accusative singular neuter. Here the adjectives are, as we saw in Lesson V, without ending, whereas the pronouns have the endings ⸗er, ⸗es, and ⸗es respectively:

> Dein Anzug ist viel schöner als meiner. *Your suit is much prettier than mine.*
>
> Ich habe dein Messer; hast du meines? *I have your knife; have you mine?*

The shortened forms meins, deins, seins, are frequently used instead of the fuller forms meines, deines, seines:

> Dein Stück Kuchen ist größer als meins. *Your piece of cake is larger than mine.*
>
> Deins ist ebenso groß wie meins. *Yours is just as large as mine.*

Like the possessives, so also the words ein and kein, which, as adjectives, are without ending in the nominative singular masculine and in the nominative and accusative singular neuter, are inflected in these three cases when used pronominally, having the endings ⸗er, ⸗(e)s, and ⸗(e)s respectively:

> kein Schüler, keiner von den Schülern *no pupil, none of the pupils*
>
> Haben Sie ein Glas? — Nein, aber Max hat ein(e)s. *Have you a glass? — No, but Max has one.*

5. Use of gern

The adverb gern *gladly*, *willingly*, is usually rendered in English by the verb *like*:

> Ich liege gern im Grase. *I like to lie in the grass.*
>
> Ich spiele lieber auf der Wiese. *I like better to play in the meadow*, or *I prefer to play in the meadow.*

Ich arbeite am liebsten im Garten. *I like best to work in the garden.*

Ich esse gern gelbe Rüben. *I like carrots.*

Ich esse lieber Kartoffeln. *I like potatoes better,* **or** *I prefer potatoes.*

Ich esse am liebsten Erbsen. *I like peas best.*

Ich trinke Tee lieber als Kaffee. *I like tea better than coffee,* **or** *I prefer tea to coffee.*

6. Definite Article in Place of Possessive Adjective

The definite article is often used in place of a possessive adjective before a word denoting a part of the body or the clothing when there is no doubt as to who the possessor is:

Iß nicht mit **den** Fingern! *Don't eat with your fingers.*

Stütze **die** Ellbogen nicht auf den Tisch! *Don't rest your elbows on the table.*

Er hatte mehrere Bücher unter **dem** Arme. *He had several books under his arm.*

Er nahm **den** Hut **vom** Kopfe. *He took off his hat.*

7. Das, dies, and es in Expressions of Identity

The forms das, dies, and es are used with the verb sein *be* in stating the identity of a person or an object:

Das ist ein schöner Anzug. *That is a pretty suit.*

Das sind meine Bleistifte. *Those are my pencils.*

Dies ist meine Tochter. *This is my daughter.*

Dies sind meine Bücher. *These are my books.*

Es ist Maries neuer Hut. *It is Mary's new hat.*

Es sind Freunde von meinem Bruder. *They are friends of my brother.*

Note expressions of the following kind:

Ich bin es. *It is I.*	Bist du es? *Is it you?*
Wir sind es. *It is we.*	Sind Sie es? *Is it you?*
Etc.	Etc.

8. Direct and Indirect Object

The indirect object generally precedes the direct object except when the direct object is a personal or reflexive pronoun:

> Ich gab dem Schüler die Feder. *I gave the pupil the pen*, or *I gave the pen to the pupil.*
>
> Ich gab ihm die Feder. *I gave him the pen*, or *I gave the pen to him.*
>
> Ich gab sie dem Schüler. *I gave it to the pupil.*
>
> Ich gab sie ihm. *I gave it to him.*

C

1. Give the imperative (three forms) of

rufen	führen	holen	stehen	sein
geben	arbeiten	werfen	tragen	kommen
nehmen	treten	schlafen	lassen	werden

2. Say in German (*a*) to your brother, (*b*) to your brother and sister, (*c*) to Mr. Brown:

1. Lay the forks on the table. 2. Bring me ice cream and cake for dessert. 3. Open the door. 4. Speak German. 5. Read the new book. 6. Don't eat with your fingers. 7. Don't rest your elbows on the table.

3. Complete the following series:

1. Wessen Zimmer ist dies? — Es ist mein(e)s; es ist dein(e)s; usw. 2. Wessen Tisch ist das? — Es ist meiner; es ist deiner; usw. 3. Wessen Tinte ist dies? — Es ist meine; es ist deine; usw. 4. Wessen Hefte sind das? — Es sind meine; es sind deine; usw.

4. Substitute German words for the words in parentheses:

1. Ist das Kurts Bleistift? — Nein, es ist (mine). 2. Richard hatte ein Buch, aber es war nicht (his). 3. Hast du Papier? — Nein, ich habe (none). 4. Haben Sie ein Messer? — Ja, ich habe (one), aber

es ist zu Hause. 5. (One) von den Knaben hatte mehrere Hefte unter (his) Arme. 6. Christoph hat (my) Buch, und ich habe (his). 7. (None) von den Schülern zeichnet gut. 8. Dieser Hut ist nicht so schön wie (yours). 9. (One) von den Mädchen ist heute krank. 10. Oswald ißt mit (his) Fingern. 11. Hildegard stützt (her) Ellbogen auf den Tisch. 12. Was hast du in (your) Hand? 13. (It) ist ein schöner Anzug; (it) ist viel schöner als (mine); du hast (it) gestern gekauft, nicht wahr? 14. Wer sind (those) Leute? — (They) sind Herrn Arndts Gäste. 15. (These) sind meine Geburtstagsgeschenke; (they) sind sehr schön, nicht wahr? 16. (Those) sind meine neuen Bilder. Wünschen Sie (one)? 17. (This) Haus ist größer als (theirs, ours, hers, yours). 18. Hier ist (his) Korb. Wo ist (ours, mine, theirs, hers)?

5. *a.* Replace the words in parentheses by personal pronouns:

1. Der Kellner reichte (**Frau Nagel**) (**die Speisekarte**). 2. Er bringt ihnen (**drei Portionen Kalbsbraten**). 3. Wir haben (**unsrer Nichte**) (**den Hut**) geschenkt. 4. Marie hat (**dem Vater**) (**die Gabel**) gezeigt. 5. Reiche mir (**den Bleistift**), bitte! 6. Wer hat (**den Kindern**) (**die grünen Äpfel**) gegeben?

b. Replace the pronouns in parentheses by suitable nouns:

1. Wir haben (**sie**) (**ihnen**) gegeben. 2. Max hat (**ihn**) dem Lehrer gezeigt. 3. Leo hat (**es**) (**ihm**) geholt. 4. Gib (**sie**) der Lehrerin! 5. Er hat (**ihn**) mir gereicht.

6. *a.* Give the meaning and the principal parts of

heißen	schweigen	bitten	schließen	schreien
mahnen	stützen	brauchen	putzen	telephonieren
nähen	fallen	laufen	rufen	lachen

b. Put into the past, present perfect, past perfect, future, and future perfect tenses:

1. Sie gehen in ein Restaurant. 2. Das Essen schmeckt ihnen vortrefflich. 3. Er bringt sie ihr. 4. Ich stütze die Ellbogen nicht auf den Tisch. 5. Wir sprechen Deutsch.

7. *a.* Replace the English words in parentheses by the German equivalents:

1. (Whom) traf Frau Nagel auf dem Wege nach Hause? 2. (What kind of) Anzug trug Kurt Meyer? 3. (Whose) Bücher hatte er unter dem Arme? 4. Mit (whom) hast du gespielt? 5. (What a) schöner Hut! 6. (On what) hat er gesessen?

b. Give the meaning and the principal parts of

Kuchen	Kellner	Mann	Karte
Arm	Erbse	Brief	Boden
Hand	Tee	Spiegel	Geschäft
Anzug	Gabel	Stück	Handtuch

8. Translate into German:

1. Is it you, Clara? — Yes, it is I. — Is it you, children? — Yes, it is we. — Is it you, Mr. Smith? — Yes, it is I. 2. He showed his uncle the watch. He showed the watch to his uncle. He showed it to him. 3. I like to study German. I like to live in the country. I prefer to stay at home. I like best to go to the movies. 4. I do not like carrots.[1] — Nor I, either.[1] — What do you wish instead of carrots? — Peas or slaw, please. 5. I prefer milk to coffee.[2] I like tea best.[2] 6. What is the boy's name? — His name is Oswald. — What is the girl's name? — Her name is Hildegard. 7. Mrs. Nagel goes into a restaurant with her two children. 8. The waiter brings them roast veal with carrots, mashed potatoes, and slaw. 9. "I don't like carrots!"[1] exclaims Oswald. "I like peas better![2] Bring me some[3] peas!" 10. "Be silent, will you!" his mother answers; "otherwise we shall go home immediately." 11. The children are very hungry, and they eat too fast. "Why, children, don't eat so fast!" admonishes Mrs. Nagel. "It is not healthful." 12. On the way home they meet Kurt Meyer. Kurt greets Mrs. Nagel and the children, and shakes hands with them.

1. Cf. the German model in section *A* for word order.   2. Cf. section *B*, 5, for word order.   3. Omit.

D   [Optional]

Du bist wie eine Blume

Du bist wie eine Blume,
So hold und schön und rein;
Ich schau' dich an,[1] und Wehmut
Schleicht mir ins Herz hinein.[2]

Mir ist,[3] als ob ich die [4] Hände   5
Aufs Haupt dir [5] legen sollt',[6]
Betend, daß Gott dich erhalte [7]
So rein und schön und hold.

HEINE

Ein einfaches und schönes Gedicht ist Heines „Du bist wie
eine Blume." Es ist aus einem Erlebnis des Dichters entstan= 10
den. In Berlin traf er eines Tages eine jüdische Waise, ein
sehr schönes, fast erwachsenes Mädchen namens Miriam.
Heine war sein Leben lang ein großer Bewunderer weiblicher
Reize, und Miriams Schönheit und Unschuld machten einen
tiefen Eindruck auf ihn. Er hat ihn in nur acht Zeilen festge= 15
halten.[8] Wir besitzen über hundertundsechzig Kompositionen [9]
des kleinen Gedichts. Man singt es auch oft, doch nicht so
häufig und allgemein wie „Die Lorelei." Eine schöne englische
Übersetzung ist die [10] von C. G. Leland:

Thou'rt like a lovely floweret,   20
So void of guile thou art;
I gaze upon thy beauty
And grief steals o'er my heart.

I fain would lay devoutly
My hands upon thy brow,   25
And pray that God will keep thee
As good and fair as now.

Im Jahre 1845 [11] erkrankte Heine, und vom Jahre 1848 [12] ab [13] konnte er sein Bett fast nie mehr verlassen. Er nannte
30 sein Schmerzenslager die Matratzengruft.[14] Acht lange Jahre ruhte er lebend in diesem Grab, und doch verlor er den Mut und die Liebe zum Leben nicht. Seine französische Frau und die deutsche Muse waren seine besten Trösterinnen. Oft schrieb er nach einer Nacht voll Schmerzen am Morgen ein herrliches
35 Gedicht. Seine Gedichte sind im Auslande vielleicht besser bekannt als die [15] irgend eines anderen deutschen Dichters, besonders seine schönen Lieder. Sein Hauptthema [16] war die Liebe; immer wieder hat er ihre Freuden und Leiden besungen.

Heine ist am siebzehnten Februar 1856 [17] in Paris gestorben;
40 sein Grab ist auf dem Montmartre.[18]

1. schau' . . . an *look upon.*   2. Schleicht mir ins Herz hinein *Steals into my heart.*   3. Mir ist *I feel.*   4. *my.*   5. Aufs Haupt dir *Upon thy head.* 6. *should.*   7. Subj.: *will keep.*   8. Infin. festhalten.   9. Kompositio'nen *musical settings.*   10. *that.*   11. achtzehnhundertfünfundvierzig. 12. achtzehnhundertachtundvierzig.   13. *on.*   14. Matrat'zengruft *mattress grave.*   15. *those.*   16. *principal theme.*   17. achtzehnhundertsechsundfünfzig.   18. auf dem Montmartre (pronounce as in French) *in the cemetery of Montmartre.*

Sprichwörter

Vor der Tat halte Rat!

Erst besinn's,[1] dann beginn's!

Eile mit Weile!

Rede wenig, aber wahr, denn vieles Reden bringt Gefahr.

Blick' erst auf dich,[2] dann richte mich!

1. *think about it.*   2. *yourself.*

LESSON XVII

Relative Pronouns **der** and **welcher** · Compounds with **wo** · Transposed Word Order · Adverbial Genitive of Time

A

Unſer Sommerhäuschen

Unſer Sommerhaus, von dem ich ſo oft ſpreche, iſt an einem kleinen Flüßchen, das nach kurzer Strecke in den Bärenſee fließt. Wir baden oft dort, auch meine jüngeren Geſchwiſter, denn es iſt gar nicht gefährlich; der See iſt nicht ſehr groß und nirgends tief. Meine beiden Vettern, die in Berlin wohnen, und deren 5 Vater Kaufmann iſt, waren letzten Sommer bei uns, auch meine Couſine Agnes, deren Mutter vor drei Monaten geſtorben iſt. Wir ſpielten von Morgen bis Abend und wurden nicht müde. Manchmal machten wir auch lange Ausflüge in den Wald. Eines Tages kamen wir an einen großen See, welchen 10 ich noch nie geſehen hatte und an deſſen Ufer wir einen breiten Strand fanden. Dort war ſchöner, feuchter Sand, woraus wir ein Häuschen bauten, welches wir mit einigen alten Bret= tern deckten, die am Strande lagen. Wir blieben mehrere Stunden dort und gingen erſt um halb 15 ſechs nach Hauſe. Auf dem Heimweg fand ich einen ſchönen Stein mit vielen gelben Punkten. „Das iſt ſicher Gold", ſagte meine Couſine, der ich den Stein zeigte. Ich glaubte es auch und wurde darüber ſehr aufgeregt. Aber der Vater lachte nur und ſagte: „Gold iſt es nicht, mein Sohn, es iſt nur ein ge= 20 wöhnlicher Stein." Ich war natürlich ſehr enttäuſcht, aber der Stein, den ich heute noch habe, iſt wirklich ſehr ſchön.

First Book in German

Fragen

1. Wo ist das Sommerhaus?
2. In welchen See fließt der kleine Fluß?
3. Was tun die Kinder dort?
4. Wo wohnen die Vettern?
5. Wie heißt die Cousine?
6. Wann ist ihre Mutter gestorben?
7. Wohin machten die Kinder manchmal Ausflüge?
8. Was fanden sie eines Tages auf ihrem Ausflug?
9. Was war am Strande des Sees?
10. Womit deckten sie das Häuschen, das sie aus Sand gebaut hatten?
11. Was fand der Knabe auf dem Heimweg?
12. Was sagte die Cousine über den Stein?
13. Was sagte der Vater darüber?

Vocabulary

abends of an evening, in the evening

aufgeregt excited

der Ausflug (–s, ⸚e) outing; einen Ausflug machen go on an outing

der Bärensee (–s) Bear Lake

bauen (*wk.*) build

Berlin' (*neut.*) (–s) Berlin

breit broad, wide

das Brett (–es, –er) board

die Cousi'ne* (—, –n) cousin (female)

enttäuscht' disappointed

fließen (es fließt, es flöß, es ist geflossen) flow

der Fluß (Flusses, Flüsse) river

das Flüßchen (–s, —) small river

gefähr'lich dangerous

die Geschwi'ster *pl.* brother and sister, brothers and sisters

glauben (*wk.*) *dat. of person* believe

das Gold (–es) gold

das Häuschen (–s, —) small house

* Often written Kusine; this form, however, lacks official sanction.

der Kaufmann (–s, Kaufleute) merchant

nirgends nowhere, not anywhere

oft (=er, am =esten) often

der Punkt (–es, –e) point, dot, speck

der Sand (–es) sand

der See (–s, Se'en) lake

sehr very, very much

das Sommerhaus (–hauses, –häuser) summerhouse

das Sommerhäuschen (–s, —) small summerhouse

die See sea, ocean

der Stein (–es, –e) stone

sterben (er stirbt, er starb, er ist gestorben) die

der Strand (–es, –e) strand, beach

die Strecke (—, –n) extent, distance; nach kurzer Strecke after a short distance

tun (er tut, er tat, er hat getan) do

über *prep. w. acc.* about, concerning

woraus' out of which, from which

gar nicht not at all

noch nie never yet

vor drei Monaten three months ago

B

1. Relative Pronouns der and welcher

SINGULAR

	Masc.	*Fem.*	*Neut.*	*Masc.*	*Fem.*	*Neut.*
Nom.	der	die	das	welcher	welche	welches
Gen.	dessen	deren	dessen	(lacking)	(lacking)	(lacking)
Dat.	dem	der	dem	welchem	welcher	welchem
Acc.	den	die	das	welchen	welche	welches

PLURAL

	M. F. N.	*M. F. N.*
Nom.	die	welche
Gen.	deren	(lacking)
Dat.	denen	welchen
Acc.	die	welche

Both der and welcher may refer to either persons or things, and each may mean *who, which,* or *that.* Except in the genitive, where the forms of ber are required, there is, generally speaking, a free choice between ber and welcher. However, in the spoken language ber is more commonly used.

> Unfer Sommerhaus, von **bem** (or von **welchem**) ich so oft spreche, ist an einem kleinen Flüßchen. *Our summer house, of which I so often speak, is on a small river.*

> Wir bedten es mit einigen alten Brettern, **bie** (or **welche**) am Strande lagen. *We covered it with some old planks that lay on the shore.*

> Meine Coufine Agnes, **beren** Mutter vor brei Monaten gestorben ist, wohnt jetzt bei uns. *My cousin Agnes, whose mother died three months ago, now lives with us.*

> Das ist ber Schüler, **ber** (or **welcher**) so schnell und genau lernt. *That is the pupil who learns so quickly and accurately.*

Bear in mind that the relative pronoun agrees in gender and number with its antecedent, but that its case is determined by its relation to the clause in which it stands.

2. Relative not Omitted

The relative pronoun is never omitted in German:

> *The pen you have writes better than this one.* Die Feber, **bie** du hast, schreibt besser als biefe.

3. Compounds with wo

In place of a preposition plus a relative pronoun a compound of wo (wor before vowels) with the preposition may be used in referring to a thing:

> Dort war schöner, feuchter Sand, **woraus'** (or aus bem or aus welchem) wir ein Häuschen bauten. *There was some pretty, moist sand there, out of which we built a small house.*

> Die Tinte, **womit'** (or mit ber or mit welcher) ich geschrieben habe, war zu bid. *The ink with which I wrote was too thick.*

4. Transposed Word Order

In a relative clause the verb stands last; in the case of a compound tense the auxiliary stands last and is immediately preceded by the participle or infinitive. This is called *transposed word order*. Compare the sentences in the preceding sections of this lesson.

The transposed order is the regular order in subordinate clauses.

5. Punctuation of Subordinate Clauses

All subordinate clauses are set off by commas.

6. Adverbial Genitive of Time

The genitive case is used adverbially to express indefinite time or to denote the time of habitual, customary action:

> Eines Tages kamen wir an einen großen See. *One day we came to a large lake.*
>
> Abends (or Des Abends) spielen sie auf der Wiese. *Of an evening (or In the evening) they play in the meadow.*

C

1. Copy the following sentences, substituting the relative pronoun der or welcher for each blank:

1. Der See, in _____ wir baden, ist nirgends tief. 2. Meine beiden Vettern, von _____ ich Ihnen schon geschrieben habe, sind jetzt bei uns. 3. Der schöne Stein mit den gelben Punkten, _____ ich auf dem Heimweg fand, war nicht Gold. 4. Das kleine Flüßchen, an _____ unser Sommerhaus ist, fließt nach kurzer Strecke in den Bärensee. 5. Die Bretter, mit _____ wir unser Häuschen deckten, haben wir am Strande gefunden. 6. Meine Cousine Agnes, _____ morgen kommt, wohnt in Berlin. 7. Herr Schmidt, _____ Vater dieses Haus gebaut hat, ist Kaufmann. 8. Dies ist die Bank, auf _____ er saß. 9. Das sind die Kinder, _____ Eltern vor einigen

Tagen gestorben sind. 10. Der Vater, _ _ _ _ _ ich den Stein zeigte, lachte nur und sagte: „Es ist nur ein gewöhnlicher Stein."

2. Use compounds with wo in the above sentences when it is possible.

3. Form complex sentences, changing each second sentence into a relative clause:

EXAMPLE.   Der Bleistift ist neu. Karl hat ihn gefunden.
             Der Bleistift, den (welchen) Karl gefunden hat, ist neu.

1. Dies ist das Haus. Mein Onkel hat es gekauft. 2. Mein Freund heißt Richard. Sein Vater ist Kaufmann. 3. Das ist die neue Feder. Agnes hat damit geschrieben. 4. Der Knabe wohnt in der Gartenstraße. Er hat dein Buch gefunden. 5. Das Mädchen war heute nicht in der Schule. Seine Mutter ist krank. 6. Der Sand war sehr feucht. Meine jüngeren Geschwister spielten darin. 7. Die Dame heißt Frau Weber. Ihre Tochter ist gestorben. 8. Die Bilder waren sehr schön. Er zeigte sie mir. 9. Der Fluß war breit, tief und gefährlich. Unser Sommerhäuschen stand an seinem Ufer. 10. Der kleine Schüler ist der Sohn des Lehrers. Er sagte: „Danke sehr!"

4. Replace the English words in parentheses by German equivalents:

1. (Of an afternoon) machten wir oft einen Ausflug in den Wald. 2. (One evening) kam er sehr aufgeregt nach Hause. 3. (His) Anzug ist schöner als (mine). 4. (My) Zimmer ist nicht so groß wie (his). 5. Was hat Kurt unter (his) Arme? 6. (Speak) Deutsch, Hans! 7. (Stay) hier, Kinder! 8. (Hand) mir die Feder, bitte, Herr Braun! 9. Was tun Sie (of an evening) auf dem Lande? 10. (One day) haben wir den ganzen Nachmittag Tennis gespielt. 11. (Who) hat das an die Tafel geschrieben? — Der Schüler, (who) das geschrieben hat, ist nicht hier.

12. (Whose) Buch haben Sie? — Der Schüler, (whose) Buch ich habe, ist krank. 13. (To whom) hast du den Stein gezeigt? — Der Knabe, (to whom) ich den Stein zeigte, heißt Heinz Heuser. 14. (Whom) haben Sie eben gegrüßt? — Herr Arndt, (whom) ich eben grüßte, ist ein alter Freund meines Vaters. 15. (What) hast du gefunden? (What) Buch wünscht er? (What kind of) Feder hat

fie? (What a) fchönes Mädchen! (With what) haft du das gemacht?
16. (Which) Hut hat fie gekauft? (Which one) hat fie gekauft?
Der Hut, (which) fie gekauft hat, ift fehr fchön. Hier ift die Feder,
(with which) ich meine Schularbeiten fchreibe.

5. a. Give the imperative (three forms) of

bauen   glauben   fterben   tun

b. Put into the past, present perfect, past perfect,
future, and future perfect tenses:

1. Sie glaubt ihm gar nicht. 2. Er ift fehr enttäufcht. 3. Was
fagt die Coufine über den Stein? 4. Was tun die Kinder dort? 5. Er
fpricht gern Deutfch.

c. Give the meaning and the principal parts of

Stein	Sand	Kuchen	bauen	ftützen
See	Strecke	Gabel	fterben	fchmecken
Fluß	Arm	Tee	bringen	mahnen
Coufine	Finger	Kellner	heißen	fchweigen
Kaufmann	Hand	fließen	regnen	fchließen

6. Translate into German:

1. We bathe in a small lake which is not deep anywhere.
2. My younger brothers and sisters also often bathe there; it is
not at all dangerous. 3. Cousin Agnes, who lives in Berlin and
whose father is a merchant, is with us this summer. 4. Yesterday
we went on a long outing in the forest. My two cousins, Kurt
and Richard Meyer, went with us. 5. We found a large lake
which we had never yet seen and on whose shore we played for
several hours. 6. We built a little house out of moist sand and
covered it with some old boards which were lying on the beach.
7. On the way home Agnes found a stone with many yellow
specks. "That is certainly gold," exclaimed Kurt. 8. We came
home quite excited,[1] but father, to whom we showed the stone
immediately, laughed heartily about it. 9. "It is a very pretty
stone," he said, "but only an ordinary one." We are, of course,
all very much disappointed.

1. quite excited home.

Ewing Galloway

*German Village Scene. Group of Farmhouses in
Garmisch, Bavaria*

D   [Optional]

Der deutſche Bauer

Kaum dreißig Prozent[1] der Einwohner Deutſchlands ver=
dienen ihr Brot durch Acker=[2] und Gartenbau. Der größte
Teil des Ackerbodens iſt in den Händen von kleinen Beſitzern;
die großen Güter machen nur etwas mehr als ein Fünftel des
5 bebauten Bodens aus.[3] Auf den großen Gütern benutzt man
jetzt meiſtens moderne Maſchinen, ebenſo wie in Amerika.
Aber die eigentlichen Bauern müſſen häufig ohne Maſchinen
fertig werden, denn Mähmaſchinen, Selbſtbinder,[4] Dreſch=
maſchinen uſw. ſind erſtens zu teuer, zweitens kann man ſie auf
10 kleinen Feldern und in bergigen Gegenden nicht gut gebrauchen.
Hier mäht man Gras und Getreide zum großen Teil noch mit
der Senſe, bindet die Garben mit Strohſeilen und driſcht das

Getreide mit dem Flegel, obwohl die Dreschmaschine immer
mehr Boden gewinnt. Roggen und Hafer baut man am
meisten, daneben auch Weizen und Gerste; Mais nur als 15
Grünfutter.⁵ Sehr wichtig sind die Kartoffeln und die Zuk=
kerrüben.

Die deutschen Bauern wohnen in Dörfern beisammen.
Einzelhöfe ⁶ findet man fast nur in Nordwestdeutschland. Das
Leben des deutschen Bauers ist nicht so einsam wie das Dasein 20
auf der typischen amerikanischen Farm. Alle größeren Dörfer
haben Kirche und Schule, und an Wirtshäusern fehlt es natür=
lich nicht.

1. das Prozent' *per cent.* 2. Ackerbau. 3. machen . . . aus *constitute.*
4. *binders* (literally, *self-binders*). 5. *green fodder.* 6. *Isolated farms.*

Der Kaiser als Arzt

Kaiser Joseph von Österreich, der Sohn der berühmten
Kaiserin Maria Theresia, war ein weiser und wohltätiger ¹
Herrscher,² und beim Volke allgemein beliebt.³ Er ging oft
ohne Begleitung ⁴ durch die Straßen Wiens; zwar wollte er
nicht wie der Kalif Harun Alraschid die Leute ausforschen,⁵ 5
erfuhr aber doch manches dabei. Man erzählt vom ihm folgende
Geschichte:

Eine sehr arme Frau war krank; sie hatte niemand als ihr
Söhnlein, einen Jungen von kaum zehn Jahren. Sie rief ihn
ans Bett und sagte: „Kind, hole den Doktor, ich kann die 10
Schmerzen nicht mehr ertragen.“⁶ Der Junge ging zu einem
Arzt, zu einem andren, zu einem dritten, aber keiner wollte
kommen, sie alle verlangten die Bezahlung im Voraus,⁷ und ein
Krankenbesuch kostete einen Gulden.⁸ Als der Knabe aus dem
Hause des dritten Arztes trat, kam ein fein gekleideter Herr die 15

Straße entlang; es war der Kaiser, doch der Junge kannte ihn
nicht. Er faßte sich ein Herz,[9] trat an den Fremden heran und
bat: „Lieber Herr, schenken Sie mir einen Gulden!" „Tun's
sechs Kreuzer [10] nicht auch?" fragte der Kaiser. „Nein, die tun's
20 nicht. Die Mutter ist krank, ich soll den Doktor holen und bin
schon bei dreien gewesen, aber keiner will kommen. Sie wollen
alle zuerst ihren Gulden. Und wir haben keine zehn Kreuzer im
Haus, geschweige [11] einen Gulden." Der Kaiser fragte nach der
Wohnung der Frau, gab dem Jungen einen Gulden und
25 schickte ihn zu einem vierten Arzt, von dem er wußte. Dann
ging er in die Wohnung der Frau. Die hielt [12] ihn für den
Arzt und klagte ihm ihr Leiden. Der Kaiser klärte den Irrtum
nicht auf,[13] sondern spielte die Rolle des Arztes. „Ich werde
Euch ein Rezept [14] schreiben," sagte er, „das kann Euer Sohn in
30 die rechte Apotheke [15] tragen; er wird bald hier sein." Auf
einem kleinen Tisch fand der Kaiser Papier, Feder und Tinte
und schrieb sein Rezept. Dann ging er.

Bald darauf kam der Junge, und hinter ihm der wirkliche
Arzt. Die Frau erschrak, wie konnte sie je zwei Ärzte bezahlen?
35 „Der Doktor war doch schon hier," sagte sie, „und er hat mir ein
Rezept geschrieben, es liegt auf dem Tische." Der Arzt war
neugierig [16] auf das Rezept seines Kollegen und trat an den
Tisch. Ein Blick war genug. „Frau, Ihr habt einen vor=
züglichen [17] Arzt gehabt," erklärte er, „und er hat Euch ein gutes
40 Rezept verschrieben, nämlich eine Anweisung [18] auf fünfund=
zwanzig Dukaten.[19] Es war niemand anders als der Kaiser
selbst. Jetzt will ich mein Teil für Euch tun."

Das Geld wurde sofort ausgezahlt, als der Junge mit der
Anweisung aufs Schatzamt [20] kam. Man schickte es durch einen
45 Boten der Frau ins Haus, denn eine so große Summe konnte
man dem Kinde nicht anvertrauen.[21] Unter der Behandlung [22]

Inner Courtyard of the Wartburg, a Castle in the Thuringian Forest.
(The Entrance to the Martin Luther House, where Luther Translated
the Bible, Is at the Left)

des Arztes, bei guter Pflege [23] und reichlicher Nahrung [24] wurde
die Frau schnell wieder gesund.

1. *benevolent.*   2. *ruler.*   3. *popular.*   4. *attendance.*   5 *spy
upon.*   6. *endure.*   7. *fee in advance.*   8. *florin.*   9. *took heart.*
10. *small copper coin.*   11. *not to mention.*   12. *took.*   13. *explained
the error.*   14. *prescription.*   15. *drugstore.*   16. *curious.*   17. *excellent.*   18. *voucher.*   19. *ducats.*   20. *treasury.*   21. *entrust.*
22. *treatment.*   23. *nursing.*   24. *food.*

LESSON XVIII

Conjunctions · Als, wenn, and wann · Indirect Questions · Es gibt

A

Die deutschen Schulen

Jedes deutsche Kind muß zur Schule gehen, wenn es sechs
Jahre alt wird. Die meisten gehen zur Volksschule, doch gibt
es auch Privatschulen. Der Lehrgang dauert acht Jahre, so
daß ein Kind mit vierzehn Jahren aus der Schule kommt.
5 Der Anfang des Schuljahrs fällt nicht wie bei uns in den
Monat September, sondern in den April, gleich nach Ostern.
In einigen großen Städten bildet man auch im Herbst neue
Klassen für Anfänger.

Das Schuljahr zählt vierzig bis zweiundvierzig Schulwochen,
10 und jede Woche hat sechs Schultage, denn die Kinder gehen
auch Sonnabends zur Schule; sie haben aber Mittwoch= und
Sonnabendnachmittag frei. Obgleich die Sommerferien, welche
auch die großen Ferien heißen, nur vier Wochen dauern, kom=
men doch mindestens zehn schulfreie Wochen auf das Jahr. Die
15 Kinder haben nicht nur zu Weihnachten, Ostern und Pfingsten
je acht bis zehn Tage frei, sondern auch im Herbst, Anfang Ok=
tober, haben sie zwei schulfreie Wochen, damit sie den Eltern
bei der Feldarbeit helfen können.

Fragen

1. Wann muß jedes deutsche Kind zur Schule gehen?
2. Wohin gehen die meisten?
3. Wie viele Jahre gehen die Kinder zur Schule?

4. Wie alt sind die Kinder, wenn sie aus der Schule kommen?

5. In welchen Monat fällt der Anfang des Schuljahrs?

6. Wo bildet man auch im Oktober neue Klassen für Anfänger?

7. Ist das Schuljahr in Deutschland länger oder kürzer als bei uns?

8. Welche beiden Nachmittage der Woche sind schulfrei?

9. Wie lang sind die Sommerferien gewöhnlich?

10. Wann haben die Kinder je acht bis zehn schulfreie Tage?

11. In welchen Monat fällt Ostern gewöhnlich?

12. Warum haben die Kinder im Oktober Ferien?

Vocabulary

der **Anfang** (–s, ⸚e) beginning; Anfang Oktober at the beginning of October

der **Anfänger** (–s, —) beginner

der **April'** (–(s), –e) April

bilden (wk.) form

damit' in order that

dauern (wk.) last

deutsch German

die **Feldarbeit** (—, –en) work in the field(s)

frei free; frei haben have a holiday, have no school

helfen (er hilft, er half, er hat geholfen) dat. help

das **Jahr** (–es, –e) year; mit vierzehn Jahren aus der Schule kommen leave school at the age of fourteen

je adv. each

können (irreg.) be able to, can

der **Lehrgang** (–s, ⸚e) course of instruction

mindestens at least

muß (from müssen, irreg.) must

obgleich' although

der **Okto'ber** (–(s), —) October

Ostern pl., but usually takes verb in sg. Easter

Pfingsten pl., but usually takes verb in sg. Whitsuntide, Pentecost

die **Privat'schule** (v = w) (—, –n) private school

schulfrei free from lessons; zehn schulfreie Wochen ten weeks' vacation

das **Schuljahr** (–s, –e) school year

der **Schultag** (–s, –e) school day

die Schulwoche (—, -n) school
week

der Septem'ber (-(s), —) September; in den Monat Sep=
tember fallen come in the
month of September

die Sommerferien (ie = i + e)
pl. summer vacation

sondern but

die Stadt (—, ˮe) city, town

vierzehn (ie = i) fourteen

vierzig (ie = i) forty

die Volksschule (—, -n) public
(or elementary or grade)
school

wenn when, whenever, if

zählen (wk.) count, number

zehn ten

zweiundvierzig (ie = i) forty-
two

es gibt there is, there are

Mittwoch= und Sonnabendnachmittag = Mittwochnachmittag und
Sonnabendnachmittag Wednesday afternoon and Saturday
afternoon

sage mir tell me

B

1. Coördinating Conjunctions

The chief coördinating conjunctions are

aber *but*　　　　　sondern *but*
denn *for*　　　　　und *and*
oder *or*

The coördinating conjunctions do not affect the word order.

2. Aber and sondern

Aber and sondern both render English *but*. Aber is used
after either an affirmative or a negative statement with the
force of *however*:

Anna ist nicht schön, aber sie ist fleißig und klug.

Sondern is used only after a negative statement, has the
force of *but on the contrary*, and proves the truth of the
preceding denial by establishing the actual fact:

Der Anfang des Schuljahrs fällt nicht in den Monat September.
sondern in den April.

3. Subordinating Conjunctions

The most important subordinating conjunctions are

als *when, as* (temporal)

bevor' ⎫
ehe ⎭ *before*

bis *until*

da *since* (causal), *as* (causal)

damit' *in order that*

daß *that*

indem' *while*

nachdem' *after*

ob *whether, if* (in indirect questions)

obgleich' ⎫
obschon' ⎭ *although*

seit ⎫
seitdem' ⎭ *since* (temporal)

sobald' *as soon as*

solan'ge *as long as*

während *while*

weil *because*

wenn *if, when, whenever*

wie *as* (manner)

A clause introduced by a subordinating conjunction has the transposed word order:

> Der Lehrgang dauert acht Jahre, so daß ein Kind mit vierzehn Jahren aus der Schule kommt.

If the subordinate clause precedes the principal clause, the principal clause takes the inverted order:

> Obgleich die Sommerferien nur vier Wochen dauern, kommen zehn schulfreie Wochen auf das Jahr.

4. Als, wenn, and wann

German has three equivalents for English *when*, namely, als, wenn, and wann.

Als is used when referring to a definite time in the past: Als ich ihn gestern sah, war er hungrig.

Wenn is used (*a*) when referring to a definite time in the future: Du mußt zur Schule gehen, wenn du sechs Jahre alt wirst; (*b*) in the sense of *whenever*: Wenn er zu uns kam, war er immer hungrig. Wenn er nach Berlin kommt, wohnt er gewöhnlich bei uns.

Wann is used in direct or indirect questions: Wann hast du ihn gesehen? Sage mir, wann du ihn gesehen hast.

5. Indirect Questions

The indirect question is a type of the subordinate clause and takes the transposed word order. An indirect question is introduced by ob or by some interrogative word, such as an interrogative pronoun, an interrogative adjective, or an interrogative adverb (mann, marum, wie, wo, worauf, and so on).

Direct question: Wer hat das getan?

Indirect question: Sage mir, wer das getan hat.

Direct question: Hat er das Haus gekauft?

Indirect question: Wir wissen (*know*) nicht, ob er das Haus ge=kauft hat.

Direct question: Warum gehst du nicht gern zur Schule?

Indirect question: Ich frage dich, warum du nicht gern zur Schule gehst.

6. Es gibt

Es gibt corresponds to *there is* or *there are* when referring to existence in general or within very broad limits:

Es gibt keine schwarzen Äpfel. *There are no black apples.*

Es gibt auch Privatschulen in Deutschland. *There are also private schools in Germany.*

Es gibt viel Obst dieses Jahr. *There is much fruit this year.*

In these sentences es is the subject of gibt, while Äpfel, Privatschulen, and Obst are objects of the verb.

Es ist and es sind are used when referring to existence in a definite, limited space:

Es ist kein Tisch in meinem Zimmer. *There is no table in my room.*

Es sind zehn Stühle im Eßzimmer. *There are ten chairs in the dining-room.*

In sentences of this type es is an introductory word, the real subject following the verb (see page 145).

C

1. Copy the following sentences, substituting the proper conjunction, aber or ſondern, for each blank:

1. Die meiſten Kinder gehen zur Volksſchule, _____ es gibt auch Privatſchulen. 2. Hans geht nicht zur Schule, _____ er arbeitet in einem Reſtaurant. 3. Fritz ſpielt nicht mit den anderen Knaben Ball, _____ er hilft den Eltern bei der Feldarbeit. 4. Karl iſt nicht ſehr klug, _____ er lernt fleißig. 5. Der Anfang des Schuljahrs fällt in den April, _____ in einigen großen Städten bildet man auch im Herbſt neue Klaſſen für Anfänger. 6. Der Lehrer war nicht alt, _____ er war jung. 7. Jede Woche hat ſechs Schultage, _____ die Kinder haben Mittwoch= und Sonnabendnachmittag frei. 8. Nicht nur zu Weihnachten, _____ auch zu Oſtern und Pfingſten, hat man je acht bis zehn Tage frei. 9. Es war nicht Gold, _____ nur ein gewöhn= licher Stein. 10. Ich war ſehr enttäuſcht, _____ der Stein iſt wirklich ſehr ſchön.

2. Copy the following sentences, substituting the proper word, als, wenn, or wann, for each blank:

1. _____ ein deutſches Kind ſechs Jahre alt wird, muß es zur Schule gehen. 2. _____ können Sie mir bei der Feldarbeit helfen? 3. _____ wir geſtern auf die Eisbahn gingen, trafen wir Herrn Arndt. 4. Frage ihn, _____ er geſtern abend nach Hauſe gekommen iſt. 5. _____ wir eines Tages einen langen Ausflug in den Wald machten, kamen wir an einen großen See. 6. _____ er morgen kommt, werde ich es ihm ſagen. 7. _____ wir einen Spaziergang machten, ging Hermann immer mit uns. 8. _____ ich vor zwei Jahren in Berlin wohnte, ging ich oft ins Theater. 9. Ich ſah ihn heute morgen, _____ ich im Garten arbeitete.

3. Form complex sentences, using the conjunctions sug- gested —

a. Make out of each second sentence a subordinate clause:

1. Es kommen mindeſtens zehn ſchulfreie Wochen auf das Jahr. Die Sommerferien dauern nur vier Wochen. (obgleich)

2. Wir spielten an dem schönen, breiten Strande. Es wurde ganz dunkel. (**bis**)

3. Der Mann trug keinen Hut. Das Wetter war sehr kalt. (**obschon**)

4. Max öffnete das Fenster. Er ging zu Bett. (**ehe**)

5. Das Kind schlief schon. Die Mutter kam nach Hause. (**als**)

b. Make out of every first sentence a subordinate clause:

1. Der Lehrgang dauert acht Jahre. Das Kind kommt mit vierzehn Jahren aus der Schule. (**da**)

2. Gertrud spielte Klavier. Anna half der Mutter. (**während**)

3. Du bist fertig. Wir werden gehen. (**sobald**)

4. Er war krank. Er hat nicht mehr gearbeitet. (**seitdem**)

5. Wir hatten ein Haus aus Sand gebaut. Wir deckten es mit einigen alten Brettern. (**nachdem**)

6. Martha ist krank. Ich bleibe jeden Abend zu Hause. (**solange**)

4. Form complex or compound sentences, using the conjunctions suggested:

1. Die Kinder können den Eltern bei der Feldarbeit helfen. Sie haben Anfang Oktober zwei schulfreie Wochen. (**weil, denn**)

2. Ich werde heute abend nicht ins Theater gehen. Ich werde arbeiten. (**sondern**)

3. Unser Sommerhäuschen ist an einem kleinen Flüßchen. Ich habe es Ihnen schon gesagt. (**wie**)

4. Marie ist hier. Wir spielen jeden Tag Tennis. (**seit**)

5. Er war schon damit fertig. Ich kam nach Hause. (**bevor**)

6. Morgen machen wir einen Ausflug in den Wald. Wir gehen zum Großvater. (**oder**)

7. Ich habe den Brief nicht geschrieben. Ich hatte keine Feder. (**weil, denn, da**)

8. Wir gehen zur Schule. Wir lernen etwas. (**damit**)

9. Es ist nicht wahr. Ich habe das gesagt. (**daß**)

10. Er lachte. Er sagte es. (**indem**) [1]

---

1. **Indem** emphasizes the contemporaneousness of the actions. A clause introduced by **indem** is often translated best by a present-participial phrase: *He laughed while saying it.*

5. Turn the following direct questions into indirect questions dependent upon Sage mir:

1. In welchen Monat fällt der Anfang des Schuljahrs? 2. Wie viele Schulwochen zählt das Schuljahr? 3. Warum haben die Kinder Anfang Oktober zwei schulfreie Wochen? 4. Wo bildet man auch im Oktober neue Klassen für Anfänger? 5. Wohin gehen die meisten Kinder? 6. Wer hat eben telephoniert? 7. Wovon habt ihr so lange gesprochen? 8. Was hast du gefunden? 9. Ist er zu Hause?

6. Replace the English words in parentheses by the German equivalents:

1. (There is) ein großer Spiegel in unsrem Schlafzimmer. 2. In unsrem Schlafzimmer (there is) ein großer Spiegel. 3. (There are) keine so großen Flüsse in Deutschland wie in Amerika. 4. In Deutschland (there are) keine so großen Flüsse wie in Amerika. 5. (Are there) keine Privatschulen in Deutschland? 6. Wie viele Badezimmer (are there) in Ihrem Hause? 7. Bei uns (there is) keine Ferien zu Pfingsten. 8. (There are) viele schöne Blumen in meinem Garten. 9. (There are) nicht mehr viele Wölfe in diesem Lande. 10. (There are) keine Faulpelze in dieser Klasse.

7. a. Copy the following sentences, substituting a relative pronoun for each blank:

1. Das Schuljahr, _ _ _ _ _ Anfang in den April fällt, zählt vierzig bis zweiundvierzig Schulwochen. 2. Die Bretter, mit _ _ _ _ _ wir unser Häuschen deckten, lagen am Strande. 3. Wir baden in einem See, _ _ _ _ _ nirgends tief ist. 4. Das ist der Tisch, auf _ _ _ _ _ die Bücher lagen. 5. Hier ist die Füllfeder, von _ _ _ _ _ ich Ihnen sagte. 6. Der schöne Anzug, _ _ _ _ _ er trug, war ein Geburtstagsgeschenk. 7. Die Schülerin, _ _ _ _ _ Mutter krank ist, war gestern nicht in der Schule. 8. Wo ist das Glas, aus _ _ _ _ _ er immer trank? 9. Die Schlittschuhe, _ _ _ _ _ Hermann seinem Freunde schenkte, waren noch so gut wie neu. 10. Die Mütze, _ _ _ _ _ Anna zum ersten Male trug, war sehr schön.

b. Use compounds with wo in the sentences above, when it is possible.

8. Give the meaning and the principal parts of

Jahr	See	Punkt	bilden	tun
Stadt	Kaufmann	Sand	zählen	bauen
Anfang	Fluß	Strecke	dauern	fließen
Anfänger	Brett	Gold	sterben	fallen
Stein	Cousine	helfen	glauben	heißen

9. Translate into German:

1. When the German children are [1] six years old, they go to school. 2. How long does the course of instruction last? — Eight years. 3. Fred will leave school at the age of fourteen. 4. Although the beginning of the school year comes [2] in April, they sometimes form new classes for beginners also in autumn.[3] 5. The children go to school also on Saturday, do they not? — Yes, but they have no school on [4] Wednesday afternoon and Saturday afternoon. 6. Tell me, please, how long the summer vacation lasts. — Not so long as with [5] us; only four weeks. 7. At Christmas they have eight to ten days' holiday,[6] and also at Easter and Whitsuntide. 8. At the beginning of October they have two weeks' vacation.[7] — Why? — In order that the children may be able to [8] help their parents with [5] the work in the fields.

1. werden.   2. fallen.   3. Place before the object of the verb.
4. *have no school on* frei haben.   5. *bei.*   6. *ten days' holiday* zehn Tage frei.   7. *two weeks' vacation* zwei schulfreie Wochen.   8. *may be able to* können.

D

[Optional]

Der Kachelofen

Breslau, den 1. Dezember 1934.
Charlottenstraße 5, II.[1]

Lieber Richard!

Endlich habe ich ein Zimmer gefunden, das mir gefällt. Es
5 ist ein Eckzimmer [2] und hat vier Fenster, je zwei an der Ost-
und Südseite.[3] Es ist fast elf Fuß hoch und wird im Winter wohl kalt sein. In der linken hinteren Ecke steht ein

1.   *2*

Tile Stoves: 1, Typical Modern Stove; 2, Eighteenth-Century
Stove, Southern Germany

mächtiger Bau, wie Du ihn[4] in Deinem Leben noch nicht ge=
sehen hast. Es ist ein Kachelofen. Der Sockel ist ungefähr drei
Viertel Meter hoch, über einen Meter lang und halb so breit. 10
Der Ofen selbst ist nicht ganz so lang und breit, aber er reicht fast
bis an die Decke. Die Kacheln sind aus feinem Ton gebrannt
und glasiert; sie sind ähnlich wie die tiles, mit denen bei Dir
zu Hause die Wände des Badezimmers belegt sind, aber etwas
größer. Auf den ersten Blick sehen die Kacheln wie bläulich 15
weißer, fein geäderter Marmor aus.[5] An der Vorderseite ist
ein Schmuckstück, das die Göttin Diana[6] darstellt; es ist etwa
einen halben Meter hoch, rein weiß und nicht glasiert. Der
Sims ist von gleichem Material,[7] hat dieselbe Länge und Breite
wie der Sockel, und besteht aus einem Reigen von Amoretten. 20

Der Ofen ist wirklich eine Zierde des Zimmers, und was die Hauptsache ist, er heizt sehr gut.

Das Aschenloch ist im Sockel, die Feurung im Ofen selbst. Beide haben starke Eisentüren, mit blitzenden Messingplatten 25 belegt. Diese Türen kann man dicht zuschrauben. Morgens kommt das Dienstmädchen, macht Feuer an[8] und steckt dann vier bis sechs Preßkohlen in den Ofen. Wenn die[9] glühen, schraubt sie beide Türen fest zu.[10] Der Ofen hält die Wärme den ganzen Tag und auch die ganze Nacht hindurch. Nur bei 30 großer Kälte legt das Mädchen abends einige Preßkohlen nach.[11] Hier in Deutschland hält man die Zimmer nicht ganz so warm wie bei uns drüben. Daran wirst Du Dich gewöhnen müssen,[12] wenn Du nächsten Monat hierher kommst.

Ich kann Dir ein Zimmer besorgen, das direkt[13] neben 35 meinem liegt. Der Ofen darin muß ein Zwillingsbruder von meinem sein. Die Möbel, Bilder, Teppiche usw. sind ja hier auch etwas anders als bei uns, doch das bemerkt man nicht so sehr.[14] Ein Stuhl bleibt schließlich immer ein Stuhl, und ein Tisch ein Tisch, aber mein Ofen ist für mich eine Merkwürdig= 40 keit. Ich habe ihn Dir nur so genau beschrieben, damit Du nicht vielleicht denkst, wenn Du eines schönen Tages hier an= kommst, daß ich ein Grabdenkmal[15] in meinem Zimmer habe.

Ein anderes Mal mehr. Mit herzlichem Gruß

Dein treuer Freund

45 Paul.

1. Read: im zweiten Stock (*third story*) or zwei Treppen hoch. 2. *corner room.* 3. *east and south sides.* 4. wie . . . ihn *such as.* 5. sehen . . . wie . . . Marmor aus *look like marble.* 6. Dia'na *Diana* (goddess of the chase). 7. Material' *material.* 8. macht . . . an *lights.* 9. *these.* 10. schraubt . . . zu, infin. zuschrauben. 11. legt . . . nach *adds.* 12. Daran wirst Du Dich gewöhnen müssen *You will have to get used to this.* 13. direkt' *directly.* 14. *much.* 15. *monument* (in a cemetery).

LESSON XIX

Inseparable Compound Verbs · Adjective used Substantively · Some Words to note Carefully

A

Der Lehrling

Die meisten deutschen Kinder verlassen mit vierzehn Jahren die Schule. Nur ein kleiner Teil besucht die höheren Schulen. Für die anderen beginnt nun das Leben der Arbeit. Viele gehen in die Fabrik, andere lernen den kaufmännischen Beruf, oder ein Handwerk, obgleich dieses immer mehr Boden verliert. Die 5 Lehrzeit dauert drei bis vier Jahre. An kleinen Orten wohnt der Lehrling auch jetzt noch oft im Hause des Meisters, erhält dort auch seine Kost, aber keinen Lohn. In größeren Städten wohnt der Lehrling gewöhnlich bei den Eltern, bei Verwandten, oder auch bei Fremden. 10

Die Arbeitsstunden sind nicht mehr so lang wie in der guten alten Zeit. Früher war ein solcher Junge oft von morgens um sechs bis abends um zehn auf den Beinen. Da er im Hause des Meisters wohnte, gebrauchte man ihn zu allerlei Diensten. Das geschieht jetzt kaum mehr, dafür ist aber auch das mensch= 15 liche Band zerrissen, welches einst zwischen dem Meister und dem Lehrling bestand.

Der Lehrling ist aber mit der Schule nicht etwa fertig, denn er muß noch abends bis zum achtzehnten Jahre die Fortbildungsschule besuchen. Dort lehrt man, was die jungen 20 Leute in ihren Handwerken oder im kaufmännischen Beruf brauchen. Auch für die Mädchen gibt es Fortbildungs= schulen.

Fragen

1. Wie alt sind die meisten deutschen Kinder, wenn sie die Schule verlassen?

2. Was für Schulen besucht ein kleiner Teil?

3. Wo finden viele Kinder Arbeit, nachdem sie die Schule verlassen haben?

4. Welchen Beruf lernen andere?

5. Wie lange dauert die Lehrzeit, wenn ein Knabe ein Handwerk lernt?

6. Bei wem wohnt der Lehrling an kleinen Orten auch heute noch?

7. Bei wem wohnt er gewöhnlich in größeren Städten?

8. Wozu gebrauchte man den Lehrling in der guten alten Zeit?

9. Was bestand früher zwischen Lehrling und Meister?

10. Welche Schule muß ein Lehrling besuchen, bis er achtzehn Jahre alt wird?

11. Gibt es nur für die Knaben Fortbildungsschulen?

Vocabulary

achtzehnt *adj. infl.* eighteenth

allerlei' all kinds of, all sorts of

die Arbeitsstunde (—, –n) working hour

das Band (–es, –e) bond, tie

begin'nen (er beginnt, er begann, er hat begonnen) begin

das Bein (–es, –e) leg; auf den Beinen sein be on one's feet

der Beruf' (–es, –e) profession, business

beste'hen (*str.*) exist

besu'chen (*wk.*) visit, attend (a school)

der Boden (–s, — *or* ÷) ground, soil

dafür' for it, as a result of it

der Dienst (–es, –e) service

dieser the latter *jener = former*

einst once

erhal'ten (er erhält, er erhielt, er hat erhalten) receive

etwa perhaps, perchance, as you might suppose

die Fabrik' (—, –en) factory

die Fortbildungsschule (—, –n) continuation school

fremd strange; der Fremde *adj. infl.* stranger

früher formerly

gebrau'chen (*wk.*) use; gebrauchen zu *dat.* use for

gesche'hen (es geschieht, es geschah, es ist geschehen) happen

das Handwerk (–s, –e) handicraft, trade

hoch *when inflected* hoh= (höher, höchst) high; höhere Schule advanced (*or* secondary) school (prepares for the university)

kaufmännisch mercantile, commercial

die Kost (—) food, board

das Leben (–s, —) life

der Lehrling (–s, –e) apprentice

die Lehrzeit (—) apprenticeship

der Lohn (–es, ⁔e) salary, pay, wages

der Meister (–s, —) master

menschlich human

der Ort (–es, –e *or* ⁔er) place; an kleinen Orten in small places

der Teil (–es, –e) part

verlas'sen (*str.*) leave

verlie'ren (er verliert, er verlor, er hat verloren) lose

der Verwand'te *adj. infl.* relative

wozu' for what

zerrei'ßen (er zerreißt, er zerriß, er hat zerrissen) tear, sever

in der guten alten Zeit in the good old times

B

1. Inseparable Compound Verbs

The inseparable compound verb does not use ge= in the formation of the past participle *; otherwise it is conjugated like the simple verb:

INDICATIVE

Present	*Past*
ich besuche	ich besuchte
du besuchst	du besuchtest
etc.	etc.

* If the inseparable prefix is ge=, the ge= remains, of course, in the past participle: infin. gebrauchen, past part. gebraucht.

Pres. Perf.	*Past Perf.*
ich habe besucht	ich hatte besucht

Future	*Fut. Perf.*
ich werde besuchen	ich werde besucht haben

IMPERATIVE

besuche   besucht   besuchen Sie

The present indicative of erhalten is as follows: ich erhalte, du erhältst, er erhält, wir erhalten, ihr erhaltet, sie erhalten.

The inseparable prefixes are be=, ent= (emp= before f), er=, ge=, ver=, and zer=. They are not accented, whether they occur in compound verbs or in any other part of speech.

See the Appendix (pages 439–440) for the meanings and uses of the inseparable prefixes.

2. Adjective Used Substantively

When used as a noun, the adjective is capitalized, but retains its adjectival inflection:

fremd	strange
der Fremde	*the stranger* (male)
die Fremde	*the stranger* (female)
die Fremden	*the strangers*
ein Fremder	*a stranger* (male)
eine Fremde	*a stranger* (female)
Fremde	*strangers*

So also verwandt *related*, der Verwandte *the relative* (male), die Verwandte *the relative* (female), etc.; deutsch *German*, der Deutsche *the German* (male), die Deutsche *the German* (female), etc.

3. Some Words to Note Carefully

a. Da at the beginning of a clause may be either an adverb (= *there*, *then*), followed by the inverted order, or a

subordinating conjunction of cause (= *since, as*), followed
by the transposed order:

> Da ſtand er in der Straße. *There he stood in the street.*
> Da lachte er herzlich. *Then he laughed heartily.*
> Da du nicht gehſt, bleibe ich auch zu Hauſe. *Since you are not
> going, I shall stay at home too.*

b. Doch at the beginning of a clause either may have
the property of a coördinating conjunction (= aber *but*),
being without effect upon the word order, or may have the
force of an adverb (= *still, yet, however*), causing inversion:

> Dieſe Knaben ſind alle drei ſehr fleißig, doch Paul iſt der
> fleißigſte. *All three of these boys are very industrious, but
> Paul is the most industrious.*
> Der See iſt ſehr tief, doch Karl iſt ein guter Schwimmer. *The
> lake is very deep, but Charles is a good swimmer.*
> Der Hut iſt ſehr ſchön und gar nicht teuer, doch werde ich ihn nicht
> kaufen. *The hat is very pretty and not at all dear; still I
> shall not buy it.*
> Sie iſt dumm, doch liebt er ſie. *She is stupid; yet he loves her.*

c. Do not confuse doch and noch; both may be rendered
in English by *still, yet.* Doch is adversative, having the
force of *nevertheless*, while noch expresses continuation or
degree:

> Obgleich er nur drei Monate in Deutſchland geweſen iſt, ſpricht er
> doch ſehr gut Deutſch. *Although he was in Germany only
> three months, still he speaks German very well.*
> Regnet es noch? *Is it still raining?*
> Iſt er noch nicht gekommen? *Hasn't he come yet?*
> Das iſt noch beſſer. *That is still better.*

d. Distinguish between *after, before, for,* and *since* as
prepositions and as conjunctions.

After as a preposition is rendered by nach; as a subordinating conjunction, by nachdem:

After four o'clock I shall be at home. Nach vier Uhr werde ich zu Hause sein.

After he was through with his lessons, he played tennis. Nachdem er mit seinen Schularbeiten fertig war, spielte er Tennis.

Before as a preposition is rendered by vor; as a subordinating conjunction, by bevor or ehe:

It happened before ten o'clock. Es ist **vor** zehn Uhr geschehen.

He came before I was ready. Er kam, **ehe** (or **bevor**) ich fertig war.

For as a preposition is expressed by für; as a coördinating conjunction, by denn:

There are continuation schools also for the girls. Es gibt auch Fortbildungsschulen **für** die Mädchen.

I shall not go, for I have no time. Ich gehe nicht, **denn** ich habe keine Zeit.

Since as a preposition is rendered by seit; as a subordinating conjunction of cause, by da; and of time, by seit or seitdem:

Since that time he stays at home in the evening. **Seit** jener Zeit bleibt er abends zu Hause.

Since the apprentice lived in the house of the master, they used him for all kinds of services. **Da** der Lehrling im Hause des Meisters wohnte, gebrauchte man ihn zu allerlei Diensten.

I have not seen him since you were here. Ich habe ihn nicht gesehen, **seit** (or **seitdem**) Sie hier waren.

e. *As* has various equivalents in German, according to its meaning. As a subordinating conjunction of cause, it is rendered by da; of manner, by wie; of time, by als:

We did not stay long, as it was becoming dark. Wir sind nicht lange geblieben, **da** es schon dunkel wurde.

It is as I told you. Es ist, **wie** ich Ihnen sagte.

We met Mr. Arndt as we were going skating. Wir trafen Herrn Arndt, **als** wir auf die Eisbahn gingen.

C

1. Give the meaning and the principal parts of

beginnen	verlassen	korrigieren	bestehen
besuchen	verlieren	helfen	bilden
erhalten	zerreißen	zählen	dauern
gebrauchen	geschehen	tun	schweigen

2. Put into the present perfect and the future:

1. Die Kinder verlassen mit vierzehn Jahren die Schule. 2. Für die meisten beginnt nun das Leben der Arbeit. 3. Wir gebrauchen den Lehrling zu allerlei Diensten. 4. Ich erhalte dort meine Kost. 5. Das zerreißt das menschliche Band zwischen Meister und Lehrling. 6. Auch für die Mädchen gibt es Fortbildungsschulen. 7. Ihr seid den ganzen Tag auf den Beinen. 8. Du wünscht, eine höhere Schule zu besuchen, nicht wahr?

3. Give a synopsis * of

1. Das Handwerk verliert immer mehr Boden. 2. Das geschieht nicht mehr. 3. Sie besuchen eine höhere Schule.

4. Give the meaning and the principal parts of

Band	Lehrling	Jahr	Brett
Bein	Ort	Stadt	Finger
Fabrik	Teil	Fluß	Hand

5. Give the imperative, all three forms, of

es gleich beginnen   die Bücher nicht verlieren
uns bald besuchen   die Handtücher nicht zerreißen

6. *a.* Decline in the singular:

ein Deutscher   ein Verwandter
eine Deutsche   eine Fremde

* *Example:* Er wohnt im Hause des Meisters, er wohnte im Hause des Meisters, er hat im Hause des Meisters gewohnt, er hatte im Hause des Meisters gewohnt, er wird im Hause des Meisters wohnen, er wird im Hause des Meisters gewohnt haben.

b. Decline in the singular and plural:

ber Deutſche　　　　ber Frembe
bie Deutſche　　　　bie Verwanbte

7. Replace the English words in parentheses by German equivalents:

1. (There are) fünfundzwanzig Schüler in bieſer Klaſſe. 2. (There are) in Deutſchland Fortbildungsſchulen für bie Mädchen. 3. (There) fommt Frau Weber. 4. (Since) bu ben ganzen Tag gearbeitet haſt, werben wir heute abenb zu Hauſe bleiben. 5. (Since) mein Vetter gefommen iſt, ſpielen wir jeben Nachmittag Fußball. 6. Ich habe (since) heute morgen nichts gegeſſen, (still) bin ich nicht hungrig. 7. Iſt bie Tür (still) offen? 8. (After) bem Mittageſſen geht ber Vater wieber ins Geſchäft. 9. (After) Sie mich verlaſſen hatten, beſuchte ich Herrn Meyer. 10. Ich fam nach Hauſe, (before) es bunfel wurbe, unb war (before) neun Uhr mit meinen Schularbeiten fertig.

11. (There is) fein menſchliches Band zwiſchen bem Meiſter unb bem Lehrling wie früher, (for the latter) wohnt nicht mehr im Hauſe bes Meiſters. 12. Ich habe bieſe Feber gefunben, (as) ich aus ber Schule nach Hauſe fam. 13. (As) bu ſiehſt, fönnen wir nichts (for) ihn tun. 14. Ich habe feinen Spaziergang gemacht, (as) es falt geworben war unb ich feinen Mantel hatte. 15. Er iſt (as) groß (as) ſein Vater. 16. Können Sie mir ſagen, (when) man neue Klaſſen für Anfänger bilbet? 17. (When) ich vor brei Wochen in Berlin war, beſuchte ich Onfel Heinrich unb Tante Helene. 18. Er fam immer, (when) ich ſehr viel zu tun hatte. 19. Es gibt Fortbildungsſchulen nicht nur für bie Knaben, (but) auch für bie Mädchen. 20. In größeren Städten wohnt ber Lehrling nicht mehr im Hauſe bes Meiſters, (but) an fleinen Orten geſchieht bas auch jetzt noch oft.

8. Turn the following direct questions into indirect questions dependent upon Sagen Sie mir:

1. Wozu gebrauchte man ben Lehrling in ber guten alten Zeit? 2. Bei wem wohnt ber Lehrling in größeren Städten? 3. Wie lange bauert bie Lehrzeit? 4. Was beſtanb einſt zwiſchen Lehrling unb Meiſter? 5. Welche Schule muß ein Lehrling beſuchen, bis er acht= zehn Jahre alt wirb? 6. Iſt bieſes Papier zu bicf?

9. Form complex or compound sentences, using the conjunctions suggested:

1. Jede Woche hat sechs Schultage. Die Kinder gehen auch Sonnabends zur Schule. (weil, denn)

2. Das Wetter war stürmisch geworden. Ich habe doch einen Spaziergang gemacht. (obgleich)

3. Während der Nacht hatte es stark geschneit. Am Morgen schien die Sonne wieder. (aber)

4. Die Mutter arbeitete in der Küche. Ich putzte den Christbaum. (während)

5. Die Kinder haben Anfang Oktober zwei schulfreie Wochen. Sie können den Eltern bei der Feldarbeit helfen. (damit)

6. Der Vater hatte zu Mittag gegessen. Er ging in den Wald. (nachdem)

10. Translate into German:

1. Although most German children leave school at the age of fourteen, a small number[1] attend the advanced schools. 2. For most children the life of work begins when they are fourteen years old. 3. Some go into the factory, while others learn the mercantile business or a trade. 4. However, not so many as formerly learn a trade; this is losing more and more ground. 5. When a boy learns a trade, the apprenticeship lasts three to four years. 6. In the good old times the apprentice lived in the house of the master, and received his board there, but no pay. 7. His working hours were very long, for the master used him for all kinds of services. 8. He was often on his feet from six in the morning until ten in the evening.[2] 9. But there was a human bond between the master and the apprentice, which no longer[3] exists. 10. Only in small places does the apprentice still often live in the house of the master; in the cities he usually lives with his parents, with relatives, or with strangers. 11. After the apprentice has left the public school, he must still attend the continuation school until his eighteenth year.

1. Teil, with verb in the sg.   2. Follow the German model in section A.   3. no longer nicht mehr.

D [Optional]

Die höheren Schulen Deutschlands

Jedes deutsche Kind muß vom sechsten bis zum zehnten Jahre die Grundschule besuchen. Diejenigen[1] Kinder, die sich auf[2] den Besuch der Universität, einer technischen oder irgend einer anderen Hochschule vorbereiten sollen,[3] gehen dann auf eine
5 höhere Schule. Die Aufnahmeprüfung ist sehr streng. Früher war der Besuch einer solchen Schule ein Privileg[4] der Kinder reicher und angesehener Leute. Auch wenn sie faul oder talentlos waren, kamen sie gewöhnlich auf irgend eine Weise auf eine höhere Schule, und oft auch auf die Universität. Heute
10 geht das nicht mehr. Kinder armer Leute, die sehr begabt sind, erhalten nun Hilfe von dem Staat oder der Gemeinde, wenn sie eine höhere Schule besuchen wollen.

Man hat jetzt fünf verschiedene Typen: I. Das humanistische Gymnasium; II. das Realgymnasium[5]; III. das Reform-
15 Realgymnasium; IV. die Oberrealschule; V. die Deutsche Oberschule.

Das humanistische Gymnasium hat neun Jahre Latein, sechs Jahre Griechisch und sieben Jahre einer modernen Sprache.
20 Das Realgymnasium hat kein Griechisch, dafür aber sechs Jahre einer zweiten modernen Sprache.

Das Reform-Realgymnasium hat vier Jahre Latein und zwei moderne Sprachen, die eine durch neun, die andere durch sechs Jahre.
25 Auf der Oberrealschule sind die Anforderungen in den modernen Sprachen dieselben wie auf dem Reform-Realgymnasium, aber statt Latein hat man mehr Mathematik und Naturwissenschaften.

Die Deutsche Oberschule hat neun Jahre Latein und vier Jahre einer modernen Sprache, oder umgekehrt; hier wird viel 30 mehr Zeit auf das Studium der deutschen Sprache und Litera= tur verwandt [6] als auf [7] Schulen von anderem Typus. [8]

Der Lehrgang dieser Schulen dauert neun Jahre.

Es gibt auch noch eine sechste Art von höherer Schule, die Aufbauschule. Hier können sich [9] besonders begabte Schüler 35 nach Beendigung der Volksschule, die sie mit vierzehn Jahren verlassen, in sechs Jahren auf den Besuch der Universität oder Hochschule vorbereiten. Unter den Aufbauschulen finden wir alle fünf Typen [8] vertreten, die oben beschrieben sind.

Alle deutschen Schulen, auch die Hochschulen und Univer= 40 sitäten, stehen unter der Aufsicht des Staates. Auf den höheren Schulen ist die Disziplin sehr streng, und die Schüler müssen fleißig arbeiten. Das Schuljahr zählt einundvierzig Wochen, und jede Woche dreißig bis zweiunddreißig Schulstunden.

1. From derjenige.   2. *for.*   3. sich ... vorbereiten sollen *are to prepare themselves.*   4. das Privileg' (v = w) *privilege.*   5. Real'gymna'sium. 6. wird ... verwandt *is devoted.*   7. *at.*   8. der Typus *type.*   9. Object of vorbereiten.

O du lieber Augustin
(Sieh Seite 423!)

Abschied
(Sieh Seite 424!)

LESSON XX

Separable Compound Verbs · Variable Prefixes

A

Das Jahr

In der Natur fängt das Jahr mit dem Frühling an. Gegen
Ende März, wenn der Winter vergangen ist, geht die Sonne
morgens um sechs Uhr auf und abends um sechs Uhr unter.
Die Tage fangen nun an, schnell länger zu werden, und ehe wir
5 daran denken, ist der Sommer da. Die Sonne ist immer früher
aufgegangen und ihr Weg durch den Himmel immer länger
geworden.

Nun aber kehrt die Sonne in ihrem Laufe um, und nach
drei weiteren Monaten treten wir in den Herbst ein. Die Tage
10 nehmen schnell ab, und bald ist Weihnachten vor der Tür. Es
scheint fast, als ob uns die Sonne ganz aufgegeben hat. Zwar
werden die Tage nach Neujahr länger, da aber die Erde während
des Herbstes viel von der Sommerwärme verloren hat, kehrt
milderes Wetter erst im Frühling wieder. Dann erwacht alles
15 in Garten, Feld und Wald zu neuem Leben, und Mutter Natur
wiederholt ihr altes Spiel.

Merksätze[1]

Gehen Sie hin! Kommen Sie her!
Wohin gehen Sie? Woher kommen Sie?
Er ging die Treppe hinauf.
Sie kam die Treppe herunter.
Er kam die Straße herauf.

1. *Sentences to be Noted Carefully.*

222

Sie ging die Straße hinunter.

Er ging zur Tür hinein, als sie herauskam.

Er ging hinaus, als sie hereinkam.

Er machte die Fenster auf und die Tür zu.

Der Lehrer wiederholte die Frage.

Der Hund holte den Ball wieder.

Wann geht die Sonne unter?

Unterbrich mich nicht!

Kehren Sie um, ehe es zu spät ist!

Er umarmte seine Mutter.

Fragen

1. Wann fängt das Jahr in der Natur an?
2. In welchem Monat beginnt der Frühling?
3. In welchem Monat fängt der Herbst an? der Winter?
4. In welcher Jahreszeit sind die Tage am kürzesten?
5. Wie werden die Tage nach Neujahr?
6. Warum kehrt milderes Wetter erst im Frühling wieder?
7. Was geschieht dann?
8. Was tut Mutter Natur?

For Wednes 5 May

Vocabulary

ab'|nehmen (*str.*) *tr.* take off; *intr.* decrease (in length), grow shorter

alles all, everything

an'|fangen (er fängt an, er fing an, er hat angefangen) begin

auf'|geben (*str.*) give up

auf'|gehen (*str., aux.* sein) rise (of the sun)

auf'|machen (*wk.*) open

da *adv.* there, here, then

denken (*irreg.* er denkt, er dachte, er hat gedacht) think; denken an *acc.* think of

ein'|treten (*str., aux.* sein) enter, set in (of the weather)

die Erde (—, -n) earth

erwa'chen (*wk., aux.* sein) awake, wake up

das Feld (-es, -er) field

die Gegenwart [present] das Meer - ocean
die Vergangen- past die Welle - wave
die Zukunft - future das Schiff - ship
die Insel - island

herauf'|kommen (*str.*, *aux.* sein) come up

heraus'|kommen (*str.*, *aux.* sein) come out

herein'|kommen (*str.*, *aux.* sein) come in

her'|kommen (*str.*, *aux.* sein) come here

herun'ter|kommen (*str.*, *aux.* sein) come down

hinauf'|gehen (*str.*, *aux.* sein) go up

hinaus'|gehen (*str.*, *aux.* sein) go out

hinein'|gehen (*str.*, *aux.* sein) go in; zur Tür hineingehen go in at the door

hin'|gehen (*str.*, *aux.* sein) go there, go

hinun'ter|gehen (*str.*, *aux.* sein) go down

der Lauf (–es) course

die Natur' (—) nature; in der Natur in nature

das Neujahr (–s, –e) New Year

scheinen (*str.*) shine, seem

die Sommerwärme (—) summer heat, heat of the summer

das Spiel (–es, –e) game

umar'men (*wk.*) embrace

um'|kehren (*wk.*, *aux.* sein) turn back

unterbre'chen (er unterbricht, er unterbrüch, er hat unterbrochen) interrupt

un'ter|gehen (*str.*, *aux.* sein) set (of the sun)

verge'hen (*str.*, *aux.* sein) pass (away)

weiter farther, further

wie'der|holen (*wk.*) fetch back, bring back

wiederho'len (*wk.*) repeat

wie'der|kehren (*wk.*, *aux.* sein) return

woher' whence, from where, from what place

zu'|machen (*wk.*) close

zwar to be sure, it is true

als ob as if

gegen Ende März toward the end of March

B

1. Separable Compound Verbs

The conjugation of the separable compound verb does not differ from that of the simple verb. Separable prefixes are indicated in the vocabularies thus: auf'|machen, hinaus'|gehen.

The principal parts of separable compound verbs are given as follows:

> aufmachen, er macht auf, er machte auf, er hat aufgemacht
> hinausgehen, er geht hinaus, er ging hinaus, er ist hinausge=
> gangen

The main thing to bear in mind about the separable compound verb is the position of the prefix. Study the following sentences carefully:

NORMAL ORDER	INVERTED ORDER
Ich mache die Tür **auf**.	Da mache ich die Tür **auf**.
Ich machte die Tür **auf**.	Da machte ich die Tür **auf**.
Ich habe die Tür **aufgemacht**.	Da habe ich die Tür **aufgemacht**.
Ich hatte die Tür **aufgemacht**.	Da hatte ich die Tür **aufgemacht**.
Ich werde die Tür **aufmachen**.	Da werde ich die Tür **aufmachen**.
Ich werde die Tür **aufgemacht** haben.	Da werde ich die Tür **aufgemacht** haben.

TRANSPOSED ORDER	IMPERATIVE
Ehe ich die Tür **aufmache**.	**Mache** die Tür **auf**!
Ehe ich die Tür **aufmachte**.	**Macht** die Tür **auf**!
Ehe ich die Tür **aufgemacht** habe.	**Machen** Sie die Tür **auf**!
Ehe ich die Tür **aufgemacht** hatte.	
Ehe ich die Tür **aufmachen** werde.	DEPENDENT INFINITIVE WITH zu
Ehe ich die Tür **aufgemacht** haben werde.	Er wünschte die Tür **aufzu=macchen**.

From the sentences above it will be seen that the separable prefix is separated completely from its verb in the present and the past tense when the normal or the inverted order is used; it then stands usually at the end of the sentence or, in a complex sentence, at the end of its clause. Note that the prefix is also separated from its verb in the imperative.

Separable prefixes receive the accent. Some of the more common separable prefixes are ab, an, auf, aus, bei, dar, ein, empor', entge'gen, fort, her, hin, los, mit, nach, nieder, vor, weg, weiter, zu, zurück', zusam'men; there are numerous others.

2. Hin and her

Hin *thither* means away from the speaker or the speaker's point of view, while her *hither* signifies toward the speaker or the speaker's point of view:

Gehen Sie hin! *Go there.*
Kommen Sie her! *Come here.*
Wohin' gehen Sie? or Wo gehen Sie hin? *Where are you going?* (literally, *Whither are you going?*)
Woher' kommen Sie? or Wo kommen Sie her? *Where do you come from?* (literally, *Whence do you come?*)
Er ging die Treppe hinauf'. *He went up the stairs.*
Sie kam die Straße herun'ter. *She was coming down the street.*

3. Variable Prefixes

The prefixes durch, über, um, and unter are called variable prefixes; that is, they are sometimes separable and sometimes inseparable. Compare, for example, un'tergehen *set* (of the sun) and unterbre'chen *interrupt*:

Wann geht die Sonne unter? *When does the sun set?*
Unterbrich mich nicht! *Don't interrupt me.*

These prefixes tend to be separable when used in their literal sense, and inseparable when used in a figurative sense. In some cases, however, this distinction is not obvious.

The prefix wieder is separable except in the one compound wiederho'len *repeat, review*:

Der Lehrer wiederholte die Frage. *The teacher repeated the question.*
Der Hund holte den Ball wieder. *The dog fetched the ball back.*

C

1. Give the meaning and the principal parts of

hinuntergehen	bringen	umkehren	besuchen
heraufkommen	zerreißen	wie'derholen	erhalten
anfangen	eintreten	wiederho'len	geschehen
denken	umarmen	zumachen	verlassen

2. Put into the present perfect and future:

1. Wir unterbrechen ihn nicht. 2. Die Sonne geht um sechs Uhr unter. 3. Um acht Uhr geht der Mond auf. 4. Du gehst schnell zur Tür hinein. 5. Sie umarmt die Eltern. 6. Ich gebe mein Geschäft auf. 7. Woher kommt sie? 8. Nun kehrt die Sonne in ihrem Laufe um. 9. Nach drei weiteren Monaten treten wir in den Herbst ein. 10. Die Tage nehmen schnell ab. 11. Die Erde verliert viel von der Sommerwärme. 12. Im Frühling kehrt milderes Wetter wieder. 13. Dann erwacht alles in Garten, Feld und Wald zu neuem Leben. 14. Mutter Natur wiederholt ihr altes Spiel. 15. Die Zeit vergeht sehr schnell.

3. Give a synopsis of

1. Er nimmt den Hut ab. 2. Sie kommen die Straße herunter. 3. Du machst die Fenster auf. 4. Ich gehe nicht hinaus. 5. Ihr denkt nicht mehr daran.

4. Say in German (*a*) to Fred, (*b*) to Clara and Henry, (*c*) to Mr. Nagel:

1. Come here, please. 2. Come in. Go out. 3. Close the windows. Don't open the door. 4. Go [1] and ask him. 5. Repeat the question. 6. Do not interrupt me. 7. Begin immediately. 8. Don't give it up.

1. hingehen.

5. Form complex sentences, using the conjunctions suggested —

a. Make out of each second sentence a subordinate clause:

1. Die Tage werden wieder länger. Die Sonne kehrt in ihrem Laufe um. (**wenn**)

2. Milderes Wetter kehrt erst im Frühling wieder. Die Erde hat während des Herbstes viel von der Sommerwärme verloren. (weil, da)

3. Ich kam heraus. Er ging die Treppe hinauf. (als)

4. Es war kühler geworden. Er hatte die Fenster aufgemacht. (nachdem)

b. Make out of every first sentence a subordinate clause

1. Du denkst daran. Weihnachten ist da. (ehe)

2. Wir treten in den Herbst ein. Die Tage nehmen schnell ab. (wenn)

3. Er hat sein Geschäft aufgegeben. Er arbeitet doch noch jeden Tag fleißig. (obgleich)

4. Es fing zu regnen an. Wir kehrten um. (als)

6. Replace the English words in parentheses by German equivalents:

1. Zwar werden die Tage nach Neujahr länger, (but) milderes Wetter kehrt erst im Frühling wieder. 2. Der Lehrling ist aber mit der Schule nicht etwa fertig, (but) er muß noch bis zum achtzehnten Jahre die Fortbildungsschule besuchen. 3. Der Hund hat den Ball, (which) Fritz unter das Haus geworfen hat, wiedergeholt. 4. Die Tage nehmen jetzt schnell ab, (for) wir sind in den Herbst eingetreten. 5. (When) deutschen Kinder vierzehn Jahre alt werden, fängt für die meisten das Leben der Arbeit an. 6. Er ging gerade zur Tür hinein, (when) ich ihn sah. 7. (As) ich heute morgen die Straße hinunterging, traf ich Herrn Meyer. 8. Nach Neujahr werden die Tage zwar länger, (still) milderes Wetter tritt erst im Frühling ein. 9. Der Sommer ist bald da, (yet) bleibt es (still) kühl. 10. (Since) kaltes Wetter eingetreten ist, gehen wir jeden Tag auf die Eisbahn. 11. Viele Kinder gehen in die Fabrik, (after) sie die Schule verlassen haben. 12. Er klopfte an die Tür, (before) er eintrat.

7. Translate into German:

1. He asked me to close the door. 2. It seems as if spring would never come[1] this year. 3. In nature the year begins toward the end of March. 4. The sun rises earlier and earlier, and before we are thinking of it summer is here. 5. The sun now turns back in its course, and the days begin to grow shorter. 6. After three months we have entered into autumn.

and soon Christmas is close at hand. 7. Although the days become longer after New Year, milder weather does not return until spring.[2] 8. In spring everything in nature awakes to new life. 9. During autumn the earth loses much of the heat of the summer. 10. Yesterday the sun rose at six o'clock in the morning and set at six o'clock in the evening.

1. Translate *would . . . come* by the future.   2. *not . . . until spring* erſt im Frühling.

D [Optional]

Barry

Es war im Muſeum zu Bern. Vor einem großen ausgeſtopften Bernhardiner Hund[1] ſtand ein alter Herr und ſah ſich das prächtige Tier an.[2] Dann rief er ſeiner Enkelin leiſe zu: „Käthe, komm einmal her!" „Ja, lieber Großvater", antwortete das Kind und trat an den Alten heran. „Sieh dir die= 5 ſen Hund an[3]!" ſagte der Großvater, „das iſt Barry." „Aber wer iſt Barry?" fragte das Kind, das vielleicht zehn Jahre alt war. „Das erzähle ich dir dann draußen", war die Antwort.

Als der alte Herr und ſeine Enkelin ſpäter auf einer Bank im Park ſaßen, berichtete der Großvater: „Über den Großen Sankt 10 Bernhard[4] führt ein Paß gleichen Namens, und auf dem höch= ſten Punkte des Paſſes, 2472[5] m, d. h. mehr als achttauſend Fuß über dem Meere, iſt ein Kloſter. Man nennt es das Hoſpiz.[6] Der heilige Bernhard[7] hat es gegen Ende des zehn= ten Jahrhunderts gegründet. Natürlich hat man es im Laufe 15 der Zeit immer mehr erweitert und vergrößert. Ein Dutzend Mönche mit ihren Helfern bewohnen dieſes Hoſpiz jahraus, jahrein. Die Beſchäftigung dieſer Mönche iſt es, die Reiſenden zu verpflegen, welche den Paß benutzen. Heute führt eine gute Kunſtſtraße durch den Paß, und jeden Sommer beſuchen ihn 20 viele Tauſende von Reiſenden. Aber im Winter iſt er auch

jetzt noch gefährlich. Früher war die Gefahr natürlich noch viel
größer; Hunderte von Menschen haben da das Leben verloren.

„Ein Schneesturm bricht plötzlich aus und überrascht den
25 einsamen Wanderer; er kämpft gegen den Sturm, ermüdet
aber endlich, sinkt um und schläft im Schnee ein, um nie wieder
zu erwachen. Oder es verschüttet ihn eine Lawine, die auf einem
der mit ewigem Schnee bedeckten Berge [8] entstanden ist, welche
den Paß einschließen. In beiden Fällen ist er verloren, wenn
30 nicht Hilfe kommt.

„Wenn sich ein Schneesturm erhebt, [9] wenn der Donner der
Lawinen die Luft zerreißt, dann verlassen die Mönche und ihre
Helfer das Kloster, um die Berge zu durchstreifen. [10] Ihre
mächtigen, großen Hunde begleiten sie dabei. Oft gehen diese
35 klugen Tiere auch allein aus. Dann hängt man jedem Hunde
eine kleine Flasche mit starkem Branntwein und ein Körbchen
mit Brot um. Wenn der Hund einen verschütteten Wanderer
entdeckt, so gräbt er ihn aus und beleckt ihm das Gesicht [11] so
lange, bis er erwacht. Wenn der Hund allein zu schwach ist, so
40 eilt er nach dem Kloster zurück und holt menschliche Hilfe. Und
nie verirrt er sich, [12] nie verfehlt er den Rückweg zur Unfallstelle. [13]
So sind viele Menschen dem sicheren Tode entgangen. Solch
ein Hund war Barry. In zwölfjährigem Dienste hat er über
vierzig Menschen vor dem Erfrieren errettet. So hat er sich den
45 Ehrenplatz in unsrem Museum erworben. [14]"

1. Bernhardi'ner (indecl. adj.) Hund *Saint Bernard dog.*　　2. sah sich
(dat.) . . . an *gazed at.*　　3. Sieh dir . . . an *Look at closely.*　　4. A mountain of the Alps.　　5. zweitausendvierhundertzweiundsiebzig.　　6. Hospiz'
hospice.　　7. Der heilige Bernhard *Saint Bernard.*　　8. einem der mit
ewigem Schnee bedeckten Berge *one of the mountains covered with eternal
snow.*　　9. sich . . . erhebt *rises.*　　10. *scour.*　　11. ihm das Gesicht *his face.*
12. verirrt . . . sich *loses his way.*　　13. *scene of the accident.*　　14. hat . . .
sich (dat.) . . . erworben *gained for himself.*

LESSON XXI

Impersonal and Reflexive Verbs · Intensive Pronouns · Reciprocal Pronouns

A

Ein Brief

Lieber Robert!   Marburg, den 29. April 1947.

Es hat mich sehr gefreut, von Dir zu hören; doch schäme ich
mich sehr, daß ich Deinen Brief noch nicht beantwortet habe.
Aber ich habe sehr wenig Zeit. Und glaube mir, lieber Robert, 5
ich denke oft an Dich.

Der Vater schreibt mir, daß Du im Juli nach Deutschland
kommen wirst, um ein Jahr hier zu studieren, und zwar in
unsrem schönen alten Marburg. Ich freue mich riesig darüber.
Wir werden uns also bald sehen und einander sicher viel zu 10
erzählen haben. Es tut mir nur leid, daß Adam nicht auch
kommt. Grüße ihn von mir; Ihr seht Euch ja jeden Tag.
Adam und ich schreiben einander nicht, aber wir hören durch
Freunde voneinander.

Dieses Jahr war der Winter hier nicht sehr kalt, selbst im 15
Januar und Februar nicht, obgleich es oft schneite. Der April
war bisher schön, aber heute hat es den ganzen Tag geregnet,
gedonnert und geblitzt. Letzte Woche habe ich mich stark erkältet,
natürlich durch eigne Schuld. Ich hatte mich nämlich ohne
Rock an das offne Fenster gesetzt. Jetzt geht es mir schon wieder 20
gut.

Hans Heuser hat mir neulich eine Postkarte aus Neuyork
geschickt. Es gefällt ihm dort sehr gut. Es ist ihm gelungen,

University of Marburg

eine gute Stellung zu bekommen, er hat sich ein Automobil
25 gekauft und scheint ganz glücklich zu sein. Der kleine Meyer
wohnt auch in Neuyork. Du erinnerst Dich an ihn, nicht wahr?
Er hat mich vor drei Jahren in Akron besucht. Heuser und
Meyer sehen sich jeden Sonntag.

Ich lege eine Zeichnung von dem Marburger Schlosse bei,
30 die ich selbst gemacht habe. Obschon sie gar nicht schlecht ist,
wirst Du doch große Augen machen, wenn Du das Schloß erst
selber siehst.

Aber genug für heute! In ein paar Wochen bist Du ja hier,
und dann brauchen wir einander nicht mehr zu schreiben.
35 Bis dahin herzlichen Gruß!

Dein getreuer Freund

Heinrich Baumann.

Fragen

1. Wer hat Heinrich Baumann einen Brief geschrieben?
2. Warum schämt sich Heinrich?
3. Warum wird Robert nach Deutschland kommen?
4. Was tut Heinrich leid?
5. Wie ist der Winter dieses Jahr gewesen?
6. In welchen Monaten hat es oft geschneit?
7. Wie war das Wetter an dem Tage, an dem Heinrich an Robert schrieb?
8. Wo ist Hans Heuser jetzt, und wie geht es ihm?
9. Welcher von Heinrichs Freunden ist auch in Neuyork?
10. Wann treffen sich Heuser und Meyer gewöhnlich?
11. Was legt Heinrich seinem Briefe bei?
12. Was wird Robert tun, wenn er das Marburger Schloß erst selbst sieht?

Vocabulary

das **Auge** (–s, –n) eye; große Augen machen open one's eyes wide

das **Automobil'** (–s, –e) automobile

beant'worten (wk.) answer

bei'|legen (wk.) inclose

bekom'men (str.) get, obtain, receive

bisher' till now, up to the present

blitzen (wk.) lighten

dahin' thither, there; bis da'hin till then

donnern (wk.) thunder

eigen own

einan'der each other, one another

erin'nern (wk.) refl. w. an and acc. remember

erfäl'ten (wk.) refl. catch cold; sich stark erfälten catch a bad cold

erzäh'len (wk.) relate, tell

der **Februar'** (–(s), –e) February

freuen (wk.) please; es freut mich I am glad; refl. rejoice, be glad; sich freuen über acc. be glad of

gefal'len (*str.*) *dat.* please; es
 gefällt ihm he likes it
gelin'gen (es gelingt, es gelang,
 es ist gelungen) *dat.* succeed;
 es gelingt ihm, es zu tun he
 succeeds in doing it
glücklich happy
hören (*wk.*) hear
der Januar (–(s), –e) January
der Juli (–(s), –s) July
leid *pred. adj.*: es tut mir leid
 (um *acc.*) I am sorry (for);
 was tut ihm leid? what is he
 sorry about?
Marburger *indecl. adj.* Marburg
Neuyork' (*neut.*) (–s) New
 York; aus Neuyork from
 New York
die Postkarte (—, –n) post(al)
 card
der Rock (–es, ⸚e) coat; ohne
 Rock without a coat
schämen (*wk.*) *refl.* be ashamed;
 w. gen. be ashamed of; schäme
 dich shame on you

schicken (*wk.*) send
schlecht bad
das Schloß (Schlosses, Schlösser)
 castle
die Schuld (—) fault; durch
 eigne Schuld through one's
 own fault
selber *intensive pron. indecl.*
 myself, yourself, himself, *etc.*
selbst *intensive pron. indecl.* myself, yourself, himself, *etc.*;
 adv. even
setzen (*wk.*) set; *refl.* seat oneself, sit down
die Stellung (—, –en) position
studie'ren (*wk.*) study (at a
 university)
voneinan'der of each other, of
 one another
waschen (er wäscht, er wüsch, er
 hat gewaschen) wash; sich (*dat.*)
 die Hände waschen wash one's
 hands
die Zeichnung (—, –en) drawing

ein paar *indecl.* a few
es geht mir gut I am well
grüße ihn von mir remember me to him
nicht mehr not any more, no longer
um . . . zu *w. infin.* in order to
und zwar *particularizes a preceding statement* and . . . too

B

1. Impersonal Verbs

An impersonal verb may have only es as subject. Otherwise its conjugation is like that of other verbs. An important class of impersonal verbs are those denoting phenomena of nature:

Es ſchneit. *It is snowing.*

Es hat heute morgen ſtark geregnet. *It rained hard this morning.*

There are in German a number of verbs used impersonally whose equivalents in English are not impersonal. These should be noted carefully:

Es klopft. *Somebody is knocking.*

2. Reflexive Verbs

Reflexive verbs present no peculiarities of conjugation. In the first and second persons German has no special reflexive pronouns, the personal pronouns being used here with reflexive force. Only in the third person is there a distinct reflexive form, ſich, which is invariable.

ſich waſchen wash oneself

INDICATIVE

Present

ich waſche mich *I wash myself*
du wäſcht dich *you wash yourself*
er wäſcht ſich *he washes himself*
ſie wäſcht ſich *she washes herself*
es wäſcht ſich *it washes itself*

wir waſchen uns *we wash ourselves*
ihr waſcht euch *you wash yourselves*
ſie waſchen ſich *they wash themselves*
Sie waſchen ſich *you wash yourselves* or *yourself*

Past: ich wuſch **mich**
Present perfect: ich habe **mich** gewaſchen
Past perfect: ich hatte **mich** gewaſchen
Future: ich werde **mich** waſchen
Future perfect: ich werde **mich** gewaſchen haben

IMPERATIVE

waſche **dich**   *wash yourself*
waſcht **euch**   *wash yourselves*
waſchen Sie **ſich**   *wash yourselves or yourself*

If the verb governs the dative case, mir and dir replace mich and dich:

ich helfe **mir**	wir helfen **uns**
du hilfſt **dir**	ihr helft **euch**
er hilft **ſich**	ſie helfen **ſich**

The dative forms of the reflexive pronouns occur also in various constructions where the verb is not reflexive:

Er hat **ſich** geſtern einen neuen Hut gekauft. *He bought himself a new hat yesterday.*

3. Intensive Pronouns

The intensive pronouns ſelbſt, ſelber, *myself, yourself, himself,* etc. are invariable. They must not be confused with reflexive pronouns. A reflexive pronoun stands as the object of the verb or of a preposition, and refers back to the subject, whereas an intensive pronoun stands in apposition with a noun or another pronoun. In English intensive pronouns coincide in form with reflexive pronouns, but this is not the case in German.

Sie hat die Tiſchtücher **ſelbſt (ſelber)** gewaſchen. *She washed the tablecloths herself.*

Sie hat **ſich** gewaſchen. *She washed herself.*

Er hat es mir geſtern **ſelbſt (ſelber)** geſagt. *He told me so himself yesterday.*

Selbst and selber are used alike, except that selbst may also be used adverbially in the meaning of *even*; it then precedes the word that it intensifies:

> Selbst im Januar war es nicht kalt. *Even in January it was not cold.*

4. Reciprocal Pronouns

German has a special reciprocal pronoun, einan'der *each other, one another*, which is invariable; but more commonly it uses the reflexive pronoun to express the reciprocal relation when no ambiguity can arise:

> Wir werden uns (or einander) bald sehen. *We shall see each other soon.*

After a preposition, however, einander is generally used, being united with the preposition in one word:

> Wir hören durch Freunde voneinander. *We hear of each other through friends.*

C

1. Conjugate in the present, present perfect, and future tenses:

    1. sich sehr darüber freuen
    2. sich (*dat.*) die Hände waschen

2. Give a synopsis of

   1. Sie schämt sich seiner. 2. Wir setzen uns auf die Bank. 3. Du erkältest dich stark. 4. Ich kaufe mir ein Automobil. 5. Es geht ihr sehr gut. 6. Es blitzt und donnert den ganzen Tag.

3. Put into the present perfect tense and translate into English:

   1. Es tut uns leid um ihn. 2. Es gefällt ihnen in Neuyork sehr gut. 3. Er erinnert sich nicht an mich. 4. Es gelingt mir nicht, eine Stellung zu bekommen. 5. Es freut mich sehr, das zu hören. 6. Im Januar und Februar schneit es viel. 7. Du erkältest dich durch eigne Schuld.

8. Schämst du dich nicht, das zu sagen? 9. Er setzt sich ohne Rock an das offne Fenster. 10. Was tut dir leid? 11. Wie gefällt es Ihnen dort? 12. Ihr seht euch jeden Tag. 13. Er legt seinem Briefe eine Zeichnung von dem Marburger Schlosse bei. 14. Ich beantworte seine Postkarte nicht. 15. Er geht im Juli nach Deutschland, um ein Jahr dort zu studieren. 16. Sie haben einander sicher viel zu erzählen.

4. Say in German (*a*) to your brother, (*b*) to the children, (*c*) to Mr. Brown :

1. Wash your hands. 2. Don't catch cold. 3. Shame on you. 4. Please sit down. 5. Be glad of it.

5. Put into German :

1. He washed himself. He washed it himself. 2. I saw it myself. I saw myself in the mirror. 3. Even in winter he wears no hat. He will catch cold. 4. They hardly greet each other. We are sorry for them. 5. We have nothing against each other. 6. We see each other every day. 7. They were sitting beside each other. They were speaking with each other. 8. You said it yourself. They did it themselves. 9. She bought herself a new cloak. 10. He talks too much ; even in his sleep he often talks.

6. Put into the past, present perfect, and future tenses :

1. Sie schicken einander ein paar Postkarten. 2. Er macht große Augen. 3. Ich nehme den Hut ab. 4. Sie kommt die Treppe herunter. 5. Wir unterbrechen ihn nicht. 6. Ich denke nicht daran. 7. Sie umarmen ihre Mutter. 8. Du verlierst deine Bücher. 9. Er geht zur Tür hinein. 10. Ich wiederhole die Frage. 11. Die Sonne geht um sechs Uhr auf. 12. Dann erwacht alles zu neuem Leben. 13. Er wünscht uns viel Vergnügen. 14. Die Knaben essen wie die Wölfe.

7. Give the meaning and the principal parts of

Rock	Zeichnung	Spiel	gelingen	aufmachen
Auge	Schuld	bekommen	gefallen	gebrauchen
Stellung	Erde	erzählen	anfangen	zumachen
Automobil	Feld	studieren	aufgehen	hören
Schloß	Stadt	beantworten	eintreten	beginnen

8. Translate into German:

1. This morning Henry Baumann wrote a long letter to [1] his friend Robert Arndt. He was ashamed that he had not yet answered Robert's letter. 2. Henry is very happy, for his friend is coming to Germany in July in order to study a year in beautiful old Marburg.[2] 3. They will certainly have much to tell each other.[3] Henry is sorry, however,[4] that Adam is not coming also. 4. He inclosed in his letter [5] a drawing of the Marburg castle, which he made himself. 5. Although Henry does not draw badly, still Robert will open his eyes wide when he first sees the castle himself. 6. Henry caught a bad cold last week, and through his own fault, too. He sat down by the open window without a coat.[3] 7. He is well again, but he is staying at home today because it is lightening and thundering. 8. Up to the present we have had beautiful weather, and it has not rained much. 9. Jack Heuser and Fred Meyer sent Henry a post card recently [6] from New York. They like it there very well. They have succeeded in getting good positions, and they seem to be quite happy. 10. "In a few weeks you will be in Marburg," said Henry in his letter. "I can hardly wait till then.[7] Remember me to Adam and tell him [8] that I often think of him."

1. an w. acc.   2. in the beautiful old Marburg (*neut.*).   3. Follow the German model (section *A*) for the order of words.   4. Do not set off with commas.   5. Dative without preposition.   6. recently a post card.   7. I can (fann) hardly till then wait (warten).   8. *tell him* sage ihm!

D   [Optional]

Satzreihe

Ich stehe um sieben Uhr auf.

Ich wasche mich in kaltem Wasser.

Ich putze mir die Zähne.

Ich kämme mir das Haar.

Ich ziehe mich an.

Ich gehe ins Eßzimmer.

Ich setze mich an den Tisch.

Ich esse das Frühstück.

Ich gehe nach dem Frühstück in die Stadt.

10 Ich arbeite am Vormittag.

Ich amüsiere mich am Nachmittag.

Ich komme um elf Uhr abends nach Hause.

Ich gehe auf mein Zimmer.

Ich ziehe mich aus.

15 Ich lege mich ins Bett.

Ich decke mich zu.

Ich schlafe gleich ein.

Doktor Eisenbart

(Sieh Seite 425!)

Die wenigsten Leute wissen, daß Doktor Eisenbart eine histo=
rische Person ist; man hält ihn allgemein für eine Erfindung.
Dieser Mann, der durch das Lied vom Doktor Eisenbart
5 unsterblich geworden ist, war für seine Zeitgenossen durchaus
keine komische Figur. Er wurde 1661[1] in Bayern geboren[2]
und erhielt wahrscheinlich seine Vorbildung als Augen= und
Wundarzt in Bamberg; doch den größten Teil seines reichen
medizinischen[3] Wissens erwarb er sich durch Selbststudium.
10 Zum Manne herangewachsen ging er nach Norddeutschland, wo
er durch seine Erfolge bald großen Ruhm gewann. Seine
studierten Kollegen bezeichneten ihn freilich als einen Quack=
salber,[4] und das wurde auch nicht anders, als ihm die Braun=
schweigisch=Lüneburgische[5] Regierung im Jahre 1710[6] Titel
15 und Patent[7] eines Landarztes verlieh. Aber die Kranken kamen
zu ihm von nah und fern, die Reichen sowohl wie die Armen,
und viele fanden durch seine Geschicklichkeit Heilung.

In seinem Auftreten hatte Doktor Eisenbart freilich etwas von einem Scharlatan.[8] Besonders zu Anfang seiner Laufbahn zog er von Stadt zu Stadt, von Jahrmarkt zu Jahrmarkt. 20 Gewöhnlich ließ er eine Schaubühne aufschlagen,[9] erschien auf dieser in prächtiger und auffallender Kleidung und stellte sich den Leuten vor. Dabei machte er immer seinen eignen Marktschreier und stellte sein Wissen und seine Kunst ohne Scheu in das rechte Licht.

25

Er ist am elften November 1727[10] gestorben und liegt in der Ägidienkirche[11] zu Münden in Hannover begraben. Sein Grabstein ist noch heute zu sehen,[12] und die gut erhaltene Inschrift nennt alle seine Titel und Würden. Zweihundert Jahre nach seinem Tode hat ihm die Stadt Münden sogar ein 30 Denkmal errichtet.

1. sechzehnhunderteinundsechzig. 2. wurde ... geboren *was born*. 3. medizi'nisch *medical*. 4. *quack*. 5. *of Brunswick-Lüneburg*. 6. siebzehnhundertundzehn. 7. das Patent' *patent* or *license*. 8. der Scharlatan *charlatan*. 9. ließ ... aufschlagen *had ... erected*. 10. siebzehnhundertsiebenundzwanzig. 11. Ägi'dienkirche (ie = i + e) *Church of Saint Ægidius*. 12. *be seen*.

REVIEW OF LESSONS XVI–XXI

1. Give the imperative (three forms) of

helfen	ſtudieren	nehmen	öffnen	werden
tun	zählen	treten	eſſen	geben
ſchweigen	bilden	ſchlafen	ſein	leſen
ſchließen	tragen	arbeiten	ſehen	laſſen

2. Substitute German words for the English words in parentheses:

1. Karl hat (my) Meſſer und ich habe (his). 2. Haſt du (no) Papier? — Nein, ich habe (none). 3. Hier iſt (your) Hut; wo iſt (mine)? 4. (My) Anzug iſt nicht ſo ſchön wie (yours). 5. (Their) Haus iſt größer als (ours). 6. (One) von den Schülern iſt krank. 7. (My) Küche iſt kleiner als (hers). 8. (Our) Stühle ſind neuer als (theirs). 9. Iß nicht mit (your) Fingern, Oswald, nimm die Gabel! 10. Hildegard ſtützte (her) Ellbogen auf den Tiſch. 11. Nimm (your) Hut ab, Heinrich, wenn du ins Haus kommſt! 12. Was hat er in (his) Hand? 13. (It) iſt ein ſehr ſchöner Mantel; (it) iſt viel ſchöner als (hers); wo haſt du (it) gekauft? 14. Wer ſind (those) Männer? — (They) ſind Kaufleute aus Marburg. 15. Sind (those) Ihre neuen Meſſer und Gabeln? (They) ſind wirklich ſehr ſchön. 16. (These) ſind die Bücher, (that) Heinrich mir aus Berlin geſchickt hat. Wünſchen Sie (one) zu leſen?

3. Put into German, using gern (lieber, am liebſten) with an appropriate verb to render *like* (*prefer, like best*):

1. Is it you, Fred? — Yes, it is I. 2. Is it you, children? — Yes, it is we. 3. We like to study German. 4. I do not like to work in the garden. 5. Do you like ice cream? Do you like cake? Do you like coffee? 6. I prefer tea to coffee. I like milk best. 7. She does not like carrots. Nor he, either. 8. We prefer baseball to basket ball. We like best to play football. 9. We play of an afternoon in the meadow behind our house. 10. One day we played the whole afternoon and did not become tired.

4. Replace the words in parentheses by personal pronouns:

1. Fritz hat (dem Lehrer) (das Heft) gereicht. 2. Ich werde (der Tante) (die Uhr) schenken. 3. Er hat (dem Onkel) (den Rock) geschickt. 4. Zeige ihm (die Postkarte) nicht! 5. Hat er dir (die Zeichnung) gegeben? 6. Marie hat (der Mutter) (das Handtuch) geholt.

5. *a.* Copy the following sentences, substituting a relative pronoun for each blank:

1. Früher gebrauchte man den Lehrling, _der_ gewöhnlich im Hause des Meisters wohnte, zu allerlei Diensten. 2. Die Sommerferien, _die_ auch die großen Ferien heißen, dauern nur vier Wochen. 3. Wir kamen an einen großen See, an _dessen_ Ufer wir einen breiten Strand fanden. 4. Die Bretter, mit _denen_ wir unser Häuschen deckten, lagen am Strande. 5. Der Stein, _____ ich heute noch habe, ist sehr schön. 6. Hier ist eine Zeichnung vom Schlosse, _die_ ich selbst gemacht habe. 7. Zeigen Sie mir die Bank, bitte, auf _____ er saß! 8. Der Knabe, mit _____ ich spielte, ist mein Vetter Franz Huber. 9. Ich schreibe an meine Cousine Agnes, _____ Mutter vor drei Monaten gestorben ist. 10. Das Glas, aus _____ er trank, war schmutzig.

b. When possible, use compounds with *wo* in the sentences above.

6. Form complex sentences, changing each second sentence into a relative clause:

1. Die Mädchen sind seine Cousinen. Er schickte ihnen schöne Geschenke. 2. Da ist der Baum. Er lag darunter. 3. Dort geht die Frau. Ich habe ihren Mantel gefunden. 4. Der Mann lachte nur. Ich zeigte ihm den Stein. 5. Hier ist meine neue Füllfeder. Ich habe den Brief damit geschrieben. 6. Meine beiden Vettern sind diesen Sommer bei uns. Sie wohnen in Berlin, und ihr Vater ist Kaufmann. 7. Kurt zeigte mir den neuen Anzug. Er hat ihn gestern gekauft. 8. Das ist der kleine Oswald Nagel. Er ißt mit den Fingern.

7. Replace the English words in parentheses by the German equivalents:

1. (Whose) Buch ist das? 2. Der Schüler, (whose) Buch ich habe, ist heute nicht hier. 3. (Whom) haben Sie geholfen? 4. Der Knabe, (whom) ich half, ist sehr dumm. 5. (Whom) hast du getroffen? 6. Der alte Herr, (whom) du getroffen hast, ist unser Lehrer. 7. (To whom) hast du das Silber gezeigt? 8. Die Dame, (to whom) du das Silber gezeigt hast, ist die Frau unsres Pastors. 9. (Which) Hut haben Sie gekauft? (Which one) haben Sie gekauft? 10. Der Hut, (which) Sie gekauft haben, ist sehr schön.

8. Copy the following sentences, substituting the proper conjunction, aber or sondern, for each blank:

1. Diese Tinte ist nicht dick, _____ dünn. 2. Er ist nicht fleißig, _____ er ist gar nicht dumm. 3. Der Anfang des Schuljahrs fällt nicht in den Monat September, _____ in den April. 4. Die Zeichnung ist nicht gut, _____ sie ist sehr schlecht. 5. Wir schreiben einander nicht, _____ wir hören durch andere voneinander. 6. Die Tage werden nach Neujahr länger, _____ milderes Wetter kehrt erst im Frühling wieder.

9. Copy the following sentences, substituting the proper word, als, wenn, or wann, for each blank:

1. _____ das Wetter schlecht war, blieb ich immer zu Hause. 2. _____ hast du ihn gesehen? 3. _____ ich ihn gestern sah, trug er einen neuen Anzug. 4. Zeigen Sie ihm diese Bilder, _____ er kommt! 5. _____ wir letzten Sommer auf dem Lande waren, machten wir oft lange Ausflüge in den Wald. 6. Fragen Sie ihn, _____ er nach Deutschland geht!

10. Form complex sentences, using the conjunctions suggested:

1. Ich bin sehr müde. Ich werde dir doch helfen. (**obgleich**)
2. Ich war in Berlin. Ich besuchte Herrn Angermann. (**während**)
3. Ich werde bei euch bleiben. Der Vater kommt nach Hause. (**bis**)
4. Ich bin nicht ins Theater gegangen. Das Wetter war so schlecht. (**weil**)

5. Gib es ihm! Du siehst ihn. (sobald)

6. Es tut mir leid. Adam kommt nicht auch. (daß)

7. Die meisten Kinder gehen zur Volksschule. Es gibt auch Privatschulen. (obschon)

8. Der kleine Meyer wohnte in Neuyork. Wir sahen uns jeden Sonntag. (solange)

9. Ich frage dich. Ist Hans zu Hause? (ob)

10. Ich werde dich führen. Du fällst nicht. (damit)

11. Replace the English words in parentheses by the German equivalents:

1. (Before) ihr daran denkt, wird Weihnachten da sein. 2. Kommen Sie nicht (before) zehn Uhr! 3. Ich schreibe nicht viele Briefe, (for) ich habe wenig Zeit. 4. Er hat ein Klavier (for) seine Tochter gekauft. 5. (Since) Marie hier ist, gehen wir jeden Abend ins Kino. 6. (Since) ich keine Feder hatte, habe ich den Brief nicht geschrieben. 7. (Since) jenem Tage ist er nicht wieder auf die Eisbahn gegangen. 8. Der See ist nicht sehr groß und nirgends tief, (as) ich dir letzte Woche schrieb. 9. Sie ging zur Tür hinein, (as) er herauskam. 10. (As) du in ein paar Tagen hier sein wirst, schreibe ich dir nicht wieder. 11. (After) er das gesagt hatte, tat es ihm leid. 12. (After) dem Abendessen spielten wir eine Stunde Klavier und sangen allerlei deutsche Lieder. 13. (There are) viele schöne alte Schlösser in Deutschland. 14. (There are) vier Badezimmer in seinem Hause.

12. Turn the following direct questions into indirect questions dependent upon Sage mir:

1. Wann geht die Sonne jetzt auf? 2. Was habt ihr verloren? 3. Wer ist eben zur Tür hineingegangen? 4. Warum machte er die Fenster auf? 5. Wie gefällt es dir dort? 6. Ist dein Bruder auf seinem Zimmer? 7. Hat er die Bücher gelesen? 8. Badest du warm oder kalt? 9. Wohin geht ihr? 10. Wie spät ist es?

13. *a.* Decline in the singular: ein Fremder, eine Verwandte.

b. Decline in the singular and plural: der Verwandte, die Fremde.

14. Give a synopsis of

1. Er zerreißt seinen neuen Anzug. 2. Sie kommt die Treppe herauf. 3. Die Sonne geht um sechs Uhr unter. 4. Es schneit die ganze Nacht. 5. Er freut sich sehr darüber.

15. Give the imperative (three forms) of

1. uns nicht unterbrechen. 2. alle Türen zumachen. 3. sich auf die Bank setzen. 4. sich die Hände waschen. 5. die Briefe gleich beant= worten. 6. nicht hinausgehen.

16. Conjugate in the present, present perfect, and future tenses:

1. sich stark erkälten. 2. sich ein Automobil kaufen.

17. Put into the present perfect and the future:

1. Er besucht eine höhere Schule. 2. Das Handwerk verliert immer mehr Boden. 3. Es gibt Fortbildungsschulen für die Lehrlinge. 4. Im Frühling erwacht Mutter Natur zu neuem Leben. 5. Er kehrt bald um. 6. Wir umarmen unsre Tante. 7. Ich wiederhole die Frage. 8. Wann kehrt er wieder? 9. Die Tage fangen an, schnell länger zu werden. 10. Ich schäme mich nicht, ihm alles zu sagen.

18. Form complex sentences, using the conjunctions sug-gested —

a. Make out of each second sentence a subordinate clause:

1. Ich grüßte sie. Sie kam die Treppe herunter. **(als)**

2. Es war sehr kalt im Zimmer. Man hatte alle Fenster aufge= macht. **(weil)**

3. Die Tage nehmen schnell ab. Wir treten in den Herbst ein. **(wenn)**

4. Es war ganz dunkel geworden. Wir kehrten endlich um. **(ehe)**

b. Make out of every first sentence a subordinate clause:

1. Ich ging die Treppe hinauf. Er kam zur Tür heraus. **(als)**

2. Die Tage fangen nach Neujahr an, länger zu werden. Milderes Wetter kehrt erst im Frühling wieder. **(obgleich)**

The Castle of Eltz, on the Mosel River

3. Die Sonne war aufgegangen. Es wurde viel wärmer. (**nachdem**)
4. Er geht nicht mehr hin. Er macht seine Schularbeiten viel besser. (**seitdem**)

19. Give the principal parts and the meaning of

a

heißen	bauen	schenken	gebrauchen	hereinkommen
bringen	glauben	schicken	geschehen	sich erinnern
blitzen	dauern	tun	verlassen	herkommen
donnern	setzen	studieren	vergehen	hinuntergehen
gelingen	sitzen	beginnen	bekommen	beilegen
mahnen	legen	bestehen	erzählen	hören
schmecken	liegen	erhalten	aufgeben	rufen

b

Arbeit	Erbse	Auge	Sand	Stadt
Schuld	Geschwister	Kellner	Spiel	Ort
Kuchen	Speisekarte	Anfänger	Stellung	Fabrik
See	Erde	Schloß	Band	Hand
Stein	Feld	Gold	Jahr	Bein
Automobil	Restaurant	Punkt	Fluß	Teil
Rock	Arm	Boden	Anzug	Finger

20. Translate into German:

1. My father himself. Even my father. Our parents themselves. Even our parents. 2. I washed myself. I washed the automobile myself. 3. Even in January and February it was not very cold. 4. We see each other every Sunday. We were sitting beside each other. 5. Where are you going? Come here, please. 6. Is it still raining? Hasn't he come yet? 7. The weather was warm; yet he caught a bad cold. 8. The drawing is not at all bad; still you will open your eyes wide when you first see the castle yourself. 9. The boards we used were lying on the beach. 10. Where is the post card Jack sent you? 11. We are sorry that you are not coming. 12. Do you remember little Meyer? 13. He was sitting on a bench. He sat down on a bench. 14. I often think of him. 15. He did not succeed in getting a position. 16. She is ashamed of her relatives, isn't she?

21. Translate into English:

1. Da saß er am Tische mit einem Fremden. 2. Da lachte er und sagte: „Das ist nur ein gewöhnlicher Stein." 3. Da die Erde während des Herbstes viel von der Sommerwärme verloren hat, wird das Wetter erst im Frühling wieder mild. 4. Bringen Sie uns, bitte, drei Portionen Kalbsbraten mit gelben Rüben, Kartoffelbrei und Krautsalat. 5. Was wünschen Sie zu trinken, gnädige Frau? 6. Das Essen schmeckte ihnen vortrefflich. 7. Schweigt doch, sonst essen wir nicht wieder hier! 8. Das kleine Flüßchen fließt nach kurzer Strecke in den Bärensee. 9. Manchmal machten wir lange Ausflüge in den Wald. 10. Der Lehrgang der Volksschule dauert acht Jahre. 11. Die Kinder haben zu Weihnachten, Ostern und Pfingsten je acht bis zehn Tage frei. 12. Anfang Oktober haben sie zwei schulfreie Wochen, damit sie den Eltern bei der Feldarbeit helfen können.

13. Viele Kinder lernen den kaufmännischen Beruf. 14. Der Lehrling, der im Hause des Meisters wohnt, erhält dort seine Kost, aber keinen Lohn. 15. Ehe wir daran denken, ist der Sommer da. 16. Nun aber kehrt die Sonne in ihrem Laufe um. 17. Die Tage nehmen schnell ab, und bald ist Weihnachten vor der Tür. 18. Ich schäme mich sehr, daß ich deinen Brief noch nicht beantwortet habe. 19. Robert kommt im Juli nach Deutschland, um ein Jahr hier zu studieren, und zwar in unsrem schönen alten Marburg. 20. Grüße ihn von mir! 21. Wir geben einander immer Geburtstagsgeschenke. 22. Letzte Woche habe ich mich stark erkältet, natürlich durch eigne Schuld. 23. In ein paar Wochen bist du ja hier, und dann brauchen wir uns nicht mehr zu schreiben. 24. Bis dahin herzlichen Gruß!

LESSON XXII

Strong Verbs, Class I · Wer and was as Compound Relatives · Was as a Simple Relative

A

Auf dem Kreuzberg [1]

Am Sonntag morgen war herrliches Wetter, und Karl eilte schnell zum alten Markte, wo seine Freunde Klaus Gerber und Jakob Schaffer auf ihn warteten. „Wer an einem solchen Tage zu Hause bleibt, ist ein Narr, das heißt,
5 wenn er keine Schule hat", rief Karl. „Aber wer von euch hat heute Geld? Eine einzige Mark ist alles, was ich habe."

„Das ist mehr als genug, wir brauchen heute kein Geld," antwortete Jakob, „denn wir steigen ja auf den Kreuzberg. Ich bin letzten Sommer mit meiner Mutter auf den Kreuzberg
10 geritten, und zwar auf einem sehr faulen Esel. Es war schrecklich! Zu Fuß ist es viel schöner!"

Sie machten sich also gleich auf den Weg, gingen zum Tore hinaus und waren nach einer halben Stunde schon im Walde. Nachdem sich jeder einen Stock geschnitten hatte, stiegen sie
15 fröhlich den Berg hinauf. Bei einem Bauernhause war ein großer Hund, der furchtbar bellte. Aber der Bauer kam aus dem Hause, pfiff dem Hunde, ergriff ihn beim Halsband und sagte: „Fürchten Sie sich nicht vor dem Hunde! Er hat noch nie einen Menschen gebissen." Karl antwortete lachend:
20 „Warum sollten wir uns fürchten? Wir sind doch keine Hasen!"

1. der Kreuzberg (= *Cross Mountain*), a mountain near Bischofsheim, in Bavaria, about three thousand feet high.   2. For the infl. of an adj. after a pers. pron., see the Appendix, page 436.

Fragen

1. Wie war das Wetter am Sonntag morgen?
2. Wo warteten Karls Freunde auf ihn?
3. Wie heißen Karls Freunde?
4. Wieviel Geld hatte Karl nur?
5. Wohin gehen Karl und seine Freunde heute?
6. Mit wem war Jakob letzten Sommer auf dem Kreuzberg?
7. Ist er zu Fuß gegangen oder geritten?
8. Wann kamen die Knaben in den Wald?
9. Wo war ein großer Hund und was tat er, als er die Knaben sah?
10. Wer kam aus dem Hause, als der Hund bellte?
11. Was tat der Bauer und was sagte er?
12. Was antwortete Karl?

Vocabulary

der **Bauer** (–s *or* –n, –n) peasant, farmer

das **Bauernhaus** (–hauses, –häuser) peasant house, farmhouse

beißen (er beißt, er biß, er hat gebissen) bite

bellen (*wk.*) bark

der **Berg** (–es, –e) mountain

eilen (*wk., aux.* sein) hurry

einzig single, sole, only

ergrei'fen (er ergreift, er ergriff, er hat ergriffen) catch hold of, grasp

der **Esel** (–s, —) donkey

faul lazy

furchtbar fearful, frightful

fürchten (*wk.*) fear; *refl.* be afraid; sich fürchten vor *dat.* be afraid of

der **Fuß** (–es, ⸚e) foot; zu Fuß on foot

das **Geld** (–es, –er) money

der **Gott** (–es, ⸚er) God, god

das **Halsband** (–s, ⸚er) necklace, collar (of a dog)

hinauf'|steigen (*str., aux.* sein) climb up

Jakob (*masc.*)(–s) Jacob, James

je *adv.* ever

Klaus (*masc.*) (Klaus' *or* Klausens) Nicholas

die 𝔐𝔞𝔯𝔨 (—, —) mark (silver coin, worth about 24 cents, used in Germany before 1924)

der 𝔐𝔞𝔯𝔨𝔱 (–eδ, ⁀e) market, market place

der 𝔐𝔢𝔫𝔰𝔠𝔥 (–en, –en) man (general), human being, person

der 𝔑𝔞𝔯𝔯 (–en, –en) fool

𝔭𝔣𝔢𝔦𝔣𝔢𝔫 (er pfeift, er pfiff, er hat gepfiffen) whistle

𝔯𝔢𝔦𝔱𝔢𝔫 (er reitet, er ritt, er ist geritten) ride (on an animal)

𝔰𝔠𝔥𝔫𝔢𝔦𝔡𝔢𝔫 (er schneidet, er schnitt, er hat geschnitten) cut

𝔰𝔠𝔥𝔬̈𝔫 nice

𝔰𝔠𝔥𝔯𝔢𝔠𝔨𝔩𝔦𝔠𝔥 terrible

𝔰𝔱𝔢𝔦𝔤𝔢𝔫 (er steigt, er stieg, er ist gestiegen) mount, climb; auf einen Berg steigen climb a mountain

der 𝔖𝔱𝔬𝔠𝔨 (–eδ, ⁀e) stick, cane

das 𝔗𝔬𝔯 (–eδ, –e) gate; zum Tore hinausgehen go out of the city

𝔴𝔞𝔯𝔱𝔢𝔫 (wk.) wait; warten auf acc. wait for

die 𝔚𝔢𝔩𝔱 (—, –en) world

das 𝔚𝔬𝔯𝔱 (–eδ) word; pl. 𝔚𝔬̈𝔯ter (single, individual) words; pl. 𝔚𝔬𝔯𝔱𝔢 (connected) words, discourse, speech

das heißt that is; abbrev. d. h.

sich auf den Weg machen start (up)on one's way

B

1. Classification of Strong Verbs

Strong verbs fall into seven groups, according to the vowel change in their principal parts. These groups are referred to as Class I, Class II, Class III, and so forth. The groups in this lesson, and in the following lessons, contain only verbs that have occurred in section A of each lesson, and are not intended to be complete.

2. Class I

The verbs of Class I have the vowels ei, ie, ie, or ei, i, i, in the infinitive, past indicative, and past participle respectively. Such a change of the radical vowel of verbs is called vowel gradation, or ablaut, and must not be confused with vowel modification, or umlaut.

ei, ie, ie

bleiben, blieb, geblieben
scheinen, schien, geschienen
schreiben, schrieb, geschrieben
schreien, schrie, geschrieen
schweigen, schwieg, geschwiegen
steigen, stieg, gestiegen

ei, i, i

beißen, biß, gebissen
ergreifen, ergriff, ergriffen
pfeifen, pfiff, gepfiffen
reiten, ritt, geritten
schneiden, schnitt, geschnitten
zerreißen, zerriß, zerrissen

3. Wer and was as Compound Relatives

Wer meaning *he who, whoever*, and was meaning *that which, what, whatever*, are used as compound or indefinite relative pronouns, that is, without an antecedent. They are sometimes resumed, for emphasis, by the demonstrative pronouns der and das, respectively, in the main clause.

Wer an einem solchen Tage zu Hause bleibt, (der) ist ein Narr. *Whoever stays at home on such a day is a fool.*
Was er sagt, ist wahr. *What he says is true.*

4. Was as a Simple Relative

Was is used as a simple relative, instead of das, when the antecedent is a neuter pronoun, as alles, das, es, etwas, manches, nichts, vieles, or a neuter adjective, especially a superlative used substantively, as das Beste, das Schönste, and so on:

Eine einzige Mark ist alles, was ich habe. *A single mark is all that I have.*
Das ist das Schönste, was ich je gesehen habe. *That is the prettiest thing I ever saw.*

C

1. Give a synopsis of

1. Der Bauer schneidet sich einen Stock. 2. In der Nacht schweigen die Vögel. 3. Wir reiten auf dem Esel durch das Dorf. 4. Ich steige auf den Kreuzberg. 5. Du schreibst einen Brief an die Eltern.

2. Give a sliding synopsis * of

1. Ich steige fröhlich den Berg hinauf. 2. Du bleibst jeden Abend zu Hause. 3. Er zerreißt die Handtücher nicht.

3. Put into the past tense and the present perfect tense:

1. Der Hund beißt keinen Menschen. 2. Ich ergreife den Hund beim Halsband. 3. Er pfeift dem Hunde. 4. Die Sonne scheint hell. 5. Warum schreien die Kinder so? 6. Wir eilen zum alten Markte. 7. Sie fürchten sich nicht. 8. Ich mache mich gleich auf den Weg. 9. Der Hund bellt furchtbar. 10. Er wartet auf die Eltern. 11. Wir gehen zum Tore hinaus. 12. Ich habe gar kein Geld, keine einzige Mark; es ist schrecklich. 13. Es blitzt und donnert eine Stunde. 14. Sie sehen sich oft. 15. Er sagt es selbst. 16. Selbst im Juli ist es nicht heiß. 17. Wir brauchen kein Geld. 18. Der Bauer kommt aus dem Hause. 19. Sie fallen ein paarmal und lachen herzlich darüber.

4. Say in German (*a*) to your brother, (*b*) to the children, (*c*) to the servant girl:

1. Please be silent. 2. Don't whistle. 3. Cut the bread. 4. Climb on the table. 5. Don't be afraid of the dog. 6. Wait for us.

5. Conjugate in the present, present perfect, and future tenses:

1. sich früh auf den Weg machen
2. sich einen großen Stock schneiden

Examples: (1) Ich brauche kein Geld, du brauchtest kein Geld, er hat kein Geld gebraucht, wir hatten kein Geld gebraucht, ihr werdet kein Geld brauchen, sie werden kein Geld gebraucht haben. (2) Du gehst nach Hause, er ging nach Hause, wir sind nach Hause gegangen usw. (3) Er spielt Klavier, wir spielten Klavier, ihr habt Klavier gespielt usw.

6. Copy the following sentences, substituting a relative pronoun for each blank:

1. Alles, _ _ _ _ _ fie trägt, ist schön. 2. Sie glaubt nichts, _ _ _ _ _ ich sage. 3. Hier ist das Buch, _ _ _ _ _ er mir neulich schickte. 4. _ _ _ _ _ seine Schularbeiten nicht gut macht, der ist faul und dumm. 5. Der Schüler, _ _ _ _ _ so schön pfeift, heißt Jakob Schaffer. 6. _ _ _ _ _ du siehst, ist das Marburger Schloß. 7. Das ist ein Bauernhaus, _ _ _ _ _ du siehst. 8. Das ist das Beste, _ _ _ _ _ ich habe. 9. _ _ _ _ _ man wünscht, das glaubt man gern. 10. _ _ _ _ _ ihm ein einziges Wort davon sagt, ist ein Narr. 11. Das ist es eben, _ _ _ _ _ ich immer gefürchtet habe. 12. Die Feder, _ _ _ _ _ du mir geschenkt hast, schreibt sehr schön. 13. Das ist das Dümmste, _ _ _ _ _ ich je gehört habe. 14. Vieles, _ _ _ _ _ Klaus Gerber uns erzählte, war nicht wahr. 15. _ _ _ _ _ sich ein Automobil kauft, ist verrückt, das heißt, wenn er nicht viel Geld hat. 16. Der Bauer, _ _ _ _ _ aus dem Hause kam, ergriff den Hund beim Halsband.

7. Give the meaning and the principal parts of

Halsband	Esel	Stock	Tor	bekommen	schicken
Gott	Bauer	Mensch	Auge	sich erkälten	setzen
Fuß	Bauernhaus	Welt	Rock	sich freuen	studieren
Geld	Mark	Narr	Schloß	gefallen	hören
Berg	Wort	Markt	Feld	gelingen	sitzen

8. Translate into German:

1. The weather is glorious. The sun is shining warm and bright. 2. Charles hurries quickly to the old market place, where his friends are waiting for him. 3. They need no money today, for they are climbing the Kreuzberg. The single mark that Charles has is more than enough. 4. James was on the Kreuzberg with his mother last summer. He rode on a donkey, and on a very lazy one, too. 5. "It was terrible," he said. "On foot it is much nicer." 6. They start on their way immediately. After half an hour they are already in the forest. 7. After each one has cut himself a cane, they climb merrily up the mountain. 8. "Whoever is staying at home today is stupid!" exclaims Charles. 9. Soon they come to [1] a peasant house where a large

dog is barking frightfully. But the peasant whistles to the dog and catches hold of him by the collar. 10. "Don't be afraid!" he says. "He will not bite anybody."[2] Charles answers with a laugh (lachend) that he and his friends don't fear such a nice dog.

1. an *w. acc.*   2. *not anybody* niemand.

D [Optional]

Sprichwörter

Es ist nicht alles Gold, was glänzt.

Wer nicht wagt, gewinnt nicht.

Wer zuletzt lacht, lacht am besten.

Wer säet, der mähet.

5   Wer nicht vorwärts geht, der kommt zurück.

Was vom Herzen kommt, das geht zum Herzen.

Die Lorelei
(Sieh Seite 426!)

Jeder Deutsche kennt diese Ballade von Heine, und man singt sie oft in fröhlichen Stunden. Deshalb sagt man: „Wenn die Deutschen am fröhlichsten sind, so singen sie: ‚Ich weiß nicht,

5 was soll es bedeuten, daß ich so traurig bin.'" Es ist wirklich viel Wahres in diesem Ausspruch. Den Namen hat das Lied von dem Loreleifelsen. Etwas oberhalb Sankt Goars,[1] aber am rechten Ufer des Rheins, ragt dieser Felsen über vierhundert Fuß hoch steil aus dem Strome empor. Er springt auch weit

10 in das Flußbett hinein, und früher war die Stelle wegen der starken Strömung für die Schiffer sehr gefährlich. Clemens Brentano hat um das Jahr 1800[2] die Sage von der Zauberin Lorelei erfunden und eine Ballade daraus geschaffen. Mehrere neuere Dichter haben den Stoff auch behandelt, aber keiner mit

15 solchem Erfolg wie Heine.

Ewing Galloway

The Lorelei Cliff

Heinrich Heine war Jude und hieß eigentlich Harry Heine. Als er achtundzwanzig Jahre alt war, ließ er sich taufen[3] und nahm dabei den Namen Heinrich an. In seinem Herzen aber blieb er sein Leben lang Jude. Fast die Hälfte seiner Jahre lebte er in Paris; dort ist auch sein Grab. Eine unglückliche 20 Liebe zu einer Cousine verbitterte seine Jugend, und diese Bitterkeit begleitete ihn durch sein ganzes Leben. Wir finden ihre Spuren in vielen seiner Gedichte. Als Lyriker kommt Heine gleich nach Goethe. Viele seiner Gedichte sind einfach, wahr und schön; andere aber sind unecht und übertrieben. Heine hatte sein 25 Leben lang glühende Bewunderer und bittere Feinde. Und so ist es auch heute noch, das zeigt aber: seine Dichtung ist keineswegs tot und vergessen, sondern lebt noch weiter im deutschen Volke.

1. A town on the Rhine.　2. achtzehnhundert.　3. ließ ... sich taufen *had himself baptized.*

Ich hatte einst ein schönes Vaterland[1]

Ich hatte einst ein schönes Vaterland.
Der Eichenbaum
Wuchs dort so hoch, die Veilchen nickten sanft.
Es war ein Traum.

5   Das küßte mich auf deutsch und sprach auf deutsch
(Man glaubt es kaum,
Wie gut es klang) das Wort: „Ich liebe dich!"
Es war ein Traum.

1. Published when Heine had been living in Paris several years.

LESSON XXIII

Strong Verbs, Class II · Der as Demonstrative

A

Auf dem Kreuzberg (Schluß)

Nach einer halben Stunde kamen sie an den Hochwald. Links vom Wege war ein Tal, und in dem floß ein Bach lär= mend über die Steine seines Bettes. Bei einem schönen, großen Tannenbaum bogen sie rechts in den dichten Wald. Dort roch es sehr angenehm und war am hellen Vormittag ganz dunkel. 5 Als sie sich dem Gipfel des Berges näherten, mußten sie auf Händen und Füßen kriechen. Endlich waren sie oben. Sie setzten sich hinter einen Felsen, der sie gegen den Wind schützte, und aßen ihre Butterbrote. Natürlich hatten sie Wurst und Käse darauf. Jakob hatte eine Flasche mit Kaffee, den goß er 10 in kleine Becher und bot ihn den Freunden. Nach dem Essen lagen alle drei auf dem Rücken[1] und schauten in den Himmel. Hoch über ihnen flog ein Adler und zog große Kreise in die blaue Luft. Aber bald hatten die Wanderer die müden Augen geschlossen und schliefen. 15

Klaus wachte zuerst auf und weckte die anderen. Sie froren alle ein wenig, denn hier oben war es kühl, obgleich die Sonne schien. „Wir gehen über die Waldmühle nach Hause", sagte Karl. „Dort sieht man immer Rehe. Letzten Herbst hat mein Vater eins da geschossen." „Ja, der hat immer Glück", sagte 20 Jakob. „Ich aber habe vor drei Monaten meine Uhr dort verloren."

Die Knaben machten sich auf den Weg, und nach einer Weile sahen sie wirklich drei Rehe auf einer kleinen Wiese. Aber die

259

25 flohen schnell in den Wald, als die Knaben sich näherten. Es
war dunkel geworden, ehe die Wanderer an die Waldmühle
kamen, und so sahen sie das große, alte Gebäude erst, als sie
dicht dabei waren. Von dort war es noch ein langer Weg bis
zur Stadt, und sie kamen erst um acht Uhr wieder nach Hause.
30 Sie waren müde, hungrig und durstig, aber glücklich und
zufrieden.

1. auf dem Rücken *on their backs.* See Appendix, page 442.

Fragen

1. Wann kamen die Knaben in den Hochwald?

2. Wo ging der Weg rechts in den dichten Wald?

3. Was mußten die Knaben tun, als sie sich dem Gipfel des
Berges näherten?

4. Wohin setzten sie sich, als sie endlich oben waren?

5. Was taten alle, nachdem sie gegessen hatten?

6. Was für ein Vogel flog hoch über ihnen?

7. Wie war es auf dem Gipfel, obschon die Sonne schien?

8. Über welchen Ort gingen sie nach Hause?

9. Was sieht man bei der Waldmühle oft?

10. Wessen Vater hat dort ein Reh geschossen?

11. Hat Jakob bei der Waldmühle auch Glück gehabt?

12. Haben die Knaben wirklich Rehe gesehen?

13. Was taten die Rehe, als die Knaben sich näherten?

14. Wie war es geworden, ehe die Wanderer an das große, alte
Gebäude kamen?

15. Wie waren die Knaben, als sie nach Hause kamen?

Vocabulary

der Adler (–s, —) eagle

angenehm agreeable, pleasant

auf'|wachen (wk., aux. sein) awake, wake up

der Bach (–es, ⸚e) brook

der Becher (–s, —) drinking-cup

biegen (er biegt, er bog, er hat gebogen) bend; intr., aux. sein turn

bieten (er bietet, er bot, er hat geboten) offer

das Butterbrot (–s, –e) (slice of) bread and butter

dicht thick, dense; dicht dabei' close by it

der Felsen (–s, —) rock

die Flasche (—, –n) bottle

fliegen (er fliegt, er flog, er ist geflogen) fly

fliehen (er flieht, er floh, er ist geflohen) flee

frieren (er friert, er fror, er hat gefroren) be cold, feel cold

das Gebäu'de (–s, —) building

gießen (er gießt, er goß, er hat gegossen) pour

der Gipfel (–s, —) top

das Glück (–es) luck, fortune, happiness; Glück haben be lucky

der Hochwald (–s, ⸚er) forest of tall trees, big timber

der Kreis (Kreises, Kreise) circle

kriechen (er kriecht, er kroch, er ist gekrochen) creep; auf Händen und Füßen kriechen creep on one's hands and knees

lärmend noisily

links adv. to the left

die Luft (—, ⸚e) air

nähern (wk.) refl., w. dat. approach

oben adv. at the top; hier oben up here

rechts adv. to the right

das Reh (–es, –e) deer

riechen (er riecht, er roch, er hat gerochen) smell

der Rücken (–s, —) back

schießen (er schießt, er schöß, er hat geschossen) shoot

schützen (wk.) protect

das Tal (–es, ⸚er) valley

die Waldmühle (—, –n) forest mill; über die Waldmühle gehen go by way of the forest mill

der Wanderer (–s, —) wanderer

wecken (wk.) waken

die Weile (—) while

der Wind (–es, –e) wind

ziehen (er zieht, er zog, er hat gezogen) draw, pull; intr., aux. sein move, go; Kreise ziehen make circles, form circles

sie mußten they had to

B

1. Strong Verbs, Class II

The verbs of Class II have the vowels ie, ŏ, ŏ, or ie, ō, ō, in the infinitive, past indicative, and past participle respectively:

ie, ŏ, ŏ	ie, ō, ō
fließen, floß, geflossen	biegen, bog, gebogen
gießen, goß, gegossen	bieten, bot, geboten
kriechen, kroch, gekrochen	fliegen, flog, geflogen
riechen, roch, gerochen	fliehen, floh, geflohen
schießen, schoß, geschossen	frieren, fror, gefroren
schließen, schloß, geschlossen	verlieren, verlor, verloren
	ziehen, zog, gezogen

2. Der as Demonstrative

Der is used both as a demonstrative adjective and as a demonstrative pronoun.

As an adjective it is declined like the definite article, but has stronger stress:

> **Der** Junge macht mich noch verrückt. *That boy will drive me crazy yet.*
>
> **Die** Frau ist aber groß, nicht wahr? *That woman is certainly tall, isn't she?*

Der is less definite than the demonstratives jener and dieser; that is, it does not in itself indicate the position of objects as distant or near. Its use is common, especially in everyday speech.

As a demonstrative pronoun der is inflected like the relative der, but has stronger stress:

> Ja, **der** hat immer Glück. *Yes, he is always lucky.*
>
> Wir sahen drei Rehe auf einer Wiese, **die** flohen aber schnell in den Wald. *We saw three deer in a meadow, but they quickly fled into the forest.*

Note that in translating these sentences into English the personal pronoun is employed instead of the demonstrative. When the third person is to be emphasized, German often uses the demonstrative der, die, das, in place of the personal pronoun er, fie, es.

3. Compounds with da

In place of the preposition plus the demonstrative pronoun der, a compound of da (dar before vowels) with the preposition may be used in referring to a thing; this is the regular construction when referring to an idea:

> „Was für eine dumme Frage!" sagte Frau Weber. **Da′mit** (*With that*) ging sie aus dem Zimmer.

Compare the last sentence with the following:

> Was hast du **damit′** (*with it*) gemacht?

It will be noted, then, that compounds with da take the stress on the first component when they have demonstrative force; on the last component when they stand for the preposition plus a personal pronoun.

C

1. Give a synopsis of

1. Wir frieren alle ein wenig. 2. Im Hochwald riecht es sehr angenehm. 3. Die Adler fliegen sehr hoch. 4. Das Kind kriecht auf Händen und Füßen. 5. Ich schieße ein Reh.

2. Give a sliding synopsis of

1. Wir bieten dem Manne Geld. 2. Ihr biegt rechts in den dichten Wald. 3. Sie ziehen nach Berlin.

3. Put into the past tense and the present perfect tense:

1. Die Rehe fliehen schnell in den Wald. 2. In einem Tale links vom Wege fließt ein Bach lärmend über die Steine seines Bettes. 3. Ich gieße den Kaffee in die Becher. 4. Du verlierst die Flasche. 5. Bald schließen die Wanderer die müden Augen. 6. Der Adler zieht

große Kreise in die blaue Luft. 7. Klaus wacht zuerst auf und weckt die anderen. 8. Hier oben ist es kühl, obgleich die Sonne scheint. 9. Sie nähern sich dem Gipfel des Berges. 10. Der Felsen schützt sie gegen den Wind. 11. Nach dem Essen liegen wir auf dem Rücken und schauen in den Himmel. 12. Wir gehen über die Waldmühle nach Hause. 13. Sie sehen das alte Gebäude kaum, obgleich sie dicht dabei sind. 14. Er ißt sein Butterbrot. 15. Du hast immer Glück. 16. Nach einer Weile kommen die Wanderer an den Hochwald.

4. *a*. Say in German to your brother:

1. Close the door. 2. Eat your bread and butter. 3. Do not bend the postal card.

b. Say in German to your sister and your brother:

1. Creep on your hands and knees.[1] 2. Do not waken the children. 3. Do not offer them any coffee.

c. Say in German to Mr. Brown:

1. Pour the tea in the drinking-cups. 2. Do not shoot the deer. 3. Do not lose the bottle.

1. feet.

5. Read the following sentences aloud and translate them:

1. Sie setzten sich hinter einen Felsen, der schützte sie gegen den Wind.

   Sie setzten sich hinter einen Felsen, der sie gegen den Wind schützte.

2. Er hatte eine Flasche mit Kaffee, den goß er in kleine Becher.

   Er hatte eine Flasche mit Kaffee, den er in kleine Becher goß.

3. Da kommt Herr Vogel, der hat letzten Herbst bei der Waldmühle ein Reh geschossen.

   Da kommt der Herr, der letzten Herbst bei der Waldmühle ein Reh geschossen hat.

4. Auf einer kleinen Wiese sahen wir einige Rehe, die flohen schnell in den Wald.

   Auf einer kleinen Wiese sahen wir einige Rehe, die schnell in den Wald flohen.

5. Hoch über ihnen flog ein Adler, der zog große Kreise in die blaue Luft.

Hoch über ihnen flog ein Adler, der große Kreise in die blaue Luft zog.

6. Replace the English words in parentheses by German equivalents:

1. (For that) habe ich kein Geld. Ich habe kein Geld (for it). 2. Ist (that) Junge wieder hier? 3. (Of that) denke ich gar nicht. Ich denke gar nicht (of it). 4. Fürchtet euch nicht! (That) alte Hund wird euch nicht beißen. 5. Da geht Klara Schmidt, (she) trägt immer einen grünen Hut. 6. Das ist Franz Huber, (he) wartet auf seinen kleinen Bruder. 7. (About[1] that) hat er mir kein einziges Wort gesagt. Er hat mir kein einziges Wort (about it) gesagt. 8. (That) ist alles, (that) ich habe. 9. Hier ist der Hut, (that) er mir schenkte. 10. Glauben Sie, (that) er kommen wird? 11. Nichts, (that) ich tue, gefällt ihm. 12. (Whoever) das glaubt, ist ein Narr. 13. (Who) hat dir das gesagt? 14. Dort geht der alte Herr, (who) es mir gesagt hat. 15. (Whose) Buch haben Sie? 16. Mein Vetter, (whose) Vater neulich gestorben ist, wohnt jetzt bei uns. 17. (He who) viel Geld hat, (der) ist deshalb[2] nicht immer glücklich.

1. von. 2. *on that account.*

7. Give the meaning and the principal parts of

a

Bach	Flasche	Wanderer	Tor	Welt
Gebäude	Gipfel	Waldmühle	Berg	Mensch
Adler	Tal	Luft	Esel	Halsband
Becher	Kreis	Hochwald	Fuß	Markt
Felsen	Reh	Butterbrot	Stock	Mark
Rücken	Glück	Bauer	Gott	Narr
Wind	Weile	Geld	Wort	Geschenk

b

ergreifen	reiten	steigen	zerreißen
eilen	pfeifen	fürchten	schreiben
bellen	schneiden	schweigen	schreien
beißen	warten	bleiben	scheinen

8. Translate into German:

1. After a while the wanderers came to a valley in which a large brook flowed. 2. By a large fir tree they turned to the right into a dense forest where it was quite dark and cool, although the sun shone bright and warm. 3. As they approached the top of the mountain, they had to creep on their hands and knees[1] until they were at the top. 4. They sit down behind a rock and eat their slices of bread and butter and drink the coffee which James has in a bottle. 5. Then they lie on their backs and look into the sky, where an eagle is flying high above them and forming large circles in the blue air. 6. But soon they are sleeping, for they are very tired. When[2] they awake, they are all a little cold. 7. They go home by way of the forest mill. It is very late when[2] they start on their way. 8. It is already becoming dark before they come to the forest mill. Close by the old building they see three deer which flee quickly into the forest as they approach. 9. "Last fall my father was lucky," said Charles. "He shot[3] two deer not far from here." 10. "I am never lucky," answered James. "I lost[3] my watch here three months ago." 11. From the forest mill it is still a long way to the city. Not until eight o'clock are the tired wanderers at home again.

1. feet.　2. Use als; historical present.　3. Pres. perf. tense.

D

[Optional]

Eine teure Zeche[1]

Zur Zeit der französischen Revolution flohen viele Edel= leute[2] über den Rhein nach Deutschland hinein, um ihr Leben zu retten. Ein solcher Edelmann kam mitten im Winter mit seinen beiden mutterlosen Kindern in einer kleinen Stadt an. 5 Das Wetter war sehr kalt und auf den Straßen lag tiefer Schnee. Da die Kinder krank waren, konnte der Flüchtling[3] nicht weiter reisen. Er mietete[4] ein Zimmer; es war groß genug, und es stand auch ein mächtiger Ofen darin. Aber Holz mußte der Franzose sich selbst besorgen. In der Stadt

Model Home near Frankfurt on the Main

10 hatte niemand Holz zu verkaufen; doch zum Glück sah der
Fremde am Tore einen Bauer mit einem Fuder [5] Brennholz.
Der Bauer verlangte drei Louisdor, ungefähr zwölf Dollar,
obgleich das Holz kaum drei Taler wert war. Der Fremde
mußte Holz haben, wenn seine Kinder nicht erfrieren sollten; [6]
15 und so mußte er zahlen.

Der Bauer fuhr dann mit dem leeren Wagen zum Wirts=
haus zur Krone, [7] und ließ [8] sich Wurst, Käse, Brot und
Branntwein bringen. Während er aß und trank, erzählte er
dem Wirt von dem guten Handel, den er gemacht hatte, und
20 auf den er sehr stolz war. Der Wirt bemerkte: „Mann, Ihr
habt aber unrecht gehandelt." „Wieso?" entgegnete der Bauer.
„Das Holz war mein, ich darf fordern, was mir gefällt."
Der Wirt schwieg, aber dachte bei sich: „Warte, du Schurke [9]!
Dir werde ich die Suppe versalzen. [10]" Als der Bauer gegessen
25 und getrunken hatte, fragte er nach der Zeche, und der Wirt
forderte drei Louisdor. Der Bauer wurde wütend, schlug mit
der Faust [11] auf den Tisch, daß Glas und Teller tanzten, und
schrie: „Keinen roten Pfennig bekommt Ihr von mir."
„Nun gut," war die Antwort; „dann geht nur zu Fuß nach
30 Hause. Euer dicker Schimmel steht schon in meinem Stall
hinter Schloß und Riegel. [12]" Der Bauer lief wütend hinaus
und zum Richter. Dieser war erstaunt, denn er kannte den
Kronenwirt als einen ehrlichen [13] Mann. Er schickte nach dem
Wirt und als dieser vor ihm stand, fragte er: „Kronenwirt,
35 seid Ihr verrückt geworden?" Der Wirt antwortete ruhig:
„O nein, Herr Richter; ich habe meinen Verstand gut beisam=
men. [14]" Und dann erzählte er von dem Holzhandel, von dem
der Bauer natürlich geschwiegen hatte. Da bekam die Sache
ein andres Gesicht. Der Richter befahl: „Heraus mit den drei
40 Louisdor! Wirt, habt Ihr drittehalb [15] Taler bei Euch?" Der

Wirt nickte.[16] „Gut, gebt sie dem Bauer und zieht fünfund=
zwanzig Pfennige für die Zeche ab! Die drei Louisdor bringt
dem Fremden, d. h. nachdem Ihr zwei und einen halben Taler
abgezogen habt." Und so geschah es.[17] Der Wirt schenkte dem
Bauer die Zeche und brachte dem erfreuten Franzosen das 45
Geld, und zwar volle drei Louisdor. Er war ein wohlhaben=
der Mann, drittehalb Taler machten ihn weder arm noch reich.

1. *bill, reckoning.*   2. *noblemen.*   3. *fugitive.*   4. *rented.*   5. *load.*
6. *were to.*   7. *Crown.*   8. *had.*   9. *scoundrel.*   10. *spoil.*   11. *fist.*
12. *under lock and key.*   13. *honest.*   14. *am in my right mind.*
15. *two and one-half.*   16. *nodded.*   17. *so it was done.*

Witze

Der Pfarrer schlug die Hände über dem Kopf zusammen.
„Kipfelberger," sagte er bekümmert, „als ich Sie das letztemal
traf, machten Sie mich zum[1] glücklichsten Menschen auf der
Welt, weil Sie nüchtern waren. Und heute machen Sie mich
zum[1] allerunglücklichsten, weil Sie schon wieder betrunken sind." 5
    „Ja, Herr Pfarrer," entgegnete der alte Sünder, „heute bin
ich dran[2] mit dem Glücklichsein[3]!"

1. *the.*   2. bin ich dran *it's **my turn**.*   3. *being happy.*

„Warum haben Sie gerade die Behandlung von Haut=
krankheiten als Spezialität[1] gewählt?" fragte man einen
berühmten Arzt.
    „Dafür habe ich drei gute Gründe", antwortete der Arzt.
„Erstens holen mich meine Patienten[2] nie nachts aus dem Bett, 5
zweitens stirbt selten einer daran,[3] und drittens werden sie das
Übel nie los."

1. die Spezialität' *specialty.*   2. der Patient' *patient.*   3. *of them* or
from them.

LESSON XXIV

Strong Verbs, Class III · Cardinal Numerals · Definite Article in a Distributive Sense · Infinitive as a Noun

A

Schulprüfung und Schauturnen

Gestern war Schulprüfung. Die Eltern der Kinder und viele andere waren da. Die älteren Schüler hatten am Tage vorher Kränze gebunden und alle Zimmer damit geschmückt. Nachdem die Kleinen zwei Lieder gesungen hatten, fragte der
5 Lehrer sie: „Wieviel ist zwei mal fünf, zehn weniger drei, sechs und sieben, acht geteilt durch vier" und so weiter. Endlich fragte er den kleinen Peter Gruber, der erst sieben Jahre alt ist, aber gut rechnet: „Peter, wieviel hast du in deiner Sparbüchse?" „Eine Mark fünfundzwanzig Pfennige", war die Antwort.
10 „Wenn ich dir nun fünfundzwanzig Pfennige gebe, wieviel hast du dann?" Dieselbe Antwort wie vorher. „Aber Peter!" ruft der Lehrer jetzt. „Wieviel ist hundertfünfundzwanzig und fünfundzwanzig?" „Hundertundfünfzig. Ach so! Aber für die fünfundzwanzig Pfennige kaufe ich mir doch[1] einen neuen
15 Bleistift", sagte Peter mit erstauntem Gesicht.

Am Abend war Schauturnen in der Turnhalle. Es begann um halb acht und dauerte bis drei Viertel zehn. Hier glänzte Jakob Schaffer, der den ersten Preis gewann. Man fing mit dem Schwimmen an. Jakob gleitet langsam ins Wasser, sinkt
20 wie ein Stein und bleibt unten. Der Lehrer steht mit der Uhr in der Hand und zählt: „Zehn, zwanzig, dreißig, vierzig" usw. Erst nach dreiundneunzig Sekunden kommt Jakob wieder nach oben und schwimmt nun vierundzwanzig Minuten sehr schnell.

Dann eilt er zu dem höchsten Sprungbrett und springt ins Wasser. Er hat mindestens zwölfmal getaucht, und zwar auf 25 alle möglichen [2] Weisen. Nachher hat er noch mit Kurt Balke gerungen, der viel älter und größer als Jakob ist. Aber dieser hat ihn doch endlich mit den Schultern auf die Matte gezwungen. Er war aber auch [3] stolz wie ein König, als er um zehn Uhr nach Hause ging, nachdem er zwei Tassen heißen Tee getrunken 30 hatte.

1. *you see.* 2. After alle the adj. takes the wk. endings. 3. aber auch *indeed.*

Merksätze

Wieviel Uhr ist es?

Es ist ein Viertel drei.

Es ist halb acht. ·

Es ist drei Viertel zehn.

Um zehn Uhr ging er nach Hause. 5

Wievielmal die Woche gehen Sie ins Kino?

Ich gehe zweimal die Woche ins Kino.

Fragen

1. Warum waren gestern die Eltern der Kinder in der Schule?

2. Was hatten die älteren Schüler am Tage vorher getan?

3. Womit begannen die Kleinen, nachdem sie zwei Lieder gesungen hatten, mit dem Rechnen oder dem Lesen?

4. Warum fragte der Lehrer den kleinen Peter Gruber?

5. Wieviel Geld hatte Peter in seiner Sparbüchse?

6. Was fragte ihn der Lehrer dann?

7. Was antwortete Peter?

8. Warum zählte Peter die fünfundzwanzig Pfennige nicht zu dem Gelde, welches er schon hatte?

9. Wann war großes Schauturnen?

10. Wer gewann den ersten Preis?

11. Wie lange blieb Jakob unter Wasser?

12. Wie lange ist er nachher geschwommen?

13. Wie war der Knabe, mit dem Jakob gerungen hat?

14. Wie war Jakob, als er nach Hause ging?

Vocabulary

āch ah, oh; ach so oh, I see

die Antwort (—, –en) answer

binden (er bindet, er band, er hat gebunden) bind, tie

derselbe [1] (dieselbe, dasselbe; dieselben) the same

ērst first, only, not until

erstaunt' astonished

das Gesicht' (–s, –er) face; mit erstauntem Gesicht with a look of astonishment

gewin'nen (er gewinnt, er gewann, er hat gewonnen) win, gain

glänzen (wk.) glitter, glisten, shine

gleiten (er gleitet, er glitt, er ist geglitten) glide

heiß hot

der König (–s, –e) king

der Kranz (–es, ⁺e) wreath; Kränze binden make wreaths

die Matte (—, –n) mat

die Minu'te (—, –n) minute

nāch'her' afterwards

der Pfennig (–s, –e) pfennig (the one-hundredth part of a mark)

der Preis (Preises, Preise) price, prize

ringen (er ringt, er rang, er hat gerungen) struggle, wrestle

das Schauturnen (–s) gymnastic exhibition

schmücken (wk.) adorn, decorate

die Schulprüfung (—, –en) exhibition test (to which the school commissioners and the parents are invited)

die Schulter (—, –n) shoulder

schwimmen (er schwimmt, er schwamm, er ist geschwommen) swim; das Schwimmen (–s) swimming

die Sekun'de (—, –n) second

sinken (er sinkt, er sank, er ist gesunken) sink

die Sparbüchse (—, –n) savings box or bank

springen (er springt, er sprang, er ist gesprungen) jump, leap, spring

das Sprungbrett (–s, –er) diving board

ſtolz proud

tauchen (*wk.*) dive

teilen (*wk.*) divide; geteilt durch divided by

die Turnhalle (—, –n) gymnasium

unten *adv.* beneath, under

das Viertel (ie = i̇) (–s, —) quarter

vorher' *adv.* before; am Tage vorher on the day before

die Weiſe (—, –n) manner, way;

auf alle möglichen Weiſen in all the ways possible

weniger less

wieviel' how much

wieviel'mal how many times

zweimal two times, twice

zwingen (er zwingt, er zwang, er hat gezwungen) force, compel; ihn mit den Schultern auf die Matte zwingen force his shoulders against the mat

zwölfmal twelve times

am Abend in the evening

nach oben up, to the top

zwei mal fünf two times five

1. Both components are declined: der as the definite article, ſelbe as a weak adjective.

B

1. Strong Verbs, Class III

The verbs of Class III have the vowels i̇, a, u, or i, a, o, in the infinitive, past indicative, and past participle respectively:

i, a, u

binden, band, gebunden

finden, fand, gefunden

ringen, rang, gerungen

ſingen, ſang, geſungen

ſinken, ſank, geſunken

ſpringen, ſprang, geſprungen

trinken, trank, getrunken

zwingen, zwang, gezwungen

i, a, o

beginnen, begann, begonnen

gewinnen, gewann, gewonnen

ſchwimmen, ſchwamm, geſchwommen

2. Cardinal Numerals

1	eins	11	elf	21	einundzwanzig
2	zwei	12	zwölf	22	zweiundzwanzig
3	drei	13	dreizehn	30	dreißig
4	vier	14	vierzehn	40	vierzig
5	fünf	15	fünfzehn	50	fünfzig
6	sechs	16	sechzehn	60	sechzig
7	sieben	17	siebzehn	70	siebzig
8	acht	18	achtzehn	80	achtzig
9	neun	19	neunzehn	90	neunzig
10	zehn	20	zwanzig	100	hundert

101	hundert(und)eins	202	zweihundert(und)zwei
102	hundert(und)zwei	210	zweihundert(und)zehn
110	hundert(und)zehn	221	zweihunderteinundzwanzig
121	hunderteinundzwanzig	1 000	tausend
200	zweihundert	1 001	tausend(und)eins
201	zweihundert(und)eins	2 000	zweitausend

100 000	hunderttausend
1 000 000	eine Million', *pl.* Millionen
1 000 000 000	eine Milliar'de, *pl.* Milliarden
0	eine Null, *pl.* Nullen

Note carefully

> sechs, sechzehn, sechzig
> sieben, siebzehn, siebzig
> ß (i.e. ss), not z, in dreißig
> Commonly hundert, not einhundert
> Commonly tausend, not eintausend
> ie in vierzehn and vierzig pronounced as short i

The form eins is used in counting, as indicated above.
As an attributive adjective and as a pronoun, ein *one* has
been treated in Lessons III and XVI. The numeral ein is
often spaced (e i n) to distinguish it from the article ein.
It is pronounced with strong stress, whereas the article is
without stress.

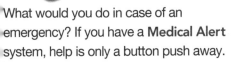

⊕Medical Alert

Help at the Push of a Button

Get Peace of Mind and Independence with Medical Alert Monitoring!

- No Long-Term Contract
- No Activation Fee
- No Installation Fee
- Lifetime Warranty

- Sales and Monitoring Agents Based in the USA
- Medical Emergency Button (Waterproof Pendant or Wristband)

Call Now Toll-Free

1-800-800-2112 | www.MedicalAlert.com

CONNECT AMERICA
2193 WEST CHESTER PIKE
BROOMALL PA 19008-9901

Hundert and tausend are not inflected when used as adjectives, but form a plural in ₌e when used as nouns:

> hundert Leute *a hundred people*
> Hunderte von Leuten *hundreds of people*
> tausend Vögel *a thousand birds*
> Tausende von Vögeln *thousands of birds*

Million, Milliarde, and Null are weak nouns.

The other cardinals are not inflected.

A date under 2000, as 1934, is usually read thus: neunzehnhundertvierunddreißig.

3. Arithmetical Expressions

$$2 + 3 = 5 \qquad \text{Zwei und drei ist fünf.}$$
$$3 \times 4 = 12 \qquad \text{Drei mal vier ist zwölf.}$$
$$10 - 1 = 9 \qquad \text{Zehn weniger eins ist neun.}$$
$$12 \div 2 = 6 \qquad \text{Zwölf geteilt durch zwei ist sechs.}$$

4. Multiplicatives

Multiplicatives are formed by adding ₌mal to the cardinals:

> Ich gehe zweimal die Woche ins Kino.
> Er hat mindestens zwölfmal getaucht.

5. Time of Day

> Wieviel Uhr ist es? *What time is it?*
> Es ist eins (or ein Uhr). *It is one o'clock.*
> Es ist zwei (Uhr). *It is two o'clock.*
> ein Viertel (auf) drei *a quarter past two*
> halb drei *half past two*
> drei Viertel (auf) drei *a quarter to three*
> zehn Minuten nach zwei *ten minutes after two*
> zehn Minuten vor drei *ten minutes to three*
> um drei Uhr *at three o'clock*

Railway and airway time-tables use the twenty-four-hour system: 14.25 = 2.25 P.M.

6. Definite Article in a Distributive Sense

The definite article is used in a distributive sense:

Wievielmal **die** Woche gehen Sie ins Kino? *How many times a week do you go to the movies?*

Ich gehe zweimal **die** Woche ins Kino. *I go to the movies twice a week.*

7. Infinitive as a Noun

The infinitive may be used as a noun. In this use it is generally preceded by the definite article.

Man fing mit **dem Schwimmen** an. *They began with swimming.*

Heute regnet es, und so finde ich Zeit **zum Schreiben.** *It is raining today, and so I find time for writing.*

C

1. Give a synopsis of

1. Er zwingt ihn mit den Schultern auf die Matte. 2. Ich binde den Hund an den Baum. 3. Du schwimmst sehr schnell. 4. Nachher ringt er mit Kurt Balke. 5. Ihr findet die Sparbüchse auf dem Pulte. 6. Er springt ins Wasser.

2. Give a sliding synopsis of

1. Ich gewinne den ersten Preis. 2. Du singst mehrere Lieder. 3. Er taucht auf alle möglichen Weisen.

3. Put into the past tense and the present perfect tense:

1. Am Tage vorher binden die Schüler Kränze. 2. Wir schmücken alle Zimmer damit. 3. Die Kleinen beginnen mit dem Rechnen. 4. „Ach so!" sagt Peter mit erstauntem Gesicht. 5. Am Abend ist Schauturnen in der Turnhalle. 6. Man fängt mit dem Schwimmen an. 7. Jakob gleitet langsam ins Wasser. 8. Er sinkt wie ein Stein und bleibt unten. 9. Erst nach neunzig Sekunden kommt er wieder nach oben. 10. Ich trinke eine Tasse heißen Tee. 11. Du eilst zu dem höchsten Sprungbrett. 12. Um zehn Uhr geht er stolz wie ein König nach Hause. 13. Der Stein glänzt wie Gold. 14. Er bietet mir die Hand.

4. Give the imperative (three forms) of

1. viele Kränze binden.
2. die Zimmer damit schmücken.
3. nicht ins Wasser springen.

5. Decline in the singular and plural:

derselbe Preis   dieselbe Antwort   dasselbe Gesicht

6. *a.* Count in German from ten to thirty.

b. Give in German the tens from ten to a hundred.

c. Give in German the multiplication table of three.

d. Translate the proverb

Einmal ist keinmal.

7. Answer in German the following questions:

1. Wie alt sind Sie? 2. Wie viele Geschwister haben Sie? 3. Wie viele Tage hat das Jahr? 4. Wie viele Wochen hat das Jahr? 5. Wieviel Uhr ist es? 6. Um wieviel Uhr gehen Sie gewöhnlich zu Bett? 7. Um wieviel Uhr sind Sie heute morgen aufgewacht? 8. Wann geht die Sonne jetzt unter? Wann geht sie auf? 9. Um wieviel Uhr gehen Sie zur Schule? 10. Um wieviel Uhr kommen Sie aus der Schule? 11. Wievielmal die Woche gehen Sie zur Kirche? 12. Wievielmal die Woche gehen Sie ins Kino?

8. Do the following examples in German:

$8 + 7 =$	$60 - 16 =$	$6 \times 6 =$	$8 \div 2 =$
$12 + 9 =$	$72 - 8 =$	$3 \times 24 =$	$49 \div 7 =$
$25 + 8 =$	$90 - 15 =$	$10 \times 100 =$	$96 \div 12 =$

9. Read, in German, the time of day indicated by the following figures:

6.00	4.15	11.10	12.30
7.30	9.45	2.40	1.15

10. Replace the English words in parentheses by the German equivalents:

1. Ich habe nicht viel Zeit (for writing). 2. Peter Gruber ist (only) sieben Jahre alt. 3. Er hat (only) zwanzig Pfennige in seiner

Sparbüchse. 4. Wir haben dreimal (a) Woche Deutsch. 5. Die Kleinen fingen (with reading) an. 6. Nicht alles, (that) glänzt, ist Gold. 7. Es war ein alter König, (he) hatte eine schöne Tochter. 8. Was sagst du (to that)? 9. Geh zu Tante Emma, (she) wird dir helfen. 10. (That) Junge macht mich noch verrückt!

11. Give the meaning and the principal parts of

a

Matte	Schulter	Turnhalle	Felsen	Tal	Becher
Kranz	Weise	Gebäude	Bach	Wind	Luft
König	Sekunde	Flasche	Rücken	Kreis	Adler

b

teilen	gießen	wecken	schießen	frieren
bieten	schützen	kriechen	sich nähern	biegen
fliegen	ziehen	riechen	fliehen	schneiden

12. Translate into German:

1. Today is examination day.[1] The parents of the pupils and many others are at school. 2. The pupils have made wreaths and decorated the rooms with them. 3. They[2] begin with figuring. The teacher asks the pupils, "How much is nine times seven, forty-eight divided by six," and so on. 4. At last he asks Peter Gruber how much he has in his savings bank. "One mark and thirty-five pfennigs," answers Peter. 5. The teacher asks then how much he will have if he gives him twenty-five pfennigs. 6. The same answer as before. "Why, Peter!" exclaims the teacher, astonished. 7. Peter laughs and says that he will buy a new pencil for the twenty-five pfennigs. 8. In the evening there[3] is a[3] gymnastic exhibition in the gymnasium. It begins at half past eight and lasts until a quarter to eleven. 9. James Schaffer won the first prize. He glided slowly into the water and sank like a stone. 10. He stayed under for ninety-two seconds. When he came up again, he swam for twenty-five minutes very fast. 11. Then he dived at least eleven times, and in all the ways possible, too. 12. Afterwards he wrestled with Kurt Balke. Although Kurt is much older and larger than James, still the latter at last forced his shoulders against the mat.

    1. *examination day* Schulprüfung.   2. Man.   3. Omit.

D [Optional]

Alt Heidelberg
(Sieh Seite 427!)

(Sieh Seite 427!)

Die Universität Heidelberg ist die älteste in Deutschland. Sie
besteht seit dem Jahre 1386, ist also jetzt schon über 550 Jahre
alt. Heidelberg ist wohl die berühmteste, doch lange nicht die
größte Universität in deutschen Landen. Die Stadt liegt am 5
Neckar, einem Nebenflusse des Rheins, in einer sehr schönen
Gegend. Ein Sommersemester in Heidelberg ist der Herzens=
wunsch vieler deutscher Studenten. Die deutschen Studenten
beendigen nämlich ihre Studien häufig nicht auf einer und
derselben Universität, sondern wechseln von einer zur anderen. 10
Gewöhnlich gehen sie dorthin, wo sie die besten Lehrer in ihrem
Fache finden. Für die deutschen Studenten ist die ganze akade=
mische Welt eine große Republik,[1] wo jeder die gleichen Rechte
hat, wohin er auch[2] kommt. Man spricht von keiner bestimmten
Alma mater und man singt „Alt Heidelberg" überall, wo 15
deutsche Studenten zusammenkommen. Das wirklich schöne
Lied enthält viel von der alten Romantik[3] des Studenten=
lebens und ist gerade deshalb so beliebt.

Der Dichter desselben war Joseph Viktor von Scheffel
(1826–1886). Er hat eine ganze Anzahl Studentenlieder 20
geschrieben, deren Humor ewig jung bleiben wird. Auch seine
größeren Werke sind voller Humor, besonders „Ekkehard"
(1857), vielleicht der beste historische Roman der deutschen
Literatur, und „Der Trompeter von Säkkingen[4]" (1855).
„Der Trompeter" ist eine Liebesgeschichte in Versen und ziem= 25
lich sentimental.[5] Das Buch hat fast dreihundert Auflagen
erlebt, „Ekkehard" weit über zweihundert. Scheffels kleinere
Schriften sind nicht so gut bekannt.

In dem „Trompeter" finden wir den philosophischen Kater
30 Hiddigeigei. Obschon er immer unter den Menschen gelebt
hat, sind sie ihm doch ein Rätsel. So spekuliert [6] er:

> Manch ein schwer Problema [7] hab' ich
> Prüfend in dem Katerherzen
> Schon erwogen und ergründet,
35 > Aber eins bleibt ungelöst mir,
> Ungelöst und unbegriffen:
> Warum küssen sich die Menschen?
> 's ist nicht Haß, sie beißen sich nicht,
> Hunger nicht, sie fressen sich nicht,
>
> . . . .
>
40 > Warum also, frag' umsonst ich,
> Warum küssen sich die Menschen?
> Warum meistens nur die jüngren [8]?
> Warum diese meist im Frühling?
> Über diese Punkte werd' ich
45 > Morgen auf des Daches Giebel
> Etwas näher meditieren. [9]

Scheffels Werke geben aber auch ein gutes Bild der Wirklichkeit, denn er kannte Land und Leute sehr genau. Der Dichter
hat mehrere Semester in Heidelberg studiert, ist auch im
50 späteren Leben oft nach Heidelberg gekommen. So ist es ganz
natürlich, daß wir dort, in der Nähe des berühmten Schlosses,
ein Denkmal von ihm finden. Es ist ein schönes Werk aus Erz.
Auch anderwärts hat man den Dichter durch Denkmäler geehrt;
eines steht sogar in dem fernen Italien, das der Dichter mehr-
55 mals besuchte.

---

1. Republik' republic. 2. wohin . . . auch wherever. 3. Roman'tik romanticism. 4. Now spelled Säckingen; a town in Baden. 5. senti-mental' sentimental. 6. spekulie'ren speculate. 7. For Problem' problem. 8. Contr. of jüngeren. 9. meditie'ren meditate.

"Alt Heidelberg, du feine"

LESSON XXV

**Strong Verbs, Class IV and Class V · Ordinal Numerals ·
Dative of the Possessor · Pronoun Object precedes Noun
Subject · Adjective after etwas, nichts, etc.**

A

Freitag, der Dreizehnte

Freitag, den 13. April 1934, hatte Anna viel Unglück.
Gleich beim Frühstück zerbrach sie ihr Glas, und als sie es in
die Küche trug, wie ihr die Mutter befohlen hatte, schnitt sie sich
in den Finger. Das vergaß sie aber bald, nachdem sie in der
5 Schule war, und sie sprach und lachte laut, als der Lehrer schon
hinter sein Pult getreten war. Sie hatte ihn gar nicht gesehen
und war also sehr erstaunt, als er plötzlich sagte: „Anna, da du
so gern sprichst, lies uns die Aufgabe vor!" Natürlich las sie
nicht gut, und beim dritten Satze weinte sie. Aber der Lehrer
10 half ihr und sagte ihr kein böses Wort, denn Anna ist eine gute
und fleißige Schülerin.

Zu Hause war auch etwas Unangenehmes geschehen. Der
Hund hatte das Fleisch für das Mittagessen gestohlen und
gefressen. Aber Anna war nicht hungrig. Sie kam mit roter,[1]
15 geschwollener Wange nach Hause und weinte laut. Eine Biene
hatte sie gestochen. Die Mutter legte ihr Tonerde auf die
Wange, und bald hörten die Schmerzen auf. Man setzte sich
jetzt an den Tisch, aber Anna aß nichts, sondern trank nur ein
Glas Milch. Plötzlich rief sie: „Es ist aber[2] gut, daß nicht
20 jeder Tag ein Freitag und der Dreizehnte ist!"

„Glaubst du, daß der Tag und das Datum daran schuld
sind?" fragte der Vater. „In meinem achten Jahre habe ich
282

mir am zwölften Mai, am Sonntag, das Bein gebrochen und dann bis zum zweiten Juni im Hospital gelegen. Was sagst du dazu?" 25

1. Supply the indefinite article in translating. See Appendix, page 442.
2. *certainly.*

Merksätze

Der wievielte ist heute?
Es ist der zehnte November.
Wann sind Sie geboren?
Ich bin am dritten August 1916 geboren.

Fragen

1. Was tat Anna gleich beim Frühstück?

2. Was geschah, als sie das Glas in die Küche trug?

3. Was tat Anna in der Schule noch, als der Lehrer schon im Zimmer war?

4. Was sagte der Lehrer zu Anna?

5. Was tat Anna beim dritten Satze?

6. Warum sagte ihr der Lehrer kein böses Wort?

7. Wo war auch etwas Unangenehmes geschehen?

8. Was hatte der Hund getan?

9. Wie war Annas Wange, als sie nach Hause kam?

10. Warum war ihre Wange rot und geschwollen?

11. Was tat die Mutter?

12. Was rief Anna plötzlich, nachdem sie eine Weile am Tische gesessen hatte?

13. Wie alt war Annas Vater, als er sich das Bein brach?

14. Geschah das am Freitag, dem Dreizehnten?

15. Wie lange hat Annas Vater im Hospital gelegen?

Vocabulary

die Aufgabe (—, –n) exercise, lesson

auf'|hören (*wk.*) cease, stop

der August' (–(e)s *or* —, –e) August

befeh'len (er befiehlt, er befahl, er hat befohlen) *dat. of person* command, order

die Biene (—, –n) bee

böse bad, evil; angry, cross

brechen (er bricht, er bräch, er hat gebrochen) break

das Datum (–s, Daten) date

dritt third

der Freitag (–s, –e) Friday

fressen (er frißt, er fräß, er hat gefressen) eat (of animals)

das Frühstück (–s, –e) breakfast; gleich beim Frühstück right off at breakfast; zum Frühstück for *or* at breakfast

gebo'ren (*past part. of* gebä'ren bear) born

geschwol'len (*past part. of* schwellen swell) swollen

das Hospital' (–s, Hospitäler) hospital

der Juni (–(s), –s) June

laut loud

der Mai (–(e)s *or* —, –e) May

der Novem'ber (v = w) (–(s), —) November

plötzlich sudden

rot (–er, –est) red

der Satz (–es, –e) sentence

der Schmerz (–es, –en) pain

schuld responsible, to blame; er ist daran' schuld he is the cause of it, he is to blame for it

stechen (er sticht, er stäch, er hat gestochen) prick, stick, sting

stehlen (er stiehlt, er stahl, er hat gestohlen) steal

die Tonerde (—, –n) medicated clay

unangenehm unpleasant

das Unglück (–s) ill luck, misfortune

verges'sen (er vergißt, er vergäß, er hat vergessen) forget

vor'|lesen (*str.*) read aloud

die Wange (—, –n) cheek

weinen (*wk.*) cry, weep

wievielt' which (by number); der wievielte ist heute what day of the month is it

zerbre'chen (*str.*) break, break to pieces

sich in den Finger schneiden cut one's finger

B

1. Strong Verbs, Class IV

The verbs of Class IV have the vowels e, a, o, in the infinitive, past indicative, and past participle respectively:

e, a, o

befehlen, befahl, befohlen
brechen, bråch, gebröchen
helfen, half, geholfen
nehmen, nahm, genommen
sprechen, språch, gesprochen
stechen, ståch, gestöchen
stehlen, stahl, gestohlen
sterben, starb, gestorben
treffen, traf, getroffen
werfen, warf, geworfen

Here belong also kommen (with irregular vowel in the present) and werden (with a weak past indicative):

kommen, kam, gekommen
werden, wurde (old form ward), geworden

2. Strong Verbs, Class V

The verbs of Class V have the vowels e, a, e, in the infinitive, past indicative, and past participle respectively:

e, a, e

essen, åß, gegessen	lesen, las, gelesen
fressen, fråß, gefressen	sehen, sah, gesehen
geben, gab, gegeben	treten, trat, getreten
geschehen, geschah, geschehen	vergessen, vergåß, vergessen

The following verbs have i or ie in the infinitive:

bitten, bat, gebeten
sitzen, såß, gesessen
liegen, lag, gelegen

3. Ordinal Numerals

With the exception of 1st, 3d, 7th, and 8th the ordinals through 19th are formed by adding ⸗t to the corresponding cardinals. From 20th upward the ordinals are formed by adding ⸗ſt to the cardinals.

1st	ērſt	11th	elft
2d	zweit	12th	zwölft
3d	dritt	13th	dreizehnt
4th	viert	19th	neunzehnt
5th	fünft	20th	zwanzigſt
6th	ſechſt	21st	einundzwanzigſt
7th	ſiebt or ſiebent	99th	neunundneunzigſt
8th	acht	100th	hundertſt
9th	neunt	101st	hundertunderſt
10th	zehnt	1000th	tauſendſt

The uninflected forms of the ordinals are not used. As a rule the ordinals are preceded by an article or a pronominal adjective, and are declined strong or weak like descriptive adjectives:

> der zweite Knabe *the second boy*
> ſein zweiter Apfel *his second apple*
> das dritte Haus *the third house*
> ihr drittes Kind *their third child*

4. Dates

Note the following expressions:

> Der wievielte iſt heute? *What day of the month is it?*
> Es iſt der zehnte November. *It is the tenth of November* (or *November the tenth*).
> Wann ſind Sie geboren? *When were you born?*
> Ich bin am vierten Januar (or den vierten Januar) 1915 geboren. *I was born (on) the fourth of January, 1915,* or *(on) January the fourth, 1915.*
> der zweite Mai, der 2te Mai, der 2. Mai
> am neunten Juli, am 9ten Juli, am 9. Juli
> den zwanzigſten Februar, den 20ſten Februar, den 20. Februar

5. Dative of the Possessor

The dative of the possessor is commonly used with parts of the body, the latter being preceded by the definite article:

Er legte dem Mädchen Tonerde auf die Wange. *He put medicated clay on the girl's cheek.*

Er legte ihr Tonerde auf die Wange. *He put medicated clay on her cheek.*

Ich habe mir das Bein gebrochen. *I broke my leg.*

6. Pronoun Object Precedes Noun Subject

In the inverted and the transposed order a personal pronoun or reflexive pronoun object often precedes a noun subject:

wie ihr die Mutter befohlen hatte *as her mother had ordered her*
But
wie sie ihr befohlen hatte *as she had ordered her*

7. Adjective after etwas, nichts, etc.

An adjective used after etwas, nichts, viel, was, or wenig is treated as a noun and is written with a capital:

etwas Unangenehmes *something unpleasant*

C

1. Conjugate in the present indicative:

1. Ich nehme das Buch vom Tische. 2. Ich lese die Aufgabe vor. 3. Ich trete hinter das Pult. 4. Ich treffe ihn oft in der Stadt. 5. Ich vergesse das Datum nie.

2. Give a synopsis of

1. Die Biene sticht das Mädchen in die Wange. 2. Es geschieht nichts Neues. 3. Ich zerbreche mein Glas. 4. Das vergessen wir bald. 5. Der Hund stiehlt in der Küche ein Stück Fleisch. 6. Er frißt es hinter dem Hause. 7. Du bist daran schuld.

3. Give a sliding synopsis of

1. Ich befehle dem Bruder zu schweigen. 2. Du hilfst dem Vater nicht. 3. Er sieht die Bienen nicht. 4. Wir essen zum Frühstück nicht viel. 5. Ihr sprecht zu laut. 6. Sie sterben nicht davon.

4. Put into the past tense and the present perfect tense:

1. Er bricht sich das Bein. 2. Sie nimmt die rote Mütze. 3. Ich treffe ihn auf dem Wege nach Hause. 4. Du wirfst deine Bücher auf den Boden. 5. Sie kommt mit geschwollener Wange nach Hause. 6. Wir geben jedem Kinde eine Mark. 7. Ihr lest die Briefe, nicht wahr? 8. Plötzlich tritt der Lehrer ins Zimmer. 9. Er bittet mich um ein Glas Wasser. 10. Er bietet mir drei Mark für das Messer. 11. Er sitzt am Pulte. 12. Er setzt sich ans Pult. 13. Er liegt drei Wochen im Hospital. 14. Sie legt dem Mädchen Tonerde auf die Wange. 15. Bald hören die Schmerzen auf. 16. Wir haben am Freitag viel Unglück. 17. Ich schneide mich in den Finger. 18. Sie weinen laut. 19. Sie liest den Satz vor. 20. Du zwingst mich, es zu tun.

5. *a.* Say in German to your brother:

1. Speak German. 2. Read the sentences aloud. 3. Don't break your arm.

b. Say in German to the children:

1. Help your mother. 2. Don't eat too much. 3. Don't break the glasses.

c. Say in German to Mr. Brown:

1. Take the red ones. 2. Don't forget it. 3. Stop laughing,[1] please.

              1. Infin. with zu.

6. Read the following numerical expressions in German:

9	3	7	10	1	8	20	31	100
9th	3d	7th	10th	1st	8th	20th	31st	100th

7. Decline:

     ihr drittes Kind   das vierte Bild
     mein zweiter Brief   die zwanzigste Aufgabe

8. Read the following dates in German (*a*) in the nominative; (*b*) in the accusative; (*c*) after am:

June 10, 1934	May 16, 1892	February 28, 1760
August 1, 1900	November 21, 1914	March 4, 1935

9. Restate the following sentences, replacing the noun subjects by personal pronouns:

1. Obſchon ihn die Biene geſtochen hatte, weinte er nicht. 2. Als ſich die Knaben dem Gipfel des Berges näherten, mußten ſie auf Händen und Füßen kriechen. 3. Geſtern hat uns der alte Mann beſucht. 4. Darüber freuten ſich die Kinder rieſig.

10. Restate the following sentences, using the dative of the possessor:

1. Der Hund ſprang auf den Rücken des Knaben. 2. Der Hund ſprang auf ſeinen Rücken. 3. Das Waſſer reichte bis an die Schultern der Frau. 4. Das Waſſer reichte bis an ihre Schultern. 5. Sie legte die Hand auf den Kopf des Kindes. 6. Sie legte die Hand auf ſeinen Kopf. 7. Er warf es ins Geſicht des Mannes. 8. Er warf es in ſein Geſicht.

11. Answer in German the following questions:

1. Der wievielte iſt heute? 2. Der wievielte war geſtern? 3. Wann ſind Sie geboren? 4. Wann iſt Weihnachten? 5. Wann beginnen die Sommerferien? 6. Der wievielte Tag der Woche iſt der Freitag? 7. Der wievielte Monat des Jahres iſt der Juni? 8. Iſt Ihnen heute etwas Unangenehmes geſchehen? 9. Glauben Sie alles, was Ihnen der Lehrer ſagt? 10. Was haben Sie zum Frühſtück gegeſſen? 11. Wievielmal die Woche haben Sie Deutſch? 12. Wieviel Uhr iſt es? 13. Um wieviel Uhr eſſen Sie zu Mittag? zu Abend? 14. Haben Sie viel Zeit zum Studieren?

12. *a.* Do the following examples in German:

$11 + 9 =$	$22 - 7 =$	$4 \times 5 =$	$32 \div 8 =$
$18 + 10 =$	$73 - 16 =$	$11 \times 12 =$	$240 \div 12 =$

b. Read, in German, the time of day indicated by the following figures:

9.00	1.15	6.10
2.30	4.45	7.20
11.30	12.15	10.50

c. Give the meaning and the principal parts of

binden	tauchen	ſchwimmen	Geſicht	Kranz
gleiten	glänzen	ſchmücken	Antwort	König
ſpringen	gewinnen	teilen	Preis	Weiſe
ſinken	ringen	Matte	Turnhalle	Biene

13. Translate into German:

1. Yesterday was Friday, the thirteenth, and Anna had much ill luck. 2. Right off at breakfast she breaks her glass and cuts her finger. 3. But soon everything is forgotten, and she hurries to school, where she talks so much and laughs so loud that she does not see the teacher as he steps into the room. 4. When the latter suddenly said, "Anna, read us the lesson aloud," she was very much [1] astonished. 5. She began, but she did not read well, and at the third sentence she was crying. 6. The teacher helped her and did not become at all cross, for Anna is a good pupil. 7. As she was going home, a bee stung her. Anna cried again, and very loud, too. When she came home, her cheek was red and swollen. 8. Her mother puts medicated clay on her cheek, and the pains soon cease. 9. But Anna does not eat anything. She sits at the table and is silent. 10. Suddenly she exclaims, "It is good that Friday, the thirteenth, does not come very often!" 11. "Do you really believe that the day and the date are to blame for it?" asks her father. "Don't be so stupid! 12. When I was ten years old, I broke my leg on the twentieth of November, on Sunday. Then I lay in the hospital until the first of January. What do you say to that?" 13. How many weeks was he in the hospital? — From November 20 to January 1 are exactly six weeks.

1. Omit.

D

Deutsche Komponisten

Das deutsche Volk liebt Musik und Gesang. Musikalisches Talent findet man häufig, und unter den deutschen Komponisten sind mehrere, deren Namen mit Recht auf der ganzen Welt berühmt sind. Hierher gehört Georg Friedrich Händel. Er ging 1712 nach London, wo er im Jahre 1759 gestorben ist. 5 Sein Grabmal ist in der Westminsterabtei.[1] Das Orato=rium[2] „Messias" ist sein größtes Werk. Ein Zeitgenosse von ihm war Johann Sebastian Bach, lange Jahre Kantor[3] an der Thomaskirche[4] in Leipzig. Er hat vor allem Kirchen=musik geschrieben, darunter die Matthäus=[5] und die Johannes= 10 passion.[6]

Gegen Ende des achtzehnten Jahrhunderts fanden sich mehrere große Komponisten in Wien zusammen, von denen Mozart und Beethoven[7] die bedeutendsten sind. Doch auch Franz Schubert müssen wir hier nennen, den letzten der großen 15 Klassiker im Reiche der Musik. Er hat dem Liede eine selb=ständige Kunstform gegeben und in seinem kurzen Leben mehr als sechshundert Lieder komponiert. Seine Nachfolger haben ihn auf diesem Gebiete kaum übertroffen.

Im neunzehnten Jahrhundert ist Richard Wagner die 20 herrschende Gestalt, doch neben ihm stehen viele andere be=deutende Tonkünstler. Wagner strebte danach,[8] die Oper und das Drama in eine Kunstform zu verschmelzen. Er hat das Musikdrama geschaffen. In Bayreuth[9] errichtete er ein eignes Schauspielhaus zur Aufführung seiner Werke. Man nennt es 25 gewöhnlich das Wagnertheater. Dort fanden alljährlich die berühmten Wagnerfestspiele[10] statt, welche Musikfreunde aus ganz Europa und Amerika in Bayreuth zusammenbrachten.

Für die Maſſen ſind die ſchönen alten Volkslieder von großem
30 Wert. In den Jahren nach dem erſten Weltkrieg brachte die
deutſche Jugend mit ihrer Wanderluſt und Freude am Geſang
das Volkslied neu zu Ehren. Der Inhalt und die Melodien
dieſer Lieder ſind ſchlicht und einfach und entſprechen der
Gedankenwelt und dem Seelenleben des deutſchen Volkes.
35 Man findet hier Heiteres und Ernſtes, Komiſches und
Tragiſches aus den Lebenserfahrungen der einfachen Leute, und
oft in ſehr guter Form. Auch ſchöne religiöſe Lieder ſind
darunter.

1. Weſtmin'ſterabtei' *Westminster Abbey.*　　2. Orato'rium *oratorio.*
3. *organist.*　　4. *St. Thomas's Church.*　　5. Matthä'uspaſſion' *Passion
of Christ according to Matthew.*　　6. Johan'nespaſſion' *Passion of Christ
according to John.*　　7. For picture of house in which Beethoven was
born, see page 327.　　8. danach anticipates the following infinitive phrase
and is to be omitted in translating.　　9. Bayreuth': town in northeastern
Bavaria.　　10. *Wagner-festival plays.*

Volkslied

Es waren zwei Königskinder,
Die hatten einander ſo lieb;
Sie konnten zuſammen nicht kommen,
Das Waſſer war viel zu tief.

5　　Ach, Liebſter, könnteſt du ſchwimmen,
So ſchwimm doch herüber [1] zu mir,
Drei Kerzen will ich anzünden,
Die ſollen leuchten zu dir.

Das hört eine falſche Dirne, [2]
10　　Die tat, als wenn ſie ſchlief',
Sie tat die Kerzen auslöſchen, [3]
Der Jüngling ertrank [4] ſo tief.

Bach

Händel

Mozart

Beethoven

Schubert

Wagner

Es war an ein'm Sonntagmorgen,
Die Leute war'n alle so froh;
15   Nicht so die Königstochter,
Die Augen saßen ihr zu.[5]

„Ach Fischer, liebster Fischer,
Willst du verdienen groß Lohn,
So wirf dein Netz[6] ins Wasser
20   Und fisch mir den Königssohn!"

Er warf das Netz ins Wasser,
Es ging bis auf den Grund,
Der erste Fisch, den er fischte,
Das war der Königssohn.

25   Sie faßt'[7] ihn in die Arme
Und küßt' seinen toten Mund:
„Ach, Mündlein, könntest du[8] sprechen,
So wär'[9] mein jung Herz gesund."

Was nahm sie von ihrem Haupte?
30   Eine goldene Königskron':
„Sieh da, wohledler[10] Fischer,
Hast dein' verdienten Lohn!"

Sie schloß ihn[11] an ihr Herze
Und sprang mit ihm in die See:
35   „Gut Nacht, mein Vater und Mutter,
Ihr seht mich nimmermeh!"

---

1. *across.*   2. *wench.*   3. *extinguish.*   4. *drowned.*   5. *Her eyes were closed.*   6. *net.*   7. *seized.*   8. *if you could.*   9. *would be.*   10. *most noble.*   11. that is, the prince.

LESSON XXVI

**Fractional Numerals · Prepositions with the Genitive ·
Adverbial Elements · Nicht · What Has Been and Still Is**

A

Die Jahreszeiten

Das Jahr hat zwölf Monate. Drei Monate sind also ein
Viertel des Jahres, oder ein Vierteljahr. Die Hälfte von zwölf
ist sechs, und sechs Monate nennen wir ein halbes Jahr, oder
ein Halbjahr. Die Woche hat sieben Tage. Ein Tag ist des=
halb der siebte Teil der Woche, oder ein Siebtel der Woche. 5
Da der Tag vierundzwanzig Stunden hat, ist eine Stunde ein
Vierundzwanzigstel des Tages.

Man teilt das Jahr in vier Jahreszeiten, welche Frühling,
Sommer, Herbst und Winter heißen. Während der ersten
drei Monate des Jahres haben wir Winter; der Frühling 10
beginnt am einundzwanzigsten März. Auf den Frühling
folgt der warme Sommer, der vom 21. Juni bis zum
21. September dauert. Der Herbst fällt in das letzte Viertel
des Jahres.

Es war schon in der zweiten Hälfte des Monats September 15
und morgens und abends schon recht kühl, aber Jakob ging noch
immer, auch außerhalb des Hauses, ohne Rock und Hut. Er
fürchtet Wind und Wetter nicht.

Auch am zwanzigsten September ging er trotz des kalten
Wetters mit seinem Freunde Peter an den See, der jenseits 20
des Waldes liegt, um zu baden. Peters Lippen waren aber
innerhalb weniger Minuten wegen der Kälte des Wassers ganz
blau. Die Knaben blieben also nicht länger im Wasser. Nach=

dem sie die Kleider schnell angezogen hatten, gingen sie nach
25 Bielau, einem Dorfe, welches oberhalb des Sees und diesseits
des Waldes liegt. Jakobs Vetter ist seit drei Monaten in
diesem Dorfe Lehrer. Jakob war bis jetzt noch nicht nach
Bielau gekommen, seit sein Vetter dort wohnte. Sie fanden
den Vetter auf dem Hofe. Es freute ihn sehr, daß sie gekommen
30 waren, und er zeigte ihnen ein junges Pferd, das er vor kurzem
gekauft hatte. Es war ein edles Tier, und die Knaben hatten
große Freude daran. Peter nahm ein Stück Zucker aus der
Tasche und gab es ihm. Dann gingen sie ins Haus und unter=
hielten sich bei einer Tasse Kaffee über allerlei Sachen.

Merksätze

Wie lange wohnt er schon in diesem Dorfe?

Or: Seit wann wohnt er (schon) in diesem Dorfe?

Er wohnt schon drei Monate in diesem Dorfe.

Or: Er wohnt (schon) seit drei Monaten in diesem Dorfe.

Fragen

1. Wie heißen die zwölf Monate des Jahres?

2. Nennen Sie die sieben Tage der Woche!

3. Welcher Teil des Tages ist die Stunde?

4. Während welcher Monate haben wir Winter?

5. An welchem Tage beginnt der Sommer und bis wann
dauert er?

6. Was trug Jakob trotz des kalten Wetters nicht?

7. Wo liegt der See, an den Jakob mit seinem Freunde Peter
ging?

8. Wie wurden Peters Lippen innerhalb kurzer Zeit?

9. Warum gingen die Knaben nach Bielau?

10. Wo fanden sie Jakobs Vetter?

11. Was zeigte er ihnen?

12. Was taten sie alle, nachdem sie ins Haus gegangen waren?

Vocabulary

an'|ziehen (*str.*) put on (clothes)

außerhalb *prep. w. gen.* outside of

deshalb on that account, therefore

diesseits *prep. w. gen.* on this side of

edel noble

folgen (*wk., aux.* sein) *dat.* follow

das Halbjahr (–s, –e) half-year

die Hälfte (—, –n) half

der Hof (–es, ⸚e) yard; auf dem Hofe in the yard

innerhalb *prep. w. gen.* inside of, within

jenseits *prep. w. gen* on the other side of

die Kälte (—) cold, coldness

das Kleid (–es, –er) dress; *pl.* dresses, clothes

die Lippe (—, –n) lip

nennen (*irreg.* er nennt, er nannte, er hat genannt) name, call

oberhalb *prep. w. gen.* above

das Pferd (–es, –e) horse

recht right

die Sache (—, –n) thing, matter

das Siebtel (–s, —) seventh

die Tasche (—, –n) pocket

der Teil (–es, –e) part

das Tier (–es, –e) animal

trotz *prep. w. gen.* in spite of

unterhal'ten (*str.*) *refl.* converse; sich unterhalten über *acc.* converse about

das Vierteljahr (ie = ī) (–s, –e) quarter (of the year)

das Vierundzwanzigstel (–s, —) twenty-fourth

wegen *prep. w. gen.* on account of

wenige few, a few

der Zucker (–s) sugar

bei einer Tasse Kaffee over a cup of coffee

große Freude an etwas (*dat.*) haben take great delight in something

im Monat September in the month of September

vor kurzem recently

B

1. Fractional Numerals

Except in the case of $\frac{1}{2}$ the denominator of a fractional numeral is formed by adding ≠el to the corresponding ordinal, while the numerator consists of a cardinal as in English. Fractional numerals are neuter nouns.

$\frac{1}{3}$ ein Drittel	$\frac{9}{10}$ neun Zehntel
$\frac{2}{3}$ zwei Drittel	$\frac{11}{20}$ elf Zwanzigstel
$\frac{3}{4}$ drei Viertel	$\frac{17}{100}$ siebzehn Hundertstel

Half as an adjective is halb :

ein halber Monat *half a month*
ein halbes Dutzend *half a dozen*
drei und eine halbe Stunde *three and a half hours*

Half as a noun is die Hälfte :

die Hälfte der Kartoffeln *half of the potatoes*
Die Hälfte von zehn ist fünf. *One (A) half of ten is five.*

2. Prepositions with the Genitive

The following prepositions govern the genitive case :

außerhalb *outside of*	trotz *in spite of*
diesseit(s) *on this side of*	um . . . willen *for the sake of*
innerhalb *inside of, within*	unterhalb *below*
jenseit(s) *on the other side of*	während *during*
oberhalb *above*	wegen *on account of*
statt or anstatt' *instead of*	

With um . . . willen the noun stands between um and willen : um deines Vaters willen *for the sake of your father* or *for your father's sake.*

Wegen may either precede or follow the noun : wegen deines Vaters or deines Vaters wegen *on account of your father.*

Personal pronouns governed by um . . . willen or by
wegen have special forms as follows:

um meinetwillen *for my sake*	meinetwegen *on my account*
um beinetwillen *for your sake*	beinetwegen *on your account*
um seinetwillen *for his (its) sake*	seinetwegen *on his (its) account*
um ihretwillen $\begin{cases} \textit{for her (its) sake} \\ \textit{for their sake} \end{cases}$	ihretwegen $\begin{cases} \textit{on her (its) account} \\ \textit{on their account} \end{cases}$
um unsertwillen$\Big\}$*for our sake* um unsretwillen	unsertwegen$\Big\}$*on our account* unsretwegen
um euertwillen$\Big\}$*for your sake* um euretwillen	euertwegen$\Big\}$*on your account* euretwegen
um Ihretwillen *for your sake*	Ihretwegen *on your account*

The forms meinetwegen, beinetwegen, and so on also mean
so far as I am concerned or *for all I care, so far as you are
concerned* or *for all you care,* and so on.

3. Adverbial Elements

a. Adverbial elements are usually arranged in the order
time, manner, place:

Karl eilte dann schnell zum alten Markte.

But variations may readily occur, depending upon
emphasis and euphony. This is true, in particular, of the
relative positions of adverbs of manner and place. In case
of doubt the student may be guided by the rule that the
most essential element comes last.

b. Adverbial elements of time commonly precede noun
objects:

Die älteren Schüler hatten am Tage vorher Kränze gebunden.

Womit haben Sie heute morgen den Spiegel in meinem Zimmer geputzt?

But if the emphasis is on the time element, the order is
reversed:

Die älteren Schüler hatten die Kränze schon am Tage vorher gebunden.

4. Nicht

In the simple tenses nicht stands at the end of a principal clause if it modifies the whole statement:

> Er fürchtet Wind und Wetter nicht.
> Ich habe die Kreide nicht.
> Er trank seine Milch nicht.
> Gib ihm das Messer nicht!

In the compound tenses nicht precedes the participle or the infinitive:

> Er hat ihm das Messer nicht gegeben.
> Anna hatte ihre Aufgabe nicht gemacht.
> Er wird den Weg nicht finden.
> Sie werden ihre Aufgaben noch nicht gemacht haben.

In normal word order nicht precedes the particular element which it modifies:

> Karl ist gestern nicht in der Stadt gewesen.
> But: In der Stadt ist Karl gestern nicht gewesen.
> Er ist nicht fleißig.
> But: Fleißig ist er nicht.
> Er hat den Brief nicht mit Feder und Tinte sondern mit dem
> Bleistift geschrieben.
> Es wird heute nicht warm werden.
> Er ist von dem kalten Bade nicht krank geworden.

In a subordinate clause nicht precedes the verbal forms if the negation applies to the whole statement:

> Sie sagt, daß sie dem Kinde das Messer nicht gegeben hat.
> Obgleich er die Feder nicht brauchte, kaufte er sie doch.
> Sie kam nicht zur Schule, weil sie ihre Aufgabe nicht gemacht hatte.
> Ich fürchte, daß er den Weg nicht finden wird.

Nicht retains its position before the particular element it modifies also in a subordinate clause:

> Ich glaube, daß es heute nicht warm werden wird.
> Er sagt, daß er von dem kalten Bade nicht krank geworden ist.

5. What Has Been and Still Is

German uses the present tense where English uses the present perfect, to denote what has been and still is:

Wie lange wohnt er schon in diesem Dorfe? or Seit wann wohnt er (schon) in diesem Dorfe? *How long has he been living in this village?*

Er wohnt schon drei Monate in diesem Dorfe or Er wohnt (schon) seit drei Monaten in diesem Dorfe. *He has been living in this village (for) three months.*

Similarly German uses the past tense where English uses the past perfect, to express what had been and still was at a given point in past time:

Ich arbeitete schon seit zwei Stunden, als er kam. *I had been working two hours when he came.*

C

1. Read in German:

$\frac{1}{7}$ von 35 ist 5	$\frac{3}{11}$ von 77 ist 21
$\frac{1}{24}$ von 96 ist 4	$\frac{3}{4}$ von 120 ist 90
$\frac{1}{30}$ von 90 ist 3	$\frac{9}{10}$ von 100 ist 90
$\frac{1}{2}$ von 100 ist 50	$\frac{1}{2}$ von 12 ist 6
$\frac{3}{8}$ von 72 ist 27	$\frac{1}{16}$ von 48 ist 3
$\frac{2}{3}$ von 45 ist 30	$\frac{5}{6}$ von 36 ist 30

2. Put each word in parentheses in its proper case:

1. Das Dorf liegt jenseits (**der Fluß**) unterhalb (**der See**).
2. Mein Freund wohnt außerhalb (**die Stadt**). 3. Diesseits (**das Haus**) ist ein kleiner Garten. 4. Trotz (**die Jahreszeit**) ist das Wetter noch schön und warm. 5. Er ist ohne (**sein Bruder**) gekommen.
6. Oberhalb (**der Wald**) kommt man in ein kleines Dorf. 7. Innerhalb (**die Städte**) findet man wenige Gärten. 8. Wegen (**das Wetter**) blieben wir gestern zu Hause. 9. Seit (**jener Tag**) habe ich ihn nur einmal gesehen. 10. Er hat es um (**sein Sohn**) willen getan. 11. Statt (**ein Bleistift**) hat sie mir Feder und Tinte gegeben. 12. Während

(der **Winter**) haben wir viel Schnee und Regen. 13. Er warf sein Buch unter (der **Tisch**). 14. (**Ihr Bruder**) wegen hat sie den Brief nicht geschrieben.

3. Put into German:

1. Don't stay at home on my account (on our account, on their account, on his account). 2. For your sake (For his sake, For her sake) I shall say nothing. 3. So far as I am concerned you may[1] go. 4. For all we care they may[2] stay at home. 5. How long have you been studying German? 6. I have been studying German two years. 7. How long did you study[3] German? 8. I studied[3] German two years. 9. I had been waiting half an hour when you saw me. 10. Don't eat the cheese. 11. He was not at school yesterday. 12. It does not become very hot in summer. 13. I did not see[3] him the whole day. 14. I shall not stay at home the whole afternoon; I am going to the movies at half past four. 15. He has been living in Berlin four years. 16. He lived[3] in Marburg two and a half years. 17. Half of the apples are green.

　　　　1. dürfen.　　2. mögen.　　3. Use pres. perf.

4. Begin each of the following sentences with the subject:

1. Morgen werden wir nicht zu Hause sein. 2. Während der Nacht wird es recht kühl. 3. Dumm ist sie nicht. 4. Nächste Woche besuchen wir unsre Tante auf dem Lande. 5. Die Uhr hat er nicht. 6. Innerhalb weniger Minuten waren seine Lippen ganz blau. 7. Endlich ging er langsam zur Schule. 8. Den Brief zeigte sie ihm nicht. 9. Gestern hatten wir Gäste aus der Stadt. 10. Schnell zog er dann seine Kleider an. 11. Vor kurzem hat er ein Pferd gekauft. 12. Auf dem Hofe war sie nicht.

5. Put into the past, the present perfect, and the future tense:

1. Man nennt ihn einen Faulpelz. 2. Wir unterhalten uns bei einer Tasse Kaffee über allerlei Sachen. 3. Er nimmt ein Stück Zucker aus der Tasche. 4. Wegen der Kälte des Wassers werden seine Lippen ganz blau. 5. Deshalb bleibt er nicht länger im Wasser.

6. Der Hund folgt ihnen nach Hause. 7. Die Knaben haben große Freude daran. 8. Die Mutter legt ihr Tonerde auf die Wange. 9. Darüber freut sich der Junge sehr. 10. Zu Hause geschieht etwas Unangenehmes.

6. Decline:

der zweite Teil	das edle Tier
sein zweiter Besuch	ein edles Tier

7. Answer in German the following questions:

1. Wie viele Monate sind in einem Vierteljahr? 2. Wie viele Monate sind in einem Halbjahr? 3. Welchen Monat haben wir jetzt? 4. In welchem Monat fängt der Winter an? 5. Welche Jahreszeit beginnt im Monat März? 6. Der wievielte ist heute? 7. Der wievielte ist morgen? 8. Haben Sie heute etwas Neues gehört?

8. Give the meaning and the principal parts of

Sache	Pferd	Tasche	Satz	vorlesen
Hof	Tier	Biene	vergessen	weinen
Kleid	Zucker	Schmerz	stehlen	zerbrechen
Lippe	Teil	Wange	stechen	fressen

9. Translate into German:

1. Although it was already fall, James still went without coat and hat. 2. One day he went to the lake on the other side of the forest in order to bathe. His friend Peter went with him. 3. Peter's lips were soon quite blue on account of the coldness of the water. Therefore they did not stay long in the water. 4. They put on their clothes and go to Bielau where James's cousin has been teaching three months. 5. James finds his cousin in the yard. He shows the boys a young horse, which he bought[1] recently, and they take great delight in the noble animal. 6. Peter gives the horse a piece of sugar. Then they go into the house, drink coffee, and converse about all sorts of things.

1. Use pres. perf.

D [Optional]

Der beste Empfehlungsbrief [1]

Der Fabrikant Hilka suchte einen Laufburschen [2] und hing also, ehe er kurz nach vier Uhr das Geschäft verließ, eine Tafel ins Fenster, auf der zu lesen war: Laufbursche gesucht! Am nächsten Morgen erschienen fast drei Dutzend junge Burschen
5 vor dem Tore der Fabrik. Die Straßen waren naß und schmutzig, denn es hatte in der Nacht stark geregnet. Die jungen Leute mußten warten; Herr Hilka war noch nicht gekommen. Endlich erschien er, sein Freund Doktor Rust begleitete ihn. Die beiden Herren traten ins Kontor,[3] und die Jungen dräng=
10 ten nach. Den Schluß machte ein stiller, ernster Knabe.

Die Burschen [4] hatten alle mindestens einen Empfehlungs= brief, außer dem, der zuletzt hereingekommen war. Der Fabri= kant schickte die Burschen alle fort mit dem Bescheid [5]: „Die Stelle ist schon besetzt.[6]“ Nur den, der zuletzt eingetreten war,
15 behielt er zurück. Er fragte ihn nach seinem Namen, nach seinem Vater usw. und erfuhr, daß er der älteste von vier Geschwistern war, und daß der Vater des Knaben tot war. „Du bist angenommen“, sagte der Fabrikant. „Gehe sofort auf den Bahnhof und frage, ob die Wolle von Bremen angekommen
20 ist. Über Arbeitszeit und Lohn sprechen wir später.“

Als der Knabe hinaus war, bemerkte Doktor Rust erstaunt: „Warum hast du gerade diesen Knaben gewählt? Er hatte doch keine einzige Empfehlung.“ „Du irrst, lieber Freund. Er hatte bessere Empfehlungen, als alle andren. Er machte seine
25 Schuhe rein, ehe er eintrat, schloß die Tür sorgsam und nahm die Mütze ab. Auch drängte er nicht wie alle andren, und gab seinen Stuhl dem alten, lahmen Manne, der nach ihm ins Kontor kam. Sein Anzug ist ärmlich, aber er war sorgsam

Bavarian Farming Community in the Foothills of the Alps

gebürstet, und seine Hände und sein Gesicht waren sauber. Er
30 liebt also Sauberkeit [7] und ist höflich [8] und bescheiden.[9] Ich
hatte absichtlich [10] ein Buch auf den Boden gelegt. Die anderen
stolperten [11] darüber oder schoben [12] es mit dem Fuß zur Seite.
Er hob es auf und legte es auf das Pult. Er beantwortete
meine Fragen kurz und klar. Er liebt also Ordnung und ist
35 klug und aufgeweckt.[13] Sind das alles keine Empfehlungen?
Lieber Freund, für mich gilt das alles mehr, als die schönsten
Empfehlungsbriefe."

1. *letter of recommendation.*   2. *errand boy.*   3. *office.*   4. *lads.*
5. *announcement.*   6. *filled.*   7. *cleanliness.*   8. *polite.*   9. *modest.*
10. *intentionally.*   11. *stumbled.*   12. *shoved.*   13. *alert.*

Der Star von Segringen

Michael Huber, man nannte ihn nur den Huber Michel, war
der beliebteste [1] Barbier in dem kleinen Städtchen Segringen.
Sucht es nicht auf der Karte; es ist auf keiner zu finden.
Er war freundlich, schnell und geschickt. Aber seine Barbier=
5 stube [2] hatte noch einen andren Reiz. Michel hatte nämlich
einen Star,[3] der allerlei sprechen konnte. Manchmal redete er
Unsinn, und dann wieder traf er mit einem Ausspruch den
Nagel [4] auf den Kopf, so daß sich die Leute halb tot lachten.
Jeden Frühling stutzte [5] Michel ihm die Flügel, und der Star
10 Hansel lief frei in der Stube herum. Es war wieder einmal
Frühling geworden. Das Wetter war schön und warm, die
Tür stand offen, Hansel hüpfte hinaus auf die Gasse und schlug
mit den Flügeln. Diesmal hatte Michel sie nicht gestutzt, und
o Wunder! Hansel konnte fliegen. Er fand bald Gesellschaft [6]
15 und flog mit den andren Vögeln zum Städtchen hinaus. Bald
kamen sie an einen Vogelherd,[7] der mit Körnern bestreut [8] war.

The Eibsee, in Bavaria, with the Zugspitze in the Background

Die Vögel stürzten⁹ unter das Netz.¹⁰ Der Vogelsteller¹¹ in
seiner Hütte zog schnell die Schnur,¹² und die Vögel waren
gefangen, Hansel natürlich auch.

20   Dann kam der Vogelsteller, nahm die Vögel heraus und
steckte sie in seinen Käfig.¹³ Hansel kroch in eine Ecke, und als
der Vogelsteller herankam, schrie Hansel aus Leibeskräften¹⁴:
„Ich bin der Barbier von Segringen!" Einen Augenblick stand
der Vogelsteller mit offnem Munde. Doch er wußte von
25 Hansel, lachte und sagte: „Hansel, wie kommst du hierher?"
Hansel war nicht faul und antwortete: „In schlechter Gesell=
schaft." „Da hast du recht," sagte der Vogelsteller, „aber was
wird dein Herr zu der Sache sagen?" Er brachte den Aus=
reißer¹⁵ seinem Herrn zurück, und Michel gab ihm einen
30 blanken¹⁶ Taler zu Belohnung.¹⁷ Im ganzen Städtchen redete
man wochenlang¹⁸ von nichts als von Hansels gefährlichem
Ausflug und seiner wunderbaren Weisheit.

1. *most popular.*   2. *barbershop.*   3. *starling.*   4. *nail.*   5. *clipped.*
6. *company.*   7. *fowling floor, trap.*   8. *strewn.*   9. *rushed.*   10. *net.*
11. *bird-catcher, fowler.*   12. *cord.*   13. *cage.*   14. *with all its might.*
15. *runaway.*   16. *shiny.*   17. *reward.*   18. *for weeks.*

LESSON XXVII

Strong Verbs, Class VI and Class VII · Irregular Verbs · Some Uses of the Infinitive · Laſſen

A

Der Wochenmarkt

In dem kleinen, deutſchen Städtchen, wo ich letztes Jahr bei meinem Großvater wohnte, hält man noch, im Winter wie im Sommer, Wochenmarkt, und zwar unter freiem Himmel. Auf dieſem Markte war alles zu ſehen,[1] was auf dem Lande wächſt, Kartoffeln, allerlei Gemüſe, Obſt, Butter, Eier, Käſe, Hühner, 5 Gänſe, Enten, Tauben uſw. Schon ehe es hell wurde, kamen die Bauern mit ihren Wagen und fuhren langſam durch die Straßen nach dem Markte. Es iſt kaum[2] zu glauben, wie ſchwer die Wagen manchmal geladen waren. Doch ſchlugen die Bauern ihre Pferde nie. Nachdem ſolch[3] ein Bauer ſeine Waren 10 abgeladen hatte, fuhr er nach dem Wirtshaus, um Pferd und Wagen dort zu laſſen. Den Handel ließ er in den Händen ſeiner Frau, ſeiner Mutter oder einer Tochter. Ehe er an ſeine eignen Geſchäfte ging, ſetzte er ſich in die Gaſtſtube und ließ ſich ein Glas Bier bringen. Mancher ſaß den ganzen Vormittag in 15 einer Ecke, oft ohne ein Wort zu ſprechen, anſtatt der Frau zu helfen.

Ärmere Leute, die nicht Pferd und Wagen hatten, brachten ihre Waren in großen Körben, die ſie auf dem Rücken trugen. Gegen ſieben Uhr, im Sommer ſchon viel früher, im Winter 20 etwas ſpäter, kamen die Käufer: Dienſtmädchen, einfache Haus= frauen, auch ein paar Damen, welche die Waren von ihren Dienſtmädchen nach Hauſe tragen ließen.

Eines Morgens sah ich einen kleinen Jungen eine große
25 Birne aus dem Korbe einer Bäuerin nehmen, als diese den
Rücken gewandt hatte. Aber schon legte sich ihm die Hand des
Polizeidieners schwer auf die Schulter. Der kleine Dieb war
gefangen, und vor Schreck ließ er die Birne fallen. Aber die
Bäuerin sagte: „Nimm sie nur, und hier ist eine für deine
30 Mutter. Aber ich rate dir, laß das Stehlen, denn das führt
zu einem bösen Ende."

„Solche Burschen muß man hängen", sagte der Polizeidiener.
„Ja, ja, die kleinen Diebe hängt man, die großen läßt man
laufen", antwortete die Bäuerin. Der Junge lief mit feuchten
35 doch frohen Augen nach Hause.

1. zu sehen *to be seen.*   2. *hard.*   3. Solch is uninflected before ein.

Merksatz

Ich kenne Herrn Heuser, aber ich weiß nicht, wo er wohnt.

Fragen

1. Was war auf dem Markte in dem kleinen, deutschen
Städtchen zu sehen?

2. Wann kamen die Bauern zur Stadt?

3. Was ist kaum zu glauben?

4. Wohin gingen die Männer, nachdem sie abgeladen hatten?

5. In wessen Händen war der Handel?

6. Was ließen sich die Männer im Wirtshaus bringen?

7. Wo blieb mancher den ganzen Vormittag sitzen?

8. Wie brachten die ärmeren Leute ihre Waren nach dem
Markte?

9. Wann kamen die Käufer?

10. Was tat ein kleiner Junge eines Morgens?

11. Weſſen Hand legte ſich dem Diebe auf die Schulter?
12. Was tat der Junge vor Schreck?
13. Was riet ihm die Bäuerin?
14. Wozu führt das Stehlen?
15. Was für Diebe hängt man, und welche läßt man laufen?

Vocabulary

ab'|laden (*str.*) unload

arm (¨er, ¨ſt) poor

die Bäuerin (—, –nen) peasant woman, farmer's wife

das Bier (–es, –e) beer

die Birne (—, –n) pear

der Burſche (–n, –n) fellow

die Dame (—, –n) lady

der Dieb (–es, –e) thief

das Ei (–es, –er) egg

einfach simple, plain

die Ente (—, –n) duck

fangen (er fängt, er fing, er hat gefangen) catch

froh glad, happy

die Gans (—, Gänſe) goose

die Gaſtſtube (—, –n) public room

halten (er hält, er hielt, er hat gehalten) hold

der Handel (–s) trade, business, transaction of business

hängen (*wk.*) *tr.* hang

das Huhn (–es, ¨er) chicken

der Käufer (–s, —) buyer, purchaser

kennen (*irreg.* er kennt, er kannte, er hat gekannt) know, be acquainted with

laden (er lädt, er lud, er hat geladen) load

laſſen (er läßt, er ließ, er hat gelaſſen) leave, let, have (something done *or* someone do a thing); fallen laſſen let fall, drop; laufen laſſen let go, let escape; laß das Stehlen leave off stealing, quit stealing

nur *w. imperative* just

der Polizei'diener (–s, —) policeman

raten (er rät, er riet, er hat geraten) *dat. of person* advise; guess

ſchlagen (er ſchlägt, er ſchlug, er hat geſchlagen) strike, beat

der Schreck (–es) terror, fright; vor Schreck from fright

ſchwer heavy

das Städtchen (–s, —) (small) town

die Taube (—, –n) pigeon, dove

wachſen (er wächſt, er wuchs, er iſt gewachſen) grow

der 𝔚agen (–s, —) wagon

die 𝔚are (—, –n) article (of commerce) ; *pl.* goods, merchandise

wenden (*irreg.* er wendet, er wandte, er hat gewandt) turn

das 𝔚irtshaus (–hauses, –häuser) inn

wissen (*irreg.* er weiß, er wußte, er hat gewußt) know

der 𝔚ochenmarkt (–s, "e) weekly market

an seine eignen 𝔊eschäfte gehen go about one's own affairs

unter freiem 𝔥immel in the open air

B

1. Strong Verbs, Class VI

The verbs of Class VI have the vowels a, u, a, in the infinitive, past indicative, and past participle respectively :

a, u, a

fahren, fuhr, gefahren
graben, grub, gegraben
laden, lud, geladen
schlagen, schlug, geschlagen
tragen, trug, getragen
wachsen, wüchs, gewachsen
waschen, wüsch, gewaschen

2. Strong Verbs, Class VII

The verbs of Class VII have ie or i in the past indicative. The vowel of the past participle varies in different verbs but is always the same as that of the infinitive.

fallen, fiel, gefallen
fangen, fing, gefangen
halten, hielt, gehalten
heißen, hieß, geheißen
lassen, ließ, gelassen

laufen, lief, gelaufen
raten, riet, geraten
rufen, rief, gerufen
schlafen, schlief, geschlafen

3. Omission of Connecting =e=

Strong verbs that undergo vowel change in the second and third person singular of the present indicative do not follow the rule for the use of the connecting =e= in these forms. Stems in =d add =ft instead of =eft in the second person singular, and =t instead of =et in the third person singular. Stems in =t add =ft in the second person singular, and have no inflectional ending in the third person singular.

ich halte	ich lade	ich rate
du hältst	du lädst	du rätst
er hält	er lädt	er rät
wir halten	wir laden	wir raten
ihr haltet	ihr ladet	ihr ratet
sie halten	sie laden	sie raten

4. Irregular Verbs

a. Irregular strong verbs. The strong verbs gehen and stehen form the past indicative and past participle from a stem different from that of the infinitive; tun has a different stem in the past tense:

> gehen, ging, gegangen
> stehen, stand, gestanden
> tun, tat, getan

b. Irregular weak verbs. The following weak verbs have in the past indicative and past participle a vowel change which resembles ablaut:

> brennen (burn), brannte, gebrannt
> kennen (know), kannte, gekannt
> nennen (name), nannte, genannt
> rennen (run, race), rannte, ist gerannt
> senden * (send), sandte, gesandt
> wenden † (turn), wandte, gewandt
>
> bringen (bring), brachte, gebracht
> denken (think), dachte, gedacht
>
> wissen (know), wußte, gewußt

* Also regular: senden, sendete, gesendet.
† Also regular: wenden, wendete, gewendet.

Wiſſen is also irregular in the singular of the present indicative:

ich weiß	wir wiſſen
du weißt	ihr wißt
er weiß	ſie wiſſen

The imperative is regular: wiſſe! wißt! wiſſen Sie!

Wiſſen means to know something as a fact, while kennen means to be acquainted with a person or a thing:

> Ich kenne Herrn Heuſer, aber ich weiß nicht, wo er wohnt. *I know Mr. Heuser, but I do not know where he lives.*

5. Some Uses of the Infinitive

a. The infinitive with zu is used after anſtatt or ſtatt, ohne, and um:

> Er ſaß in einer Ecke, ohne ein Wort zu ſprechen, anſtatt ſeiner Frau zu helfen. *He sat in a corner, without speaking a word, instead of helping his wife.*
>
> Er fuhr nach dem Wirtshaus, um Pferd und Wagen dort zu laſſen. *He drove to the inn in order to leave his horse and wagon there.*

b. The infinitive without zu is used with certain verbs, such as heißen (*bid*), helfen, hören, laſſen, lehren, lernen, ſehen:

> Ich ſah ihn eine Birne aus dem Korbe nehmen. *I saw him take a pear out of the basket.*
>
> Er hörte mich kommen. *He heard me come (or coming).*
>
> Ich lerne Deutſch leſen. *I am learning to read German.*

In the future tense the dependent infinitive precedes the infinitive of the governing verb:

> Er wird den Dieb laufen laſſen. *He will let the thief go.*
>
> Du wirſt ihn kommen hören. *You will hear him come (or coming).*
>
> Sie werden dir das Haus bauen helfen. *They will help you to build the house.*

6. Laſſen

The verb laſſen must be noted carefully. When used with a dependent infinitive, it means *let* or *have* (that is, causal *have*):

Er ließ die Birne fallen. *He let the pear fall.*

Man läßt die großen Diebe laufen. *They let the big thieves go.*

Die Damen ließen die Dienſtmädchen die Waren nach Hauſe tragen. *The ladies had the servant girls carry the goods home.*

In the last sentence the word Dienſtmädchen serves both as object of ließen and as subject of the infinitive tragen. If this object-subject word is omitted, then the infinitive acquires passive force:

Die Damen ließen die Waren nach Hauſe tragen. *The ladies had the goods carried home.*

Compare also

Er ließ ſich ein Glas Bier bringen. *He had a glass of beer brought to him.*

Ich laſſe mir einen neuen Anzug machen. *I am having a new suit made.*

Laſſen is also often used without a dependent infinitive, in which case it is commonly rendered by *leave*:

Den Handel ließ er in den Händen ſeiner Frau. *He left the transaction of business in the hands of his wife.*

Er ließ Pferd und Wagen im Wirtshaus. *He left his horse and wagon at the inn.*

Er läßt nichts auf ſeinem Teller. *He leaves nothing on his plate.*

Laſſen has also, at times, the force of *leave off, desist from, quit*:

Laß das Stehlen! *Quit stealing.*

Laß das Lernen und ſpiele mit mir! *Quit studying and play with me.*

Laß das! *Leave off!* or *Quit it!*

C

1. Conjugate in the present indicative:

1. Ich halte es in der Hand. 2. Ich lasse vor Schreck ein paar Eier fallen. 3. Ich rate ihm, die Birnen nicht zu essen. 4. Ich heiße ihn gehen. 5. Ich lade den Wagen mit allerlei Gemüse. 6. Ich weiß nicht, wie die Dame heißt.

2. Give a synopsis of

1. Der Polizeidiener fängt den Dieb. 2. Wir rennen schnell nach dem Markte. 3. Sie senden uns Hühner und Enten. 4. Du weißt es nicht. 5. Er fährt nach dem Wirtshaus.

3. Give a sliding synopsis of

1. Ich grabe im Garten hinter dem Hause. 2. Du wächst sehr schnell. 3. Er kennt die Käufer nicht. 4. Wir schlagen die Pferde nie. 5. Ihr ladet den Wagen zu schwer. 6. Sie wenden dem Lehrer den Rücken.

4. Put into the past tense and the present perfect tense:

1. Man hält den Wochenmarkt unter freiem Himmel. 2. Ich hänge die Bilder an die Wand. 3. Er läuft mit frohen doch feuchten Augen nach Hause. 4. Sie raten mir, die Gänse und Tauben zu kaufen. 5. Die Bäuerin schenkt dem armen Burschen eine Birne. 6. Du wäschst dir die Hände nicht. 7. Den Handel läßt er in den Händen seiner Frau. 8. Die Bauern laden ihre Wagen ab. 9. Es brennt nicht. 10. Die einfachen Hausfrauen tragen die Waren selbst nach Hause. 11. Die Bauern setzen sich in die Gaststube und trinken Bier. 12. Er geht an seine eignen Geschäfte. 13. Ich denke nicht an ihn. 14. Er bringt mir Eier und Butter.

5. a. Say in German to your little brother:

1. Just take them. 2. Hold them in your hand. 3. Don't fall.

b. Say in German to your close friends James and John:

1. Let the poor fellow go. 2. Help me carry the basket. 3. Don't strike the dog.

c. Say in German to Miss Miller:

1. Drive to the inn. 2. Don't drop the bottle. 3. Guess what I have found.

6. Translate into German:

1. Leave off crying and help your mother. 2. I hear them laughing. 3. He went out of the room without answering. 4. She is teaching us to read French. 5. Instead of working he played tennis. 6. Where did you leave your books? 7. We go to school in order to learn something. 8. He leaves his door open. 9. He is having a new house built. 10. The peasants are having their wagons unloaded. 11. Have Jack help you. 12. No person knows when he must die. 13. I know the new teacher very well. 14. Fred knows the way to Bielau. 15. We know who did it. 16. You will see him working in the garden.

7. Compare:

froh	laut	angenehm
arm	heiß	faul
edel	stolz	rot

8. Give the meaning and the principal parts of

nennen	anziehen	Huhn	Taube	Zucker
tun	folgen	Dieb	Bäuerin	Tier
stehen	sich unterhalten	Dame	Städtchen	Teil
rufen	Ente	Bursche	Hof	Pferd
heißen	Ei	Birne	Kleid	Tasche
schlafen	Gans	Wagen	Lippe	Sache
fallen	Gaststube	Bier	Tal	Rock

9. *a.* Read in German:

$\frac{1}{3}$ von 27 ist 9 $\frac{2}{5}$ von 100 ist 40

$\frac{1}{2}$ von 90 ist 45 $\frac{7}{20}$ von 80 ist 28

b. Put into German:

1. The lake lies on the other side of the forest. 2. In spite of the bad weather he took a long walk. 3. I did not do it on your account. 4. We have been waiting an hour for him. 5. How long has he been here?

c. Begin the following sentences with the words in parentheses:

1. Das Messer hat (**er**) nicht. 2. Gestern hat (**sie**) ihr neues Kleid getragen. 3. Dann lief (**Karl**) schnell zur Schule. 4. Jene Dame kenne (**ich**) nicht. 5. Morgen werden (**wir**) Tante Helene besuchen. 6. Um sechs Uhr kam (**Paul**) müde und durstig nach Hause.

10. Translate into German:

1. Last year I was living with my grandfather in a small German town. 2. Every Saturday they held weekly market in the open air. 3. Here one sees everything that grows in the country: all kinds of fruit and vegetables, butter, eggs, chickens, geese, ducks, pigeons, and so forth. 4. You hear the peasants driving through the streets long before it becomes light. 5. Although the wagons are often heavily loaded, the peasants never beat their horses. 6. After the goods are unloaded, the men drive to the inn, where they leave their horses and wagons. 7. They sit down in the public room and have a glass of beer brought to them. They leave the transaction of business entirely in the hands of the women. 8. The buyers come toward seven o'clock. The ladies have their goods carried home by their servant girls. 9. One morning a small boy took a pear from the basket of a peasant woman. 10. But when the policeman caught the little thief, the peasant woman said: "Just let him go. He is probably hungry."

D [Optional]

Der kluge Richter

Der reiche Geizhals [1] Grünberg hatte einen Beutel [2] mit einem Inhalt von siebenhundert Silbertalern verloren. Er setzte eine Anzeige [3] in die Zeitung [4] und versprach dem Finder eine Belohnung [5] von hundert Talern. Schon am nächsten 5 Morgen kam der Fischer Hagebucher mit dem Beutel in der Hand zu Grünberg. Grünbergs Gesicht glühte vor Freude.

A Model Suburban Settlement, as Shown in an Exposition at Düsseldorf

Er ergriff den Beutel, öffnete ihn und zählte das Geld auf dem
Tisch auf. Dann schüttelte er bedenklich [6] den Kopf. „In dem
Beutel waren achthundert Taler. Sie haben sich also Ihre
10 Belohnung schon genommen", bemerkte er. „Keinen Pfennig
habe ich herausgenommen", erklärte Hagebucher ruhig und
bestimmt. „Das glaube ich Ihnen gern, denn es war nicht
möglich, weil nur harte Taler darin waren", meinte Herr
Grünberg mit höhnischem [7] Lächeln. Das war dem alten Hage-
15 bucher des Guten zuviel. „Ich will Ihre Belohnung nicht,
aber zum Lügner und Dieb laß ich mich nicht machen, selbst
von dem reichen und mächtigen Herrn Grünberg nicht", rief er
aus. Draußen unter dem offnen Fenster stand der Schutzmann
Weigel und spitzte [8] die Ohren. Plötzlich stand er ungerufen
20 im Zimmer. „Was ist hier los?" [9] fragte er in strengem Tone.
Natürlich nahm Grünberg das Wort [10] und erklärte die Sache.
Hagebucher schwieg und zuckte [11] nur die Schulter. Doch Weigel
war nicht dumm. Er trat an den Tisch. Dort lagen die
glänzenden Münzen in sieben Gruppen von je hundert Talern.
25 Schutzmann Weigel steckte das Geld in den Beutel, der neben
den Münzen auf dem Tische lag. Grünberg protestierte wütend,
aber es half ihm nichts. „Ich bringe das Geld jetzt zum Stadt-
kämmerer [12]; morgen wird das Gericht entscheiden, was mit
dem Gelde geschehen soll." Damit [13] ging er mit dem vollen
30 Beutel aus dem Zimmer.

Am nächsten Tage erschienen Grünberg und Hagebucher vor
dem Richter Raumer, der als sehr klug und als Freund der
Gerechtigkeit allgemein bekannt war. Auf dem Tische des
Richters lag der Beutel mit dem Gelde. Grünberg trug die
35 Sache vor [14] und schwur,[15] daß achthundert Silbertaler in dem
Beutel waren. Dann machte Hagebucher seine Aussage.[16] Auf
ein Zeichen des Richters trat ein junger Mann mit einem

kleinen Kästchen [17] in der Hand ins Zimmer. Der Richter
fragte: „Hat mir der Herr Kämmerer die hundert Silbertaler
geschickt?" Der junge Mann bejahte [18] die Frage. „Gut! 40
Zählen Sie das Geld hier vor mir auf den Tisch!" Der junge
Mann tat es. Dann nahm der Richter Grünbergs Beutel,
schüttelte ihn stark, öffnete ihn dann, hielt ihn aufrecht [19]
zwischen beiden Händen und befahl dem jungen Mann: „Tun
Sie nun die hundert Taler langsam und vorsichtig [20] in den 45
Beutel!" Der junge Mann machte zuerst ein erstauntes Gesicht,
merkte dann etwas und tat, wie ihm der Richter befohlen hatte.
Mit geschickten [21] Händen legte er eine Münze nach der andren
obenauf [22] in den Beutel. Die zweiundsiebzigste Münze glitt
wieder herunter, da der Beutel zu voll war. „Das genügt.[23] 50
Zählen Sie jetzt der Ordnung wegen Ihre hundert Taler hier
vor mir auf den Tisch und tun Sie dann dieses Geld wieder in
Ihr Kästchen! Bringen Sie es dann dem Herrn Kämmerer
zurück und sagen Sie ihm meinen Dank für die erwiesene
Gefälligkeit! [24] "
                                                                    55

Als der Mann gegangen war, sprach der Richter das Urteil.
„Herr Grünberg, Sie haben einen Beutel mit achthundert
Silbertalern verloren. Sie erklären, daß dieser Beutel hier
der Ihrige ist. Doch Sie irren [25] sich, denn in diesem Beutel ist
nicht Raum für achthundert Silbertaler. Es ist also nicht der 60
Beutel, den Sie verloren haben. Dieser Beutel bleibt auf dem
Gericht, bis sich der Eigentümer meldet.[26] Der muß aber
genau sagen, wann und wo er diese Summe in harten Talern
erhalten, und wann und wo er sie wahrscheinlich verloren hat.
Wenn sich nach Jahresfrist [27] niemand gemeldet hat, so gehört 65
der Beutel dem Finder. So lautet mein Urteil." Herr Grün=
berg ging mit sehr langem Gesicht aus dem Zimmer. Es fand
sich kein Eigentümer, denn kluger Weise schwieg Hagebucher

gegen jedermann über Ort und Zeit des Fundes. Nur dem
70 Richter gab er unter seinem Eid [28] volle Auskunft. [29] Nach
Ablauf [30] eines Jahres ging die ganze, für ihn sehr große
Summe durch Ausspruch des Gerichts in seinen Besitz über.

1. *miser.*　　2. *bag.*　　3. *advertisement.*　　4. *paper.*　　5. *reward.*
6. *doubtfully.*　　7. *mocking.*　　8. *pricked up.*　　9. *what's up.*　　10. *the
floor.*　　11. *shrugged.*　　12. *treasurer.*　　13. *Thereupon.*　　14. *presented.*
15. *swore.*　　16. *statement.*　　17. *box.*　　18. *affirmed.*　　19. *upright.*
20. *cautiously.*　　21. *skillful.*　　22. *on top.*　　23. *suffices.*　　24. *favor.*
25. *are mistaken.*　　26. *owner reports.*　　27. *a year's time.*　　28. *oath.*
29. *information.*　　30. *expiration.*

A Farmer Cutting Wood for His Tile Stove

REVIEW OF LESSONS XXII–XXVII

1. Conjugate in the present indicative and in the imperative:

befehlen   bieten   laden   wissen   raten
halten   brechen   warten   vorlesen   vergessen

2. Give a synopsis of

1. Er schneidet sich in den Finger. 2. Sie kriechen auf Händen und Füßen. 3. Du zwingst ihn aufzuhören. 4. Der Hund frißt das Fleisch. 5. Ihr zerbrecht die Flaschen. 6. Der Polizeidiener fängt den Dieb. 7. Das wächst hier nicht. 8. Sie weiß es nicht. 9. Ich kenne die Dame nicht. 10. Wir denken oft an ihn. 11. Sie wirft das Buch auf den Tisch.

3. Give a sliding synopsis of

1. Ich binde das Pferd an den Baum. 2. Du gießt den Kaffee in die Becher. 3. Er steigt auf den Berg. 4. Wir lesen die Sätze vor. 5. Ihr schlagt den Esel nie. 6. Sie ziehen nach Berlin. 7. Du beginnst die Arbeit zu spät.

4. Put into the past tense and the present perfect tense:

1. Eine Biene sticht das Mädchen in die Wange. 2. Wir fürchten uns vor dem Hunde. 3. Du pfeifst zu laut. 4. Sie wendet mir den Rücken. 5. Wir unterhalten uns über allerlei Sachen. 6. Ihr reitet auf einem Esel. 7. Im Hochwald riecht es sehr angenehm. 8. Der Hund folgt mir nach Hause. 9. Ich gewinne den ersten Preis. 10. Hoch oben in der Luft fliegt ein Adler. 11. Sie gleiten langsam ins Wasser. 12. Wir nähern uns dem Gipfel des Berges. 13. Der Bauer ergreift den Hund beim Halsband. 14. Du springst vom höchsten Sprungbrett. 15. Die Rehe fliehen in den Wald. 16. Sie frieren alle ein wenig. 17. Der Bach fließt lärmend über die Steine seines Bettes. 18. Der Dieb stiehlt mein Geld. 19. Der kleine Bursche ringt dann eine halbe Stunde mit seinem Bruder. 20. Die Bauern fahren langsam durch die Straßen nach dem Markte.

5. Give the meaning and the principal parts of

beißen	schützen	weinen	brennen	warten
eilen	schießen	anziehen	befehlen	raten
bellen	wecken	nennen	halten	vergessen
hinaufsteigen	glänzen	hängen	bieten	bitten
aufwachen	schmücken	lassen	brechen	liegen
biegen	sinken	senden	laden	stehlen

6. Replace the English words in parentheses by the German equivalents:

1. (What) du sagst, ist wahr. 2. Ist (that) alles, (that) du hast? 3. Die Feder, (that) ich fand, schreibt sehr gut. 4. Siehst du (that) Mann dort? (That) ist Herr Doktor Karsten. 5. Dieser Tisch ist kleiner als (that one). 6. Was wirst du mit (that) Messer machen? 7. Was wirst du (with that) schneiden? 8. Geht zu Onkel Fritz, (he) wird euch helfen. 9. Ich habe nicht verloren, (what) du mir gegeben hast. 10. Das ist nicht das Dümmste, (that) er getan hat. 11. (Whoever) das sagt, ist sehr dumm. 12. Was sagst du (to that)? 13. Das Schönste, (that) ich in dieser Stadt gesehen habe, war das alte Schloß. 14. Frage Tante Klara, (she) weiß alles. 15. (Whoever) seine Schularbeiten jeden Tag gut macht, (der) erhält einen Preis. 16. Ich weiß etwas, (that) du nicht weißt. 17. Seit (that) Tage habe ich ihn nicht gesehen. 18. Es ist nicht alles Gold, (that) glänzt.

7. Read the following sentences aloud and translate them:

1. Da kommt der kleine Jakob Schaffer, der hat den ersten Preis gewonnen.

   Da kommt der kleine Knabe, der den ersten Preis gewonnen hat.

2. Aus dem Hause trat ein Bauer, der ergriff den Hund beim Halsband.

   Aus dem Hause trat ein Bauer, der den Hund beim Halsband ergriff.

3. Nicht weit von der Waldmühle sah er zwei Rehe, die hat er geschossen.

   Nicht weit von der Waldmühle sah er zwei Rehe, die er schoß.

4. Es war vor vielen Jahren ein alter König, der hatte eine schöne
Tochter.

Es war vor vielen Jahren ein alter König, der eine schöne
Tochter hatte.

8. *a.* Count in German from forty-five to fifty-five.

b. Give in German the multiplication table of four.

c. Read in German the following numerals:

6, 16, 60; 4, 14, 40; 7, 17, 70; 10, 100, 1 000, 1 000 000
1 000 000 000; 1934; 2 001; 0.

d. Do the following examples in German:

$8 + 3 =$	$82 - 12 =$	$4 \times 8 =$	$10 \div 2 =$
$10 + 9 =$	$99 - 14 =$	$8 \times 16 =$	$36 \div 4 =$
$66 + 5 =$	$30 - 3 =$	$10 \times 40 =$	$84 \div 12 =$

9. Read, in German, the time of day indicated by the
following figures:

7.00	8.15	6.20	12.30
10.30	4.45	2.50	11.45

10. In the following sentences replace the noun subjects
by personal pronouns:

1. Nie erkältet sich der Junge. 2. Karl arbeitet gern, wenn ihm die
Schwester hilft. 3. Letzte Woche hat uns die Tante besucht. 4. Marie
trug das Glas in die Küche, wie ihr der Vater befohlen hatte. 5. Jetzt
näherten sich die Wanderer dem Gipfel des Berges.

11. Restate the following sentences, using the dative of
the possessor:

1. Die Hand des Polizeidieners legte sich schwer auf die Schulter des
Jungen. 2. Die Hand des Polizeidieners legte sich schwer auf seine
Schulter. 3. Man bindet einen Korb auf den Rücken des Hundes.
4. Man bindet einen Korb auf seinen Rücken. 5. Ich lachte ins Gesicht
des Mannes. 6. Ich lachte in sein Gesicht.

12. Read the following numerical expressions in German:

2, 2d; 14, 14th; 3, 3d; 30, 30th; 8, 8th; 21, 21st; 100, 100th; 7, 7th; 1, 1st; 16, 16th.

13. Decline:

unſer dritter Knabe   ſein zweites Bild
der dritte Satz   das zweite Haus

14. Read the following dates in German (*a*) in the nominative; (*b*) in the accusative; (*c*) after am:

May 2, 1909   March 6, 1877   April 1, 1914
August 8, 1872   June 10, 1857   July 4, 1934

15. Begin each of the following sentences with the subject:

1. Den Stock hat er nicht. 2. Die Matte kaufte er nicht. 3. Dieſes Jahr war der Winter nicht ſehr kalt. 4. Jeden Tag werde ich ärmer. 5. Seit drei Monaten iſt Jakobs Vetter in dieſem Dorfe Lehrer. 6. Dann gingen ſie fröhlich zum Tore hinaus. 7. Erſt um acht Uhr kamen ſie müde und hungrig nach Hauſe. 8. Letzten Herbſt hat mein Vater bei der Waldmühle ein Reh geſchoſſen. 9. Manchmal machten wir auch Ausflüge in den Wald. 10. Morgen werde ich eine Zeichnung von dem Marburger Schloſſe machen.

16. Read in German:

$\frac{1}{9}$ von 18 iſt 2 $\frac{2}{3}$ von 18 iſt 12
$\frac{1}{20}$ von 100 iſt 5 $\frac{3}{4}$ von 20 iſt 15
$\frac{1}{2}$ von 8 iſt 4 $\frac{4}{7}$ von 28 iſt 16
$\frac{1}{8}$ von 24 iſt 3 $\frac{7}{30}$ von 90 iſt 21

17. Put the words in parentheses in the proper case:

1. Innerhalb (**eine halbe Stunde**) hatte er es ganz vergeſſen. 2. Das Dorf Bielau liegt oberhalb (**der See**) und dieſſeits (**der Wald**). 3. Trotz (**das kalte Wetter**) geht Jakob noch immer, auch außerhalb (**das Haus**), ohne Rock und Hut. 4. Jenſeits (**der Fluß**) iſt eine ſchöne Wieſe. 5. Eine kurze Strecke unterhalb (**das Dorf**) fließt das kleine Flüßchen in den Bärenſee. 6. Außer (**ich**) war kein Menſch da. 7. Während (**die Feiertage**) haben wir viel Beſuch gehabt. 8. Wegen

Bonn. House in which Beethoven was Born

(das schlechte Wetter) bin ich zu Hause geblieben. 9. Statt (ein Hut) hat sie sich ein neues Kleid gekauft. 10. Er stand zwischen (das Pult) und (der Stuhl). 11. (Die Kinder) wegen gehen wir jeden Sommer aufs Land. 12. Um (sein Vater) willen hat er es aufgegeben.

18. Translate into German:

1. We go to the theater three times a month. 2. He visits us twice a year. 3. I heard nothing new. 4. He has something very beautiful for you. 5. You need not do it on my account. 6. So far as we are concerned, you may [1] tell him. [2] 7. For her sake he will do it. 8. We did not work the whole day; we played tennis for two hours. 9. We did not work the whole day; we played football and went to the movies. 10. We do not write to each other very often, for writing takes so much time. 11. We had no time yesterday for [3] playing. 12. I see him standing at the window. 13. You will hear him open the door. 14. He said it without laughing. 15. Instead of studying he played basket ball.

16. I am going to Germany next summer in order to study in [4] beautiful old Marburg. 17. How long have you been living in Marburg? 18. I have been living in Marburg for two and one-half years. 19. How long did you live in the country? 20. I lived in the country for five years. 21. We had been playing only [5] half an hour when it began to rain. 22. I know Berlin very well. 23. We know why he did not come. 24. I did not know that. 25. He has John help his brother every Saturday. 26. She has the windows washed twice a month. 27. He leaves his books at home. 28. He lets the children play in the meadow. 29. Leave off reading and go to bed. 30. She is having a new dress made for Mary.

1. dürfen.　2. *tell him* es ihm sagen.　3. zum.　4. *in the.*　5. erst.

19. Give the meaning and the principal parts of

Welt	Wind	Schmerz	Zucker	Huhn
Mensch	Antwort	Hof	Tier	Wagen
Narr	Kranz	Tasche	Birne	Taube
Felsen	Matte	Lippe	Ei	Markt
Gebäude	Weise	Kleid	Gans	Fuß
Kreis	Aufgabe	Teil	Ente	Geld

20. Translate into English:

1. Sie machten sich also gleich auf den Weg. 2. Fürchten Sie sich nicht vor dem Hunde! 3. Bei einem großen Tannenbaum bogen sie rechts in den dichten Wald. 4. Dort roch es sehr angenehm. 5. Sie lagen auf dem Rücken und schauten in den Himmel. 6. Hoch über ihnen zog ein Adler große Kreise in die blaue Luft. 7. Wir gehen über die Waldmühle nach Hause. 8. Ja, der hat immer Glück. 9. Sie sahen das große, alte Gebäude erst, als sie dicht dabei waren. 10. „Ach so!" sagte Peter mit erstauntem Gesicht. 11. Am Abend war Schauturnen in der Turnhalle. 12. Hier glänzte Jakob Schaffer, der den ersten Preis gewann. 13. Er hat mindestens zwölfmal getaucht, und zwar auf alle möglichen Weisen. 14. Er hat ihn endlich mit den Schultern auf die Matte gezwungen. 15. Gleich beim Frühstück zerbrach sie ihr Glas.

16. Sie las nicht gut, und beim dritten Satze weinte sie. 17. Zu Hause war auch etwas Unangenehmes geschehen. 18. Sie kam mit roter, geschwollener Wange nach Hause. Eine Biene hatte sie gestochen. 19. Die Mutter legte ihr Tonerde auf die Wange, und bald hörten die Schmerzen auf. 20. Es ist aber gut, daß nicht jeder Tag ein Freitag und der Dreizehnte ist! 21. Glaubst du, daß der Tag und das Datum daran schuld sind? 22. Peters Lippen waren innerhalb weniger Minuten wegen der Kälte des Wassers ganz blau. 23. Sie fanden den Vetter auf dem Hofe. 24. Die Knaben hatten große Freude an dem edlen Tiere. 25. Sie unterhielten sich bei einer Tasse Kaffee über allerlei Sachen. 26. In diesem Städtchen hält man noch, im Winter wie im Sommer, Wochenmarkt, und zwar unter freiem Himmel. 27. Auf diesem Markte war alles zu sehen, was auf dem Lande wächst. 28. Ehe er an seine eignen Geschäfte ging, setzte er sich in die Gaststube und ließ sich ein Glas Bier bringen. 29. Der kleine Dieb war gefangen, und vor Schreck ließ er die Birne fallen. 30. Nimm die Birne nur, aber ich rate dir, laß das Stehlen, denn das führt zu einem bösen Ende. 31. Die kleinen Diebe hängt man, die großen läßt man laufen. 32. Der Junge lief mit feuchten doch frohen Augen nach Hause.

LESSON XXVIII

Present, Past, and Future Tenses of the Modal Auxiliaries

A

Bruder und Schwester

Karl Müller hat Wilhelm Weinhold eingeladen, heute abend mit ihm ins Theater zu gehen, aber Wilhelm wird nicht mit= gehen können, denn er muß einen spanischen Aufsatz schreiben. Gestern wollte er auch ausgehen, aber er durfte nicht, weil er
5 seine italienische Aufgabe mit seiner Schwester Gertrud wieder= holen sollte. Das mag er gar nicht, denn Gertrud ist sehr klug; sie weiß alles und spielt also gern mit ihm, wie die Katze mit der Maus. Gertrud selber kann Italienisch und Spanisch sehr gut. Sie weiß alle Regeln und kann beide Sprachen
10 schreiben und sprechen. Sie kennt auch die Werke vieler italie= nischer und spanischer Dichter und Schriftsteller. Wilhelm hat selbst einen sehr guten Kopf, aber er will nicht arbeiten, und Italienisch mag er außerdem nicht.

Seine Schwester wollte letzten Herbst ihre Lehrerinnen=
15 prüfung machen, aber sie konnte es nicht, weil sie krank war. Mehrere Wochen konnte sie fast gar nicht schlafen, und als das besser wurde, mochte sie nicht essen. Wilhelm fand das ganz in der Ordnung. „Wer nicht arbeiten will, soll auch nicht essen", sagte er. „Aber Gertrud kann doch jetzt nicht arbeiten, denn sie
20 ist krank", erklärte die Mutter. Doch hier konnte Wilhelm die Schwester mit ihren eignen Worten schlagen. „Gertrud sagt immer, der[1] Mensch kann, was er will," antwortete er, „also soll sie doch wollen."

330

Jetzt wird Gertrud bald wieder ausgehen dürfen, und sie wird wohl im April ihre Prüfung machen wollen. Ihr alter 25 Lehrer, der Gertruds Großvater gut gekannt hat, sagte neulich, sie sollte bis nächsten Herbst warten, aber das wird sie nicht wollen, wenn sie auch bis vor kurzem so schwach war, daß sie das Bett hüten mußte.

Wilhelm wird viel mehr arbeiten müssen, falls seine 30 Schwester fortgeht und ihm nicht mehr hilft. Wenn Wilhelm seine Schularbeiten nicht gut macht, darf er nicht ausgehen. Wenn die anderen Knaben spielen dürfen, muß er zu Hause sitzen und arbeiten. Seine Eltern können ihm nicht helfen, denn sie können weder Spanisch noch Italienisch. Herr Wein= 35 hold konnte zwar früher etwas Italienisch, denn er ist vor Jahren einmal in Italien gewesen, doch gut war es nie, und er hat auch alles wieder vergessen. Aber Wilhelm wird schon noch arbeiten lernen. Wir müssen alle manches tun, was wir nicht mögen.   46

1. The definite article is used with nouns taken in a general sense. See the Appendix, page 443.

Merksätze

> Du mußt jetzt gleich in die Schule.
> Darf ich mit?

Fragen

1. Wohin will Karl Müller heute abend gehen?
2. Warum kann Wilhelm Weinhold nicht mitgehen?
3. Warum durfte Wilhelm auch gestern abend nicht ausgehen?
4. Warum mag er nicht gern mit seiner Schwester lernen?
5. Welche Sprachen kann Gertrud sehr gut?
6. Was weiß sie?

7. Wessen Werke kennt sie?

8. Ist Wilhelm klug oder dumm?

9. Welche Sprache mag er nicht?

10. Warum konnte Gertrud letzten Herbst ihre Lehrerinnen=prüfung nicht machen?

11. Was konnte sie lange Zeit nicht?

12. Was mochte sie nicht, als es damit besser wurde?

13. Was sagte Wilhelm dazu?

14. Wann wird Gertrud ihre Prüfung machen wollen?

15. Was wird Wilhelm tun müssen, falls die Schwester fortgeht?

16. Können seine Eltern Spanisch oder Italienisch?

17. Wird Wilhelm je arbeiten lernen?

18. Was müssen wir alle oft tun?

Vocabulary

der Aufsatz (−es, ⸚e) essay, composition

aus'|gehen (str., aux. sein) go out

außerdem adv. besides

der Dichter (−s, —) poet

doch however, nevertheless, anyway; really, you know, why

ein'|laden (str.) invite

ein'mal one time, once

erklä'ren (wk.) explain, declare

etwas some

falls subord. conj. in case (that)

fort'|gehen (str., aux. sein) go away

hüten (wk.) guard, tend; das Bett hüten müssen be confined to one's bed

Ita'lien (ie = i + e) (neut.) (−s) Italy

italie'nisch (ie = i + e) adj. Italian; Italienisch indecl. neut. Italian (language)

die Katze (—, −n) cat

die Leh'rerinnenprü'fung (—,−en) teachers' examination

manches many a thing, many things

die Maus (—, Mäuse) mouse

mit'|gehen (str., aux. sein) go along

die Ordnung (—, −en) order; er fand das ganz in der Ordnung

he thought it quite right *or* natural *or* proper

die **Prüfung** (—, –en) test, examination; eine Prüfung machen take an examination

die **Regel** (—, –n) rule

schon already, all right, never fear

der **Schriftsteller** (–s, —) author, writer

schwach (ä-er, ä-st) weak

spanisch *adj.* Spanish; Spanisch *indecl. neut.* Spanish (language)

die **Sprache** (—, –n) language

das **Werk** (–es, –e) work (of art *or* literature)

wiederho'len (*wk.*) repeat, review

Wilhelm (*masc.*) (–s) William

weder . . . noch neither . . . nor

wenn . . . auch even if

in die Schule gehen go to school

mit ihren eignen Worten schlagen rout with her own words

B

1. Principal Parts of the Modals

dürfen, er darf, er durfte, er hat gedurft
können, er kann, er konnte, er hat gekonnt
mögen, er mag, er mochte, er hat gemocht
müssen, er muß, er mußte, er hat gemußt
sollen, er soll, er sollte, er hat gesollt
wollen, er will, er wollte, er hat gewollt

2. Conjugation of the Modals

PRESENT INDICATIVE

ich darf	kann	mag	muß	soll	will
du darfst	kannst	magst	mußt	sollst	willst
er darf	kann	mag	muß	soll	will
wir dürfen	können	mögen	müssen	sollen	wollen
ihr dürft	könnt	mögt	müßt	sollt	wollt
sie dürfen	können	mögen	müssen	sollen	wollen

The inflection of the past indicative is regular, being that of a weak verb. There is no imperative except in the case of wollen.

3. Meanings of the Modals

a. Dürfen means *be permitted to.* It is often rendered by *may* or, with a negative, by *must not.*

> Sie wird bald wieder ausgehen dürfen. *She will soon be permitted to go out again.*
> Darf ich mitgehen? *May I go along?*
> Das darfst du nicht sagen. *You must not say that.*

b. Können means *be able to.* It is frequently rendered by *can.*

> Er wird nicht mitgehen können. *He will not be able to go along.*
> Sie kann jetzt nicht arbeiten. *She cannot work now.*

c. Mögen means (1) *Like, like to, care to;* it is often accompanied by gern:

> Er mag Italienisch nicht. *He does not like Italian.*
> Sie mochte nicht essen. *She did not care to eat.*
> Ich mag nicht gern davon reden. *I do not like (or care) to talk about it.*

(2) *May,* conceding possibility:

> Das mag sein. *That may be.*

d. Müssen means *be obliged to.* It is commonly rendered by *must* or *have to.*

> Das müssen wir alle tun. *We must all do that.*
> Er muß einen spanischen Aufsatz schreiben. *He has to write a Spanish essay.*
> Er wird viel mehr arbeiten müssen. *He will be obliged to work much more.*

e. Sollen means (1) *Be to* (= *be expected to*):

> Er soll seine italienische Aufgabe wiederholen. *He is to review his Italian lesson.*

(2) *Ought to.* In this sense the past subjunctive is used:

> Sie sollte bis nächsten Herbst warten. *She ought to wait until next autumn.*

(3) *Be said to:*

Er soll über hundert Jahre alt sein. *He is said to be over a hundred years old.*

(4) *Shall,* but not as auxiliary of the future tense:

Wer nicht arbeitet, soll auch nicht essen. *Whoever does not work shall not eat, either.*

But

Das werde ich nie vergessen. *I shall never forget that.*

f. Wollen means (1) *Want, want to:*

Was will er? *What does he want?*

Sie wollte letzten Herbst ihre Prüfung machen. *She wanted to take her examination last fall.*

(2) *Intend to:*

Wann wollen Sie mit ihm darüber sprechen? *When do you intend to speak to him about it?*

(3) *Be about to;* in this meaning it is usually accompanied by eben:

Wir wollten eben ausgehen, als es zu regnen anfing. *We were about to go out when it began to rain.*

(4) *Claim to:*

Er will es selbst gesehen haben. *He claims to have seen it himself.*

(5) *Will,* but not as auxiliary of the future tense:

Wollen Sie, bitte, die Tür zumachen? *Will you please close the door?*

But

Wird er um vier Uhr zu Hause sein? *Will he be at home at four o'clock?*

4. Dependent Infinitive

An infinitive dependent upon a modal auxiliary does not take zu:

Er will nicht arbeiten. *He does not want to work.*

Ich mußte die Tür aufmachen. *I had to open the door.*

In the future tense the dependent infinitive precedes the modal:

Sie wird im April ihre Prüfung machen wollen. *She will want to take her examination in April.*

5. Omission of Infinitive

With the modal auxiliaries a dependent infinitive is often omitted, especially one that expresses motion:

Du mußt jetzt gleich in die Schule. *You must go to school now immediately.*

Darf ich mit? *May I go along?*

6. Können Meaning *know*

Können frequently means *know* when expressing knowledge or mastery acquired by study or practice:

Ich kann meine Aufgabe. *I know my lesson.*
Können Sie Deutsch? *Do you know German?*

In this construction no infinitive is felt to be understood. Können has also the force of *know how to*:

Können Sie Klavier spielen? *Do you know how to play the piano?*

C

1. Conjugate in the present, past, and future tenses:

1. Ich muß zu Hause bleiben. 2. Ich kann ihm helfen. 3. Ich darf nicht mitgehen. 4. Ich will es nicht tun.

2. Put into the third person singular and plural of the present and past tenses:

1. Ich mag nicht ins Kino gehen. 2. Ich darf nicht auf die Eisbahn gehen. 3. Ich muß meine italienische Aufgabe wiederholen. 4. Ich will nach Italien gehen. 5. Ich darf keinen Kaffee trinken. 6. Ich kann weder Italienisch noch Spanisch. 7. Ich muß um acht Uhr in die Schule. 8. Ich mag ihn nicht.

3. Replace the infinitives in parentheses by the correct finite forms —

a. In the present tense:

1. Sie (**können**) ihre Prüfung nicht machen, weil sie zu schwach ist. 2. Wenn ihr eure Schularbeiten nicht gut macht, (**dürfen**) ihr nicht ausgehen. 3. Wilhelm Weinhold (**müssen**) einen spanischen Aufsatz schreiben. 4. Außerdem (**mögen**) ich diese Sprache nicht. 5. Du (**sollen**) jetzt deine spanische Aufgabe wiederholen. 6. Das (**mögen**) wohl schuld daran sein. 7. Er (**wollen**) all sein Geld verloren haben. 8. Du (**sollen**) nicht stehlen. 9. Was (**wollen**) du? 10. Man (**können**) sie mit ihren eignen Worten schlagen.

b. In the past tense:

1. Sie war krank und (**mögen**) nicht essen. 2. Er (**müssen**) bis vor kurzem das Bett hüten. 3. Er (**wollen**) eben zu Bett gehen, als es an seine Tür klopfte. 4. Er (**können**) etwas Italienisch. 5. Die Kinder (**dürfen**) nicht mit. 6. Wir (**müssen**) nach Hause. 7. Seine Schwester (**können**) ihm nicht mehr helfen. 8. Katzen (**mögen**) er nicht.

c. In the future tense:

1. Du (**müssen**) viel mehr arbeiten, falls deine Schwester fortgeht. 2. Gertrud (**wollen**) wohl nächsten Monat ihre Lehrerinnenprüfung machen, wenn sie auch noch schwach ist. 3. Sie (**mögen**) wohl nicht länger bleiben. 4. Wilhelm (**können**) diesen Sommer nicht nach Italien gehen. 5. Ihr (**dürfen**) nicht mit Karl ins Theater gehen. 6. Wir (**müssen**) alle manches tun, was wir nicht mögen.

4. Translate the sentences in 1, 2, and 3, above, into English.

5. Translate into German:

1. We must wait for him. 2. That may be true. 3. What do they want? 4. She ought to help them. 5. May I go out this evening? 6. She does not like cats. 7. She is said to be very beautiful. 8. I intend to stay at home this evening. 9. You will not be able to find him. 10. You must not do that. 11. Will you please open the window? 12. You are to say nothing.

13. I was about to telephone when Fred stepped into the room.
14. He claims to have studied in Berlin. 15. You will have to
write your German composition. 16. You will be obliged to
invite him. 17. I do not care to go along. 18. He does not want
to work. 19. He shall do it, anyway. 20. I shall never forget it.
21. Do you know Italian? — Only a little, but I know German
very well. 22. He does not know how to swim. 23. I did not
know that he was here. 24. I do not know these people at all.

6. Put into the past tense and the present perfect tense:

1. Sie erklärt uns die Regeln. 2. Sie kennt die Werke vieler
spanischer Dichter und Schriftsteller. 3. Sie fürchtet sich vor einer
kleinen Maus. 4. Sie finden das ganz in der Ordnung. 5. Ich lade
ihn ein, mit mir ins Theater zu gehen. 6. Anna hütet die Gänse.
7. Er geht hinaus, ohne ein Wort zu sagen.

7. Give the meaning and the principal parts of

Katze	Schriftsteller	Bursche	schlagen	kennen
Maus	Sprache	Dame	ausgehen	lassen
Dichter	Prüfung	Wagen	wissen	hängen
Aufsatz	Huhn	Birne	wenden	halten
Werk	Ei	mitgehen	raten	wachsen
Regel	Ente	wiederho'len	fortgehen	treten

8. Translate into German:

1. William Weinhold could not go to the theater yesterday
with his friend Charles Miller, because he had to write an Italian
composition. 2. Charles has invited him to go with him to the
movies this evening, but William is to review his Spanish lesson
with his sister Gertrude. 3. Gertrude knows Spanish very well,
and she has read the works of many Spanish poets and authors.
4. William is not stupid, but he does not want to work; besides
he does not like languages. 5. Gertrude plays with him, like the
cat with the mouse, and William becomes very angry. 6. But
he will have to work much more in case his sister goes away.
7. Gertrude wants to take the teachers' examination next week.
She could not take this examination last fall because she was

sick. 8. Up to a short while ago she was confined to her bed.
She was so weak that she did not care to eat. 9. What will
William do when his sister can no longer help him? His parents
know neither Spanish nor Italian. 10. Poor William! But he
will yet learn to work, all right. He will have to do many a thing
that he does not like. 11. He will have to stay at home every
evening and study diligently. He will not be able to go to the
movies so often.

D   [Optional]

Sprüche

Wer zwei Hasen zugleich will jagen,
Wird keinen davon nach Hause tragen.

Aus nichts wird nichts, das merke wohl,
Wenn aus dir etwas werden soll.

Nichts ist so elend, als ein Mann,   5
Der alles will, und der nichts kann.

Wer nicht kann, was er will,
Muß wollen, was er kann.

Sollen und Wollen

Ich will! Das Wort ist mächtig;
Ich soll! Das Wort wiegt schwer.
Das eine spricht der Diener,
Das andre spricht der Herr.
Laß beide eins dir werden   5
Im Herzen ohne Groll;
Es gibt kein Glück auf Erden
Als wollen, was man soll.
                              HAHN

Ein Rätsel

Ein jeder will es werden
Allhier auf dieser Erden,
Doch bricht die Zeit herein,[1]
Will es keiner sein.

[Alt]

1. Doch bricht die Zeit herein *But when the time approaches.*

Schiller

　　Friedrich Schiller (1759–1805) ist der größte deutsche Dramatiker. Seine ersten Dramen handeln alle von der Freiheit in irgend einer Form. Auch „Wilhelm Tell", sein letztes vollendetes Werk, verherrlicht die Freiheit. Sein
5 größtes Werk ist „Wallenstein", eine Trilogie,[1] d. h. ein Stück in drei Teilen. Schiller hat auch sehr schöne Balladen geschrieben, aber in seinen lyrischen Gedichten mangelt es an Gefühl. Goethe schrieb immer über seine eignen Erlebnisse und Gefühle, Schiller fast nur über Gedachtes. Seine Lyrik ist Gedanken-
10 lyrik; „Hoffnung" ist ein gutes Beispiel.

　　In diesem Gedicht betrachtet der Dichter das menschliche Leben und sucht dessen[2] Sinn zu begreifen. Die Menschen sind nicht zufrieden mit dem Leben und der Welt, wie sie sind. Sie wollen eine schönere und bessere Welt. Das war schon
15 immer so und wird auch so bleiben, solange es Menschen gibt, denn ohne Hoffnung kann die Menschheit nicht bestehen.

　　Wenn ein Kind zur Welt kommt, hoffen die Eltern, daß es aufwachsen und glücklich werden wird. Für den Knaben ist die Hoffnung noch ein reines Spiel; sie umgaukelt ihn, wie der
20 Schmetterling die Blume. Der Horizont[3] des Jünglings ist

groß und weit geworden, und oft sieht er keine Grenzen, die
Zukunft ist ihm ein Zauberland. Aber noch am Grabe hoffen
die Menschen, wenn auch nur auf ein Wiedersehen in einem
anderen und besseren Leben.

In der dritten Strophe erklärt der Dichter, daß dieser Glaube 25
kein Wahn ist, denn die innere Stimme täuscht uns nicht; sie
redet die Wahrheit. Schiller bekennt hier seinen Glauben an
die Unsterblichkeit der menschlichen Seele.

Hoffnung

Es reden und träumen die Menschen viel
Von bessern künftigen Tagen; 30
Nach einem glücklichen, goldenen Ziel
Sieht man sie rennen und jagen.
Die Welt wird alt und wird wieder jung,
Doch der Mensch hofft immer Verbesserung.

Die Hoffnung führt ihn ins Leben ein, 35
Sie umflattert den fröhlichen Knaben,
Den Jüngling locket ihr Zauberschein,
Sie wird mit dem Greis nicht begraben[4];
Denn beschließt er[5] im Grabe den müden Lauf,
Noch am Grabe pflanzt er — die Hoffnung auf. 40

Es ist kein leerer, schmeichelnder Wahn,
Erzeugt im Gehirne des Toren;
Im Herzen kündet es laut sich an:
Zu was Besserm[6] sind wir geboren.
Und was die innere Stimme spricht,
Das täuscht die hoffende Seele nicht. 45

In Schillers Werken finden wir oft allgemeine Ideen,
einfache Wahrheiten, die Glaubensartikel[7] des Volkes, kurz,
klar und treffend ausgedrückt, und so zitiert[8] man ihn häufig.
50 Wenn ein Deutscher ein Zitat[9] gebraucht, von dem er nicht
weiß, woher es kommt, so fügt er gewöhnlich hinzu: „sagt
Schiller", und meistens hat er recht.

Sein ganzes Leben lang mußte Schiller mit Armut und
Krankheit kämpfen, doch er wurde nicht bitter; nie verlor er die
55 Hoffnung, nie den Glauben an den endlichen Sieg des Schönen,
Guten und Wahren. Schiller war Ethiker[10] und Idealist.[11]
Der großen Masse des Volkes ist dieser Dichter besser bekannt
als Goethe, und er ist ihr auch leichter verständlich.

1. Trilogie' *trilogy.* 2. *its.* 3. Horizont' *horizon.* 4. wird . . .
begraben *is buried.* 5. Denn beschließt er *For though he ends.* 6. Zu was
Besserm *For something better.* 7. Nom. sg. der Glau'bensarti'kel *article
of faith.* 8. Infin. zitie'ren *quote.* 9. Zitat' *quotation.* 10. E'thiker
moral philosopher. 11. Idealist' *idealist.*

LESSON XXIX

Perfect Tenses of the Modal Auxiliaries

A

Bei den Großeltern

Die alte Frau Werner sitzt eines Abends spät mit ihrem
Manne, dem Förster Werner, vor der Tür ihres Hauses und
schaut den Weg nach dem Dorfe entlang. Sie erwartet ihre
beiden Enkel, Gerhard und Kurt. Schon lange haben die
Knaben den Großeltern einen Besuch machen sollen, doch die 5
Mutter hat immer keine Zeit zu der Reise finden können.
Endlich hat sie die Kinder allein reisen lassen. „Du wirst
doch nach dem Bahnhof gehen müssen", sagt Frau Werner
nach längerem Schweigen zu ihrem Manne. „Ich fürchte, die
Kinder haben den Weg durch den Wald nicht finden können." 10
Aber Förster Werner lacht nur. „Zwei solch[1] große Jungen!
Habe keine Sorge! Sie werden bald kommen. Geh nur hinein
und mache den Kaffee!"

Kurz darauf kommen die Knaben an, und nachdem die
Großmutter ihre Enkel hat abküssen dürfen, setzt man sich zu 15
Tisch. Die Knaben sind sehr hungrig, finden aber kaum Zeit
zum Essen, da sie so viel von der Reise zu erzählen haben.
„Wir haben zweiter Klasse fahren dürfen," sagt Gerhard, „weil
die dritte zu voll war. Die Fahrt auf der Eisenbahn war herr-
lich, doch nicht so schön wie die Wanderung durch den Wald." 20
„Ich habe einen Wolf heulen hören," behauptet Kurt, „und am
Rande des Waldes habe ich einen Adler vorbeifliegen sehen."
„Mutter, da werde ich wohl meine Stellung aufgeben müssen,
wenn es mitten im Sommer in meinem Walde Wölfe und

25 Adler gibt", sagt Förster Werner mit ernstem Gesicht. Aber
Gerhard, der drei Jahre älter ist als sein Bruder, ruft: „Bitte,
tue das nicht, Großvater! Es war sicher nur ein Hund, der so
schrecklich geheult hat. Und ein Adler war es auch nicht, denn
der Vogel hat wie eine Eule geschrieen." „Nun, jedenfalls
30 müssen wir morgen alle drei in den Wald hinaus, um nach=
zusehen", antwortet der Großvater. „Also müßt ihr jetzt zu
Bett."

1. Manch, solch, and welch (the last when used exclamatorily) may
stand uninflected before an adjective, the latter then having strong
endings. See the Appendix, page 435.

Merksätze

Er hat es nicht tun dürfen.
Er hat es nicht gedurft.
Hast du ihm wirklich helfen müssen?
Hast du es wirklich gemußt?

Fragen

1. Wo sitzt Frau Werner eines Abends?

2. Warum schaut sie den Weg entlang?

3. Wohin führt dieser Weg?

4. Warum sind die Enkel nicht schon früher einmal zu den
Großeltern gekommen?

5. Ist die Mutter mit den Kindern gekommen?

6. Wohin soll Herr Werner gehen?

7. Was fürchtet Frau Werner?

8. Was sagt Herr Werner dazu?

9. Was soll Frau Werner machen?

10. Wie sind die Knaben, als sie ankommen?

11. Warum finden sie kaum Zeit zum Essen?

12. Was war schöner, die Fahrt auf der Eisenbahn oder die Wanderung durch den Wald?

13. Was will Kurt gehört und gesehen haben?

14. Warum wird der Förster Werner seine Stellung aufgeben müssen?

15. Was sagt Gerhard zu seinem Großvater?

Vocabulary

ab'|küssen (*wk.*) kiss heartily *or* repeatedly

allein' alone

an'|kommen (*str.*, *aux.* sein) arrive

der Bahnhof (-s, ‎⸚e) (railway) station

behaup'ten (*wk.*) assert

die Eisenbahn (—, -en) railroad

der Enkel (-s, —) grandson

entlang' *adv.* along; den Weg nach dem Dorfe entlang schauen look along the way toward the village

ernst earnest, serious

erwar'ten (*wk.*) expect

die Eule (—, -n) owl

der Förster (-s, —) forester

Gerhard (*masc.*) (-s) Gerard

die Großeltern *pl.* grandparents

die Großmutter (—, ‎⸚) grandmother

heulen (*wk.*) howl

jedenfalls *adv.* in any case, at any rate

mitten *adv.* amidst; mitten in *dat. or acc.* in the middle of

nach'|sehen (*str.*) look into it, investigate

der Rand (-es, ‎⸚er) edge

die Reise (—, -n) trip, journey

reisen (*wk.*, *aux.* sein) travel

das Schweigen (-s) silence; nach längerem Schweigen after a prolonged silence

die Sorge (—, -n) care, worry; habe keine Sorge don't worry

vorbei'|fliegen (*str.*, *aux.* sein) fly by

die Wanderung (—, -en) wandering, walking

kurz darauf' shortly afterwards

vor der Tür outside the door

einen Besuch' machen pay a visit

sich zu Tisch setzen sit down to supper (dinner, etc.)

zweiter Klasse (*gen.*) fahren ride second class

B

1. Past Participles of the Modals

The modal auxiliaries have two past participles — (1) a newer, weak form: geburft, gefonnt, gemocht, gemußt, gefollt, and gewollt; (2) an older, strong form, which is without ge= and is identical with the infinitive: dürfen, fönnen, mögen, müffen, follen, and wollen.

The old, strong form is used when the modal auxiliary is accompanied by the infinitive of another verb:

Er hat es nicht tun **dürfen**. *He was not permitted to do it.*

Haft du ihm wirflich helfen **müffen**? *Did you really have to help him?*

Schon lange haben fie den Großeltern einen Befuch machen **follen**. *For some time past they were to pay their grandparents a visit.*

Sie hat immer feine Zeit zu der Reife finden **fönnen**. *She could never find time for the trip.*

It will be noted that in this construction, often called the double-infinitive construction, the dependent infinitive precedes the modal auxiliary.

This same construction also occurs regularly with the verbs heißen, helfen, hören, laffen, and fehen, and frequently with the verbs lehren and lernen:

Sie hat die Kinder allein reifen **laffen**. *She let the children travel alone.*

Ich habe einen Wolf heulen **hören**. *I heard a wolf howl (or howling).*

When there is no dependent infinitive, the weak participial form of the modal auxiliary is used:

Er hat es nicht **geburft**. *He was not permitted to.*

Haft du es wirflich **gemußt**? *Did you really have to?*

Sie hatte es nie **gefonnt**. *She had never been able to.*

Sie hat den Hut nicht **gewollt**. *She did not want the hat.*

Similarly, when there is no dependent infinitive, **the** regular participial forms of ḫören, laſſen, etc. are employed :

Sie ḫat die Kinder zu Hauſe **gelaſſen.** *She left the children at home.*

Ich ḫabe einen Wolf **gehört.** *I heard a wolf.*

2. Position of Tense Auxiliary

In a subordinate clause the double infinitive, whether apparent or real, is preceded by the tense auxiliary :

Nachdem die Großmutter iḫre Enkel **ḫat** abküſſen dürfen, ſetzt man ſich zu Tiſch. *After Grandmother has been permitted to kiss her grandsons heartily, they sit down to supper.*

Ich weiß, daß du nicht **ḫaſt** kommen können. *I know that you could not come.*

Ich weiß, daß er ḫeute abend nicht **wird** kommen können. *I know that he will not be able to come this evening.*

C

1. Conjugate in the present perfect and past perfect tenses :

1. Ich kann keine Zeit zu der Reiſe finden. 2. Ich kann es nicht. 3. Ich will nicht dritter Klaſſe faḫren. 4. Ich will es nicht. 5. Ich ḫöre einen Wolf ḫeulen. 6. Ich ḫöre einen Wolf.

2. Put into the present perfect tense :

1. Die Großmutter darf iḫre Enkel abküſſen. 2. Der Förſter muß nach dem Baḫnhof geḫen. 3. Die Knaben ſollen den Großeltern einen Beſuch machen. 4. Ich mag nicht in den Wald geḫen. 5. Wir laſſen die Kinder allein reiſen. 6. Du ſieḫſt eine Eule vorbeifliegen. 7. Wir können iḫm nicht ḫelfen. 8. Wir können es nicht. 9. Was wollt iḫr damit machen? 10. Was wollt iḫr damit? 11. Am Rande des Waldes ſieḫt Gerhard ein Reḫ. 12. Mitten im Walde ḫören wir einen Wolf ḫeulen. 13. Er ḫilft dem Bruder. 14. Er ḫilft dem Bruder im Garten graben. 15. Er ḫeißt den Mann auf iḫn warten. 16. Sie mag iḫn nicht. 17. Ich ḫöre es regnen. 18. Ich ḫöre es. 19. Sie dürfen es noch nicht anfangen. 20. Sie dürfen es noch nicht.

3. Put the verb of the subordinate clause in the present perfect tense:

1. Ich glaube, daß er seine Stellung aufgeben muß. 2. Ich glaube, daß er es muß. 3. Sie weiß, daß er nicht mitgehen kann. 4. Sie weiß, daß er es nicht kann. 5. Ich glaube nicht, daß er es kaufen will. 6. Ich glaube nicht, daß er es will.

4. Translate into German, using the present perfect tense whenever possible:

1. I had to stay at home. 2. Did you have to[1] or did you want to[1]? 3. I was not permitted to go out. 4. She wanted to wear her new dress. 5. He was to help me in the garden. 6. We did not care to stay longer. 7. He has not been able to study in Germany. 8. They will not be permitted to do it. 9. I had wanted to go to the country. 10. I have often heard her sing. 11. He helped his father in the business. 12. She helped her mother set the table. 13. I do not believe that he was able to work yesterday. 14. I saw that she did not care to go along. 15. You will have to write a Spanish essay. 16. He had never been permitted to travel alone.

1. Supply es.

5. Put into the past tense and the present perfect tense:

1. Sie kommen bald an. 2. Das behauptet er mit ernstem Gesicht. 3. Jedenfalls muß Herr Werner nachsehen. 4. Sie schaut den Weg nach dem Dorfe entlang. 5. Die Großeltern erwarten ihre beiden Enkel. 6. Nach längerem Schweigen sagt er: „Habe keine Sorge!" 7. Kurz darauf fliegt eine Eule vorbei. 8. Die Wanderung durch den Wald ist schöner als die Fahrt auf der Eisenbahn. 9. Dann setzt man sich zu Tisch. 10. Gerhard reist oft allein. 11. Der Wolf heult schrecklich. 12. Sie mag ihn gar nicht. 13. Er kann weder Spanisch noch Italienisch. 14. Sie darf im April ihre Prüfung machen.

6. Give the meaning and the principal parts of

Eule	Reise	Maus	Schriftsteller	sollen
Enkel	Sorge	Katze	Sprache	einladen
Förster	Großmutter	Regel	hüten	wollen
Eisenbahn	Dichter	Werk	erklären	fortgehen

7. Translate into German:

1. Old Mrs. Werner was sitting outside the door of her house, looking[1] along[2] the way toward[3] the village. She was expecting her two grandsons, Gerard and Kurt. 2. They had been permitted to travel alone, because their mother had not been able to find time[4] for the trip. 3. "You must go to the station," said Mrs. Werner to her husband. "The children will not be able to find the way through the forest." 4. But Mr. Werner answered laughing: "Don't worry! They will find the way, all right." 5. Shortly afterwards the boys arrived, and, after their grandmother had been permitted to kiss them heartily, they sat down to supper. 6. Although the children were very hungry, they could scarcely eat, because they wanted to tell about the trip. 7. "We heard a wolf howl as we were going through the forest," Kurt asserted, "and we also saw an eagle fly by." 8. "What!" exclaimed their grandfather, with a serious face. "If there are wolves and eagles in my forest in the middle of summer,[2] I shall have to give up my position." 9. "Oh, no, Grandfather, don't do that, please!" Gerard said. "It was probably no wolf, but a dog, that howled so terribly. And the large bird that flew by was probably only an owl and not an eagle." 10. "Well, at any rate, I shall have to investigate tomorrow," Mr. Werner said, "and you may go along if you want to. But now you must go to bed immediately."

1. and was looking.   2. See the German model in section *A* for word order.   3. nach.   4. *not . . . time* keine Zeit.

D [Optional]

Einst und Jetzt

Im Monat Juli 1925, ich war damals noch Student, wollte ich in den Ferien einen Freund besuchen, der den Sommer bei seinen Eltern auf der Farm verbrachte. Die Farm war im westlichen Minnesota, ungefähr fünfzig Meilen von Fargo, gelegen. Ich kam abends auf der Farm an. Mein 5

Freund hatte nach Fargo gehen müssen und sollte erst am nächsten Tage zurückkommen. So brachte ich den Abend mit seinem alten Vater zu. Als wir nach dem Abendessen auf der Veranda[1] des schönen, großen Hauses saßen, erzählte der alte
10 Mann: „Meine Frau und ich sind 1893 nach den Vereinigten Staaten gekommen, nach Chikago. Wir waren vier Wochen dort, dann mußten wir weiter. Wir hatten keine Arbeit finden können, obschon wir alles versucht hatten; in Chikago wollte uns niemand. Aber wohin?

15 „Da traf ich eines Tages einen Landsmann, an den ich in meinem Leben oft hab' denken müssen. Petersen hieß er, Christian Petersen. Er ist vor fünf Jahren gestorben. Er war damals noch gar nicht alt, aber er war lahm und hatte auch die rechte Hand verloren, so daß er nicht arbeiten konnte. Er hatte
20 eine kleine Pension, dreißig Dollars den Monat, davon hat er leben müssen. Sie können sich denken, daß er nicht viel ausgeben durfte. Petersen hatte eine Farm in Minnesota, die er verkaufen wollte, aber er hatte noch keinen Käufer finden können. ‚Wenn du willst,' sagte er, ‚kannst du auf meine Farm gehen.'
25 Ich wollte schon, aber ich hab' nicht einmal dran denken dürfen, denn wir waren ganz ohne Geld. Aber wir sind dann doch auf die Farm gegangen, auf der wir heute noch sind. Meine Frau hatte noch ein schweres, goldnes Kreuz von ihrer Mutter her[2]; das haben wir verkaufen müssen, um Geld für die Bahnfahrt
30 zu bekommen.

„Petersen hat auf das Kaufgeld gern warten wollen,[3] bis wir etwas zahlen konnten. Der Preis war nicht hoch, und meine Frau und ich sind froh, daß er sein Geld bald bekommen hat. Schon nach zehn Jahren hab' ich alles abzahlen können.
35 Aber wie wir haben arbeiten müssen, meine Frau und ich, das

ist kaum zu glauben. Ein Haus war nicht auf der Farm, das war abgebrannt. Den großen Heuschuppen hatte der Wind umgeworfen, aber die Balken und Bretter waren noch zu ge= brauchen. Jespersen, der damals unser nächster Nachbar war — es war freilich fünf Meilen bis zu seiner Farm — hat mir 40 aus dem alten Holz ein kleines Haus bauen helfen. Es war wirklich ganz gut. Wir haben fünfundzwanzig Jahre darin gewohnt und drei Söhne und zwei Töchter darin aufziehen dürfen. Erst vor fünf Jahren hab' ich dieses Haus bauen lassen. Aber es ist schade um das alte. Die Kinder haben wir alle auf 45 die Universität schicken können. Hoffentlich vergessen sie nie, wie klein ihre Eltern haben anfangen müssen."

1. Veran'da (v = w) *veranda* or *porch.* 2. von ihrer Mutter her *which had belonged to her mother.* 3. hat . . . gern warten wollen *was quite will- ing to wait.*

Freudvoll und leidvoll

Freudvoll
Und leidvoll,
Gedankenvoll sein;
Langen
Und bangen   5
In schwebender Pein;
Himmelhoch jauchzend,
Zum Tode betrübt;
Glücklich allein
Ist die Seele, die liebt.   10

GOETHE

Second-Class Compartment in ā D-Zug

Deutſche Eiſenbahnen

Auf den deutſchen Eiſenbahnen hat man vier Arten von Zü=
gen, nämlich Durchgangs=, Schnell=, Eil= und Perſonenzüge.
Die D=Züge halten nur in den größten Städten und fahren
ſehr ſchnell; die Perſonenzüge halten auf jeder Station[1]; die
5 Schnell= und Eilzüge liegen in der Mitte. Früher hatte man
vier Klaſſen von Wagen, die vierte Klaſſe iſt aber ſeit einigen
Jahren aufgehoben. Die Wagen ſind durch Querwände[2] in
Abteile getrennt. Bei den alten Wagen hat jedes Abteil an
beiden Seiten Türen. Man ſteigt direkt vom Bahnſteig ein.
10 Die neuen Wagen haben dieſelbe Einteilung,[3] aber Türen nur
an den beiden Enden. Die Abteile ſind durch einen Gang ver=
bunden, aber dieſer iſt an der Seite, nicht in der Mitte des
Wagens, wie in Amerika.

1. Station' *station.*   2. *crosswise partitions.*   3. *partitioning.*

Wanderers Nachtlied I[1]

Der du[2] von dem Himmel bist,
Alles Leid und Schmerzen stillest,
Den, der doppelt elend ist,
Doppelt mit Erquickung füllest,
Ach, ich bin des Treibens müde!   5
Was soll[3] all der Schmerz und Lust?
Süßer Friede,
Komm, ach komm in meine Brust!

GOETHE

Longfellow hat auch dieses schöne Gedicht, wie „Wanderers
Nachtlied II", übersetzt: 10

Thou that from the heavens art,
Every pain and sorrow stillest,
And the doubly wretched heart
Doubly with refreshment fillest,
I am weary with contending!   15
Why this rapture and unrest?
Peace descending
Come, ah, come into my breast!

1. Written several years before "Wanderers Nachtlied II" (see
page 119).   2. Der du *Thou who*, referring to Friede in the next to the
last line of the poem.   3. Supply bedeuten.

LESSON XXX

Passive Voice

A

„Die Räuber"

Im Februar 1937 wurden in unsrem Stadttheater Schillers „Räuber" gegeben. Den Schülern der oberen Klassen war geraten worden, der Aufführung beizuwohnen, und sie waren natürlich fast alle dort. „Die Räuber" ist Schillers erstes
5 Drama. Es wurde von dem jungen Dichter geschrieben, als er noch auf der Karlsschule war.

Um halb acht Uhr war das Theater bis auf den letzten Platz gefüllt. Es waren viele Studenten da, welche alle die bunten Mützen und die breiten Bänder ihrer Verbindungen
10 trugen. Jetzt hob sich der Vorhang, und Schillers große Dichtung wurde vor unsren entzückten Augen zu neuem Leben erweckt. Es zeigte sich auch hier wieder, welch große Macht Schiller über die Jugend hat. Der schönste Teil des Abends kam, wenigstens für uns Knaben, als das berühmte „Räu=
15 berlied" von den Schauspielern auf der Bühne angestimmt wurde. Die Studenten erhoben sich wie e i n Mann und san= gen begeistert mit.

Die Aufführung dauerte lange, aber wir dachten gar nicht an die Zeit. Bis zum Schluß saßen wir alle wie im Fieber.
20 Plötzlich schlugen die Worte an unser Ohr: „Dem Manne kann geholfen werden", und der Vorhang fiel. Zuerst war das ganze große Haus still, dann aber brach der Sturm los, und es wurde laut und lange geklatscht. Es war gut gespielt worden, wie uns der Lehrer am nächsten Tage sagte, aber ich

weiß sehr gut, daß der Beifall mehr dem toten Dichter als den 25 Schauspielern galt. Der Eindruck, den die Aufführung auf uns Knaben gemacht hat, läßt sich nicht beschreiben.

Merksätze

Das versteht sich.
Diese Waren verkaufen sich leicht.

Fragen

1. Wer hat das Stück geschrieben, das Donnerstag gegeben wurde?

2. Was war den Schülern geraten worden?

3. Wann hat Schiller „Die Räuber" geschrieben?

4. Wie war das Theater um halb acht?

5. Was trugen die Studenten?

6. Was wurde zu neuem Leben erweckt?

7. Über wen hat Schiller große Macht?

8. Wann kam der schönste Teil des Abends?

9. Was taten die Studenten, als „Das Räuberlied" auf der Bühne angestimmt wurde?

10. Wie waren die Schüler bis zum Schluß des Dramas?

11. Mit welchen Worten schließt das Stück?

12. Was tat man nach dem Schluß?

13. Wie war gespielt worden?

14. Galt der Beifall den Schauspielern oder dem Dichter?

15. Was läßt sich nicht beschreiben?

16. Wissen Sie, welches Schillers größtes Drama ist? (Sieh Seite 340!)

17. Welches war sein letztes Stück?

18. Warum hat Schiller große Macht über die Jugend?

Vocabulary

an'|ſtimmen (*wk.*) strike up, begin (a song)

die Aufführung (—, –en) performance

das Band (–es, ⸚er) ribbon

begei'ſtern (*wk.*) fill with enthusiasm, inspire

der Beifall (–s) applause

bei'|wohnen (*wk.*) *dat.* be present at, attend

berühmt' famous

beſchrei'ben (*str.*) describe

die Bühne (—, –n) stage

bunt variegated, gay-colored

die Dichtung (—, –en) (poetical) work, writing

das Drama (–s, Dramen) drama

der Eindruck (–s, ⸚e) impression

entzü'cken (*wk.*) enrapture

erhe'ben (*str.*) raise; *refl.* arise

erwe'cken (*wk.*) awaken; zu neuem Leben erwecken bring back to life

das Fieber (–s, —) fever; wie im Fieber spellbound

füllen (*wk.*) fill

gelten (er gilt, er galt, er hat gegolten) be worth, be of value; *dat. of person* be intended for

heben (er hebt, er hob, er hat ge-

hoben) lift, raise; *refl.* rise (*of a curtain*)

die Jugend (—) youth (period *or* young people collectively)

klatſchen (*wk.*) applaud

leicht light, easy

los'|brechen (*str.*, *aux.* ſein) break loose, burst forth

die Macht (—, ⸚e) power

mit'|ſingen (*str.*) join in singing

ober upper

das Ohr (–es, –en) ear

der Platz (–es, ⸚e) place, seat; bis auf den letzten Platz down to the last seat

der Räuber (–s, —) robber

„Das Räuberlied" (–s) "The Song of the Robbers"

der Schauſpieler (–s, —) actor

das Stadt'thea'ter (–s, —) municipal theater

der Student' (–en, –en) student

der Sturm (–es, ⸚e) storm

tot dead

die Verbin'dung (—, –en) club, fraternity

verkau'fen (*wk.*) sell

verſte'hen (*str.*) understand

der Vorhang (–s, ⸚e) curtain

wenigſtens at least

zuerſt' *adv.* at first, first

auf der Karlsſchule at the Karlsschule

B

1. Conjugation of the Passive Voice

The auxiliary of the passive voice in German is werden, the older participle worden being used for geworden in the perfect tenses. The following is an outline of the passive voice of hören *hear* :

PRESENT INDICATIVE

ich werde gehört *I am heard* or *I am being heard*
du wirst gehört *you are heard* or *you are being heard*
etc.

PAST INDICATIVE

ich wurde gehört *I was heard* or *I was being heard*
du wurdest gehört *you were heard* or *you were being heard*
etc.

PRESENT PERFECT INDICATIVE

ich bin gehört worden *I have been heard* or *I was heard*
du bist gehört worden *you have been heard* or *you were heard*
etc.

PAST PERFECT INDICATIVE

ich war gehört worden *I had been heard*
du warst gehört worden *you had been heard*
etc.

FUTURE INDICATIVE

ich werde gehört werden *I shall be heard*
du wirst gehört werden *you will be heard*
etc.

FUTURE PERFECT INDICATIVE

ich werde gehört worden sein *I shall have been heard*
du wirst gehört worden sein *you will have been heard*
etc.

IMPERATIVE: werde gehört, werdet gehört, werden Sie gehört *be heard.* (The passive imperative is of infrequent occurrence.)
PAST PARTICIPLE: gehört worden *been heard*
PRESENT INFINITIVE: gehört werden *to be heard*
PAST INFINITIVE: gehört worden sein *to have been heard*

2. The Agent

The agent in the passive construction is expressed by von with the dative:

> „Das Räuberlied" wurde **von** den Schauspielern gesungen. *"The Song of the Robbers" was sung by the actors.*

3. True Passive and Apparent Passive

It is necessary to distinguish between the true passive, werden with the past participle, and the apparent passive, sein with the past participle. The difference between the two is inherent in the difference in meaning of werden and sein. Werden means *become, pass into the state of.* The true passive, therefore, represents the action of the verb as being exerted upon the subject at the time in question. The apparent passive does not denote an action at all, but represents the state, or condition, of the subject resulting from an action prior to the time in question.

> Das Haus **wurde** gestern **verkauft.** *The house was sold yesterday* (that is, the act of selling took place yesterday).
> Ich wollte das Haus gestern kaufen, aber es **war** schon **verkauft.** *I wanted to buy the house yesterday, but it was already sold.*
> Die Flaschen **wurden** zuerst **gewaschen** und dann mit Kaffee ge=füllt. *The bottles were first washed and then filled with coffee.*
> Um halb acht **war** das Theater bis auf den letzten Platz **gefüllt.** *At half past seven the theater was filled down to the last seat.*

English passive forms with *being* — for example, *The letter is (was) being written* — are always true passives and should be rendered in German by the passive with werden: Der Brief wird (wurde) geschrieben.

4. Impersonal Passive

As a rule, only verbs that take a direct object can be used in the passive construction, the object of the active becoming subject in the passive:

Der Hund biß den Knaben.

Der Knabe wurde von dem Hunde gebissen.

With other verbs, however, an impersonal construction is frequently found, in which es is omitted in the inverted or transposed order. The impersonal passive occurs

a. With some verbs that take an object in the dative. Note that the dative is retained in the passive construction.

ACTIVE	IMPERSONAL PASSIVE
Ein Freund half ihm. *A friend helped him.*	Es wurde ihm (or, better, Ihm wurde) von einem Freunde geholfen. *He was helped by a friend.*
Man hatte den Schülern geraten, der Aufführung beizuwohnen. *They had advised the pupils to attend the performance.*	Den Schülern war geraten worden, der Aufführung beizuwohnen. *The pupils had been advised to attend the performance.*

b. With some verbs that have no object of any kind. In this construction the activity denoted by the verb is emphasized without reference to a definite person or thing as being acted on:

Es wurde laut und lange geklatscht. *There was loud and long applause.*

Es wurde viel telephoniert. *There was much telephoning.*

Nach dem Abendessen wurde fleißig studiert. *After supper they (or we) studied diligently.*

Bei uns wird oft in der Küche gegessen. *We often eat in the kitchen.*

5. Passive less Common in German

The passive is used less frequently in German than in English, especially when no agent is expressed. In place of the passive, German idiom often prefers

a. The active with *man*:

> Man teilt das Jahr in vier Jahreszeiten. *The year is divided into four seasons.*

Note that *man* disappears in case the passive construction is employed:

> Das Jahr wird in vier Jahreszeiten geteilt.

b. The reflexive construction:

> Das versteht sich. *That is understood.*
>
> Diese Waren verkaufen sich leicht. *These goods are easily sold.*

6. Laſſen with Reflexive Infinitive

Laſſen with a reflexive infinitive often corresponds to an English passive construction, particularly to *can* with a passive infinitive:

> Es läßt sich nicht beschreiben. *It cannot be described.*

7. Sein with Active Infinitive

Sein with an active infinitive is frequently the equivalent of English *be* with a passive infinitive:

> Auf diesem Markte war alles zu sehen, was auf dem Lande wächst. *At this market everything that grows in the country was to be seen.*

C

1. Give a sliding synopsis of

1. Ich schlage den Hund. 2. Ich werde vom Hunde gebissen. 3. Ich werde alt.

2. Give a synopsis of

1. „Das Räuberlied" wird von den Schauspielern angestimmt. 2. Bunte Mützen werden von den Studenten getragen. 3. Ihr werdet

von den Großeltern erwartet. 4. Ich werde vom Polizeidiener ge=
schützt. 5. Du wirst von der Tante umarmt. 6. Wir werden vom
Lehrer gesehen.

3. Change to the passive voice:

1. Schiller schrieb das Drama auf der Karlsschule. 2. Die Studen=
ten tragen die breiten Bänder der Verbindung. 3. Hans wird die
Flaschen füllen. 4. Man hat die große Dichtung vor unsren entzückten
Augen zu neuem Leben erweckt. 5. Die Schauspieler hatten „Die
Räuber" sehr gut gespielt. 6. Man hat das Stadttheater vor zwei
Jahren gebaut. 7. Fräulein Müller zeichnete dieses Bild. 8. In
dieser Schule lernt man fleißig. 9. Man hat laut und lange geklatscht.
10. Die Schwester hat ihm geholfen. 11. Man dankte ihm dafür.
12. In Amerika trinkt man viel Kaffee. 13. Das Dienstmädchen wird
den Tisch decken. 14. Der Lehrer hatte die Fenster aufgemacht.

4. Change to the active voice:

1. Das Fleisch war vom Hunde gefressen worden. 2. Der Brief
wurde von seinem Bruder geschrieben. 3. Der erste Preis ist von Hans
Huber gewonnen worden. 4. Das Gebäude wird morgen von den
Schülern mit Kränzen geschmückt werden. 5. Die Wörter werden vom
Lehrer an die Tafel geschrieben. 6. Den Schülern der oberen Klassen
wurde geraten, der Aufführung beizuwohnen. 7. Das Haus wird
morgen verkauft werden. 8. Dieser spanische Aufsatz ist von Wilhelm
geschrieben worden. 9. Alle Fenster und Türen waren geöffnet worden.
10. Auf der Bühne wird das berühmte „Räuberlied" gesungen.

**5. In the following group of sentences explain the differ-
ence in meaning between the members of each pair:**

1. Das Stadttheater wird aus rotem Stein gebaut.
   Das Stadttheater ist aus rotem Stein gebaut.
2. Die Wagen wurden schwer geladen.
   Die Wagen waren schwer geladen.
3. Die Turnhalle wird um sechs Uhr geschlossen.
   Die Turnhalle ist um sechs Uhr geschlossen.
4. Das Pferd wurde an einen Baum gebunden.
   Das Pferd war an einen Baum gebunden.

6. Translate into German:

1. "The Song of the Robbers" is being sung by the actors on the stage. 2. The municipal theater was just being built when I was there. 3. That is easily learned.[1] 4. This meat cannot be eaten.[2] 5. He was to be seen nowhere. 6. There was much singing and laughing [3] before we went to bed. 7. It is said [4] that he had to leave the city. 8. That is to be expected. 9. The letter is already written. 10. This house was built a hundred years ago.

1. Reflexive construction.　　2. Use laſſen.　　3. Impersonal passive. 4. Use man.

7. Translate into English:

1. Die Kinder werden müde. 2. Die Knaben werden hungrig werden. 3. Die Pferde werden nie geſchlagen. 4. Die Häuſer werden aus Stein gebaut werden. 5. Das läßt ſich leicht erklären. 6. Die Hefte ſind noch zu korrigieren. 7. Bei uns wird nie geſpielt oder ge= trunken. 8. Dieſe Treppe ſteigt ſich leicht. 9. Ihm iſt nicht zu glauben. 10. Dieſe Bretter laſſen ſich noch gebrauchen. 11. Dieſe Briefe ſind gleich zu beantworten.

8. Put into the past, present perfect, and future tenses:

1. Die Studenten erheben ſich wie ein Mann und ſingen begeiſtert mit. 2. Das Drama macht einen großen Eindruck auf die Knaben. 3. Bis zum Schluß ſitzen ſie alle wie im Fieber. 4. Er kann es nicht beſchreiben. 5. Der Beifall gilt dem toten Dichter. 6. Der Vorhang hebt ſich langſam. 7. Dann bricht der Sturm los. 8. Die Aufführung dauert wenigſtens drei Stunden. 9. Darf er der Aufführung beiwoh= nen? 10. Sie will den Hut nicht. 11. Die Studenten tragen die bunten Mützen ihrer Verbindungen.

9. Give the meaning and the principal parts of

Ohr	Macht	Rand	verſtehen	ankommen
Student	Platz	Eiſenbahn	beſchreiben	reiſen
Jugend	Sturm	Reiſe	füllen	nachſehen
Vorhang	Räuber	Sorge	verkaufen	heulen
Band	Enkel	Eule	behaupten	vorbeifliegen
Taſche	Wange	Tor	verlieren	eintreten

10. Translate into German:

1. Schiller's "Robbers" is being given [1] this evening in the municipal theater. 2. The theater is filled down to the last seat. 3. Slowly the curtain rises, and Schiller's great drama is brought back to life before our enraptured eyes. 4. We sit spellbound until the close. The curtain falls, and at first everything is still. 5. Then the storm bursts forth, and there is loud and long applause.[2] 6. Although it has been well played, I know that the applause is intended more for the dead poet than for the actors. 7. Schiller has great power over youth. He wrote "The Robbers," his first drama, at the Karlsschule.

1. Put the verb in the plural. 2. Use the impersonal passive.

D [Optional]

Köln

Eine der ältesten deutschen Städte ist Köln am Rhein. Schon um die Geburt Christi wurde hier von den Römern ein festes Lager gegründet. Agrippina, die jüngere Tochter des [1] Germanicus [2] und die Mutter Neros, wurde hier geboren. Im Jahre 50 erbaute sie an Stelle des Lagers eine befestigte Stadt, 5 die nach ihr Colonia Agrippina genannt wurde. Der Name Köln ist aus Colonia entstanden. Von den Bauten, welche die Römer in Köln errichtet haben, sind jetzt nur noch wenige Spuren zu finden.

Schon früh wurde die Stadt der Sitz eines Bischofs, unter 10 Karl dem Großen wurde dieser zum Erzbischof erhoben. Der Einfluß des Erzbischofs von Köln wurde bald ein sehr großer, und Köln wurde oft das deutsche Rom genannt. Wohl keine andere Stadt besitzt so viele, schöne, alte, im romanischen Stil erbaute Kirchen wie Köln. Einige davon sind über tausend 15 Jahre alt, doch sind natürlich alle im Laufe der Zeit umgebaut und vergrößert worden.

Die berühmteste Kirche Kölns ist der Dom, ein mächtiger gotischer Bau. Der Grundstein war im Jahre 1248 gelegt
20 worden, und fünfzig Jahre später konnte der erste Gottesdienst in dem bereits vollendeten Teil gehalten werden. Doch es hat mehr als sechshundert Jahre gedauert, bis das gewaltige Unternehmen glücklich zu Ende geführt worden ist. Erst im Jahre 1880 ist der Dom in Gegenwart des Kaisers und aller
25 deutschen Fürsten feierlich eingeweiht worden. Das Bild der Stadt wird heute ganz von den Türmen des Domes beherrscht, die 160 m (rund 530 Fuß) in die Luft ragen.

1. The definite article is sometimes used with names of persons to indicate the case.   2. Celebrated Roman general.

Die deutschen Wälder

Obschon Deutschland nur ein kleines Land ist, hat es viele und schöne Wälder. Ungefähr ein Viertel der gesamten Bodenfläche ist von Wald bedeckt. Davon sind beinahe vierzig Prozent[1] im Besitz des Staates. Zur Pflege und Verwaltung
5 dieser Wälder bildet der Staat auf den Forstakademien[2] besondere Beamte aus. Es sind die Förster, Oberförster, Forstmeister usw. Aber auch in allen größeren Privatwäldern[3] finden wir geschulte Förster. Den Förster erkennt man auf den ersten Blick an seiner hübschen, graugrünen Uniform.
10 Wenn er im Dienst ist, trägt er Flinte und Hirschfänger.

Er wohnt gewöhnlich in seinem Revier,[4] nur selten im nächsten Dorfe. Seine unversöhnlichen Feinde sind die Holz- und Wilddiebe, und deshalb ist sein Beruf gefährlich; schon mancher Förster ist von den Wilddieben erschossen worden.
15 Das Wildern ist besonders in den Gebirgsgegenden sehr beliebt. Mancher Wilddieb handelt aus Not, aber auch reiche

Cologne Cathedral

Bauern werden von ihrer Jagdluſt in den Wald getrieben, obſchon ihnen ſchwere Strafe droht, wenn ſie ertappt werden. Die Jagd iſt in Deutſchland nicht frei, nur wohlhabende oder
20 gar reiche Leute können ſich dieſes Vergnügen gönnen.

Aber die Pflichten des Förſters beſtehen nicht nur in der Pflege und dem Schutz des Waldes und des Wildes. Er beaufſichtigt das Fällen der Bäume und das Anpflanzen der Schläge. Wenn ein größeres Stück Wald gefällt wird, nennt
25 man dieſes Stück einen Schlag. Ein Schlag wird immer wieder mit jungen Bäumen bepflanzt. Oft werden vorher die Baum= ſtümpfe ausgegraben. Die Waldwirtſchaft iſt in Deutſchland durch die Geſetze ſtreng geregelt. Auch die Beſitzer der Privat= wälder haben nicht freie Hand. Die Wälder werden ſehr
30 ſauber gehalten, nirgends ſieht man umgeſtürzte, halb ver= faulte Baumſtämme, noch die Äſte und Zweige der gefällten Bäume.

Öſtlich der Elbe[5] finden wir meiſtens Kiefernwälder, aber auch prächtige Buchenwälder, beſonders an der Oſtſee. Auf den
35 Gebirgen am rechten Rheinufer und in Weſtfalen herrſcht die Eiche vor. Am wichtigſten für die deutſche Waldwirtſchaft ſind aber die herrlichen Fichten= und Tannenwälder auf dem Schwarzwald, den Alpen, dem Bayriſchen und Thüringer Wald und dem Rieſengebirge. Die bewaldeten Teile des
40 Landes ſind meiſtens nicht zum Ackerbau geeignet, und da man die Wälder ſorgſam hegt und pflegt, werden ſie noch lange eine Zierde der deutſchen Erde bilden.

1. das Prozent' *per cent.*   2. Forſt'akademi'en *schools of forestry.*
3. Privat'wäldern (v = w) *private forests.*   4. das Revier' (v = w) *district.*
5. Gen. depending upon Öſtlich.

Harfenspieler

Wer nie sein Brot mit Tränen aß,
Wer nie die kummervollen Nächte
Auf seinem Bette weinend saß,
Der kennt euch nicht, ihr himmlischen Mächte!

Ihr führt ins Leben uns hinein,   5
Ihr laßt den Armen schuldig werden,
Dann überlaßt ihr ihn der Pein:
Denn alle Schuld rächt sich auf Erden.

GOETHE

LESSON XXXI

The Subjunctive · Conditional Sentences

A

Die liebe Jugend

Am zweiten Montag im Mai war keine Schule. Kurz nach
sieben kam Fritz Eiks zu seinem Freunde Adam Bauer, der
ziemlich weit von der Stadt wohnt. Adam war mit seinen
Eltern im Garten. „Hurra! Adam, heute gehen wir fischen“,
5 rief Fritz. „Daraus wird nichts“, erklärte Herr Bauer.
„Wäre Adam mit seinen Schularbeiten fertig, so dürfte er
gehen.“ „Wenn ich gestern nicht zu Onkel Karl hätte mitgehen
müssen, so würde ich sie gestern gemacht haben“, behauptete
Adam. „Aber ich kann sie ja heute abend machen.“ Doch der
10 Vater antwortete: „Das kenne ich! Wenn du vom Fischen
nach Hause kommst, magst du kaum essen, so müde bist du,
vom Arbeiten gar nicht zu reden.“ „Nun, die Schularbeiten
laufen ihm nicht weg,“ bemerkte Fritz, „er kann sie später machen,
denn wir haben auch morgen keine Schule. Während der Nacht
15 hat es nämlich in der Schule gebrannt. Das ganze Gebäude
ist ausgebrannt.“ „Das ist nicht möglich“, sagte Herr Bauer.
„Wenn ein Feuer gewesen wäre, würden wir den Alarm gehört
haben.“ „Nein, lieber Mann“, unterbrach ihn Frau Bauer.
„Wenn wir Südwind haben, hören wir den Alarm nie.“ Herr
20 Bauer war noch nicht überzeugt und ging ins Haus, um zu tele=
phonieren. Als er wieder in den Garten kam, sagte er nur: „Der
Bengel hat wirklich recht. Meinetwegen dürft ihr fischen gehen.“

Bald waren die Knaben am Flusse. Die Sonne schien hell,
und es war keine einzige Wolke zu sehen. „Wenn der Himmel

nicht so klar wäre, würden die Fische besser beißen", erklärte 25
Fritz. „Wie wäre es, wenn wir an den Mühlbach gingen?"
fragte Adam. „Es ist zwar etwas weit, doch dort werden wir
wenigstens Schatten haben." Die Knaben gingen also an den
Mühlbach, aber als sie kaum dort angekommen waren, wurde
der Himmel trübe, und bald fing es zu regnen an. „Es sieht 30
wirklich aus, als ob der Regen bloß gewartet hätte, bis wir
hier waren. Ich glaube nicht, daß es geregnet hätte, wenn
wir am Flusse geblieben wären", sagte Fritz lachend. „Es
scheint, als sollten wir heute kein Glück haben." Doch damit
hatte er unrecht. Der Himmel blieb trübe, es regnete hin und 35
wieder ein bißchen, aber es war warm, und die Fische bissen
gut. Als die Sonne gegen Abend herauskam, waren die
Knaben schon auf dem Heimweg, und jeder hatte mehr als ein
Dutzend schöne Fische in seinem Korbe.

Fragen

1. Wann war keine Schule?
2. Wohin ging Fritz Eiks früh morgens?
3. Wo wohnt Adam Bauer?
4. Wo war er, als Fritz ankam?
5. War er allein im Garten?
6. Wohin wollte Fritz mit Adam gehen?
7. Warum durfte Adam nicht fischen gehen?
8. Was sagte Fritz von den Schularbeiten?
9. Warum ist morgen keine Schule?
10. Warum will Herr Bauer nicht glauben, daß es in der
Stadt gebrannt hat?
11. Was sagt Frau Bauer von dem Alarm?
12. Warum ging Herr Bauer in das Haus?

13. Hatte Fritz recht oder unrecht?

14. Wohin gingen die Knaben zuerst?

15. Warum wollten die Fische nicht beißen?

16. Wohin gingen die Knaben dann? Warum?

17. Was geschah bald, nachdem sie am Mühlbach angekommen waren?

18. Wie war das Wetter bis gegen Abend?

19. Haben die Knaben Glück gehabt oder nicht?

20. Was hatte jeder in seinem Korbe, als er nach Hause ging?

Vocabulary

der Alarm' (–s, –e) alarm

ausgebrannt gutted

aus'|sehen (*str.*) look, appear

bemer'ken (*wk.*) remark

der Bengel (–s, —) (little) rascal

bloß merely

das Feuer (–s, —) fire

der Fisch (–es, –e) fish

fischen (*wk.*) fish; fischen gehen go fishing

der Mühlbäch (–s) Mill Brook

der Regen (–s, —) rain

der Schatten (–s, —) shade, shadow

so *introducing the conclusion of a conditional sentence* then

der Südwind (–s, –e) south wind; Südwind haben have a south wind

trübe cloudy, overcast

überzeu'gen (*wk.*) convince

wĕg'|laufen (*str., aux.* sein) run away; *w. dat.* run away from

die Wolke (—, –n) cloud

ziemlich tolerably

ein bißchen a little, a bit

hin und wieder now and then

recht haben be right

unrecht haben be wrong; damit hatte er unrecht he was wrong about that

seine Schularbeiten machen do one's lessons

vom Arbeiten gar nicht zu reden not to mention work, let alone work

dar'aus wird nichts nothing will come of that, "nothing doing"

es hat gebrannt there was a fire

B

1. Past Subjunctive

a. Weak verbs. The past subjunctive of nearly all weak verbs is identical with the past indicative. The forms id̲ fagte, bu fagteft, etc., id̲ arbeitete, bu arbeiteteft, etc., may be either indicative or subjunctive forms. The exceptions are

PAST INDICATIVE	PAST SUBJUNCTIVE
ȟatte	ȟätte
wurbe *	würbe
brad̲te	bräd̲te
bad̲te	bäd̲te
wußte	wüßte
burfte	dürfte
fonnte	fönnte
mod̲te	möd̲te
mußte	müßte
brannte	brennte
fannte	fennte
nannte	nennte
rannte	rennte
fanbte	fenbete
wanbte	wenbete

b. Strong verbs. The past subjunctive of strong verbs is formed by adding to the past indicative stem the endings =e, =eft, =e, =en, =et, =en, and by modifying the stem vowel if possible: indicative fd̲rieb, subjunctive fd̲riebe; indicative trug, subjunctive trüge.

PAST SUBJUNCTIVE	
id̲ fd̲riebe	id̲ trüge
bu fd̲riebeft	bu trügeft
er fd̲riebe	er trüge
wir fd̲rieben	wir trügen
iȟr fd̲riebet	iȟr trüget
fie fd̲rieben	fie trügen

* Werben is treated as a strong verb, but is weak in the past tense.

The past subjunctive of a few strong verbs is irregular:

PAST INDICATIVE	PAST SUBJUNCTIVE
begann	begönne
half	hülfe
ſchwamm	ſchwömme
ſtarb	ſtürbe
warf	würfe

For a fuller list consult the strong and irregular verbs in the Appendix (pages 459–465).

2. Past Perfect Subjunctive

The past perfect subjunctive is composed of the past subjunctive of the auxiliary, haben or ſein, and the past participle of the verb that is being conjugated:

ich hätte geſagt	ich wäre gekommen
du hätteſt geſagt	du wäreſt gekommen
er hätte geſagt	er wäre gekommen
wir hätten geſagt	wir wären gekommen
ihr hättet geſagt	ihr wäret gekommen
ſie hätten geſagt	ſie wären gekommen

3. The Conditionals

a. First conditional. The first conditional is composed of the past subjunctive of werden and the present infinitive of the verb that is being conjugated:

ich würde ſagen *I should say*
du würdeſt ſagen *you would say*
er würde ſagen *he would say*
wir würden ſagen *we should say*
ihr würdet ſagen *you would say*
ſie würden ſagen *they would say*

b. Second conditional. The second conditional is composed of the past subjunctive of werden and the past infinitive of the verb that is being conjugated:

ich würde gesagt haben *I should have said*
du würdest gesagt haben *you would have said*
etc.
ich würde gekommen sein *I should have come*
du würdest gekommen sein *you would have come*
etc.

4. Mood in Conditional Sentences

The subjunctive mood is used in two kinds of conditional sentences : (*a*) those containing a condition contrary to fact ; (*b*) those containing a less vivid future condition.

a. Condition contrary to fact. In conditional sentences containing a condition contrary to fact, if reference is to present time, the past subjunctive is used in the condition, while either the past subjunctive or the first conditional may be used in the conclusion :

Wenn Adam mit seinen Schularbeiten ⎰ dürfte er gehen.
fertig wäre, ⎱ würde er gehen dürfen.
If Adam were through with his lessons, he would be permitted to go.

However, the first conditional is preferable to the past subjunctive in the conclusion when the past subjunctive is identical in form with the past indicative :

Wenn der Himmel nicht so klar wäre, würden die Fische besser beißen. *If the sky were not so clear, the fish would bite better.*

If reference is to past time, the past perfect subjunctive is used in the condition, while either the past perfect subjunctive or the second conditional may be used in the conclusion :

Wenn wir am Flusse geblieben wären, ⎰ hätte es nicht geregnet.
⎨ würde es nicht geregnet
⎱ haben.
If we had stayed at the river, it would not have rained.

b. Less vivid future condition. In conditional sentences containing a less vivid future condition the past subjunctive is used in the condition, while either the past subjunctive or the first conditional may be used in the conclusion:

Wenn er morgen käme, { wäre es noch Zeit.
würde es noch Zeit sein. } *If he came tomorrow, it would still be time.*

Here, again, the first conditional is preferable to the past subjunctive in the conclusion when the past subjunctive does not differ in form from the past indicative:

Wenn er mich fragte, so würde ich es ihm nicht sagen. *If he asked me, I should not tell him.*

Conditional sentences other than those containing a condition contrary to fact or a less vivid future condition take the indicative and imperative moods:

Wenn du keinen Hut trägst, wirst du dich erkälten. *If you do not wear a hat, you will catch cold.*

Wenn er will, darf er bleiben. *If he wishes, he may stay.*

Wenn sie wirklich böse war, so hat sie es nicht gezeigt. *If she was really angry, she did not show it.*

Sage es mir nur, wenn du heute abend nicht mitgehen willst. *Just tell me if you do not want to go along this evening.*

5. Structure of Conditional Sentences

a. The conclusion may stand first:

Er würde mir helfen, wenn er mehr Zeit hätte. *He would help me if he had more time.*

b. The condition may stand first:

Wenn ein Feuer gewesen wäre, (so) hätten wir den Alarm gehört. *If there had been a fire, (then) we should have heard the alarm.*

The use of so *then* in sentences of this type is optional.

c. Wenn may be omitted, in which case the personal verb stands in its place:

> Wäre er hier, so täte er es. *If he were here, he would do it.*
> Hätten wir das gewußt, so wären wir früher gekommen. *If we had known that, we should have come earlier.*

In sentences of this type so should not be omitted.

6. Als ob

The subjunctive is usually used after als ob *as if:*

> Er sieht aus, als ob er krank wäre. *He looks as if he were sick.*
> Ich tat, als ob ich ihn nicht gesehen hätte. *I acted as if I had not seen him.*

Ob may be omitted, in which case the personal verb immediately follows als:

> Er sieht aus, als wäre er krank.
> Ich tat, als hätte ich ihn nicht gesehen.

C

1. *a.* Conjugate in the past and past perfect subjunctive:

> machen   tragen   fallen

b. Conjugate in the first and the second conditional:

> warten   finden   gehen

c. Give the third person singular of the past indicative and past subjunctive of

schreiben	essen	bitten	wissen	sollen
schneiden	lesen	bieten	mögen	dürfen
holen	sehen	singen	werfen	wenden
arbeiten	helfen	bringen	brennen	denken

2. *a.* Put into past time:

1. Wenn er hungrig wäre, würde er es essen. 2. Wenn ich nicht so viel zu tun hätte, würde ich fischen gehen. 3. Wenn ich es wüßte,

würde ich es ihm schreiben. 4. Wenn du mich riefest, würde ich kommen. 5. Wenn ihr mir die Bücher brächtet, würde ich euch sehr dankbar sein. 6. Wenn sie hier wäre, würde sie mitgehen.

b. Put into present time :

1. Wenn ihr es mir geraten hättet, würde ich es getan haben. 2. Wenn sie es gehabt hätte, würde sie es dir gegeben haben. 3. Wenn es nicht so früh dunkel geworden wäre, würde ich länger geblieben sein. 4. Wenn du ein bißchen früher gekommen wärest, würdest du ihn noch zu Hause getroffen haben. 5. Wenn es nicht so kalt gewesen wäre, würden wir im Garten gesessen haben. 6. Wenn es nicht geregnet hätte, würde ich mein neues Kleid angezogen haben.

3. Translate into English the sentences in 2, above.

4. Rewrite the sentences in 2, above, as follows :

a. Omit wenn.

b. Place the conclusion first.

c. Use the subjunctive in place of the conditional in the conclusion.

d. Omit wenn and use the subjunctive in the conclusion.

e. Use the subjunctive in the conclusion and place the conclusion first.

5. Write the following sentences without ob :

1. Es scheint, als ob wir heute kein Glück haben sollten. 2. Es sieht aus, als ob der Regen bloß gewartet hätte, bis wir hier waren. 3. Sie tat, als ob sie böse wäre. 4. Du siehst aus, als ob du die ganze Nacht gar nicht geschlafen hättest. 5. Es scheint, als ob er recht hätte. 6. Sie sprach, als ob er schon angekommen wäre.

6. Translate into German :

1. If I were through with my lessons, I should go fishing. 2. The fish would have bitten better if the sky had not been so clear. 3. If we went to the Mill Brook, we should at least have shade. 4. They would have heard the alarm if there had been a fire. 5. If they have a south wind, they will not be able to hear the alarm. 6. If you did your lessons this evening, we could go

fishing tomorrow. 7. If it rains, I shall stay at home. 8. Not a cloud was to be seen. 9. Show it to him if he wants to see it. 10. You look as if you had lost your best friend.

7. Put into the past, present perfect, and future tenses:

1. Daraus wird nichts. 2. Er hat unrecht. 3. Es regnet hin und wieder ein bißchen. 4. Du überzeugst mich nicht. 5. Sie laufen nicht weg. 6. Die Fische werden von der Katze gefressen. 7. Es wird laut und lange geklatscht.

8. Give the meaning and the principal parts of

Wolke	Regen	Fieber	Vorhang	sich erheben
Bengel	Band	Macht	aussehen	gelten
Schatten	Platz	Jugend	bemerken	verstehen
Feuer	Ohr	Sturm	ausbrennen	füllen
Fisch	Bühne	Student	beschreiben	verkaufen

9. Translate into German:

1. Fred Eiks and Adam Bauer wanted to go fishing. 2. But Mr. Bauer said: "No, Adam, you may not go along, because you have not yet done your lessons. 3. If you go fishing, you will be too tired to do them this evening. You will hardly care to eat, let alone work." 4. "I should have done them Saturday if I had not had to help you," Adam answered. "But I will do them this evening, all right." 5. "Adam need not do his lessons today," remarked Fred. "They will not run away from him. 6. There was a fire at school this morning at five o'clock. The whole building is gutted." 7. "I don't believe it,"[1] exclaimed Mr. Bauer. "We should have heard the alarm if there had been a fire." 8. But he went into the house in order to telephone. When he came out, he said, "You are right, you little rascal." 9. The boys went to the Mill Brook, although it was a little far. Soon after they had arrived there, the sky became overcast, and it began to rain tolerably hard. 10. However, it was warm; and when the sun came out toward evening, each boy had a dozen fine fish in his basket.

1. Das, placed at the beginning of the sentence.

D

Ein Volkslied

Wenn ich ein Vöglein wär'
Und auch zwei Flüglein hätt',
Flög' ich zu dir;
Weil's aber nicht kann sein,
5   Bleib' ich allhier.

Bin ich gleich[1] weit von dir,
Bin ich doch im Schlaf bei dir
Und red' mit dir;
Wenn ich erwachen tu',[2]
10   Bin ich allein.

Es vergeht keine Stund' in der Nacht,
Da mein Herze nicht erwacht
Und an dich gedenkt,
Daß du mir vieltausendmal
15   Dein Herz geschenkt.

1. Bin ich gleich *Although I am.*   **2.** erwachen tu' = erwache.

Maikönig und Maikönigin

In Süddeutschland kennt man sowohl einen Maikönig als auch eine Maikönigin. Während die[1] mit der Feier des Maikönigs verbundenen Sitten oft ziemlich wild sind, spricht aus den Umzügen der Maikönigin die zarte Poesie des Volkes. 5 Die Mädchen wählen aus ihrer Mitte die Schönste zur Königin, zieren sie mit Blumen und führen sie dann unter Gesang durch die Straßen des Dorfes. Vor jedem Hause macht man halt, die Mädchen schließen um die Königin einen Kreis, singen alte Volkslieder und empfangen Gaben. So vergeht unter Gesang 10 und Musik der ganze Tag.

Festival at Tegernsee (a Village in Bavaria)

In anderen Gegenden treten Maifönig und Maifönigin
nebeneinander auf. Sie heißen dann das Brautpaar und
werden gleichfalls in feierlichem Umzuge durch das ganze Dorf
geführt. Der Maifönig, der von den jungen Männern gewählt
wird, wählt sich selbst eine Maifönigin, der er sich ein ganzes 15
Jahr widmen muß. Dann werden in feierlicher Sitzung die
anderen heiratsfähigen Mädchen an ehrenhafte junge Männer
vergeben. Jeder muß für sein Mädchen das ganze Jahr
sorgen; er muß sie zu allen Festlichkeiten abholen und abends
wieder nach Hause begleiten. Es ist der Mann, der wählt, aber 20
das Mädchen hat das Recht ihn abzulehnen; wenn sie ihm aber
eine Blume an den Hut steckt, so erkennt sie ihn dadurch an.
Oft endet ein solches Verhältnis mit einer Heirat.

1. Modifies Sitten.

Im wunderschönen Monat Mai

Im wunderschönen Monat Mai,
Als alle Knospen sprangen,
Da ist in meinem Herzen
Die Liebe aufgegangen.

5   Im wunderschönen Monat Mai,
Als alle Vögel sangen,
Da hab' ich ihr gestanden
Mein Sehnen und Verlangen.

HEINE

Deutsche Wissenschaftler

Die Kulturvölker der Erde sind heute eine große Einheit. Eines hängt von dem anderen ab; was dem einen schadet, bringt auch allen anderen Nachteil, und die Wohlfahrt und das Gedeihen einer Nation bringen auch allen übrigen Nutzen.
5 Heute ist man sich darüber klar geworden. Wenn die Menschen diese Wahrheit fünfzig Jahre früher begriffen hätten, so hätte man vielleicht großes Unheil verhüten können. Am besten erkennt man dieses Verbundensein im Reiche des Wissens. Hier finden wir auch am frühesten harmonische Zusammenar=
10 beit, die der Menschheit als Ganzem zugute kommt. Auch das deutsche Volk hat reichen Anteil an dieser Arbeit und an dem Fortschritt, zu dem sie führt.

Ein gutes Beispiel ist Robert Koch (1843–1910), ein deut= scher Arzt und später Professor an der Universität Berlin.
15 Koch ist der Begründer der modernen Bakteriologie [1] und entwickelte die heutigen Methoden zur Bekämpfung aller In= fektionskrankheiten.[2] Seine wichtigste Leistung war wohl die Entdeckung der Tuberkelbazillen.[3] Im Jahre 1884 entdeckt

er als Leiter der deutschen Cholerakommiſſion[4] in Kalkutta den Kommabazillus,[5] den Erreger der Cholera. Zwölf Jahre 20 ſpäter berief ihn die Kapregierung[6] nach Südafrika, wo die Rinderpeſt wütete, und in wenigen Monaten fand Koch ein Mittel gegen dieſe Krankheit. Das ſind nur einige von ſeinen Erfolgen.

Es war Hermann Helmholtz (1821–1894), ein Phyſiologe[7] und Phyſiker,[8] der den Augenſpiegel, oder das Ophthalmo= 25 ſkop,[9] erfand, ein Inſtrument, das in der Diagnoſe[10] von Augenleiden ſo nützlich iſt.

Beſſer bekannt iſt Wilhelm Conrad Röntgen (1845–1923), auch ein Phyſiker, der 1895 die Röntgenſtrahlen, oder X= Strahlen, entdeckte. Er erhielt im Jahre 1901 den Nobel= 30 preis. Wir können uns kaum vorſtellen, was unſre Ärzte tun ſollten, wenn ſie in ſchwierigen Fällen ohne X=Strahlen fertig werden müßten.

Wilhelm Oſtwald (1853–1932), ein Chemiker,[11] der ſich beſonders in der phyſikaliſchen Chemie[12] und der Elektroche= 35 mie[13] ausgezeichnet,[14] erhielt im Jahre 1909 gleichfalls den Nobelpreis.

Zum Schluß wollen wir noch an einen Praktiker[15] erinnern, deſſen Name bekannt genug iſt, wenn auch die meiſten ſonſt nichts von ihm wiſſen, das iſt der Ingenieur[16] Rudolf Dieſel 40 (1858–1913), der Erfinder des Motors,[17] der unter ſeinem Namen bekannt iſt. Vorzüge dieſes Motors ſind die Billigkeit und hohe Wirkſamkeit des Brennſtoffs, der außerdem nicht explosiv[18] iſt. Man benutzt den Dieſelmotor[19] heute auf Schiffen, Lokomotiven, Flugzeugen und Luftſchiffen, ja ſogar 45 für Kraftwagen.

1. Bakteriologie′ *bacteriology.*   2. Infektions′krank′heiten *contagious diseases.*   3. Tuber′kelbazil′len *tubercle bacilli.*   4. Cho′lerakommiſſion′ *cholera commission.*   5. Kom′mabazil′lus *comma bacillus.*   6. Kap=

German Tourist Information Office

Die Wartburg

regie′rung *government of Cape Colony.* 7. Phyſiolo′ge *physiologist.*
8. Phy′ſiker *physicist.* 9. Ophthal′moſkop′ *ophthalmoscope.* 10. Diagno′ſe
diagnosis. 11. Che′miker *chemist.* 12. Chemie′ *chemistry.* 13. Elek′=
trochemie′ *electrochemistry.* 14. Supply hat. See the Appendix, **page 444.**
15. Prak′tiker *practical scientist* (one who applies science). 16. Ingenieur′
(=genieur as in French) *engineer.* 17. der Motor *motor.* 18. exploſiv′
explosive. 19. *Diesel motor,* or *engine.*

Die Wartburg

Eine der älteſten und beſt erhaltenen deutſchen Burgen iſt
die Wartburg in der Nähe der Stadt Eiſenach in dem ſchönen
Thüringer Lande. Sie ſtammt aus dem elften Jahrhundert.
Von dem Gipfel eines ſteilen Hügels, der über fünfhundert
5 Fuß hoch iſt, ſchaut die Wartburg weit über Berg und Tal.
Hier verbrachte Martin Luther nach dem berühmten Reichstag [1]
zu Worms faſt ein Jahr. Die Welt mußte nichts von ihm,

und die Leute der Burg kannten ihn nur als Junker [2] Georg. Gegen Ende des Jahres 1521 begann Luther hier in seiner Einsamkeit die Bibel in die deutsche Sprache zu übersetzen. 10 Die Sage erzählt, daß dieses Unternehmen dem Teufel [3] große Sorge machte, denn er wollte nicht, daß die Bibel dem gemei= nen [4] Volke bekannt werden sollte. So störte [5] er Luther oft bei der Arbeit, um das Gelingen [6] des Werkes zu verhindern.[7]

Eines Tages, als der Teufel wieder in sichtbarer Gestalt in 15 Luthers Zimmer erschien, wurde Luther von großem Zorn [8] ergriffen, nahm sein Tintenfaß [9] und warf es dem Teufel an den Kopf. Natürlich traf es nur die leere Wand. Der Teufel war verschwunden und ließ Luther nachher in Ruhe. Man zeigt wohl auch heute noch dem neugierigen [10] Besucher einen 20 schwarzen Fleck [11] an der Wand des Lutherzimmers, der von Luthers Tinte stammen soll.

1. Reichstag *diet*. 2. Junker *squire*. 3. Teufel *devil*. 4. Gemeinen *common*. 5. störte *disturbed*. 6. Gelingen *success*. 7. verhindern *prevent*. 8. Zorn *anger*. 9. Tintenfaß *inkwell*. 10. neugierigen *curious*. 11. Fleck *stain*.

LESSON XXXII

Subjunctive of Wish and of Volition · Subjunctive of Ideal Certainty

A

Einiges über den Konjunktiv

Auf alten Grabsteinen liest man oft: „Er ruhe in Frieden!"
Auch: „Er ruhe sanft!" Schillers berühmtes Gedicht „Der
Taucher" enthält die folgenden Zeilen:

> Lang lebe der König! Es freue sich,
> 5   Wer da atmet im rosichten Licht!
> Da unten aber ist's fürchterlich,
> Und der Mensch versuche die Götter nicht
> Und begehre nimmer und nimmer zu schauen,
> Was sie gnädig bedecken mit Nacht und Grauen!

10 Ein schönes, altes Studentenlied beginnt:

> Alles schweige! Jeder neige
> Ernsten Tönen nun sein Ohr!

Obgleich sich der Dichter oft so ausdrückt, wird der Kon=
junktiv fast nie in der Umgangssprache auf diese Weise ge=
15 braucht. Man sagt zum Beispiel nicht: „Er verlasse sofort
mein Haus! Sie warte unten!" sondern: „Er soll sofort
mein Haus verlassen! Sie soll unten warten!"

Dagegen hört man täglich: „Gehen wir jetzt! Seien wir
dankbar! Sprechen wir nur Deutsch!" usw. Man kann dafür
20 aber auch sagen: „Laß (Laßt, Lassen Sie) uns jetzt gehen!
Laß (Laßt, Lassen Sie) uns dankbar sein! Laß (Laßt, Lassen
Sie) uns nur Deutsch sprechen!"

384

Man gebraucht den Konjunktiv auch häufig in Sätzen dieser Art:

Wäre er nur hier! 25
Hätten Sie es mir nur gesagt!
Käme sie doch vor morgen abend!
Das wäre viel zu teuer!
Du hättest es doch nicht geglaubt!

Besonders die folgenden Sätze sollte man sich genau merken: 30

Dürfte ich Sie um ein Glas Wasser bitten?
Ich könnte heute abend mitgehen.
Ich hätte Ihnen gestern helfen können.
Er möchte gern nach Deutschland gehen.
Du solltest nicht so viel rauchen. 35
Er hätte den Hund nicht schlagen sollen.
Ich wollte, es wäre wahr.

Fragen

1. Was liest man oft auf alten Grabsteinen?

2. Übersetzen Sie: „Er ruhe in Frieden!"

3. Wer hat das Gedicht „Der Taucher" geschrieben?

4. Wen soll der Mensch nie versuchen und was soll er nicht begehren?

5. Was für ein Lied beginnt mit den Worten: „Alles schweige!" usw.?

6. Wie würde man den Satz: „Er verlasse sofort mein Haus!" in der Umgangssprache ausdrücken?

7. Was kann man statt „Seien wir dankbar!" sagen?

8. Nennen Sie andere Beispiele des Konjunktivs, welche man häufig gebraucht!

9. Welche Sätze sollte man sich genau merken?

10. Übersetzen Sie: „Ich hätte Ihnen gestern helfen können" und „Er hätte den Hund nicht schlagen sollen"!

Vocabulary

die Art (—, –en) kind, sort
atmen (*wk.*) breathe
aus'|drücken (*wk.*) express
bede'cken (*wk.*) cover
begeh'ren (*wk.*) desire
das Beispiel (–s, –e) example;
     zum Beispiel (*abbrev.* z. B.) for
     example
beson'ders especially
dage'gen on the other hand
doch *w. subj. of wish* only
einiges something; einiges über
     den Konjunktiv something (*or*
     some remarks) about the
     subjunctive
enthal'ten (*str.*) contain
der Frieden (–s) peace
fürchterlich frightful, terrible
das Gedicht' (–s, –e) poem
gnädig gracious, merciful
der Grabstein (–s, –e) tombstone
das Grauen (–s) horror, terror
häufig frequent
der Konjunktiv' (–s, –e) sub-
     junctive

leben (*wk.*) live
das Licht (–es) light
merken (*wk.*) note; sich (*dat.*)
     etwas merken note something
     carefully
die Nacht (—, ¨e) night, dark-
     ness
neigen (*wk.*) incline
nimmer never
rauchen (*wk.*) smoke
rosicht rosy
ruhen (*wk.*) rest
sanft soft, gentle, peaceful
schauen (*wk.*) look, behold
sofort' at once, immediately
das Studen'tenlied (–s, –er) stu-
     dent song
täglich daily
der Taucher (–s, —) diver
der Ton (–es, ¨e) tone, sound
die Umgangssprache (—, –n)
     colloquial speech
versu'chen (*wk.*) try, attempt;
     tempt
die Zeile (—, –n) line

da unten down there
wer da whoever, whosoever

B

1. Present Subjunctive

The present subjunctive is formed by adding to the stem
of the present infinitive the endings =e, =est, =e, =en, =et, =en.
One verb, sein *be,* has no ending in the first and third

person singular. The present subjunctive of helfen and sein follow:

PRESENT SUBJUNCTIVE

ich helfe	wir helfen	ich sei	wir seien
du helfest	ihr helfet	du seiest	ihr seiet
er helfe	sie helfen	er sei	sie seien

2. Subjunctive of Wish

The subjunctive of wish occurs in the present, past, and past perfect tenses.

In the present tense it is used chiefly in certain formal expressions and is rendered in English by the subjunctive or by *may* with the infinitive:

> Lang lebe der König! *Long live the king!*
> Er ruhe in Frieden! *May he rest in peace!*

This construction is frequently replaced by the present subjunctive of mögen with the infinitive of the accompanying verb:

> Möge er sanft ruhen! *May he rest peacefully!*

In the past and past perfect tenses the subjunctive of wish is usually accompanied by nur or doch and may be construed as in a condition contrary to fact or a less vivid future condition, the conclusion being understood:

> Wenn er nur hier wäre! or Wäre er nur hier! *If he were only here!*
> Wenn sie doch vor morgen abend käme! or Käme sie doch vor morgen abend! *If she would only come before tomorrow evening!*
> Wenn Sie es mir nur gesagt hätten! or Hätten Sie es mir nur gesagt! *If you had only told me!*
> Wenn der Arzt nur etwas früher gekommen wäre! or Wäre der Arzt nur etwas früher gekommen! *If the doctor had only come a little earlier!*

3. Subjunctive of Volition

The subjunctive of volition occurs in the present tense. It replaces the missing forms of the imperative mood in the first and third persons, and is rendered in English by *let* with the infinitive.

> Der Mensch versuche die Götter nicht! *Let man not tempt the gods!*
> Er verlasse sofort mein Haus! *Let him leave my house at once!*
> Seien wir dankbar! *Let us be thankful!*
> Sprechen wir nur Deutsch! *Let us speak only German!*

The type represented by the first two sentences, above, is not of common occurrence in everyday language, the subjunctive being replaced by soll with the infinitive of the accompanying verb:

> Der Mensch soll die Götter nicht versuchen!
> Er soll sofort mein Haus verlassen!

The second type (Seien wir dankbar!), on the other hand, is in daily use, but in place of the subjunctive one may use equally well the imperative of lassen with the infinitive of the accompanying verb:

> Laß (Laßt, Lassen Sie) uns dankbar sein!
> Laß (Laßt, Lassen Sie) uns nur Deutsch sprechen!

4. Subjunctive of Ideal Certainty

The subjunctive of ideal certainty, that is, certainty in a purely imaginary case, occurs in the past and past perfect tenses or in the first and second conditional. It may be construed as in the conclusion of a conditional sentence, the condition, contrary to fact or less vivid future, being implied.

> Das wäre viel zu teuer! or Das würde viel zu teuer sein! *That would be much too expensive.*
> Du hättest es doch nicht geglaubt! or Du würdest es doch nicht geglaubt haben! *You would not have believed it anyway.*

5. Some Subjunctive Forms of the Modals

Note carefully the following very common subjunctive forms of the modal auxiliaries

Dürfte ich Sie um ein Glas Wasser bitten? *Might I ask you for a glass of water?*

Ich könnte heute abend mitgehen. *I could go along this evening.*

Ich hätte Ihnen gestern helfen können. *I could have helped you yesterday.*

Er möchte gern[1] nach Deutschland gehen. *He would like to go to Germany.*

Du solltest nicht so viel rauchen. *You ought not to smoke so much.*

Er hätte den Hund nicht schlagen sollen. *He ought not to have struck the dog.*

Ich wollte, es wäre wahr. *I wish it were true.*

1. The use of gern is optional.

Distinguish between konnte *could, was able to,* and könnte *could, would be able to* :

Er konnte es nicht finden. *He could not (or was not able to) find it.*

Er könnte dir morgen helfen. *He could (or would be able to) help you tomorrow.*

C

1. Conjugate in the present indicative and present subjunctive:

leben   warten   sehen   essen   tragen   dürfen

2. Translate into English:

1. Gott sei uns gnädig! 2. Der Himmel schütze euch! 3. Bleiben wir heute zu Hause! 4. Machen wir die Fenster auf! 5. Laßt uns Schillers „Taucher" lesen! 6. Lassen Sie uns mitgehen! 7. Wer Ohren hat zu hören, der höre! 8. Er soll zufrieden sein! 9. Wenn er morgen nur länger bliebe! 10. Wäre ich nur fertig! 11. Hättest du es doch nicht verkauft! 12. Wenn wir nur nicht hingegangen wären!

13. Das wäre besonders schön! 14. Er täte es doch nicht! 15. Das würde furchtbar sein! 16. Ich hätte das nicht getan! 17. Sonst wären wir nicht gekommen! 18. Ich würde ihm sofort geholfen haben! 19. Du solltest das Gedicht lesen. 20. Er hätte nicht so viel rauchen sollen. 21. Er konnte nicht atmen. 22. Du könntest dich besser aus= drücken. 23. Sie hätten es wenigstens versuchen können. 24. Ich möchte gern wissen, was die Flasche enthält.

25. Dürfte ich Sie bitten, mir einiges über den Konjunktiv zu erklären? 26. Da müßten Sie sofort anfangen. 27. Ich wollte, du hättest das nicht begehrt. 28. Du solltest täglich einen langen Spazier= gang machen. 29. Sie hätten mir ein paar Zeilen schreiben können. 30. Wir hätten ihn häufiger besuchen sollen. 31. Ich wollte, du würdest dir das genau merken. 32. Das hättest du nicht sagen sollen. 33. Es freue sich, wer da im rosichten Licht atmet! 34. Der Mensch soll nimmer schauen wollen, was die Götter mit Nacht und Grauen bedecken! 35. Es neige jeder ernsten Tönen nun sein Ohr! 36. „Er ruhe sanft!" liest man oft auf alten Grabsteinen. 37. Möge das neue Jahr Ihnen nur Gutes bringen!

3. Classify, or explain, the subjunctive in sentences 1, 2, 3, 4, 7, 9, 10, 11, 12, 13, 14, 16, 17.

4. Read aloud and translate:

1. Gehen wir heute abend ins Kino!
   Gehen wir heute abend ins Kino?
2. Bleiben wir den ganzen Tag auf dem Lande!
   Bleiben wir den ganzen Tag auf dem Lande?
3. Machen wir alle Fenster auf!
   Machen wir alle Fenster auf?

5. Translate into German:

1. If I only had more time! 2. If they would only come to-morrow! 3. If I had only thought of it! 4. That would not be so pleasant. 5. Otherwise he would not be doing it. 6. They would not believe me anyway. 7. He would never have attempted it alone. 8. Then she would not have gone along. 9. God be with you, my children! 10. May he rest in peace! 11. Let him not become angry so easily!

12. Let us begin at once. 13. Let us not go out this evening!
14. Might I play the piano a little? 15. I should like to see him.
16. I could not go to the country yesterday. 17. I could send
them to you next week. 18. He could have waited for us.
19. We ought to sing some student songs. 20. You ought not to
have eaten so much. 21. I wish I had stayed at home. 22. Then
we should have to sell everything.

6. *a.* Put into the past tense and the present perfect tense:

1. Da unten ist es fürchterlich. 2. In der Umgangssprache wird der
Konjunktiv fast nie auf diese Weise gebraucht. 3. Dagegen hört man
täglich Sätze dieser Art. 4. Was zum Beispiel enthält diese Flasche?

b. Give the meaning and the principal parts of

Gedicht	Wolke	rauchen	begehren	überzeugen
Zeile	Schatten	merken	bedecken	weglaufen
Ton	Fisch	versuchen	atmen	ausdrücken
Licht	Regen	ruhen	bemerken	schauen
Beispiel	leben	neigen	aussehen	verstehen

c. Put into past time:

1. Wenn er nicht so viel rauchte, könnte er besser lernen. 2. Wäre
das Gedicht nicht so lang, so würde ich es lesen. 3. Ich würde ihn
häufiger besuchen, wenn er nicht so weit wohnte.

d. Put into present time:

1. Wenn Fritz hier gewesen wäre, hätte ich es gleich angefangen.
2. Hätte er das gewußt, so würde er zu Hause geblieben sein. 3. Sie
würden Schatten gehabt haben, wenn sie an den Mühlbach gegangen
wären.

D [Optional]

Mörike

Eduard Mörike (1804–1875) steht unter den deutschen
Lyrikern in seinem Wesen Goethe am nächsten. Seine Gedichte
sind voll tiefer und echter Gefühle. Die Form ist vollkommen
und die Sprache ist oft die des Volkslieds. Bitterkeit, Satire[1]

5 und Ironie[2] finden wir bei Mörike nicht, wohl aber einen
feinen Humor. Das kann man auch von Goethes Lyrik sagen,
nur ist das idyllische Element[3] bei ihm weniger betont als
bei Mörike. Goethe stand mitten im tätigen Leben, während
Mörike ein idyllisches Dasein und die Einsamkeit liebte. Dem
10 Treiben der Gesellschaft, den heftigen sozialen[4] und politischen
Bestrebungen seiner Zeit blieb er ganz fern. Er ist auch fast nie
über die Grenzen seines Heimatlands Württemberg hinaus=
gekommen. Die folgenden Verse kamen dem Dichter in der
Tat vom Herzen:

15   Laß, o Welt, o laß mich sein!
       Locket nicht mit Liebesgaben!
       Laßt dies Herz alleine haben
       Seine Wonne, seine Pein!

Wie gut Mörike den Ton des Volkslieds oft traf, sehen wir
20 an der Ballade „Schön=Rohtraut". Den Stoff hat er frei er=
funden, inspiriert[5] durch den Namen Rohtraut, den er zufällig
in einem alten Wörterbuch entdeckte. Sofort kam ihm die
Idee zu seinem Gedicht; er sah die Königstochter vor sich in all
ihrer Schönheit, und die Rolle des jungen Jägers ergab sich
25 von selbst.

Der Name Rohtraut ist altdeutsch. Eginhard, der Bio=
graph[6] Karls des Großen, berichtet, daß eine von den Töch=
tern des Kaisers so hieß. Die Ballade „Schön=Rohtraut" ist
Mörikes beste. Die Handlung ist nur angedeutet, und doch ist
30 alles klar. Die schöne Tochter des Königs liebt das freie Leben
in Wald und Feld, sie jagt und fischt gern. Der „Knabe" will
zuerst nur ihr Jäger sein, und bald sieht er seinen Wunsch
erfüllt. Wie er an den Hof des Königs gekommen ist, wird
uns nicht gesagt. Genug, er ist jetzt dort. Nun aber wächst

seine Liebe, und er beklagt, daß er kein Königssohn ist, denn nur 35
ein solcher kann Rohtrauts Hand gewinnen. Die Prinzessin ist
nicht blind, sie versteht die Sprache, welche die Augen ihres
Jägers reden. Der kecke junge Bursche gefällt ihr, warum soll sie
ihm nicht einen Kuß schenken? Wird er aber den Mut haben,
sie zu küssen? Der Jäger erschrickt wohl, doch ein solches 40
Glück muß er festhalten. — Schweigend reiten die beiden heim.
Niemand darf erfahren, was draußen im Walde geschehen ist.
Sie brauchen einander nichts zu sagen; Worte können auch
ihre Lage nicht ändern. Im Herzen des „Knaben" ist mehr
Freude als Leid; er hat ein großes Glück genossen. „Schweig 45
stille, mein Herze!" Schweigen ist ihm jetzt doppelte Pflicht.

Schön=Rohtraut

Wie heißt König Ringangs Töchterlein?
    Rohtraut, Schön=Rohtraut.
Was tut sie denn den ganzen Tag,
Da sie wohl [7] nicht spinnen und nähen mag?   50
    Tut fischen und jagen. [8]
O daß ich doch ihr Jäger wär'!
Fischen und Jagen freute [9] mich sehr.
    — Schweig stille, mein Herze!

Und über [10] eine kleine Weil',   55
    Rohtraut, Schön=Rohtraut,
So dient der Knab' auf Ringangs Schloß
In Jägertracht und hat ein Roß,
    Mit Rohtraut zu jagen.
O daß ich doch ein Königssohn wär'!   60
Rohtraut, Schön=Rohtraut lieb' ich so sehr.
    — Schweig stille, mein Herze!

Einsmals [11] sie ruhten am Eichenbaum,
        Da lacht Schön=Rohtraut:
65   „Was [12] siehst [13] mich an so wunniglich [14]?
        Wenn du das Herz hast, küsse mich!"
        Ach, erschrak der Knabe!
        Doch denket er: mir ist's vergunnt, [15]
        Und küsset Schön=Rohtraut auf den Mund.
70   — Schweig stille, mein Herze!

        Darauf sie ritten schweigend heim,
            Rohtraut, Schön=Rohtraut;
        Es jauchzt der Knab' in seinem Sinn:
            Und würd'st du heute Kaiserin,
75   Mich sollt's [16] nicht kränken!
        Ihr tausend Blätter im Walde wißt,
        Ich hab' Schön=Rohtrauts Mund geküßt!
        — Schweig stille, mein Herze!

    Diese schöne Ballade hat George Meredith sehr gut ins Eng=
80 lische übertragen.   Die erste Strophe seiner Übersetzung folgt:

    What is the name of King Ringang's daughter?
        Rohtraut, Beauty Rohtraut!
    And what does she do the livelong day,
    Since she dare not knit and spin alway?
85   O hunting and fishing is ever her play!
    And, heigh! that her huntsman I might be!
    I'd hunt and fish right merrily!
        Be silent, heart!

1. Sati're *satire.*   2. Ironie' *irony.*   3. Element' *element.*   4. sozia'=
len *social.*   5. Infin. inspirie'ren *inspire.*   6. Biograph' *biographer.*
7. *probably.*   8. Tut fischen und jagen = fischt und jagt.   9. Subj.
10. *in.*   11. *Once,* or *One day.*   12. *Why.*   13. Supply du.   14. Archaic
for wunniglich *blissfully.*   15. Archaic for vergönnt.   16. sollte es. Translate the line: *I should not grieve* (literally. *It should not grieve me*).

Er lebe hoch!
(Sieh Seite 430!)

Hoch soll er leben!
(Sieh Seite 430!)

Eine kalte Sonne

„Mein Fräulein, möchten Sie nicht die Sonne meines Lebens sein?"

„O gewiß! Wie glücklich wäre ich, zwanzig Millionen Meilen von Ihnen entfernt zu sein!"

Sprichwort

Jeder kehre vor seiner Tür!

Trost

So komme, was da kommen mag!
Solang du[1] lebest, ist es Tag.

Und geht es in die Welt hinaus,
Wo du mir bist, bin ich zu Haus.

Ich seh' dein liebes Angesicht,   5
Ich sehe die Schatten der Zukunft nicht.

STORM

1. The Beloved One.

LESSON XXXIII

Subjunctive of Indirect Discourse

A

Ein Brief an die Mutter

Berlin, den 21. November 1934.

Liebe, teure Mutter!

Als ich vorgestern von der Bibliothek nach Hause ging, traf
ich Herrn Kurt Almers. Er fragte mich, ob er ihn auf den
5 Flugplatz begleiten wolle. Er mußte nämlich sofort nach Ham=
burg und sagte, daß er fast immer mit dem Flugzeug reise. Da
ich noch nicht auf dem Flugplatz gewesen war, ging ich gern
mit, und dort lernte ich einen jungen Mechaniker kennen, mit
dem ich mich ziemlich lange unterhalten habe.

10 Er erzählte, daß er fünfundzwanzig Jahre alt sei und die
technische Hochschule in Hannover besucht habe. Jetzt sei er
seit sechs Monaten bei der Lufthansa, wisse aber nicht, wie lange
er da bleiben werde. Letzten Winter sei er zwei Monate ohne
Arbeit gewesen. Er bedauerte, daß ihn sein Vater gerade im
15 Winter nicht gebrauchen könne. Im Sommer, wenn er selber
viel zu tun habe, würde er dem Vater sehr willkommen sein.

Sein Vater sei Offizier, und vor dem Kriege sehr reich gewe=
sen. Eigentlich habe das Geld der Mutter gehört, wie das in
Offizierskreisen sehr oft der Fall gewesen sei. Durch den Krieg
20 aber hätten seine Eltern alles verloren; nur ein kleines Gut
hätten sie gerettet, und davon müßten sie nun leben. Die
Pension, die der Vater bekomme, sei zum Leben zu wenig und
zum Sterben zu viel.

Den Gedanken, nach den Vereinigten Staaten zu gehen,

396

hatte der junge Mann aufgegeben, weil seine Mutter so sehr 25
dagegen war. Er sagte mir, daß er jetzt das einzige Kind sei.
Sie seien drei Söhne gewesen, aber die beiden älteren seien im
Kriege gefallen. Er müsse also in Deutschland bleiben, denn
seine Eltern täten ihm sehr leid, besonders da sie sich in die neue
Ordnung gar nicht finden könnten. 30

Doch Du wirst sagen, liebe Mutter: „Was schreibt mir denn
da der Junge für einen Brief!" Wenn ich nicht wüßte, daß
Du an allen meinen Gedanken und Erfahrungen den größten
Anteil nimmst, so würde ich ihn gar nicht abschicken. In mei=
nem nächsten Briefe aber werde ich von etwas anderem schreiben. 35
Mit den herzlichsten Grüßen verbleibe ich in getreuer Liebe
Dein dankbarer Sohn
Franz.

Fragen

1. An wen schreibt Franz diesen Brief?

2. Wen hat er neulich getroffen?

3. Wohin mußte Herr Almers sofort gehen?

4. Womit reist er fast immer?

5. Was fragte er Franz?

6. Mit wem hat sich Franz auf dem Flugplatz ziemlich lange unterhalten?

7. Was erzählte der junge Mechaniker?

8. Wie lange war er letzten Winter ohne Arbeit?

9. Was bedauerte er sehr?

10. Wem gehörte das Geld, das die Eltern vor dem Kriege hatten?

11. Warum ist der Mechaniker nicht nach den Vereinigten Staaten gegangen?

12. Was ist aus seinen Brüdern geworden?

Vocabulary

ab'|ſchicken (*wk.*) send off, send

der Anteil (–ß) interest; Anteil nehmen an (*dat.*) take an interest in

bedau'ern (*wk.*) regret

beglei'ten (*wk.*) accompany

die Bibliothek' (—, –en) library

dage'gen against it

denn *adv.* then (*not temporal*); *in questions* pray, I wonder

eigentlich really

die Erfah'rung (—, –en) experience

der Fall (–eß, ⸚e) case

der Flugplatz (–eß, ⸚e) airport; auf den Flugplatz gehen go to the airport

das Flugzeug (–ß, –e) airplane; mit dem Flugzeug reiſen travel by airplane

der Gedan'ke (–nß,* –n) thought

gehö'ren (*wk.*) *dat.* belong to

das Gut (–eß, ⸚er) estate, farm

Hanno'ver (v = w) (*neut.*) (–ß) Hanover

der Krieg (–eß, –e) war

die Liebe (—) love

die Lufthanſa (—) Airway Corporation

der Mecha'niker (–ß, —) mechanic

der Offizier' (–ß, –e) officer

der Offiziers'kreis (–kreiſeß, –kreiſe) officers' class; in Offizierskreiſen in the officers' class

die Penſion' (en *nasal as in French*) (—, –en) pension

reich rich

retten (*wk.*) save, rescue

verblei'ben (*str., aux.* ſein) remain

vorgeſtern day before yesterday

ſo ſehr so very much

die techniſche Hochſchule engineering school

die Verei'nigten Staaten United States

von etwaß anderem about something else *or* something different

kennen lernen become acquainted with

leben von live on

werden auß become of

ſich in etwaß (*acc.*) finden reconcile (*or* adapt) oneself to something

er tut mir leid I feel sorry for him

* For the declension see the Appendix, page 435.

B

1. Present Perfect Subjunctive

The present perfect subjunctive is composed of the present subjunctive of the auxiliary, haben or sein, and the past participle of the verb that is being conjugated:

ich habe geliebt	ich sei gefallen
du habest geliebt	du seiest gefallen
er habe geliebt	er sei gefallen
wir haben geliebt	wir seien gefallen
ihr habet geliebt	ihr seiet gefallen
sie haben geliebt	sie seien gefallen

2. Future and Future Perfect Subjunctive

The future subjunctive is composed of the present subjunctive of werden and the present infinitive of the verb that is being conjugated:

ich werde lieben	wir werden lieben
du werdest lieben	ihr werdet lieben
er werde lieben	sie werden lieben

The future perfect subjunctive is composed of the present subjunctive of werden and the past infinitive of the verb that is being conjugated:

ich werde geliebt haben	ich werde gefallen sein
du werdest geliebt haben	du werdest gefallen sein
etc.	etc.

3. Subjunctive of Indirect Discourse

The subjunctive of indirect discourse is used in the object clause after words meaning *say* or *think*:

Er erzählte mir, daß er fünfundzwanzig Jahre alt sei und die technische Hochschule in Hannover besucht habe. *He told me that he was twenty-five years old and had attended the engineering school in Hanover.*

Er bedauerte, daß ihn sein Vater nicht gebrauchen **könne**. *He regretted that his father could not use him.*

Er sagte, daß seine Eltern durch den Krieg alles **verloren hätten**. *He said that his parents had lost everything by the war.*

The subjunctive, as used in these sentences, indicates and stresses the fact that the speaker is reporting what somebody else has said.

Indirect questions are a form of indirect discourse and take the subjunctive in the object clause:

Er fragte mich, ob ich ihn auf den Flugplatz begleiten **wolle**. *He asked me whether I wanted to accompany him to the airport.*

4. Tense

Observe carefully the tense of the subjunctive in indirect discourse. Memorize the following table:

DIRECT DISCOURSE	INDIRECT DISCOURSE	
	I	II
Pres. indic. becomes	*pres.*	or *past subj.*
Past indic.		
Pres. perf. indic. } becomes	*pres. perf.*	or *past perf. subj.*
Past perf. indic.		
Fut. indic. becomes	*fut. subj.*	or *first cond.*
Fut. perf. indic. becomes	*fut. perf. subj.*	or *second cond.*

Rule. Use the subjunctive forms in column I if they are distinct from indicative forms; otherwise use the forms in column II:

DIRECT DISCOURSE	INDIRECT DISCOURSE
Er sagte: „Ich habe keine Kreide."	Er sagte, daß er keine Kreide **habe**.
Sie sagten: „Wir haben keine Kreide."	Sie sagten, daß sie keine Kreide **hätten**.
Er sagte: „Ich werde es kaufen."	Er sagte, daß er es **kaufen werde**.
Sie sagten: „Wir werden es kaufen."	Sie sagten, daß sie es **kaufen würden**.
Er fragte: „War Hans nicht in der Schule?"	Er fragte, ob Hans nicht in der Schule **gewesen sei**.

The rule, as stated above, represents the usage of many careful writers. The fact is, however, that uniformity does not exist, since usage varies with the locality, the forms in column II being used sometimes contrary to the rule. This is especially true of the spoken language:

> Er sagte, daß er kein Geld **hätte** (instead of **habe**). *He said that he had no money.*

5. Indicative in Indirect Discourse

The indicative mood is also used in indirect discourse as follows —

a. If the verb of the principal clause is in the first person of the present tense, the indicative is regularly used in the object clause:

> Ich sage, daß er dumm **ist**.

The indicative occurs frequently also after the other forms of the present tense:

> Fritz sagt, daß sein Vater nicht zu Hause **ist** (or **sei**).

In indirect questions the indicative is regularly used after all persons of the present tense:

> Er fragt mich jeden Tag, ob Hans hier **ist**.

b. The indicative is used after all tenses of verbs implying certainty, such as *know, see, show,* and the like:

> Er wußte, daß Paul es **hatte**.

6. Indirect Imperative

An imperative of direct discourse is expressed in indirect discourse by the present or past subjunctive of follen with the infinitive of the accompanying verb:

> Er sagte: „Wilhelm, mache alle Fenster zu!"
>
> Er sagte, daß Wilhelm alle Fenster zumachen **solle** (or **sollte**).

German does not have an infinitive construction with
ſagen, corresponding to the English use of the infinitive
after *tell*. The two English sentences *He told Henry to wait
for him* and *He said that Henry should wait for him* are
rendered alike by Er ſagte, daß Heinrich auf ihn warten ſolle
(or ſollte).

7. Omission of daß

Daß may be used to introduce the object clause or may
be omitted. If daß is omitted, the object clause takes the
independent instead of the dependent order:

> Er ſagte, daß er den Aufſatz am nächſten Tage ſchreiben werde; **or**
> Er ſagte, er werde den Aufſatz am nächſten Tage ſchreiben; **or**
> Er ſagte, am nächſten Tage werde er den Aufſatz ſchreiben.

> Er ſagte, daß Georg den Satz vorleſen ſolle; **or**
> Er ſagte, Georg ſolle den Satz vorleſen.

C

1. *a.* Conjugate in the present perfect, the future, and
the future perfect subjunctive: warten, gehen.

b. Give the subjunctive forms corresponding in tense to
the following indicative forms:

1. Er tat. 2. Wir wurden. 3. Sie gibt. 4. Er verbleibt. 5. Er
kaufte. 6. Du ſpielſt. 7. Er begleitet. 8. Ich mußte. 9. Ihr brachtet.
10. Es gehört. 11. Sie kannten. 12. Er trug. 13. Sie ſchrieb.
14. Er half. 15. Sie weiß. 16. Du biſt gelaufen. 17. Wir hatten
gerettet. 18. Er hat bedauert. 19. Sie waren geblieben. 20. Du wirſt
ſingen. 21. Er wird geſchlafen haben. 22. Ihr habt gelacht. 23. Wir
waren gekommen. 24. Ich hatte abgeſchickt. 25. Du haſt verſucht.

2. Change the following sentences into subordinate
clauses after Er ſagte (*a*) with daß; (*b*) without daß:

1. Franz hat vorgeſtern Herrn Almers auf den Flugplatz begleitet.
2. Fritz und Kurt haben die techniſche Hochſchule in Hannover beſucht.

3. Der Offizier tut mir leid. 4. Die Mechaniker haben keine Arbeit. 5. Ich werde mit dem Flugzeug reisen. 6. Die Eltern werden es sehr bedauern. 7. Dieses Flugzeug gehört der Lufthansa. 8. Das war in Offizierskreisen sehr oft der Fall. 9. Ich lernte einen jungen Mecha= niker kennen. 10. Die Studenten wollten nach den Vereinigten Staaten gehen.

11. Sie konnten sich nicht in die neue Ordnung finden. 12. Sie wird in ihrem nächsten Briefe von etwas anderem schreiben. 13. Das Geld hat eigentlich der Mutter gehört. 14. Die Mutter nimmt an allen meinen Gedanken und Erfahrungen den größten Anteil. 15. Sie waren vor dem Kriege sehr reich. 16. Er wird wohl nichts gerettet haben. 17. Hans, setze dich auf die Bank! 18. Kinder, macht keinen solchen Lärm! 19. Herr Braun, schreiben Sie die Sätze an die Tafel! 20. Vergiß es nicht, Anna!

3. Change the following direct questions into indirect questions after Er fragte:

1. Was ist aus seinen Brüdern geworden? 2. Muß er von dieser kleinen Pension leben? 3. Ist das kleine Gut alles, was er gerettet hat? 4. Auf welche Weise haben sie es angefangen? 5. Was haben sie dagegen? 6. Wem gehört das Buch? 7. Wie sah Frau Müller aus? 8. Wann werden sie ankommen? 9. Hat sie denn keine Liebe zu ihren Geschwistern? 10. Wer saß im Garten? 11. Haben die Kinder auf der Wiese gespielt? 12. Was für einen Hut wirst du tragen, Marie?

4. Put into indirect discourse:

1. Max sagte: „Ich ging gern mit, da ich noch nicht auf dem Flugplatz gewesen war." 2. Franz schrieb: „Der arme Mann hat durch den Krieg alles verloren und muß von einer kleinen Pension leben." 3. Gertrud antwortete: „Ich traf Herrn Almers, als ich von der Bibliothek nach Hause ging." 4. Fritz bemerkte: „Die Schul= arbeiten werden ihm nicht weglaufen." 5. Heinz dachte: „Die Kinder haben sich vor dem Hunde gefürchtet." 6. „Ich reise fast immer mit dem Flugzeug," erklärte Herr Almers, „besonders wenn ich nach Hamburg gehen muß." 7. „Die Pension, die ich bekomme, ist zum Leben zu wenig", behauptete Herr Bauer, „und zum Sterben zu viel." 8. Hans dachte: „Nun ist es zu spät."

5. Translate into German:

1. I say that he is not here. 2. Fred says that he will do it. 3. She thought that he had her book. 4. She knew that he had her pen. 5. He wants to know what time it is. 6. They asked me where I had found it. 7. We feared that he had forgotten it. 8. He regretted that he had not thought[1] of it. 9. He convinced me that I was[1] wrong. 10. He told John to wait for him. 11. They wanted to know whether we should be at home this evening. 12. They answered that they had already done their lessons. 13. He said they should help us. 14. I told you not to send[2] the letter yet. 15. He told me that his parents had lost everything by[3] the war. 16. I believe this pen belongs to the teacher.

1. Use the indic. Why?   2. abſchicken.   3. burch.

6. Change into indirect discourse, using the conjunction baß only with the first subordinate clause:

Franz ſchrieb ſeiner Mutter: „Ich bin vor zehn Tagen mit meinem Freunde Karl Weber in Berlin angekommen. Wir haben zwei hübſche Zimmer bei einem Herrn Heinrich Werner, einem Kaufmann, in der Gartenſtraße gefunden. Berlin gefällt mir ſehr, aber ich werde nicht verſuchen, Dir zu erzählen, was ich alles geſehen habe. Du mußt ſelber im Sommer nach Deutſchland kommen.

„Letzten Dienstag habe ich einer Aufführung von Schillers ,Räuber' beigewohnt. Es waren viele Studenten da, welche alle die bunten Mützen ihrer Verbindungen trugen. Der Eindruck, den die Aufführung auf mich gemacht hat, läßt ſich nicht beſchreiben.

„Herr und Frau Nagel hatten Berlin ſchon verlaſſen, ehe ich ankam. Sie ſind jetzt in Hamburg, aber ſie werden in einigen Tagen wieder nach Berlin kommen."

7. a. Give the meaning and the principal parts of

Liebe	Offizier	Art	abſchicken	enthalten
Krieg	Zeile	Beiſpiel	begleiten	merken
Gut	Bibliothek	Frieden	atmen	leben
Gedanke	Licht	gehören	ausdrücken	rauchen
Fall	Gedicht	bedauern	bedecken	verſuchen

b. Translate into English:

1. Er ruhe in Frieden! 2. Reisen wir mit dem Flugzeug! 3. Wäre ich nur nach den Vereinigten Staaten gegangen! 4. In jenem Falle hätte ich ihn begleitet. 5. Du hättest ihn retten können. 6. Sie hätten den Brief nicht abschicken sollen. 7. Ich wollte, ich wäre mit ihm auf den Flugplatz gegangen. 8. Du solltest es morgen anfangen. 9. Er möchte gern die technische Hochschule in Hannover besuchen.

8. Translate into German:

1. Day before yesterday Frank Schaffer accompanied **Mr. Kurt Almers** to the airport. Mr. Almers travels very often by airplane. 2. Frank became acquainted with a young mechanic who has been with the Airway Corporation for six months. He is twenty-five years old and has attended the engineering school in Hanover. 3. The young man told Frank that he had given up the thought of going to the United States because his mother was so very much against it. 4. "I am now the only child," he said. "I had two older brothers, but they both fell in the war. I feel sorry for my parents because they cannot adapt themselves to the new order. 5. My father is an officer and was formerly very rich. But he lost everything by [1] the war except a small farm."

1. durch.

D   [Optional]

Lessing

Die zweite Hälfte des achtzehnten Jahrhunderts ist die klassische Periode der deutschen Literatur. Zwei der großen Klassiker, Goethe und Schiller, haben wir bereits kennen gelernt. Der dritte ist Gotthold Ephraim Lessing (1729–1781). Er hat besonders durch seine kritischen Schriften großen Ein= 5 fluß auf die Entwicklung des Dramas ausgeübt; doch waren auch die wenigen Dramen, die er geschrieben hat, wichtige Muster für die jüngeren Dichter jener Zeit. „Minna von Barnhelm" ist noch heute eins der besten Lustspiele der deutschen

10 Literatur. Lessings letztes Drama, „Nathan der Weise", zeigte
neue Wege durch die Form; es ist in Blankvers[1] geschrieben.
Doch wichtiger als die Form war die Idee des Stückes.
Der Dichter forderte in diesem Werke Toleranz[2] in Fragen
der Religion.[3] Die Lehre des Stückes findet knappen Ausdruck
15 in der Parabel[4] von den drei Ringen, die Nathan dem Sultan
Saladin[5] erzählt. Der Inhalt ist folgender:

Vor alten Zeiten lebte ein Mann im Osten, der einen Ring
von unschätzbarem Wert besaß; dieser Ring machte den Besitzer
vor Gott und Menschen angenehm, aber nur, wenn er an die
20 Kraft des Ringes glaubte. Der glückliche Besitzer bestimmte,
daß dieser Ring immer vom Vater auf den Sohn übergehen
sollte. Doch nicht der Älteste,[6] sondern derjenige, welchen der
Vater am meisten liebte, sollte stets der Erbe des Ringes und
das Haupt der Familie sein. Zuletzt war der Ring im Besitz
25 eines Vaters von drei Söhnen, die er alle gleich liebte.[7]

Er habe keinem weh tun wollen und jedem heimlich, ohne
daß die anderen davon gewußt hätten, den Ring versprochen.
Als er aber immer älter geworden und dem Tode immer näher
gekommen sei, habe er in seiner Not einen Künstler rufen lassen.
30 Diesem habe er befohlen, er solle nach dem Muster seines Ringes
zwei andere machen, die dem seinen[8] vollkommen gleichen würden. Dies sei dem Künstler so gut gelungen, daß der Vater
selbst den echten Ring nicht habe erkennen können. Vor seinem
Ende habe er jeden Sohn allein rufen lassen und ihm seinen
35 Segen und einen der Ringe gegeben.

Nach des Vaters Tode hätten die Brüder miteinander gestritten, und jeder habe behauptet, sein Ring sei der wahre. Schließlich seien sie zum Richter gegangen, der aber habe die Sache nicht
entscheiden können. Statt eines Urteils habe er den Brüdern

Lessing

Goethe

Schiller

Heine

Mörike

Scheffel

40 einen Rat gegeben. Jeder solle glauben, daß sein Ring echt sei, aber auch so leben und handeln, daß ihn Gott und Men= schen lieben müßten. Am Ende der Zeiten werde ein weiserer Richter das Urteil sprechen.

Die drei Ringe sind die Symbole [9] der drei großen Re=
45 ligionen, des Judaismus,[10] des Christentums [11] und des Islams.[12] Diese kommen alle drei vom Vater, d. h. von Gott, sind also alle drei gut, doch sie haben nur Wert, wenn die Bekenner einen starken, lebendigen Glauben besitzen und nach diesem leben und handeln.

1. der Blankvers *blank verse.*   2. die Toleranz' *tolerance.*   3. Religion' *religion.*   4. Para'bel *parable.*   5. Sa'ladin (1137–1193), Sultan of Egypt and Mohammedan hero of the Third Crusade.   6. *first-born.*
7. The introductory paragraph of the parable is told in the indicative; the actual parable, beginning with the next paragraph, is told in the subjunctive of indirect discourse.   8. dem seinen *his.* See the Appendix, page 438.   9. Nom. sg. das Symbol' *symbol.*   10. Judais'mus (ai = a + i) *Judaism.*   11. *Christianity.*   12. *Mohammedanism.*

Das verlassene Mägdlein

Früh, wann [1] die Hähne krähn,
Eh die Sternlein verschwinden,
Muß ich am Herde stehn,
Muß Feuer zünden.

5

Schön ist der Flammen Schein,
Es springen die Funken;
Ich schaue so drein,[2]
In Leid versunken.

Plötzlich, da kommt es mir,
10
Treuloser Knabe,
Daß ich die Nacht von dir
Geträumet habe.

Träne auf Träne dann
Stürzet hernieder;
So kommt der Tag heran —   15
O ging' er wieder!

MÖRIKE

Mörike hat den Ton des echten Volkslieds wohl nie besser getroffen, als in diesem einfachen Gedicht. Die Einzelheiten muß sich die Phantasie[3] des Lesers selbst ausmalen, doch die Situation[4] ist klar. Der Dichter gibt uns ein anschauliches 20 Bild von der armen Magd, die lange vor Tagesanbruch schon am Herde steht, um das Feuer anzuzünden. In ihre traurigen Gedanken versunken, schaut sie in die Flammen, dunkel fühlt sie die Schönheit des Anblicks. Plötzlich wird das Leid ihrer Seele wach. Nicht ihre Armut, oder die Mühe und Arbeit 25 ihres Standes bedrücken sie; nur die Untreue des Mannes, dem sie ihr Herz geschenkt hat, raubt ihr den Mut und die Hoffnung.

Als der Morgen anbricht, findet er die Arme in bitteren Tränen. Aus ihrem Munde kommt keine Anklage, keine Ver= 30 wünschung gegen den Treulosen. Sie hat nur einen Wunsch: daß der freudlose Tag erst wieder zu Ende wäre.

In wenigen Strichen haben wir hier, ohne alle Sentimen= talität,[5] ein Bild des Seelenlebens der Verlassenen, der Tragik eines schlichten, vertrauenden jungen Menschenkindes. Kein 35 Wunder, daß mehrere von den besten deutschen Komponisten ihre Kunst an dem Liedchen versucht haben.

---

1. wenn.   2. Ich schaue so drein *I stare listlessly into the flames.*
3. Phantasie' *imagination.*   4. Situation' *situation.*   5. Sentimentalität' *sentimentality.*

Waldgespräch

„Es ist schon spät, es wird schon kalt,
Was reitst du einsam durch den Wald?
Der Wald ist lang, du bist allein,
Du schöne Braut! Ich führ' dich heim!"

5 „Groß ist der Männer Trug und List,
Vor Schmerz mein Herz gebrochen ist,
Wohl irrt das Waldhorn her und hin,[1]
O flieh! du weißt nicht, wer ich bin."

„So reich geschmückt ist Roß und Weib,
10 So wunderschön der junge Leib,
Jetzt kenn' ich dich — Gott steh' mir bei!
Du bist die Hexe Lorelei."

„Du kennst mich wohl — von hohem Stein
Schaut still mein Schloß tief in den Rhein.
15 Es ist schon spät, es wird schon kalt,
Kommst nimmermehr aus diesem Wald."

EICHENDORFF

1. **Wohl irrt das Waldhorn her und hin** *The (lost) hunter's call now rings here, now there.* We must assume that the hunter has been blowing his horn in order to attract the attention of someone who might guide him out of the forest.

Schöne Junitage

Mitternacht, die Gärten lauschen,
Flüsterwort und Liebeskuß,
Bis der letzte Klang verklungen,[1]
Weil nun alles schlafen muß —
5   Flußüberwärts[2] singt eine Nachtigall.

Sonnengrüner [3] Rosengarten,
Sonnenweiße [3] Stromesflut,
Sonnenstiller [4] Morgenfriede,
Der auf Baum und Beeten ruht —
    Flußüberwärts singt eine Nachtigall.   10

Straßentreiben, fern, verworren,
Reicher Mann und Bettelkind,
Myrtenkränze, Leichenzüge,
Tausendfältig Leben rinnt —
    Flußüberwärts singt eine Nachtigall.   15

Langsam graut der Abend nieder,[5]
Milde wird die harte Welt,
Und das Herz macht seinen Frieden,
Und zum [6] Kinde wird der Held —
    Flußüberwärts singt eine Nachtigall.   20

LILIENCRON

1. Supply ist.   2. *Across the river.*   3. Sonnengrüner, Sonnenweiße: these compounds suggest the effect of the sunlight on garden and river. 4. *Sunny and quiet.*   5. Langsam graut der Abend nieder *Slowly evening's dusk descends.*   6. *a.*

Ein kleines Lied

Ein kleines Lied! Wie geht's nur an,
Daß man so lieb es haben kann,
    Was liegt darin? Erzähle! —

Es liegt darin ein wenig Klang,
Ein wenig Wohllaut und Gesang,   5
    Und eine ganze Seele.

MARIE VON EBNER-ESCHENBACH

REVIEW OF LESSONS XXVIII–XXXIII

1. Give the principal parts of the modal auxiliaries.

2. Conjugate in the present indicative: mögen, dürfen, wollen.

3. Put into the past, the present perfect, and the future tense of the indicative:

1. Er muß einen italienischen Aufsatz schreiben. 2. Er muß es sofort. 3. Sie mag nicht gern singen. 4. Sie mag es nicht gern. 5. Ich kann nicht mitgehen. 6. Ich kann es nicht. 7. Wir dürfen nicht ausgehen. 8. Wir dürfen es nicht. 9. Er will gleich nach Hause. 10. Ich sehe die Kinder auf der Wiese spielen. 11. Ich sehe die Kinder. 12. Er hört sie Klavier spielen. 13. Er hört sie. 14. Ich lasse meine Bücher in der Bibliothek. 15. Ich lasse meine Bücher auf dem Boden liegen.

4. Put the verb of the subordinate clause in the present perfect tense:

1. Es tut mir leid, daß sie nicht mitgehen darf. 2. Es tut mir leid, daß sie es nicht darf. 3. Glaubst du, daß er es machen kann? 4. Glaubst du, daß er es kann? 5. Ich sage, daß ich nicht singen will. 6. Ich sage, daß ich es nicht will.

5. Translate into English:

1. Du solltest nicht immer gleich böse werden. 2. Ich wollte, du hättest ihn gesehen. 3. Er hätte nicht so lange bleiben sollen. 4. Ich konnte meine Füllfeder nicht finden. 5. Ich könnte sie morgen auf den Flugplatz begleiten. 6. Er hätte mitgehen können, wenn er es nur gewollt hätte. 7. Dürfte ich Sie um ein Glas Milch bitten? 8. In jenem Falle müßte ich zu Hause bleiben. 9. Er will die technische Hochschule zwei Jahre besucht haben. 10. Sie soll sehr hübsch sein. 11. Er mußte das Fenster zumachen. 12. Hier dürfen Sie nicht rauchen, es ist gefährlich. 13. Ich möchte ihn sehen, wenn er den Brief bekommt. 14. Sie hätten es ihm nicht sagen sollen. 15. Ich hätte ihm zwar hundert Mark schicken können, aber ich habe es nicht gewollt. 16. Er kann weder Spanisch noch Italienisch.

6. Translate into German:

1. May I go along? 2. You must not say that. 3. They were not permitted to see him. 4. That may be the case. 5. I do not care to stay longer. 6. I should like to study in Germany a year. 7. She does not like him. 8. We were not able to come. 9. I could not help him yesterday. 10. I could help him tomorrow. 11. I could have helped him last week. 12. They have been obliged to sell their house. 13. Why did you do that? — I had to. 14. I had to wait half an hour for him. 15. I must go to school now. 16. You are to begin immediately. 17. He is said to be very rich. 18. He shall do it whether he wants to or not. 19. You ought to write to him. 20. You ought to have received my letter last week. 21. I do not want the hat. 22. I intend to stay at home this evening. 23. I was about to go to bed when you telephoned. 24. He claims to have done it himself. 25. Will you please bring me a glass of water? 26. Paul knows neither German nor French. 27. I had seen her standing at the window as I was going up the steps. 28. We have never heard you sing.

7. Give a sliding synopsis of

1. Ich sehe die Eltern. 2. Ich werde von den Eltern gesehen. 3. Ich werde reich.

8. Give a synopsis of

1. Die Maus wird von der Katze gefressen. 2. Die Fenster werden von den Schülern aufgemacht. 3. Ihr werdet von der Mutter gerufen. 4. Ich werde von vielen Leuten gehört. 5. Du wirst von den Kindern sehr geliebt. 6. Wir werden von dem Hunde gebissen.

9. Change the following sentences to the passive:

1. Die Schauspieler stimmten das berühmte „Räuberlied" an. 2. Die Studenten haben bunte Mützen und breite Bänder getragen. 3. Der Förster wird die Eule schießen. 4. Die Schüler hatten die Aufsätze schon geschrieben. 5. In Italien spricht man Italienisch. 6. Hans Huber hat den ersten Preis gewonnen. 7. Das Dienstmädchen putzt den Spiegel jeden Tag. 8. Der alte Pastor hat dieses Haus gekauft. 9. Marie fand den Mantel.

10. Change the following sentences into the active:

1. Das Drama wurde von Schiller vor hundertundfünfzig Jahren geschrieben. 2. Das Gebäude war von den Schülern mit Kränzen geschmückt worden. 3. Der schöne Stein mit den gelben Punkten ist von Franz Weber gefunden worden. 4. Die Hefte werden von der Lehrerin korrigiert. 5. Das Haus wird morgen um vier Uhr verkauft werden. 6. Die Sätze wurden vom Lehrer an die Tafel geschrieben.

11. In the following group of sentences explain the difference in meaning between the members of each pair:

1. Die Tür wurde um vier Uhr geschlossen.
   Die Tür war um vier Uhr schon geschlossen.
2. Das Pferd wird an einen Baum gebunden.
   Das Pferd ist an einen Baum gebunden.
3. Der Tisch wurde eben gedeckt, als ich nach Hause kam.
   Der Tisch war schon gedeckt, als ich nach Hause kam.

12. Translate into German:

1. This house is being built by my grandfather. 2. The building was being decorated with wreaths when I was there this morning. 3. He was advised by his friends not to go to the United States. 4. He was helped by his sister. 5. There is much smoking [1] among the students. 6. There was so much talking and laughing [1] that I could not understand anything. 7. It is believed [2] that he knows where his son is. 8. It is said [2] that he has lost everything. 9. These flowers are easily sold.[3] 10. The knife has been found.[3] 11. These sentences can be corrected [4] easily. 12. It cannot be done.[4] 13. It is to be feared. 14. Nothing was to be seen.

1. Impersonal passive.　　2. Use man.　　3. Reflexive construction.
4. Use lassen.

13. *a.* Conjugate in the present indicative and subjunctive:

legen　　retten　　lesen　　helfen　　schlagen　　wissen　　können

b. Conjugate in the past indicative and subjunctive:

spielen　　　　warten　　　　gehen　　　　tragen

c. Conjugate in the present perfect and the past perfect indicative and subjunctive:

> leben   kommen

d. Conjugate in the future and the future perfect indicative and subjunctive:

> gießen   fallen

e. Conjugate in the first and the second conditional:

> verſuchen   mitgehen

14. Give the subjunctive forms corresponding in tense to the following indicative forms:

1. Er beſchrieb. 2. Er gilt. 3. Wir ſchlugen. 4. Sie ruhte. 5. Sie dachten. 6. Er half. 7. Ihr tatet. 8. Er ſchläft. 9. Du mochteſt. 10. Er behauptete. 11. Er atmet. 12. Wir wußten. 13. Sie kauft. 14. Er läuft. 15. Es enthält. 16. Sie ſaßen. 17. Er kannte. 18. Er wird verſtehen. 19. Ich hatte verkauft. 20. Ich bin ange= kommen. 21. Er wird gedeckt haben. 22. Sie hat gepfiffen. 23. Sie waren gefallen. 24. Du biſt weggelaufen.

15. *a.* Put into past time:

1. Wenn ich hinginge, würde ich ihn nicht zu Hauſe finden. 2. Wenn er mehr Zeit hätte, würde er das Buch leſen. 3. Wenn es nicht ſo ſtark regnete, würde ich aufs Land gehen. 4. Wenn ich mit meinen Schularbeiten fertig wäre, würde ich ihnen helfen. 5. Wenn er das wüßte, würde er ſehr böſe ſein.

b. Put into present time:

1. Wenn wir kein Automobil gehabt hätten, würden wir nicht ſo viel ausgegangen ſein. 2. Wenn du nicht ſo viel geraucht hätteſt, würdeſt du beſſer geſchlafen haben. 3. Wenn er nicht ſo faul geweſen wäre, würde er ſeinen deutſchen Aufſatz geſchrieben haben. 4. Wenn er nicht ſo viel von ſich ſelbſt geſprochen hätte, würde er einen beſſeren Eindruck auf uns gemacht haben. 5. Wenn mich Hans begleitet hätte, würde ich länger geblieben ſein.

16. Translate the sentences in 15, above, into English.

17. Rewrite the sentences in 15, above, as follows:

a. Omit wenn.

b. Place the conclusion first.

c. Use the subjunctive in place of the conditional in the conclusion.

d. Omit wenn and use the subjunctive in the conclusion.

e. Use the subjunctive in the conclusion and place the conclusion first.

18. Translate into English:

1. Er ruhe sanft! 2. Gott helfe dir! 3. Das wolle Gott nicht! 4. Möge er immer glücklich sein! 5. Möge das kommende Jahr euch viel Glück und Freude bringen! 6. Der Mensch versuche die Götter nicht! 7. Alles schweige! 8. Er soll nicht so faul sein! 9. Machen wir morgen einen Ausflug in den Wald! 10. Lassen Sie uns ihm alles sagen! 11. Vergessen wir nicht, den Brief abzuschicken! 12. Hätten wir doch morgen keine Schule! 13. Wäre es nur nicht so teuer! 14. Hätte ich das nur gewußt! 15. Könnte ich nur mit dem Flugzeug reisen! 16. Das täte er nie. 17. Da hätte ich es nicht gekauft. 18. Sie weinte, als ob ihr das Herz bräche. 19. Er spricht, als hätte er alles verloren. 20. Sie sieht aus, als wäre sie krank gewesen.

19. Read aloud and translate:

1. Gehen wir an den Mühlbach!
   Gehen wir an den Mühlbach?
2. Bleiben wir bis zwölf Uhr da!
   Bleiben wir bis zwölf Uhr da?
3. Wiederholen wir die Aufgabe!
   Wiederholen wir die Aufgabe?

20. Translate into German:

1. Even if I told him,[1] he would not believe me. 2. She would cry if she tore her new dress. 3. It would look better if we did not go to the movies this evening. 4. He would have gone to the United States if his mother had not been so very much against it. 5. If he does not come this evening, I shall go to bed early. 6. If

you knew it, why did you say nothing? 7. Give him this picture, please, if you see him. 8. God be with you! 9. May he rest in peace! 10. Let him never do that again!

11. Let us send him these pictures! 12. Let us not attempt it! 13. If she only came before tomorrow evening! 14. If I only knew where he lives! 15. If we had only stayed at home! 16. That would be dangerous. 17. He would not have understood me anyway. 18. You look as if you were tired. 19. He acted [2] as if nothing had happened. 20. She spoke as if she had already sold it.

1. *tell him* = es ihm sagen.   2. tun.

21. Change the following sentences into subordinate clauses after Er sagte (*a*) with daß; (*b*) without daß:

1. Franz ist von der Bibliothek nach Hause gegangen. 2. Ich traf Herrn Almers in der Gartenstraße. 3. Wir haben ihn auf den Flugplatz begleitet. 4. Ich reise fast immer mit dem Flugzeug. 5. Die Knaben unterhielten sich lange mit dem jungen Mechaniker. 6. Die jungen Männer haben keine Arbeit. 7. Ich werde sehr viel zu tun haben. 8. Die Eltern werden davon leben müssen. 9. Das Geld hatte der Mutter gehört. 10. Fritz, hilf deinem Bruder! 11. Kinder, lernt fleißig! 12. Herr Müller, lesen Sie die Aufgabe vor!

22. Change the following direct questions into indirect questions after Er fragte:

1. Um wieviel Uhr ist Leo nach Hause gegangen? 2. Was haben sie gefunden? 3. Ist Herr Bauer zu Hause? 4. Haben die Schüler genug Papier? 5. Wer war im Garten? 6. Wo saßen die Kinder? 7. Wirst du mitgehen, Anna? 8. Werden die Vorhänge groß genug sein? 9. Wem hast du es gegeben, Fritz? 10. Warum weint das Kind?

23. Put into indirect discourse:

1. Herr Weinhold sagte: „Mein Sohn besucht die technische Hochschule in Hannover." 2. Der junge Mechaniker antwortete: „Meine Eltern haben durch den Krieg alles verloren." 3. Wilhelm behauptete: „Ich habe das nicht gesagt." 4. Martha schrieb: „Wir haben jetzt zwei Hunde." 5. Peter dachte: „Der Beifall galt dem toten

Dichter mehr als den Schauspielern." 6. „Ich werde meine Stellung aufgeben müssen," erklärte der Großvater, „wenn es in meinem Walde Wölfe und Adler gibt."

24. Translate into German:

1. I say that he has already done it. 2. Paul says that he will buy it. 3. He thought that you had forgotten it. 4. Mary knew that he had sold it. 5. He wants to know whether you will be at home this evening. 6. The teacher wanted to know who had written the composition. 7. Henry asked him what he had bought. 8. We feared that they had lost it. 9. He convinced us that he had not stolen it. 10. I told Fred to wait for me. 11. Mrs. Smith said Anna should set the table. 12. He regretted that he had not gone to America.

25. Give the meaning and the principal parts of

Katze	Jugend	Fall	gelten	leben
Maus	Macht	Gedanke	sich erheben	neigen
Sprache	Ohr	Krieg	verkaufen	vergessen
Werk	Platz	Liebe	verstehen	ruhen
Enkel	Student	einladen	aussehen	versuchen
Reise	Sturm	hüten	bemerken	begleiten
Sorge	Fisch	erwarten	befehlen	bedauern
Band	Wolke	heulen	ausdrücken	gehören
Rand	Licht	beiwohnen	bedecken	retten
Fieber	Zeile	zerreißen	aufhören	riechen

26. Translate into English:

1. Gertrud wollte letzten Herbst ihre Lehrerinnenprüfung machen. 2. Bis vor kurzem mußte sie das Bett hüten. 3. Wir müssen alle manches tun, was wir nicht mögen. 4. Habe keine Sorge! 5. Nach= dem die Großmutter ihre Enkel abgeküßt hat, setzt man sich zu Tisch. 6. Sie sind zweiter Klasse gefahren. 7. Jedenfalls müssen wir morgen in den Wald hinaus, um nachzusehen. 8. Den Schülern war geraten worden, der Aufführung beizuwohnen. 9. Schillers große Dichtung wurde vor unsren entzückten Augen zu neuem Leben erweckt. 10. Bis zum Schluß saßen wir alle wie im Fieber. 11. Es wurde laut und

lange geklatscht. 12. Der Eindruck, den die Aufführung auf uns Knaben gemacht hat, läßt sich nicht beschreiben. 13. „Daraus wird nichts", erklärte Herr Bauer.

14. Wenn du vom Fischen nach Hause kommst, magst du kaum essen, so müde bist du, vom Arbeiten gar nicht zu reden. 15. Während der Nacht hat es in der Schule gebrannt. Das ganze Gebäude ist aus= gebrannt. 16. Wenn ein Feuer gewesen wäre, hätten wir den Alarm gehört. 17. „Der Bengel hat recht", sagte Herr Bauer. 18. Es scheint, als sollten wir heute kein Glück haben. 19. Doch damit hatte er unrecht. 20. Der Konjunktiv wird fast nie in der Umgangssprache auf diese Weise gebraucht. 21. Auf dem Flugplatz lernte ich einen jungen Mechaniker kennen. 22. Sein Vater ist Offizier und vor dem Kriege sehr reich gewesen. 23. Die Pension, die sein Vater bekommt, ist zum Leben zu wenig und zum Sterben zu viel. 24. Seine Eltern tun ihm sehr leid, besonders da sie sich in die neue Ordnung gar nicht finden können. 25. Wenn ich nicht wüßte, daß Du an allen meinen Gedanken und Erfahrungen den größten Anteil nimmst, würde ich diesen Brief gar nicht abschicken.

SONGS

O Tannenbaum

Ernst Anschütz, um 1824   Volksweise

Mässig

1. O Tan=nen=baum, o Tan=nen=baum, Wie treu sind dei = ne
2. O Tan=nen=baum, o Tan=nen=baum, Du kannst mir sehr ge=

Blät=ter! Du grünst nicht nur zur[1] Som=mer=zeit, Nein,
fal = len![2] Wie oft hat nicht zur[3] Weih=nachts=zeit Ein

auch im Win = ter, wenn es schneit. O Tan=nen=baum, o
Baum von dir[4] mich hoch er=freut![5] O Tan=nen=baum, o

Tan=nen=baum, Wie treu sind dei = ne Blät = ter!
Tan=nen=baum, Du kannst mir sehr ge = fal = len!

3. O Tannenbaum, o Tannenbaum,
   Dein Kleid will mich was lehren[6]:
   Die Hoffnung und Beständigkeit
   Gibt Trost und Kraft zu jeder Zeit.
   O Tannenbaum, o Tannenbaum,
   Dein Kleid will mich was lehren.

1. *in.*   2. kannst mir ... gefallen *can be pleasing to me.*   3. *at.*   4. Ein
Baum von dir *A tree of your kind.*   5. hat ... mich ... erfreut *has glad-*
dened me.   6. will mich was lehren *would fain teach me something.*

Stille Nacht, heilige Nacht

Joseph Mohr, 1818   Franz Gruber, 1818

1 Stil = le Nacht, hei = li = ge Nacht! Al = les schläft,

ein=fam wacht Nur das trau = te, hoch = hei = li = ge[1] Paar.

Hol=der Kna=be im lof=fi=gen Haar, Schlaf[2] in himm=li=scher

Ruh'!   Schlaf   in himm=li=scher   Ruh'!

2. Stille Nacht, heilige Nacht!
   Hirten[3] erst kundgemacht[4]
   Durch der Engel Halleluja,[5]
   Tönt es laut von fern und nah:
   Christ der Retter ist da.

3. Stille Nacht, heilige Nacht!
   Gottes Sohn, o wie lacht
   Lieb' aus deinem göttlichen Mund,
   Da uns schlägt die rettende Stund',[6]
   Christ, in deiner Geburt.

1. *most holy.*   2. *May you sleep.*   3. Dat. pl.   4. *made known.*
5. Hallelu'ja *hallelujah.*   6. Da uns schlägt die rettende Stund' *As the*
hour of redemption strikes for us.

O du fröhliche

Johannes Falk, 1816   Sizilianische[1] Volksweise

Langsam, mit innigem[2] Ausdruck

1. O du fröh = li = che, O du se = li = ge,

Gna = den = brin = gen = de[3] Weih = nachts = zeit!

Welt ging ver = lo = ren,[4] Christ ward ge = bo = ren.[5]

Freu = e, freu = e dich,[6] o Chri = sten = heit!

2. O du fröhliche,
   O du selige,
   Gnadenbringende Weihnachtszeit!
   Christ ist erschienen,
   Uns zu versühnen.[7]
   Freue, freue dich, o Christenheit!

3. O du fröhliche,
   O du selige,
   Gnadenbringende Weihnachtszeit!
   Himmlische Heere[8]
   Jauchzen dir Ehre.[9]
   Freue, freue dich, o Christenheit!

1. Sizilia'nische *Sicilian.*   2. *sincere.*   3. *Bringing assurance of grace.*   4. ging verloren *was lost.*   5. ward geboren *was born.*   6. freue dich *rejoice.*   7. Uns zu verführen *To atone for our sins.*   8. *hosts.* 9. Jauchzen dir Ehre *Shout exultingly thy glory.*

O du lieber Augustin

Volkslied, 1799   Volksweise

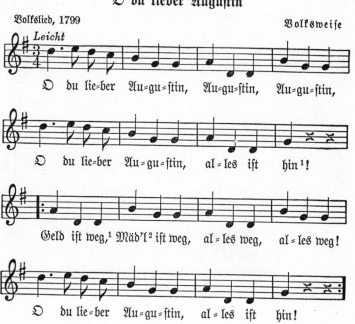

O du lie=ber Au=gu=stin, Au=gu=stin, Au=gu=stin,

O du lie=ber Au=gu=stin, al=les ist hin[1]!

Geld ist weg,[1] Mäd'l[2] ist weg, al=les weg, al=les weg!

O du lie=ber Au=gu=stin, al=les ist hin!

1. *gone.*   2. Dialectic for Mädchen.

Abschied

Nach Ferdinand Raimund, 1828   Wenzel Müller, 1828

Ausdrucksvoll[1]

1. So leb' denn wohl, du stil = les Haus! Ich zieh' be =

trübt von dir hin = aus[2]; Ich zieh' be = trübt und trau=rig

fort,[3] Leb' wohl, leb' wohl, du trau = ter Ort!

2. So leb' denn wohl, du schönes Land,
    In dem ja meine Wiege stand!
    Du zogst mich groß,[4] du pflegtest mein,[5]
    Und nie will ich vergessen dein.[6]

3. So lebt denn, all ihr Lieben, wohl,
    Von denen ich jetzt scheiden soll[7]!
    Und find' ich draußen auch[8] mein Glück,
    Denk' ich doch stets an euch zurück.[9]

1. *With expression.*   2. zieh' . . . hinaus *am going out.*   3. zieh' . . . fort *am going away.*   4. zogst mich groß *brought me up.*   5. Poetic gen. form of ich, object of pflegtest.   6. Poetic gen. form of du, object of vergessen.   7. *am to.*   8. Und find' ich . . . auch *And even if I find.* 9. Denk' ich . . . an euch zurück *I shall think back on you.*

Doktor Eisenbart

Volkslied   Volksweise

1. Ich bin der Dok = tor Ei = sen = bart,
2. Ein al = ter Bau'r mich zu sich rief,

zwil = li = wil = li = wick, bum, bum! Ku = rier' die Leut' nach
zwil = li = wil = li = wick, bum, bum! Der seit zwölf Jah = ren

mei = ner Art, zwil = li = wil = li = wick, bum, bum! Kann
nicht mehr schlief,[1] zwil = li = wil = li = wick, bum, bum! Ich

ma = chen, daß die Blin = den gehn, Und daß die Lah = men
hab' ihn gleich zur Ruh' ge = bracht, Er ist bis heu = te

wie = der sehn, zwil = li = wil = li = wick, bum,
nicht er = wacht, zwil = li = wil = li = wick, bum,

zwil = li = wil = li = wick, bum, zwil = li = wil = li = wick, bum, bum!
zwil = ü = wil = li = wick, bum, zwil = li = wil = li = wick, bum, bum!

1. Der seit zwölf Jahren nicht mehr schlief *Who had not been able to sleep for twelve years.*

Die Lorelei

Heinrich Heine, 1823   Friedrich Silcher, 1838

1. Ich weiß nicht, was soll es be = deu = ten,[1] Daß ich so trau = rig bin; Ein Mär=chen aus al = ten Zei = ten, Das kommt mir nicht aus dem Sinn.[2] Die Luft ist kühl und es dun = kelt, Und ru = hig fließt der Rhein; Der Gip = fel des Ber=ges fun = kelt Im A = bend=son = nen = schein.

2. Die schönste Jungfrau sitzet
   Dort oben wunderbar,
   Ihr goldnes Geschmeide blitzet,
   Sie kämmt ihr goldenes Haar.
   Sie kämmt es mit goldenem Kamme,
   Und singt ein Lied dabei;
   Das hat eine wundersame,
   Gewaltige Melodei.[3]

3. Den Schiffer im kleinen Schiffe
   Ergreift es mit wildem Weh;
   Er schaut nicht die Felsenriffe,
   Er schaut nur hinauf in die Höh'.
   Ich glaube, die Wellen verschlingen
   Am Ende Schiffer und Kahn;
   Und das hat mit ihrem Singen
   Die Lorelei getan.

1. was soll es bedeuten *what it means.*   2. Das kommt mir nicht aus dem
Sinn *Keeps lingering in my mind.*   3. Poetic for Melodie'.

Alt Heidelberg

Joseph Viktor von Scheffel, 1853   Zimmermann, 1861

1. Alt Hei = del = berg, du   fei = ne, Du Stadt an Eh = ren
2. Und kommt aus lin = dem   Sü = den Der Früh = ling[3] ü = bers

reich,   Am   Nek = kar und am   Rhei = ne Kein'
Land,   So[4] webt   er dir aus   Blü = ten Ein

an = dre kommt dir gleich.   Stadt fröh = li = cher Ge =
schim = mernd Braut = ge = wand.   Auch   mir stehst du ge =

sel = len,¹ An Weis=heit schwer und Wein, Klar
schrie = ben Ins Herz gleich ei = ner Braut, Es

ziehn des Stro=mes Wel = len, Blau=äug=lein blit = zen
klingt wie jun = ges Lie = ben⁵ Dein Na = me mir so

drein,² Blau = äug = lein blit = zen drein.
traut, Dein Na = me mir so traut.

3. Und ste = chen mich die Dor=nen,⁶ Und wird mir's drauß zu

kahl,⁷ Geb' ich dem Roß die Spor = nen Und

reit' ins Nek=kar = tal, Und reit' ins Nek=kar = tal.

1. *fellows, that is, students.*　2. Blauäuglein blitzen drein *Maidens with sparkling blue eyes look upon them.*　3. kommt ... Der Frühling *when spring comes.*　4. *Then.*　5. *love.*　6. stechen mich die Dornen *if the thorns prick me.*　7. wird mir's drauß zu kahl *if it becomes too bleak for me out in the world.*

Du, du liegst mir im Herzen

Volkslied, um 1820   Volksweise

Sehr mässig

1. Du, du liegst mir im Her=zen, Du, du liegst mir im Sinn; Du, du machst mir viel Schmer=zen, Weißt nicht, wie gut ich dir bin! Ja, ja, ja, ja, weißt nicht, wie gut ich dir bin!

2. So, so wie ich dich liebe,
   So, so liebe auch mich!
   Die, die zärtlichsten Triebe
   Fühl' ich allein nur für dich!
Ja, ja, ja, ja, fühl' ich allein nur für dich!

3. Doch, doch darf ich dir trauen,
   Dir, dir mit leichtem Sinn?
   Du, du darfst auf mich bauen,
   Weißt ja, wie gut ich dir bin!
Ja, ja, ja, ja, weißt ja, wie gut ich dir bin!

4. Und, und wenn in der Ferne
   Mir, mir dein Bild erscheint,
   Dann, dann wünscht' [1] ich so gerne,
   Daß uns die Liebe vereint'! [1]
Ja, ja, ja, ja, daß uns die Liebe vereint'!

1. Past subj. The two lines may be rendered: *Then I wish ardently that love would unite us.*

Er lebe hoch! [1]

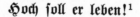

To be repeated twice, each time with increased volume.

1. Er lebe hoch! *Long may he Live!* Used as an ovation.

Hoch soll er leben! [1]

1. Hoch soll er leben! *Long may he Live!* Used as an ovation.

APPENDIX

ADDITIONAL GRAMMATICAL MATERIAL

1. The Gender of Nouns (Lesson I)

Names of males are masculine, names of females feminine: der Mann *man*, die Frau *woman*, der Hahn *rooster*, die Henne *hen*. Exceptions: das Weib *woman*, and the diminutives in =chen and =lein, as das Mädchen *girl*, das Fräulein *unmarried woman*, das Brüderchen *little brother*.

In the case of other nouns, gender can sometimes be determined from the meaning or from the form:

MASCULINE

1. Days, months, seasons, points of the compass: der Sonntag, der Juni, der Winter, der Norden *north*.

2. Nouns ending in =ich, =ig, =ling: der Teppich *carpet*, der Käfig *cage*, der Jüngling *youth*.

3. Nouns in =er denoting the agent: der Jäger *hunter*.

4. Most nouns in =en: der Ofen *stove*. Exceptions: infinitives used as nouns, which are always neuter, as das Schreiben *writing*, and a few others, as das Kissen *cushion*.

5. Most nouns formed from a verbal stem without a suffix: der Rat *advice*, from raten *advise*.

FEMININE

1. Most flowers, fruits, and trees: die Nelke *pink*, die Pflaume *plum*, die Eiche *oak*.

2. Most German rivers: die Elbe, die Donau *Danube*. Exceptions: der Rhein, der Main, der Neckar.

3. Numbers: die Sieben *seven*, die Null *zero*.

4. Most abstract nouns: die Jugend *youth*, die Macht *might*.

431

5. All nouns in ⸗ei, ⸗in, ⸗heit, ⸗keit, ⸗schaft, ⸗ung, ⸗ie, ⸗if, ⸗ion, ⸗tät: die Malerei *painting*, die Freiheit *freedom*, die Nation *nation*.

6. Most nouns in ⸗e: die Tinte *ink*, die Kreide *chalk*. Exceptions: (1) those denoting male beings, as der Knabe *boy*; (2) the irregular masculines in ⸗e, as der Name, a list of which will be found on page 435; (3) most nouns with the prefix Ge⸗ and the suffix ⸗e, which are neuter, as das Gebäude *building*.

NEUTER

1. Names of cities and most names of countries: das alte Rom, das neue Deutschland. Exceptions: die Schweiz *Switzerland*, die Türkei *Turkey*, die Tschechoslowakei *Czechoslovakia*.

2. Names of minerals: das Eisen *iron*, das Gold *gold*. Exception: der Stahl *steel*.

3. Letters of the alphabet: stummes e *silent e*.

4. Infinitives used as nouns: das Singen *singing*.

5. Diminutives in ⸗chen and ⸗lein: das Brüderchen *little brother*, das Entlein *duckling*.

6. Most nouns in ⸗nis, ⸗sal, ⸗tum: das Hindernis *hindrance*, das Schicksal *fate*, das Fürstentum *principality*.

7. Most nouns with the prefix Ge⸗: das Geräusch *noise*, das Gefolge *retinue*.

COMPOUND NOUNS

Compound nouns usually have the gender of their last component: der Bienenkorb *beehive*, from die Biene *bee* and der Korb *basket*.

NOUNS WITH DIFFERENT GENDERS

In a number of instances the same noun has different genders with different meanings: der Band *volume* and das Band *band* or *bond*, der Erbe *heir* and das Erbe *inheritance*, der See *lake* and die See *sea*.

2. Du and ihr (Lesson II)

Du and ihr are used in addressing animals and, in rural communities, the servants. Du is furthermore used when invoking the Deity.

3. Repetition of Articles and Possessives (Lesson V)

The articles and the possessive adjectives should be repeated before each noun they limit:

> *The father and mother of these little children are both sick.*
> Der Vater und die Mutter dieser kleinen Kinder sind beide krank.
> *My brother and sister both go to the university.* Mein Bruder und meine Schwester gehen beide auf die Universität; or Der Bruder und die Schwester gehen beide auf die Universität.

4. Proper Names (Lesson V)

GENITIVE SINGULAR

Feminines in =e may add =ns: Mari'ens Hut. But the ending =s is more common.

Names of places ending in a sibilant use the construction with von instead of a genitive form:

> die Straßen von Paris *the streets of Paris*

PLURAL

Usage is not uniform with respect to the formation of the plural of proper names. However, with names of persons, a plural in =s is very commonly used:

> Schmidts haben ein neues Automobil. *The Smiths have a new automobile.*

If the name ends in a sibilant, the plural is indicated by means of an apostrophe or is formed by adding =ens:

> Ich bin bei Buchholzens eingeladen. *I am invited to the Buchholzes'.*

TITLES

Titles standing before the names of persons are usually not inflected, except the title Herr *Mr.*, which is regularly declined :

Fräulein Brauns Schwester, Herrn Meyers Sohn

5. Expressions of Measure (Lesson VII)

When the noun denoting the object measured is modified by an adjective, either the appositional construction or the genitive construction may be used : eine Tasse heißes Wasser or eine Tasse heißen Wassers.

6. Genitive Ending –(e)ś (Lessons VI and VIII)

No ironclad rules can be formulated as to the use of =eś or =ś in the genitive singular of Classes II and III of the strong declension of nouns. After a sibilant =eś must be used. With other nouns it may be said that monosyllables usually add =eś and polysyllables add =ś. But much depends upon style and euphony. In conversational style, especially, =ś is often added to a monosyllable, whereas in dignified or serious style =eś is at times added to a polysyllable. In poetry considerations of meter naturally prevail. For these reasons, very often in vocabularies the genitive ending of both monosyllables and polysyllables of these two classes is given as =(e)ś, except for nouns ending in a sibilant.*

Much the same remarks apply to the omission or retention of =e in the dative singular of Classes II and III of the strong declension. Polysyllables regularly omit it; monosyllables usually retain it, although there are many exceptions.

* It will have been noted that in the vocabularies of this book the genitive ending is regularly given as =eś for monosyllables and =ś for polysyllables.

7. Mixed Declension of Nouns (Lesson IX)

To the mixed declension belong der Bauer *peasant*, der Nachbar *neighbor*, der Schmerz *pain*, der See *lake*, der Sporn (pl. Sporen) *spur*, der Staat *state*, der Strahl *ray*, der Untertan *subject* (of a ruler), der Vetter *cousin*, das Auge *eye*, das Bett *bed*, das Ende *end*, das Hemd *shirt*, das Ohr *ear*, and nouns in unaccented =or, as der Doktor *doctor*, der Professor *professor*, etc.

Der Bauer, der Nachbar, and der Untertan are sometimes declined weak in the singular, as well as in the plural.

8. Irregular Nouns (Lesson IX)

	SINGULAR	PLURAL
NOM.	der Gedanke	die Gedanken
GEN.	des Gedankens	der Gedanken
DAT.	dem Gedanken	den Gedanken
ACC.	den Gedanken	die Gedanken

Like der Gedanke *thought* are declined eight other nouns. These nouns have two nominative singular forms, one in =e and one in =en; in the latter case they are quite regular, belonging to Class I of the strong declension. With some the nominative in =e is more common, with others the nominative in =en. This is indicated in the list that follows: der Frieden *peace*, der Gefallen *favor*, der Glaube *faith*, der Haufen *heap*, der Name *name*, der Same *seed*, der Schaden *injury*, der Wille *will*.

9. Declension of Adjectives (Lesson XI)

Manch, solch, and welch (the last when used exclamatorily) may stand uninflected before an adjective, in which case the adjective is inflected strong: manch böses Wort or manches böse Wort, solch kleine Knaben or solche kleinen Knaben, welch schöne Hüte or welche schönen Hüte. Note, furthermore, the equivalent of *such a* and *what a*: solch ein schönes Kleid, folch ſchönes Kleid, ſolches ſchöne Kleid; welch ein ſchönes Kleid, welch ſchönes Kleid.

After the indefinite numerals einige *some*, mehrere *several*, viele *many*, and wenige *few* the adjective generally has, in the nominative and accusative plural, the strong endings; in the other cases, either the strong or the weak endings: einige (mehrere, viele, wenige) neue Bücher. To this list is often added manche *some*. But after alle *all*, the weak endings are used in all cases: alle neuen Bücher.

Indeclinable adjectives in ⸗er are formed from names of towns and cities: die Berliner Univerſität, das Marburger Schloß.

An adjective usually has weak inflection after a personal pronoun, except in the nominative and accusative singular:

> ihr himmliſchen Mächte *ye heavenly powers*
> du armes Kind *you poor child*

But usage is not settled. Compare Bismarck's words:

> Wir Deutſche fürchten Gott, aber ſonſt nichts in der Welt. *We Germans fear God, but nothing else in the world.*

10. Genitive of the Personal Pronoun (Lesson XIII)

In the genitive singular of the personal pronoun the short forms mein, dein, ſein are sometimes found in poetry in place of the more common longer forms meiner, deiner, ſeiner, respectively:

> Dort harren **mein** (*gen.*) verhaßter Ehe Ketten. *The bonds of odious wedlock await me there.*

11. Formation of Comparative and Superlative Degrees (Lesson XIV)

Participial adjectives in ⸗end add ⸗ſt, instead of ⸗eſt, to form the superlative: reizend *charming*, superlative reizendſt.

Adjectives ending in a diphthong sometimes add =eſt, instead of =ſt, in the superlative: neu *new*, superlative neuſt or neueſt.

Adjectives in =e drop this e in the comparative; in the superlative the e is either dropped or retained according to whether or not the combination of consonants may be pronounced easily: träge *lazy*, comparative träger, superlative trägſt; müde *tired*, comparative müder, superlative müdeſt.

The following is a list of the twenty-one monosyllabic adjectives with the stem vowel a, o, or u that always take vowel modification in the comparative and superlative degrees: alt, arg *bad*, arm, fromm, grob, groß, hart, hoch, jung, kalt, klug, frank, kurz, lang, nah, oft, ſcharf, ſchwach, ſtark, ſchwarz, warm. Eight others are compared both with and without vowel modification.

12. Absolute Superlative (Lesson XIV)

The absolute superlative — that is, one which does not denote a comparison, but indicates a very high degree — is expressed in German by means of (1) aufs + the superlative; (2) höchſt, äußerſt, ſehr + the positive:

> Wir lernen immer aufs fleißigſte. *We always study most industriously* (that is, *very industriously*).
>
> Das iſt höchſt intereſſant. *That is most* (or *exceedingly*) *interesting.*

13. Definite Article with Names of Persons (Lesson XIV)

The definite article is sometimes used before names of persons to indicate the case:

> Dem Fritz gebe ich ein braunes Pferdchen mit einem langen Schwanz, dem Konrad ein dickes Buch mit vielen Bildern. *To Fred I am going to give a brown hobbyhorse with a long tail, to Conrad a thick book with many pictures.*

14. Position of Dependent Infinitive (Lesson XV)

When the dependent infinitive with zu has modifiers, it stands outside its clause:

> Es fing an, sehr stark zu regnen. *It began to rain very hard.*
>
> Als es anfing, sehr stark zu regnen, gingen wir nach Hause. *When it began to rain very hard, we went home.*

When the infinitive has no modifiers, it may stand within its clause:

> Es fing zu regnen an; or Es fing an zu regnen.
>
> Als es zu regnen anfing, gingen wir nach Hause; or Als es anfing zu regnen, gingen wir nach Hause.

15. Possessive Pronouns (Lesson XVI)

In the predicate an uninflected form of the possessive pronoun is used to express mere ownership when the subject is a noun: Das Buch ist mein. But ihr and Ihr may not be thus used: Das Buch ist ihres.

In addition to the forms used in Lesson XVI German has the two following types of possessive pronouns: (1) definite article + stem of the possessive + weak endings of the adjective, as der meine, der deine, der seine, der ihre, der unsre, der eure, der Ihre; (2) definite article + stem of the possessive + ig + weak endings of the adjective, as der meinige, der deinige, der seinige, der ihrige, der unsrige, der eurige, der Ihrige. The three types are used without any difference in meaning: Hier ist dein Hut; wo ist meiner (or der meine or der meinige)? *Here is your hat; where is mine?* However, the forms without the definite article are the usual ones.

16. Repetition of Personal Pronoun after the Relative der (Lesson XVII)

When a personal pronoun of the first or second person is the antecedent of the relative der, it is commonly repeated after the relative if the latter is the subject of its clause. The verb of the relative clause then agrees with the antecedent in person.

> Ich, der ich sehr arm bin, gab ihm zehn Mark. *I, who am very poor, gave him ten marks.*
>
> Kannst du, der du ihn so gut kennst, mir nicht sagen, wo er wohnt? *Cannot you, who know him so well, tell me where he lives?*

17. Word Order in Exclamatory Sentences (Lesson XVII)

In exclamatory sentences either the inverted or the transposed order may be used:

> Was haben wir gelacht! *How we did laugh!*
>
> Wie schnell du das gemacht hast! *How quickly you made that!*

18. Coördinating Conjunctions (Lesson XVIII)

To the list of coördinating conjunctions given in Lesson XVIII may be added the following: allein' *but,* entwe'der ... oder *either ... or,* sowohl' ... als (auch) *both ... and,* weder ... noch *neither ... nor.*

Allein has about the same meaning as aber, but is much less used; it always stands at the beginning of its clause:

> Ich bat ihn dringend, zum Arzt zu gehen, allein er wollte nicht. *I begged him earnestly to see a doctor, but he wouldn't do it.*

Entweder may cause inversion:

> Entweder tun Sie Ihre Arbeit pünktlich, oder Sie verlieren Ihre Stellung. *You will either do your work punctually or lose your position.*

19. Meanings of the Inseparable Prefixes (Lesson XIX)

The following are some of the most obvious meanings and uses of the inseparable prefixes:

a. be= forms transitive verbs from intransitives, adjectives, and nouns: besteigen *mount,* betreten *enter,* befreien *free,* beseelen *animate.*

b. ent= denotes separation, that is, getting away or taking away: entfommen *escape,* entlaufen *run away,* entreißen *snatch away,* entthronen *dethrone.*

c. er= means (1) To obtain something by the force of the simple verb: erfämpfen *get by fighting,* erlügen *obtain by lying.*

(2) To come into, or to cause to come into, a state or condition: erbleichen *turn pale,* erfranfen *get sick,* ermuntern *make cheerful,* erwärmen *make warm.*

d. ge= has no longer an obvious meaning.

e. ver= conveys the idea of (1) Away, forth: verreifen *go away on a journey,* vergehen *pass away* (of time), verjagen *chase away.*

(2) Using up, exhausting, often in a wasteful manner: verſchießen *use up* (or *exhaust*) *in shooting,* verrauchen *consume in smoking,* vertrinfen *squander in drinking.*

(3) Doing in the wrong way, committing an error, spoiling: verbiegen *bend the wrong way,* ſich verſprechen *make a mistake in speaking,* verpfeffern *spoil by putting in too much pepper.*

(4) Coming into, or causing to come into, a state or condition: verroſten *become rusty,* vereinfachen *simplify.* In this meaning ver= is closely related to er=, some verbs taking ver=, others er=: verdunfeln *darken,* but erhellen *light up, brighten.*

f. zer= means in pieces, asunder, or it conveys the idea of injury, damage, destruction: zerhacfen *chop to pieces,* zerfallen *fall to pieces,* zerſpringen *burst asunder,* zerfratzen *injure* (or *damage*) *by scratching.*

These are only some of the more apparent functions of the inseparable prefixes. In many instances and with some of the most common verbs, the force of the prefix cannot easily be defined.

20. Participial Construction (Lesson XX)

In German a participle, used as an attributive adjective
and having modifiers of its own, precedes the noun it limits
and is in turn preceded by its own modifiers, whereas in
English the participle succeeds its noun and is followed
by its own modifiers:

> die mit ewigem Schnee bedeckten Berge (literally, *the with-eternal-
> snow-covered mountains*) *the mountains covered with eternal
> snow*
>
> die mit der Feier des Maikönigs verbundenen Sitten (liter-
> ally, *the with-the-celebration-of-the-May-King-connected
> customs*) *the customs connected with the celebration of the
> King of May*
>
> ein von Schlangen und Kröten wimmelndes Burgverließ (liter-
> ally, *a with-snakes-and-toads-teeming dungeon*) *a dungeon
> teeming with snakes and toads*

This participial construction is one of the most important
in the language and must be mastered if one is to read
German readily.

21. Variable Prefixes (Lesson XX)

In the list of variable prefixes may be included hinter,
miß, wider, and voll. These are, however, so seldom separable that they may well be treated as inseparable, particularly hinter, miß, and wider.

22. Impersonal and Reflexive Verbs (Lesson XXI)

A numerous group of impersonal verbs and verb phrases,
describing states of the body or mind, take an accusative or
a dative of the person. With many of these it is more
customary to begin the sentence with the personal object
and omit the es.

> Mich dürstet. *I am thirsty.*
> Mir wurde übel. *I became sick at the stomach.*
> Mir graute vor dem Anblick. *I shuddered at the sight.*

The intensive pronouns ſelbſt, ſelber, may accompany the reflexive pronouns for the sake of emphasis:

Er betrügt nur ſich ſelbſt. *He deceives only himself.*

23. Was as a Relative (Lesson XXII)

Was is used as a simple relative when the antecedent is a sentence:

Er ſagte, ich ſollte unten warten, was ich auch tat. *He said I should wait downstairs, and I did so.*

24. Singular Noun Used Distributively (Lesson XXIII)

German often uses the singular where English uses the plural, in referring to something that is common to two or more persons:

Sie lagen auf dem Rücken und ſchauten in den Himmel. *They lay on their backs and gazed into the sky.*

Sie hoben alle die rechte Hand auf. *They all raised their right hands.*

Hunderte von Menſchen haben da ihr Leben verloren. *Hundreds of people have lost their lives there.*

25. Genitive of the Demonstrative Pronoun der (Lesson XXIII)

The demonstrative pronoun der has in the genitive plural, besides the usual form deren, a second form derer, which is used only before a relative pronoun:

das Schickſal derer, die dem König trotzen *the fate of those who defy the king*

26. Omission of Indefinite Article (Lesson XXV)

Where English has preposition + indefinite article + adjective + noun the German equivalent is often without the article:

Sie kam mit roter, geſchwollener Wange nach Hauſe. *She came home with a red, swollen cheek.*

nach längerem Schweigen *after a prolonged silence*

27. The General Noun (Lesson XXVIII)

The definite article is used with nouns taken in a general sense:

Die Liebe ist blind. *Love is blind.*
Der Mensch ist sterblich. *Man is mortal.*
Das Leben ist kurz. *Life is short.*
Die Zeit heilt alle Wunden. *Time heals all wounds.*
Es lebe die Freiheit. *Long live freedom!*

28. Position of haben (Lessons XXIX and XXXII)

Note the varying position of haben in the future perfect tense and in the second conditional of the modal auxiliaries when with and when without a dependent infinitive:

Er wird wohl nicht haben gehen dürfen. *He probably has not been permitted to go.*
Er wird es wohl nicht gedurft haben. *He probably has not been permitted to.*
Er würde nicht haben gehen können. *He would not have been able to go.*
Er würde es nicht gekonnt haben. *He would not have been able to.*

However, in the place of the second conditional in these types of sentences, we usually find the past perfect subjunctive:

Er hätte doch nicht gehen können. *He couldn't have gone anyway.*
Er hätte es doch nicht gekonnt. *He wouldn't have been able to anyway.*

29. Means and Instrument (Lesson XXX)

The means in the passive construction is expressed by durch with the accusative; the instrument, by mit with the dative:

Dieses Geld ist durch schwere Arbeit verdient worden. *This money has been earned by hard work.*
Er wurde mit einem Stock geschlagen. *He was beaten with a stick.*

30. Omission of Auxiliary (Lesson XXXI)

The auxiliaries haben and sein of the perfect tenses are often omitted in subordinate clauses:

> Wilhelm Oftwald, der sich befonders in der Elektrochemie aus=
> gezeichnet, erhielt im Jahre 1909 den Nobelpreis. *William
> Ostwald, who distinguished himself especially in electro-
> chemistry, received the Nobel prize in 1909.*

31. Subjunctive of Mild Assertion (Lesson XXXII)

The subjunctive of mild assertion is used in modest or polite statements and questions. It occurs in the past and past perfect tenses:

> Nun, hier wären wir denn endlich. *Well, here we are at last.*
> Beinahe hätte ich es ihr gesagt. *I almost told her* or *I came near
> telling her.*

32. Dubitative Subjunctive (Lesson XXXII)

The dubitative subjunctive is used in exclamations and questions to express doubt, surprise, or dissent. It occurs in the past and past perfect tenses:

> Das wäre echtes Gold? Es sieht nicht danach aus. *Do you mean
> to say that is genuine gold? It doesn't look like it.*
> Ich hätte so etwas gesagt? Was fällt Ihnen nur ein? *Do you
> mean to say that I said such a thing? What are you think-
> ing of?*

33. Subjunctive after damit (Lesson XXXII)

After damit' *in order that* the subjunctive is commonly used if the governing verb is in the past tense:

> Die Mutter band ihm einen Faden um den Finger, damit er es
> nicht vergäße (or vergesse). *His mother tied a string around
> his finger in order that he might not forget it.*

After a present tense the indicative is more common:

> Er schreibt jeden Tag an seine Mutter, damit sie sich nicht um
> ihn ängstigt (or ängstige). *He writes to his mother every day
> in order that she may not feel anxious about him.*

34. Indicative in Indirect Discourse (Lesson XXXIII)

a. The indicative is used after any tense of the governing verb if the content of the object clause is endorsed by the speaker as a fact:

> Die Alten haben nicht geglaubt, daß die Erde rund ist. *The ancients did not believe that the earth was round.*

b. On the whole, it may be said that the average German, in everyday usage, pays little attention to the subjunctive of indirect discourse, using the indicative where literary usage requires the subjunctive.

35. Indirect Imperative (Lesson XXXIII)

An imperative of direct discourse may be expressed in indirect discourse by the present or past subjunctive of mögen with the infinitive of the accompanying verb:

> Sie sagte: „Bitte, warten Sie an   Sie sagte, er möge (or möchte) an
> der Ecke auf mich!"   der Ecke auf sie warten.

However, the imperative force is not so strong in the mögen construction as in the sollen construction:

> Sie sagte, er solle (or sollte) an der Ecke auf sie warten.

36. Subjunctive of Direct Discourse (Lesson XXXIII)

A subjunctive of direct discourse is retained in indirect discourse:

> Er sagte: „Ich möchte gern mit=   Er sagte, daß er gern mitgehen
> gehen."   möchte.

37. Past Participle with kommen

With kommen German uses the past participle where English uses the present:

> Eine Kugel kam geflogen. *A bullet came flying.*

38. Endings and Paradigms of Noun Declension

ENDINGS

	Strong I			Strong II			Strong III		Weak	
	Sg.			**Sg.**			**Sg.**		**Sg.**	
	M.N.		F.	M.N.		F.	M.N.		M.	F.
Nom.	—		—	—		—	—		—	—
Gen.	–ß		—	–(e)ß		—	–(e)ß		–(e)n	—
Dat.	—		—	(–e)		—	(–e)		–(e)n	—
Acc.	—		—	—		—	—		–(e)n	—
	Pl.			**Pl.**			**Pl.**		**Pl.**	
	M.F.N.			M.F.N.			M.N.		M.F.	
Nom.	—			–e			–er		–(e)n	
Gen.	—			–e			–er		–(e)n	
Dat.	(–n)			–en			–ern		–(e)n	
Acc.	—			–e			–er		–(e)n	

VOWEL MODIFICATION IN PLURAL

Strong I: about two dozen.

Strong II: most masculines and all feminines, if possible; no neuters.

Strong III: all, if possible.

Weak: none.

PARADIGMS

STRONG DECLENSION, CLASS I

Singular

Nom.	der Lehrer	der Garten	die Mutter	das Fenster
Gen.	des Lehrers	des Gartens	der Mutter	des Fensters
Dat.	dem Lehrer	dem Garten	der Mutter	dem Fenster
Acc.	den Lehrer	den Garten	die Mutter	das Fenster

Plural

Nom.	die Lehrer	die Gärten	die Mütter	die Fenster
Gen.	der Lehrer	der Gärten	der Mütter	der Fenster
Dat.	den Lehrern	den Gärten	den Müttern	den Fenstern
Acc.	die Lehrer	die Gärten	die Mütter	die Fenster

STRONG DECLENSION, CLASS II

Singular

Nom.	der Baum	der Tag	die Bank	das Pult	der König
Gen.	des Baumes	des Tages	der Bank	des Pultes	des Königs
Dat.	dem Baume	dem Tage	der Bank	dem Pulte	dem König
Acc.	den Baum	den Tag	die Bank	das Pult	den König

Plural

Nom.	die Bäume	die Tage	die Bänke	die Pulte	die Könige
Gen.	der Bäume	der Tage	der Bänke	der Pulte	der Könige
Dat.	den Bäumen	den Tagen	den Bänken	den Pulten	den Königen
Acc.	die Bäume	die Tage	die Bänke	die Pulte	die Könige

STRONG DECLENSION, CLASS III

Singular

Nom.	das Buch	der Mann	der Reichtum
Gen.	des Buches	des Mannes	des Reichtums
Dat.	dem Buche	dem Manne	dem Reichtum
Acc.	das Buch	den Mann	den Reichtum

Plural

Nom.	die Bücher	die Männer	die Reichtümer
Gen.	der Bücher	der Männer	der Reichtümer
Dat.	den Büchern	den Männern	den Reichtümern
Acc.	die Bücher	die Männer	die Reichtümer

WEAK DECLENSION

Singular

Nom.	die Uhr	die Blume	die Lehrerin	der Mensch
Gen.	der Uhr	der Blume	der Lehrerin	des Menschen
Dat.	der Uhr	der Blume	der Lehrerin	dem Menschen
Acc.	die Uhr	die Blume	die Lehrerin	den Menschen

Plural

Nom.	die Uhren	die Blumen	die Lehrerinnen	die Menschen
Gen.	der Uhren	der Blumen	der Lehrerinnen	der Menschen
Dat.	den Uhren	den Blumen	den Lehrerinnen	den Menschen
Acc.	die Uhren	die Blumen	die Lehrerinnen	die Menschen

	Singular	*Plural*
Nom.	der Knabe	die Knaben
Gen.	des Knaben	der Knaben
Dat.	dem Knaben	den Knaben
Acc.	den Knaben	die Knaben

MIXED DECLENSION

Singular

NOM.	der Vetter	das Auge	das Bett	der Doktor
GEN.	des Vetters	des Auges	des Bettes	des Doktors
DAT.	dem Vetter	dem Auge	dem Bette	dem Doktor
ACC.	den Vetter	das Auge	das Bett	den Doktor

Plural

NOM.	die Vettern	die Augen	die Betten	die Dokto'ren
GEN.	der Vettern	der Augen	der Betten	der Dokto'ren
DAT.	den Vettern	den Augen	den Betten	den Dokto'ren
ACC.	die Vettern	die Augen	die Betten	die Dokto'ren

39. Endings and Paradigms of Adjective Declension

STRONG ENDINGS

	Singular			Plural
	Masc.	**Fem.**	**Neut.**	**M. F. N.**
NOM.	–er	–e	–es	–e
GEN.	–en	–er	–en	–er
DAT.	–em	–er	–em	–en
ACC.	–en	–e	–es	–e

WEAK ENDINGS

	Singular			Plural
	Masc.	**Fem.**	**Neut.**	**M. F. N.**
NOM.	–e	–e	–e	–en
GEN.	–en	–en	–en	–en
DAT.	–en	–en	–en	–en
ACC.	–en	–e	–e	–en

PARADIGMS

STRONG DECLENSION

Singular

NOM.	alter Mann	alte Frau	altes Haus
GEN.	alten Mannes	alter Frau	alten Hauses
DAT.	altem Manne	alter Frau	altem Hause
ACC.	alten Mann	alte Frau	altes Haus

Plural

NOM.	alte Männer	alte Frauen	alte Häuser
GEN.	alter Männer	alter Frauen	alter Häuser
DAT.	alten Männern	alten Frauen	alten Häusern
ACC.	alte Männer	alte Frauen	alte Häuser

WEAK DECLENSION

Singular

NOM.	der große Stuhl	die große Tür	das große Fenster
GEN.	des großen Stuhles	der großen Tür	des großen Fensters
DAT.	dem großen Stuhle	der großen Tür	dem großen Fenster
ACC.	den großen Stuhl	die große Tür	das große Fenster

Plural

NOM.	die großen Stühle	die großen Türen	die großen Fenster
GEN.	der großen Stühle	der großen Türen	der großen Fenster
DAT.	den großen Stühlen	den großen Türen	den großen Fenstern
ACC.	die großen Stühle	die großen Türen	die großen Fenster

DECLENSION AFTER A fein-WORD

Singular

NOM.	mein neuer Hut	meine neue Feder	mein neues Kleid
GEN.	meines neuen Hutes	meiner neuen Feder	meines neuen Kleides
DAT.	meinem neuen Hute	meiner neuen Feder	meinem neuen Kleide
ACC.	meinen neuen Hut	meine neue Feder	mein neues Kleid

Plural

NOM.	meine neuen Hüte	meine neuen Federn	meine neuen Kleider
GEN.	meiner neuen Hüte	meiner neuen Federn	meiner neuen Kleider
DAT.	meinen neuen Hüten	meinen neuen Federn	meinen neuen Kleidern
ACC.	meine neuen Hüte	meine neuen Federn	meine neuen Kleider

40. Conjugation of haben *have*

INDICATIVE		SUBJUNCTIVE
	Present	
ich habe		ich habe
du hast		du habest
er hat		er habe
wir haben		wir haben
ihr habt		ihr habet
sie haben		sie haben

INDICATIVE		SUBJUNCTIVE

Past

ich hatte		ich hätte
du hattest		du hättest
er hatte		er hätte
wir hatten		wir hätten
ihr hattet		ihr hättet
sie hatten		sie hätten

Present Perfect

ich habe gehabt		ich habe gehabt
du hast gehabt		du habest gehabt
er hat gehabt		er habe gehabt
wir haben gehabt		wir haben gehabt
ihr habt gehabt		ihr habet gehabt
sie haben gehabt		sie haben gehabt

Past Perfect

ich hatte gehabt		ich hätte gehabt
du hattest gehabt		du hättest gehabt
er hatte gehabt		er hätte gehabt
wir hatten gehabt		wir hätten gehabt
ihr hattet gehabt		ihr hättet gehabt
sie hatten gehabt		sie hätten gehabt

Future

ich werde haben		ich werde haben
du wirst haben		du werdest haben
er wird haben		er werde haben
wir werden haben		wir werden haben
ihr werdet haben		ihr werdet haben
sie werden haben		sie werden haben

Future Perfect

ich werde gehabt haben		ich werde gehabt haben
du wirst gehabt haben		du werdest gehabt haben
er wird gehabt haben		er werde gehabt haben
wir werden gehabt haben		wir werden gehabt haben
ihr werdet gehabt haben		ihr werdet gehabt haben
sie werden gehabt haben		sie werden gehabt haben

FIRST CONDITIONAL		SECOND CONDITIONAL
ich würde haben		ich würde gehabt haben
du würdest haben		du würdest gehabt haben
er würde haben		er würde gehabt haben

wir würden haben	wir würden gehabt haben
ihr würdet haben	ihr würdet gehabt haben
sie würden haben	sie würden gehabt haben

IMPERATIVE	PARTICIPLES	INFINITIVES
habe	*Present:* habend	*Present:* haben
habt	*Past:* gehabt	*Past:* gehabt haben
haben Sie		

41. Conjugation of sein *be*

INDICATIVE	SUBJUNCTIVE
Present	
ich bin	ich sei
du bist	du seiest
er ist	er sei
wir sind	wir seien
ihr seid	ihr seiet
sie sind	sie seien

Past	
ich war	ich wäre
du warst	du wärest
er war	er wäre
wir waren	wir wären
ihr wart	ihr wäret
sie waren	sie wären

Present Perfect	
ich bin gewesen	ich sei gewesen
du bist gewesen	du seiest gewesen
er ist gewesen	er sei gewesen
wir sind gewesen	wir seien gewesen
ihr seid gewesen	ihr seiet gewesen
sie sind gewesen	sie seien gewesen

Past Perfect	
ich war gewesen	ich wäre gewesen
du warst gewesen	du wärest gewesen
er war gewesen	er wäre gewesen
wir waren gewesen	wir wären gewesen
ihr wart gewesen	ihr wäret gewesen
sie waren gewesen	sie wären gewesen

INDICATIVE		SUBJUNCTIVE
	Future	
ich werde sein		ich werde sein
du wirst sein		du werdest sein
er wird sein		er werde sein
wir werden sein		wir werden sein
ihr werdet sein		ihr werdet sein
sie werden sein		sie werden sein

Future Perfect

ich werde gewesen sein		ich werde gewesen sein
du wirst gewesen sein		du werdest gewesen sein
er wird gewesen sein		er werde gewesen sein
wir werden gewesen sein		wir werden gewesen sein
ihr werdet gewesen sein		ihr werdet gewesen sein
sie werden gewesen sein		sie werden gewesen sein

FIRST CONDITIONAL	SECOND CONDITIONAL
ich würde sein	ich würde gewesen sein
du würdest sein	du würdest gewesen sein
er würde sein	er würde gewesen sein
wir würden sein	wir würden gewesen sein
ihr würdet sein	ihr würdet gewesen sein
sie würden sein	sie würden gewesen sein

IMPERATIVE	PARTICIPLES	INFINITIVES
sei	*Present:* seiend	*Present:* sein
seid	*Past:* gewesen	*Past:* gewesen sein
seien Sie		

42. Conjugation of werden *become*

INDICATIVE		SUBJUNCTIVE
	Present	
ich werde		ich werde
du wirst		du werdest
er wird		er werde
wir werden		wir werden
ihr werdet		ihr werdet
sie werden		sie werden

INDICATIVE		SUBJUNCTIVE
	Past	
ich wurde		ich würde
du wurdeſt		du würdeſt
er wurde		er würde
wir wurden		wir würden
ihr wurdet		ihr würdet
ſie wurden		ſie würden

Present Perfect

ich bin geworden		ich ſei geworden
du biſt geworden		du ſeieſt geworden
etc.		etc.

Past Perfect

ich war geworden		ich wäre geworden
du warſt geworden		du wäreſt geworden
etc.		etc.

Future

ich werde werden		ich werde werden
du wirſt werden		du werdeſt werden
etc.		etc.

Future Perfect

ich werde geworden ſein		ich werde geworden ſein
du wirſt geworden ſein		du werdeſt geworden ſein
etc.		etc.

FIRST CONDITIONAL		SECOND CONDITIONAL
ich würde werden		ich würde geworden ſein
du würdeſt werden		du würdeſt geworden ſein
etc.		etc.

IMPERATIVE	PARTICIPLES	INFINITIVES
werde	*Present:* werdend	*Present:* werden
werdet	*Past:* geworden	*Past:* geworden ſein
werden Sie		

The following old past-indicative forms will be met with occasionally in reading: ich ward, du wardſt, er ward.

43. The Weak Conjugation: Type I, ſagen; Type II, warten; Type III, lächeln

Type I. ſagen *say* (STEM: ſag=)

PRINCIPAL PARTS: ſagen, er ſagt, er ſagte, er hat geſagt

INDICATIVE	SUBJUNCTIVE

Present

ich ſage	ich ſage
du ſagſt	du ſageſt
er ſagt	er ſage
wir ſagen	wir ſagen
ihr ſagt	ihr ſaget
ſie ſagen	ſie ſagen

Past

ich ſagte	ich ſagte
du ſagteſt	du ſagteſt
er ſagte	er ſagte
wir ſagten	wir ſagten
ihr ſagtet	ihr ſagtet
ſie ſagten	ſie ſagten

Present Perfect

ich habe geſagt	ich habe geſagt
du haſt geſagt	du habeſt geſagt
etc.	etc.

Past Perfect

ich hatte geſagt	ich hätte geſagt
du hatteſt geſagt	du hätteſt geſagt
etc.	etc.

Future

ich werde ſagen	ich werde ſagen
du wirſt ſagen	du werdeſt ſagen
etc.	etc.

Future Perfect

ich werde geſagt haben	ich werde geſagt haben
du wirſt geſagt haben	du werdeſt geſagt haben
etc.	etc.

FIRST CONDITIONAL	SECOND CONDITIONAL
idſ würde ſagen	idſ würde geſagt haben
bu würbeſt ſagen	bu würbeſt geſagt haben
etc.	etc.

IMPERATIVE	PARTICIPLES		INFINITIVES	
ſage	*Present:* ſagenb		*Present:* ſagen	
ſagt	*Past:* geſagt		*Past:* geſagt haben	
ſagen Sie				

Verbs whose stems end in a sibilant (ß, ſſ, ß, ſdſ, ß, r, ʒ) add ₌t, instead of ₌ſt, in the second person singular of the present indicative: grüßen, bu grüßt.

Type II. warten *wait* (STEM: wart₌)

PRINCIPAL PARTS: warten, er wartet, er wartete, er hat gewartet

Verbs of this type insert an e before all endings beginning with a consonant; that is, instead of the endings ₌ſt, ₌t, ₌te, etc., they have ₌eſt, ₌et, ₌ete, etc.

PRESENT INDICATIVE	PAST INDICATIVE AND SUBJUNCTIVE
idſ warte	idſ wartete
bu warteſt	bu warteteſt
er wartet	er wartete
wir warten	wir warteten
ihr wartet	ihr wartetet
ſie warten	ſie warteten

IMPERATIVE	PARTICIPLES		INFINITIVES	
warte	*Present:* wartenb		*Present:* warten	
wartet	*Past:* gewartet		*Past:* gewartet haben	
warten Sie				

To this class belong those verbs whose stems end in ₌b or ₌t, or in ₌m or ₌n preceded by a consonant other than h, l, m, n, r.

Type III

Verbs whose stems end in ꞏel or ꞏer show certain deviations from Type I, which may be seen from the following paradigms:

lächeln *smile* (STEM: lächel=)

PRESENT INDICATIVE	PRESENT SUBJUNCTIVE	IMPERATIVE
ich läch(e)le	ich läch(e)le	läch(e)le
du lächelſt	du läch(e)leſt	lächelt
er lächelt	er läch(e)le	lächeln Sie
wir lächeln	wir läch(e)len	PRESENT PARTICIPLE
ihr lächelt	ihr läch(e)let	lächelnd
ſie lächeln	ſie läch(e)len	

rudern *row* (STEM ꞏ ruder=)

PRESENT INDICATIVE	PRESENT SUBJUNCTIVE	IMPERATIVE
ich rud(e)re	ich rud(e)re	rud(e)re
du ruderſt	du rud(e)reſt	rudert
er rudert	er rud(e)re	rudern Sie
wir rudern	wir rud(e)ren	PRESENT PARTICIPLE
ihr rudert	ihr rud(e)ret	rudernd
ſie rudern	ſie rud(e)ren	

As to the optional forms, indicated by e in parentheses, it may be said that the full forms are more common, especially in the case of verbs in ꞏern.

The other tenses present no deviation from Type I.

44. The Strong Conjugation

trinken *drink* (STEM: trink=)

PRINCIPAL PARTS: trinken, er trinkt, er trank, er hat getrunken

INDICATIVE	*Present*	SUBJUNCTIVE
ich trinke		ich trinke
du trinkſt		du trinkeſt
er trinkt		er trinke
wir trinken		wir trinken
ihr trinkt		ihr trinket
ſie trinken		ſie trinken

INDICATIVE	*Past*	SUBJUNCTIVE

INDICATIVE	SUBJUNCTIVE
ich trank	ich tränke
du trankst	du tränkest
er trank	er tränke
wir tranken	wir tränken
ihr trankt	ihr tränket
sie tranken	sie tränken

Present Perfect

ich habe getrunken	ich habe getrunken
du hast getrunken	du habest getrunken
etc.	etc.

Past Perfect

ich hatte getrunken	ich hätte getrunken
du hattest getrunken	du hättest getrunken
etc.	etc.

Future

ich werde trinken	ich werde trinken
du wirst trinken	du werdest trinken
etc.	etc.

Future Perfect

ich werde getrunken haben	ich werde getrunken haben
du wirst getrunken haben	du werdest getrunken haben
etc.	etc.

FIRST CONDITIONAL	SECOND CONDITIONAL
ich würde trinken	ich würde getrunken haben
du würdest trinken	du würdest getrunken haben
etc.	etc.

IMPERATIVE	PARTICIPLES	INFINITIVES
trink(e)	*Present:* trinkend	*Present:* trinken
trinkt	*Past:* getrunken	*Past:* getrunken haben
trinken Sie		

Verbs whose stems end in a sibilant (ß, ss, ß, sch, tz, x, z) add =t, instead of =st, in the second person singular of the present indicative: heißen, du heißt; and =est, instead of =st, in the second person singular of the past indicative: du hießest.

Verbs whose stems end in ⸗b or ⸗t insert an e before the inflectional endings ⸗ſt and ⸗t: finden, present indicative: du findeſt, er findet, ihr findet; past indicative: du fandeſt, ihr fandet; imperative plural: findet.

But verbs that undergo vowel change in the second and third person singular of the present indicative do not follow the rule for the use of the connecting ⸗e⸗ in these forms: laden, du lädſt, er lädt; halten, du hältſt, er hält; gelten, du giltſt, er gilt. (Compare Lesson XXVII, section 3.)

45. The Passive Voice

The auxiliary of the passive voice in German is werden, the form geworden being shortened to worden. The following is an outline of the passive of loben *praise*:

INDICATIVE	SUBJUNCTIVE
Present	
ich werde gelobt	ich werde gelobt
du wirſt gelobt	du werdeſt gelobt
etc.	etc.
Past	
ich wurde gelobt	ich würde gelobt
du wurdeſt gelobt	du würdeſt gelobt
etc.	etc.
Present Perfect	
ich bin gelobt worden	ich ſei gelobt worden
du biſt gelobt worden	du ſeieſt gelobt worden
etc.	etc.
Past Perfect	
ich war gelobt worden	ich wäre gelobt worden
du warſt gelobt worden	du wäreſt gelobt worden
etc.	etc.
Future	
ich werde gelobt werden	ich werde gelobt werden
du wirſt gelobt werden	du werdeſt gelobt werden
etc.	etc.

INDICATIVE	SUBJUNCTIVE

Future Perfect

INDICATIVE	SUBJUNCTIVE
ich werde gelobt worden sein	ich werde gelobt worden sein
du wirst gelobt worden sein	du werdest gelobt worden sein
etc.	etc.

FIRST CONDITIONAL	SECOND CONDITIONAL
ich würde gelobt werden	ich würde gelobt worden sein
du würdest gelobt werden	du würdest gelobt worden sein
etc.	etc.

IMPERATIVE	PARTICIPLE	INFINITIVES
werde gelobt	*Past:* gelobt worden	*Present:* gelobt werden
werdet gelobt		*Past:* gelobt worden sein
werden Sie gelobt		

The present participle with zu, as zu lobend, has the force of a present or future passive participle. It is sometimes called the gerundive and is used as an adjective only:

eine zu lobende Tat *a deed to be praised*
ein nie zu vergessender Tag *a never-to-be-forgotten day*
eine sehr zu tadelnde Maßnahme *a measure open to severe criticism* (literally, *a very-much-to-be-criticized measure*)
Ende Mai soll der neue Rektor an einem noch zu bestimmenden Tage in sein Amt eingeführt werden. *The new rector is to be inducted into office the end of May, on a day that will be determined later.*

46. Alphabetical List of Strong and Irregular Verbs

Compounds are given only in case the simple verb is not in use or is weak.

The second and third person singular of the present indicative and the second person singular of the imperative are given when their stem differs from the stem of the present infinitive.

STRONG VERBS

Infinitive	Pres. Ind. 2d and 3d Sg.	Imper. 2d Sg.	Past Ind. 3d Sg.	Past Subj. 3d Sg.	Past Part.	
baden	bädfft, bädt		buf	büfe	gebaden	bake
befehlen	befiehlft, befiehlt	befiehl	befahl	beföhle	befohlen	command
beginnen			begann	begönne or begänne	begonnen	begin
beißen			biß	biffe	gebiffen	bite
bergen	birgft, birgt	birg	barg	bürge or bärge	geborgen	hide
berften	birft, birft	birft	barft	bärfte or börfte	geborften	burst
biegen			bog	böge	gebogen	bend
bieten			bot	böte	geboten	offer
binden			band	bände	gebunden	bind
bitten			bat	bäte	gebeten	ask
blafen	bläft, bläft		blies	bliefe	geblafen	blow
bleiben			blieb	bliebe	geblieben	remain
braten	brätft, brät		briet	briete	gebraten	roast
brechen	brichft, bricht	brich	bräch	bräche	gebrochen	break
drefchen	drifcht, drifcht	drifch	drofch	dröfche	gedrofchen	thresh
dringen			drang	dränge	gedrungen	press
empfehlen	empfiehlft, empfiehlt	empfiehl	empfahl	empföhle	empfohlen	recommend
erlöfchen	erlifcht, erlifcht	erlifch	erlofch	erlöfche	erlofchen	go out
erfchreden	erfchridft, erfchridt	erfchrid	erfchraf	erfchräfe	erfchroden	be frightened
effen	ißt, ißt	iß	äß	äße	gegeffen	eat
fahren	fährft, fährt		fuhr	führe	gefahren	drive
fallen	fällft, fällt		fiel	fiele	gefallen	fall
fangen	fängft, fängt		fing	finge	gefangen	catch
fechten	fichtft, ficht	ficht	focht	föchte	gefochten	fight
finden			fand	fände	gefunden	find
flechten	flichtft, flicht	flicht	flocht	flöchte	geflochten	braid
fliegen			flog	flöge	geflogen	fly
fliehen			floh	flöhe	geflohen	flee
fließen			flöß	flöffe	gefloffen	flow
freffen	frißt, frißt	friß	fräß	fräße	gefreffen	eat

INFINITIVE	PRES. IND. 2d and 3d Sg.	IMPER. 2d Sg.	PAST IND. 3d Sg.	PAST SUBJ. 3d Sg.	PAST PART.	
frieren			fror	fröre	gefroren	*freeze*
gebären	gebierſt, gebiert	gebier	gebar	gebäre	geboren	*bear*
geben	gibſt, gibt	gib	gab	gäbe	gegeben	*give*
gedeihen			gedieh	gediehe	gediehen	*thrive*
gehen			ging	ginge	gegangen	*go*
gelingen			gelang	gelänge	gelungen	*succeed*
gelten	giltſt, gilt	gilt	galt	gölte	gegolten	*be worth*
geneſen			genas	genäſe	geneſen	*recover*
genießen			genöß	genöſſe	genoſſen	*enjoy*
geſchehen	geſchieht		geſchah	geſchähe	geſchehen	*happen*
gewinnen			gewann	gewönne	gewonnen	*win*
gießen			goß	göſſe	gegoſſen	*pour*
gleichen			glich	gliche	geglichen	*resemble*
gleiten			glitt	glitte	geglitten	*glide*
graben	gräbſt, gräbt		grub	grübe	gegraben	*dig*
greifen			griff	griffe	gegriffen	*seize*
halten	hältſt, hält		hielt	hielte	gehalten	*hold*
hangen or hängen	hängſt, hängt		hing	hinge	gehangen	*hang*
hauen			hieb	hiebe	gehauen	*hew*
heben			hob	höbe or hübe	gehoben	*lift*
heißen			hieß	hieße	geheißen	*be called*
helfen	hilfſt, hilft	hilf	half	hülfe	geholfen	*help*
klimmen			klomm	klömme	geklommen	*climb*
klingen			klang	klänge	geklungen	*sound*
kneifen			kniff	kniffe	gekniffen	*pinch*
kommen			kam	käme	gekommen	*come*
kriechen			kroch	kröche	gekrochen	*creep*
laden	lädſt, lädt		lud	lüde	geladen	*load*

Einladen (*invite*) is also weak except in the past participle.

laſſen	läßt, läßt		ließ	ließe	gelaſſen	*let*
laufen	läufſt, läuft		lief	liefe	gelaufen	*run*
leiden			litt	litte	gelitten	*suffer*
leihen			lieh	liehe	geliehen	*lend*
leſen	lieſt, lieſt	lies	las	läſe	geleſen	*read*

INFINITIVE	PRES. IND. 2d and 3d Sg.	IMPER. 2d Sg.	PAST IND. 3d Sg.	PAST SUBJ. 3d Sg.	PAST PART.	
liegen			lag	läge	gelegen	*lie*
lügen			log	löge	gelogen	*lie*
meiden			mied	miede	gemieden	*avoid*
melken	melkst, melkt	milk	molk	mölke	gemolken	*milk*

Melken is more commonly weak except in the past participle.

messen	mißt, mißt	miß	maß	mäße	gemessen	*measure*
nehmen	nimmst, nimmt	nimm	nahm	nähme	genommen	*take*
pfeifen			pfiff	pfiffe	gepfiffen	*whistle*
pflegen			pflog	pflöge	gepflogen	*carry on*

Pflegen = *care for, be accustomed,* is weak.

preisen			pries	priese	gepriesen	*praise*
quellen	quillst, quillt	quill	quoll	quölle	gequollen	*gush*
raten	rätst, rät		riet	riete	geraten	*advise*
reiben			rieb	riebe	gerieben	*rub*
reißen			riß	risse	gerissen	*tear*
reiten			ritt	ritte	geritten	*ride*
riechen			roch	röche	gerochen	*smell*
ringen			rang	ränge	gerungen	*wrestle*
rinnen			rann	ränne or rönne	geronnen	*flow*
rufen			rief	riefe	gerufen	*call*
saufen	säufst, säuft		soff	söffe	gesoffen	*drink*
saugen			sog	söge	gesogen	*suck*
schaffen			schuf	schüfe	geschaffen	*create*

Schaffen = *work, procure,* is weak.

scheiden			schied	schiede	geschieden	*part*
scheinen			schien	schiene	geschienen	*shine*
schelten	schiltst, schilt	schilt	schalt	schölte	gescholten	*scold*
scheren	schierst, schiert	schier	schor	schöre	geschoren	*shear*
schieben			schob	schöbe	geschoben	*shove*
schießen			schoß	schösse	geschossen	*shoot*
schinden			schund	schünde	geschunden	*flay*
schlafen	schläfst, schläft		schlief	schliefe	geschlafen	*sleep*

Infinitive	Pres. Ind. 2d and 3d Sg.	Imper. 2d Sg.	Past Ind. 3d Sg.	Past Subj. 3d Sg.	Past Part.	
ſchlagen	ſchlägſt, ſchlägt		ſchlug	ſchlüge	geſchlagen	*strike*
ſchleichen			ſchlich	ſchliche	geſchlichen	*sneak*
ſchleifen			ſchliff	ſchliffe	geſchliffen	*whet*
ſchließen			ſchlöſz	ſchlöſſe	geſchloſſen	*close*
ſchlingen			ſchlang	ſchlänge	geſchlungen	*sling*
ſchmeißen			ſchmiſz	ſchmiſſe	geſchmiſſen	*throw*
ſchmelzen	ſchmilzt, ſchmilzt	ſchmilz	ſchmolz	ſchmölze	geſchmolzen	*melt*
ſchneiden			ſchnitt	ſchnitte	geſchnitten	*cut*
ſchreiben			ſchrieb	ſchriebe	geſchrieben	*write*
ſchreien			ſchrie	ſchriee	geſchrie(e)n	*cry*
ſchreiten			ſchritt	ſchritte	geſchritten	*stride*
ſchweigen			ſchwieg	ſchwiege	geſchwiegen	*be silent*
ſchwellen	ſchwillſt, ſchwillt	ſchwill	ſchwoll	ſchwölle	geſchwollen	*swell*
ſchwimmen			ſchwamm	ſchwömme	geſchwommen	*swim*
ſchwinden			ſchwand	ſchwände	geſchwunden	*vanish*
ſchwören			ſchwur or ſchwor	ſchwüre	geſchworen	*swear*
ſehen	ſiehſt, ſieht	ſieh	ſah	ſähe	geſehen	*see*
ſein	biſt, iſt	ſei	war	wäre	geweſen	*be*
ſieden			ſott	ſötte	geſotten	*boil*
		Also weak except in the past participle				
ſingen			ſang	ſänge	geſungen	*sing*
ſinken			ſank	ſänke	geſunken	*sink*
ſinnen			ſann	ſänne or ſönne	geſonnen	*think*
ſitzen			ſäſz	ſäße	geſeſſen	*sit*
ſpinnen			ſpann	ſpönne	geſponnen	*spin*
ſprechen	ſprichſt, ſpricht	ſprich	ſprāch	ſpräche	geſprŏchen	*speak*
ſpringen			ſprang	ſpränge	geſprungen	*spring*
ſtechen	ſtichſt, ſticht	ſtich	ſtāch	ſtäche	geſtŏchen	*prick*
ſtehen			ſtand	ſtände or ſtünde	geſtanden	*stand*
ſtehlen	ſtiehlſt, ſtiehlt	ſtiehl	ſtahl	ſtöhle or ſtähle	geſtohlen	*steal*
ſteigen			ſtieg	ſtiege	geſtiegen	*climb*

INFINITIVE	PRES. IND. 2d and 3d Sg.	IMPER. 2d Sg.	PAST IND. 3d Sg.	PAST SUBJ. 3d Sg.	PAST PART.	
sterben	stirbst, stirbt	stirb	starb	stürbe	gestorben	*die*
stoßen	stößt, stößt		stieß	stieße	gestoßen	*push*
streichen			strich	striche	gestrichen	*stroke*
streiten			stritt	stritte	gestritten	*contend*
tragen	trägst, trägt		trug	trüge	getragen	*carry*
treffen	triffst, trifft	triff	traf	träfe	getroffen	*hit*
treiben			trieb	triebe	getrieben	*drive*
treten	trittst, tritt	tritt	trat	träte	getreten	*step*
trinken			trank	tränke	getrunken	*drink*
trügen			trog	tröge	getrogen	*deceive*
tun			tat	täte	getan	*do*
verderben	verdirbst, verdirbt	verdirb	verdarb	verdürbe	verdorben	*spoil*
verdrießen			verdroß	verdrösse	verdrossen	*vex*
vergessen	vergißt, vergißt	vergiß	vergaß	vergäße	vergessen	*forget*
verlieren			verlor	verlöre	verloren	*lose*
wachsen	wächst, wächst		wuchs	wüchse	gewachsen	*grow*
wägen			wog	wöge	gewogen	*weigh*
waschen	wäscht, wäscht		wusch	wüsche	gewaschen	*wash*
weben			wob	wöbe	gewoben	*weave*
weichen			wich	wiche	gewichen	*yield*
weisen			wies	wiese	gewiesen	*show*
werben	wirbst, wirbt	wirb	warb	würbe	geworben	*sue*
werden	wirst, wird		wurde or ward	würde	geworden	*become*
werfen	wirfst, wirft	wirf	warf	würfe	geworfen	*throw*
wiegen			wog	wöge	gewogen	*weigh*
winden			wand	wände	gewunden	*wind*
zeihen			zieh	ziehe	geziehen	*accuse*
ziehen			zog	zöge	gezogen	*draw, go*
zwingen			zwang	zwänge	gezwungen	*force*

IRREGULAR WEAK VERBS

INFINITIVE	PRES. IND. 2d and 3d Sg.	IMPER. 2d Sg.	PAST IND. 3d Sg.	PAST SUBJ. 3d Sg.	PAST PART.	
brennen			brannte	brennte	gebrannt	burn
kennen			kannte	kennte	gekannt	know
nennen			nannte	nennte	genannt	name
rennen			rannte	rennte	gerannt	run
senden			sandte or sendete	sendete	gesandt or gesendet	send
wenden			wandte or wendete	wendete	gewandt or gewendet	turn
bringen			brachte	brächte	gebracht	bring
denken			dachte	dächte	gedacht	think
haben	hast, hat		hatte	hätte	gehabt	have

MODAL AUXILIARIES AND wissen

dürfen	darfst, darf	—	durfte	dürfte	gedurft	be permitted to
können	kannst, kann	—	konnte	könnte	gekonnt	be able to
mögen	magst, mag	—	mochte	möchte	gemocht	like to
müssen	mußt, muß	—	mußte	müßte	gemußt	have to
sollen	sollst, soll	—	sollte	sollte	gesollt	be (expected) to
wollen	willst, will	wolle	wollte	wollte	gewollt	want to
wissen	weißt, weiß	wisse	wußte	wüßte	gewußt	know

WORD FORMATION

The subject is too large to permit of anything but mere suggestions on these pages.

NOUNS

1. Infinitives as Nouns

The infinitive of the verb may be used as a neuter noun. It forms a genitive in -s, but rarely has a plural, and then only in cases where the infinitive used as a noun has acquired a special meaning: cf. das Rennen (-s, —) race.

baden bathe; das Baden bathing   schwimmen swim; das Schwimmen swimming
lesen read; das Lesen reading

wandern wander; das Wandern wandering

The infinitives of verbs with inseparable or separable prefixes may be used in the same manner:

aušſprechen *pronounce*; daš Ausſprechen *pronunciation*
betreten *enter*; daš Betreten *entering, stepping upon*
verſprechen *promise*; daš Verſprechen *promise*
wegwerfen *throw away*; daš Wegwerfen *throwing away*

2. Infinitive Stems as Nouns

The stem of the infinitive occurs as —

a. A masculine noun, Class II:

fallen *fall*; der Fall *fall, overthrow*
grüßen *greet*; der Gruß *greeting, salutation*
haſſen *hate*; der Haß (no pl.) *hatred*
ſiegen *gain the victory*; der Sieg *victory*
tanzen *dance*; der Tanz *dance*

b. A feminine noun, weak declension:

antworten *answer*; die Antwort *answer*
arbeiten *work*; die Arbeit *work, task*
feiern *celebrate*; die Feier *celebration*
ſtreuen *strew*; die Streu *bedding for animals*
wählen *choose*; die Wahl *choice, election*

c. A neuter noun:

baden *bathe*; das Bad (S III) *bath*
graben *dig*; das Grab (S III) *grave*
loben *praise*; das Lob (no pl.) *praise*
loſen *draw lots*; das Los (S II) *lot, lottery ticket*
ſpielen *play*; das Spiel (S II) *play, game*

3. Past Stems as Nouns

The past stem of a strong verb may occur as a masculine noun (S II):

beißen *bite*, biß; der Biß *bite*
bringen *be urgent*, brang; der Drang (no pl.) *urgency*
hauen *strike*, hieb; der Hieb *blow, stroke*

reißen *tear*, riß; der Riß *tear, rent*
reiten *ride*, ritt; der Ritt *ride*
trinken *drink*, trank; der Trank *drink*
zwingen *compel*, zwang; der Zwang (no pl.) *compulsion*

Here should be noted nouns which are derived from a lost past stem:

binden *bind, tie*, band; der Bund *union, alliance*
gießen *pour*, goß; der Guß *downpour, casting*
schließen *close*, schloß; der Schluß *conclusion*
werfen *throw*, warf; der Wurf *throw, cast* (cf. würfe, past subj. of werfen)
ziehen *draw, pull*, zog; der Zug *train, procession, draft*

4. Suffix =e

Weak feminines with the ending =e are formed —

a. From the infinitive stem of some verbs:

bitten *request*; die Bitte *request*
eilen *hurry*; die Eile (no pl.) *hurry, haste*
lieben *love*; die Liebe (no pl.) *love*
reden *talk*; die Rede *speech, address*
winden *wind*; die Winde *windlass*

b. From adjectives:

breit *broad*; die Breite *breadth*
groß *large*; die Größe *size, greatness*
hart *hard*; die Härte *hardness*
lang *long*; die Länge *length*
rot *red*; die Röte (no pl.) *redness*

5. Suffix =er

Nouns denoting the agent are formed from the stem of the infinitive by means of the suffix =er:

backen *bake*; der Bäcker *baker*
dienen *serve*; der Diener *servant*
fischen *fish*; der Fischer *fisher*
schreiben *write*; der Schreiber *writer*
wandern *wander*; der Wanderer *wanderer*

6. Suffix ₌ei

a. Mostly from nouns denoting the agent we form by means of the suffix ₌ei weak feminines denoting place of business or occupation:

der Bäcker *baker*; die Bäckerei *bakery*
der Brauer *brewer*; die Brauerei *brewery*
der Drucker *printer*; die Druckerei *printing office*
der Fleischer *butcher*; die Fleischerei *butcher shop*
der Gärtner *gardener*; die Gärtnerei *market garden, gardening*
der Jäger *hunter*; die Jägerei *hunting*

b. Since it was often attached to nouns in ₌er, the suffix came to be felt as ₌erei; the latter is now widely used and is added to the infinitive stem of verbs, forming nouns of action, frequently with depreciatory connotation:

backen *bake*; die Bäckerei *bungling manner of baking*
fragen *ask*; die Fragerei *endless* or *meaningless questions*
reden *talk*; die Rederei *empty talk, prattle*
singen *sing*; die Singerei *poor singing*
spielen *play*; die Spielerei *child's play*

7. Suffix ₌ling

Masculines of Class II are formed by means of the suffix ₌ling —

a. From adjectives:

fremd *strange*; der Fremdling *stranger*
jung *young*; der Jüngling *youth, young man*
lieb *dear*; der Liebling *favorite*
schwach *weak*; der Schwächling *weak* or *effeminate person*
wild *wild*; der Wildling *wild shoot*

b. From nouns:

der Feind *enemy*; der Feindling *hostile person*
das Haupt *head*; der Häuptling *chieftain*
der Hof *court*; der Höfling *courtier*
die Kammer *chamber*; der Kämmerling *chamberlain, valet*
die Taufe *baptism*; der Täufling *child to be baptized, neophyte*

8. Suffix =ung

Weak feminines, with the suffix =ung, from the stem of verbs are frequent:

erfranfen *fall sick*; die Erfranfung *falling sick*
leiten *lead*; die Leitung *management, conduct*
öffnen *open*; die Öffnung *opening, aperture*
teilen *divide*; die Teilung *division, distribution*
warnen *warn*; die Warnung *warning*

9. Suffixes =heit and =feit

a. Abstract weak feminines are formed from adjectives by means of the suffix =heit:

dumm *stupid*; die Dummheit *stupidity*
flein *small*; die Kleinheit *smallness*
flug *intelligent*; die Klugheit *good sense, discretion*
wahr *true*; die Wahrheit *truth*
zufrieden *contented*; die Zufriedenheit *contentment, satisfaction*

b. After =ig, =lich, and =sam this suffix becomes =feit:

ähnlich *similar*; die Ähnlichfeit *similarity*
einig *at one, agreed*; die Einigfeit *unity, concord*
einsam *lonely*; die Einsamfeit *loneliness, solitude*
freudig *joyful*; die Freudigfeit *joyfulness*
höflich *courteous*; die Höflichfeit *courtesy*
reinlich *cleanly*; die Reinlichfeit *cleanliness*

10. Suffix =schaft

Weak feminines formed by means of the suffix =schaft are —
a. Abstract nouns:

der Feind *enemy*; die Feindschaft *hostility*
der Freund *friend*; die Freundschaft *friendship*
der Herr *lord, master*; die Herrschaft *dominion, sovereignty*
der Knecht *servant*; die Knechtschaft *servitude*
das Leiden *suffering*; die Leidenschaft *passion*
das Wissen *knowledge*; die Wissenschaft *science*

b. Collectives:

der Bruder *brother*; die Bruderschaft *brotherhood, order* (usually monastic)

der Einwohner *inhabitant*; die Einwohnerschaft *inhabitants, population*

der Lehrer *teacher*; die Lehrerschaft *body of teachers, teaching staff*

der Mann *man*; die Mannschaft *body of men, crew,* etc.

der Priester *priest*; die Priesterschaft *clergy*

11. Suffixes =nis and =sal

With =nis and =sal are formed feminines and neuters; they belong to Class II:

betrübt *sad*; die Betrübnis *sadness*

finster *dark*; die Finsternis *darkness*

geheim *secret*; das Geheimnis *secret*

kennen *know*; die Kenntnis *knowledge*

zeugen *testify*; das Zeugnis *testimony, certificate*

drängen *oppress*; die Drangsal *hardship, tribulation*

laben *refresh*; das Labsal *refreshment*

mühen (refl.) *take pains*; die Mühsal *toil, labor*

scheuen *fear*; das Scheusal *monster*

trüben *trouble*; die Trübsal *trouble*

12. Suffix =tum

Nouns with the suffix =tum are virtually all neuter, Class III:

der Christ *Christian*; das Christentum *Christianity*

eigen *own*; das Eigentum *property*

der König *king*; das Königtum *kingship*

heilig *holy*; das Heiligtum *sanctuary*

der Herzog *duke*; das Herzogtum *duchy*

der Papst *Pope*; das Papsttum *papacy*

der Ritter *knight*; das Rittertum *chivalry*

Irrtum *error* and Reichtum *wealth* are masculines.

13. Suffixes ₌in, ₌chen, and ₌lein

The formation of feminine nouns from masculines by means of the suffix ₌in has been previously treated (page 101), as has also the formation of diminutives by means of ₌chen or ₌lein (page 42). About the diminutives a few words may be added.

In most cases ₌chen and ₌lein are interchangeable. Usage varies in different parts of Germany.

> der Bruder *brother,* das Brüderchen, das Brüderlein
> das Haus *house,* das Häuschen, das Häuslein
> die Kammer *chamber,* das Kämmerchen, das Kämmerlein
> das Kind *child,* das Kindchen, das Kindlein
> das Lamm *lamb,* das Lämmchen, das Lämmlein
> der Mann *man,* das Männchen, das Männlein
> der Stern *star,* das Sternchen, das Sternlein

But, for obvious reasons, always das Buch *book,* das Büchlein; die Kirche *church,* das Kirchlein; das Tuch *cloth,* das Tüchlein.

In Mädchen the force of the diminutive ₌chen has been entirely lost. Hence we hear ein großes, stattliches (*stately*) Mädchen. *A (very) little girl* is expressed by ein (ganz) kleines Mädchen. Mägdlein, derived from Magd (in Mädchen the g was lost), is not used in colloquial language; but Mädel, which developed from Mägdlein, is very frequent.

Fräulein likewise is no longer felt to be a diminutive. We also have Frauchen, without umlaut, which means *little woman.*

The diminutive is often used as a term of endearment; and so one hears, perhaps, a little child plead „Großväterchen, gib mir doch zehn Pfennige!" though the grandfather may measure six feet two in his stocking feet.

14. Prefixes miß= and un=

The negative prefixes miß= and un= are so much like the English, though not always rendered by the English cognates, that they should cause no trouble:

> der Brauch *usage;* der Mißbrauch *misuse*
> der Erfolg *success;* der Mißerfolg *failure*
> die Gunst *favor;* die Mißgunst *disfavor*
> das Verhältnis *relation;* das Mißverhältnis *disproportion, incongruity*
> das Verständnis *understanding;* das Mißverständnis *misunderstanding*
>
> die Aufmerksamkeit *attention;* die Unaufmerksamkeit *inattention*
> die Ehre *honor;* die Unehre *dishonor*
> die Erfahrenheit *experience;* die Unerfahrenheit *inexperience*
> das Glück *fortune;* das Unglück *misfortune*
> die Schuld *guilt;* die Unschuld *innocence*

15. Compounds

Compounds give more trouble than they really should. The first thing to do is to break a compound up into its component parts, if these are not recognized at sight:

Untergrundbahnhofseingang = Untergrund=bahnhofs=eingang = *underground-(railway-)station entrance.* We call it simply *subway entrance.*

Bergarbeiterkrankenkasse = Berg=arbeiter=kranken=kasse = *mountain-workers sick-chest.* (Cf. our "community chest.") We may translate the combination by *miners' sick-benefit insurance.*

Bergarbeiterunfallversicherung = Berg=arbeiter=unfall=versiche= rung = *mountain-workers accident insurance.* This may be rendered by *miners' accident insurance,* though we are more likely to say simply *workmen's compensation.*

ADJECTIVES

1. Suffix =bar

This suffix forms, chiefly from verbal stems, adjectives with passive force; that is, the suffix denotes ability to receive the action expressed in the stem:

> brennen *burn*; brennbar *combustible*
> effen *eat*; eßbar *edible*
> lefen *read*; lesbar *legible*
> ftrafen *punish*; ftrafbar *punishable*
> wafchen *wash*; wafchbar *washable*

2. Suffix =haft

Adjectives in =haft, formed chiefly from nouns, signify usually *partaking of the nature of*:

> die Ehre *honor*; ehrenhaft *honorable*
> das Fieber *fever*; fieberhaft *feverish*
> die Nonne *nun*; nonnenhaft *like a nun*
> der Schmerz *pain*; schmerzhaft *painful*
> der Zwerg *dwarf*; zwerghaft *dwarfish*

3. Suffix =ig

Adjectives are formed by means of the suffix =ig —

a. From nouns:

> das Blut *blood*; blutig *bloody*
> der Geift *spirit*; geiftig *spiritual*
> die Kraft *strength*; kräftig *strong*
> die Sünde *sin*; fündig *sinful*
> der Wind *wind*; windig *windy*

b. From verbal stems:

> gefallen *please*; gefällig *pleasing*
> glauben *believe*; gläubig *believing, faithful*
> haften *hasten*; haftig *hasty*
> irren *err*; irrig *erroneous*
> fäumen *delay*; fäumig *tardy*

> NOTE. gut *good*; gütig *kind*

4. Suffix ⸗iſch

a. The suffix ⸗iſch forms adjectives mostly from nouns:

der Krieger *warrior*; kriegeriſch *warlike*
der Lügner *liar*; lügneriſch *untruthful*
der Maler *painter*; maleriſch *picturesque*
der Schwärmer *enthusiast*; ſchwärmeriſch *visionary, fanatical*
die Stadt *city*; ſtädtiſch *urban, municipal*

b. Many adjectives in ⸗iſch are from words of foreign origin:

die Elektrizität' *electricity*; elek'triſch *electric*
der Fana'tiker *fanatic*; fana'tiſch *fanatical*
das Ideal' *ideal*; ideali'ſtiſch *idealistic*
der Katholik' *Catholic*; katho'liſch *Catholic*
der Magnet' *magnet*; magne'tiſch *magnetic*

c. Virtually all proper adjectives denoting nationality or race are formed by means of this suffix:

Alba'nien (ie = i + e) *Albania*; alba'niſch *Albanian*
Ame'rika *America*; amerika'niſch *American*
A'ſien (ie = i + e) *Asia*; aſia'tiſch *Asiatic*
der Franzo'ſe *Frenchman*; franzö'ſiſch *French*
der Portugie'ſe *Portuguese*; portugie'ſiſch *Portuguese*

Deutſch is the important exception. These proper adjectives are easily recognized, especially since the manner in which they are formed often resembles the English mode of formation, as ſchwediſch *Swedish*, ſpaniſch *Spanish*, türkiſch *Turkish*.

5. Suffix ⸗lich

This suffix forms adjectives —

a. From nouns:

der Freund *friend*; freundlich *friendly*
das Herz *heart*; herzlich *heartfelt, cordial*
der Hof *court*; höflich *courteous*
die Pein *pain*; peinlich *painful*

b. From adjectives:

alt *old*; ältlich *oldish, elderly*
braun *brown*; bräunlich *brownish*
froh *glad*; fröhlich *joyful, merry*
flein *small*; fleinlich *petty, paltry*
fauer *sour*; fäuerlich *sourish*

c. From verbs:

gewöhnen *accustom*; gewöhnlich *customary*
fterben *die*; fterblich *mortal*
töten *kill*; tötlich *deadly, fatal*
verfaufen *sell*; verfäuflich *for sale, salable*

6. Suffix =fam

The suffix =fam is attached chiefly to verbal stems and
expresses an inclination toward the activity denoted in
the stem:

dulden *tolerate*; duldfam *tolerant*
folgen *follow*; folgfam *obedient*
fchweigen *be silent*; fchweigfam *taciturn*
forgen *care*; forgfam *careful*
wachen *watch*; wachfam *watchful*

FUNDAMENTALS OF GRAMMAR*

I. THE PARTS OF SPEECH

Nouns

1. A **Noun** is the name of a person, place, or thing.

a. A **Proper Noun** is the name of a particular person,
place, or thing: *Henry, London, Pikes Peak.*

b. A **Common Noun** is a name that may be applied to
any one of a class of persons, places, or things: *boy, city,
table, book.*

* These fundamentals apply *in the main* to both English and German
grammar.

c. A **Collective Noun** is a name that in the singular form may be applied to a group of objects: *army, crowd, fleet.*

d. An **Abstract Noun** is the name of a quality or condition: *goodness, sweetness, poverty.*

e. The term **Substantive** is often used of a noun or any word or group of words that serves as a noun. Any part of speech may be so used: *Once is enough. To err is human.*

Pronouns

2. A **Pronoun** is a word used instead of a noun: *I, he, her, this, who.* The noun for which a pronoun stands is called its **Antecedent.** In the sentence *There is the man who bought the house* the noun *man* is the antecedent of the pronoun *who.*

a. A **Personal Pronoun** indicates the person speaking, the person spoken to, or the person or thing spoken of. If it denotes the speaker, it is of the **First Person**: *I, we.* If it denotes the person spoken to, it is of the **Second Person**: *you.* If it denotes the person or thing spoken of, it is of the **Third Person**: *he, she, it, they.*

b. A **Possessive Pronoun** denotes ownership or possession: *Clara's dress is prettier than mine.* The possessive pronouns are *mine, yours, his, hers, ours, theirs.* They should not be confused with the possessive adjectives: *my dress, your hat,* etc.

c. A **Relative Pronoun** connects a subordinate clause, in which it stands, with the antecedent: *I know the lady who won first prize.* The relative pronouns are *who, which, that, as,* and *what.*

d. An **Interrogative Pronoun** is used in asking a question: *Who told you so?* The interrogative pronouns are *who, what,* and *which.*

e. A **Demonstrative Pronoun** points out an object definitely: *This* is *the best coffee we have.* The demonstrative pronouns are *this* (plural *these*) and *that* (plural *those*).

f. An **Indefinite Pronoun** points out an object indefinitely: *None of the boys wear hats.* Some indefinite pronouns are *some, any, few, many, all, one, none.*

g. A **Reflexive Pronoun** refers back to the subject: *He cut **himself**.* The reflexive pronouns are *myself, yourself, himself, herself,* etc.

h. An **Intensive Pronoun** emphasizes a noun or another pronoun: *He came **himself**.* The intensive pronouns are identical in form with the reflexive pronouns.

i. A **Reciprocal Pronoun** denotes the exchange of an act or feeling: *They hit **each other**. They love **one another**.*

> NOTE. Some of the words listed above may be used as adjectives and are then called pronominal adjectives.

Adjectives

3. An **Adjective** is a word used to modify a noun or pronoun. Adjectives are of two general classes:

a. **Descriptive:** *red hair, thin paper, old houses.*

b. **Limiting.** These include

(1) The **Definite Article** *the* and the **Indefinite Article** *a* or *an.*

(2) **Pronominal Adjectives** — Possessive: *my hat, her book*; Demonstrative: *this table, that rug*; Interrogative: *which pen? what book?* Indefinite: *some ink, any man.*

(3) **Numeral Adjectives** — Cardinals: *one boy, two men*; Ordinals: *the third person, the fourth sentence.*

Verbs

4. A **Verb** is a word used to say something about a person or thing: *I **work**. He **plays**. Flowers **bloom**.*

a. A **Transitive Verb** takes a direct object: *John **ate** the apple. He **caught** the ball.*

b. An **Intransitive Verb** does not take a direct object:
We walked. He arrived yesterday.

> NOTE. Many verbs may be used either transitively or intransitively: *He rang the bell. The bell rang.*

c. A **Regular Verb** forms its past tense by adding *-d* or *-ed* to the present: *love, loved; walk, walked.*

d. An **Irregular Verb** forms its past tense characteristically by internal vowel change: *come, came; sing, sang.*

> NOTE. For the German verb the terms *weak* and *strong* are used instead of *regular* and *irregular*.

e. An **Auxiliary Verb** is used in the conjugation of other verbs: *He has given. She will come. You were seen.*

f. An **Impersonal Verb** is used only in the third person singular, having no personal subject: *It rains. It snows.*

Adverbs

5. An **Adverb** is a word used to modify a verb, an adjective, or another adverb: *I walked swiftly. He was unusually kind. You talk too fast.*

a. Adverbs may be classified, according to meaning, as adverbs of

(1) **Time,** denoting *when*: *yesterday, soon, now, daily.*

(2) **Place,** denoting *where*: *here, yonder, below, there.*

(3) **Manner,** denoting *how*: *thus, slowly, cheerfully, fast.*

(4) **Degree,** denoting *how much*: *partly, very, almost.*

(5) **Cause,** denoting *why*: *consequently, hence, therefore.*

(6) **Assertion,** denoting *affirmation* or *denial*: *certainly, yes, perhaps, no.*

(7) **Opposition,** denoting *contrast*: *however, still, yet.*

(8) **Number,** denoting *how many times* or *where in a series*: *twice, threefold, fourthly.*

b. An **Interrogative Adverb** is used in asking a question: *Where does he live? Why don't you answer?*

Prepositions

6. A **Preposition** is a word used to connect a noun or pronoun with some other word in the sentence; the noun or pronoun is called the object of the preposition: *He was sitting on a bench. She came with her brother.*

Conjunctions

7. A **Conjunction** is a word used to connect words, phrases, clauses, or sentences.

a. A **Coördinating Conjunction** connects words, phrases, clauses, or sentences of equal rank: *old and young. I waited an hour, but he did not come.*

b. A **Subordinating Conjunction** connects a subordinate clause with a principal clause: *I shall stay at home if it rains. We were at the station when he arrived.*

Interjections

8. An **Interjection** is a word of no definite meaning used to express feeling or emotion: *ah! alas! oh! bah! hurrah!* etc.

II. THE SENTENCE

9. A **Sentence** is a group of words expressing a complete thought: *Dogs bark. He limps.*

a. A **Declarative Sentence** tells or declares something: *Birds have wings.* In the Report of the Joint Committee on Grammatical Nomenclature, sentences that express the will or wish of the speaker are classed as declarative: *Go home at once. Long live the king!* The term *simple declarative sentence* used in the discussion of inverted word order in Lesson VII, page 80, of this book means a sentence that tells a thing as a fact.

b. An **Interrogative Sentence** asks a question: *Is John here?*

c. An **Exclamatory Sentence** expresses emotion or strong feeling : *How hot it is! What beautiful teeth she has!*

10. A sentence consists of two parts, called the **Subject** and the **Predicate**.

a. The **Subject** names the person, place, or thing spoken of : *Children play. Birds sing.*

b. The **Predicate** says something about the subject : *Children play. Birds sing.*

> Note. Either the subject or the predicate or both may be enlarged to any extent by the addition of qualifying words and expressions called modifiers : *The little children of my neighbor* | *play all day long in the meadow behind our house.*

11. The **Direct Object** of a verb is the word in the predicate that denotes the receiver of the action of the verb or the thing produced by it. The **Indirect Object** is the word that denotes the person, place, or thing indirectly affected by the action of the verb; it may be replaced by a prepositional phrase with *to*. In the sentence *I showed him my knife, him* (= *to him*) is the indirect object; *knife* is the direct object.

12. A **Predicate Noun** or a **Predicate Adjective** is a noun or an adjective used after certain intransitive verbs (as *be, become, grow, remain, seem,* and the like) to complete the predicate and at the same time to describe or explain the subject: *John is a lawyer. He is tall.* A predicate noun occurs also after certain verbs in the passive construction : *He was elected president.*

a. A predicate noun has the same case as the subject; hence the term **Predicate Nominative.**

13. An **Appositive Noun** is a noun added to another noun or a pronoun to explain it : *Mr. Jones, our neighbor, bought the house.* An appositive noun is in the same case as the noun or pronoun with which it is in apposition.

14. Adjectives are classified, with respect to their position in the sentence, as **Attributive** (or **Adherent**), **Appositive**, and **Predicate**.

a. An **Attributive** (or **Adherent**) **Adjective** regularly precedes the noun it modifies: *a little boy, the tall man.*

b. An **Appositive Adjective** usually follows the noun and is separated from it by a comma: *A small child, dirty and ragged, was sitting on the steps.*

c. A **Predicate Adjective**, as in the sentence *He is tall*, has already been defined.

15. A **Phrase** is a closely related group of words used as a part of speech, but not containing both a subject and a predicate. An important kind of phrase is the **Prepositional Phrase** (a preposition with a substantive), which may be used as an adjective: *The parents of the child are both sick*; or as an adverb: *They live in the third story.*

16. A **Clause** is a group of words containing both a subject and a predicate and used as a part of a sentence. There are two kinds of clauses: **Principal Clauses** and **Subordinate Clauses.**

a. A **Principal Clause** is a clause which may stand alone as a sentence: *I shall stay at home if it rains.*

b. A **Subordinate Clause** is a clause which depends on a principal clause: *I shall stay at home if it rains.*

17. Subordinate clauses are classified as

a. **Substantive Clauses:** *What you say is true.*

b. **Adjectival Clauses:** *There is the man who found it.*

c. **Adverbial Clauses:** *I went home when he came.*

18. A sentence may be classified, with regard to its structure, as **Simple, Compound,** or **Complex.**

a. A **Simple Sentence** contains only one subject and one predicate, either or both of which may be compound: *Fred sings well.*

b. A **Compound Sentence** contains two or more simple sentences: *Fred was singing, and Minnie was dancing.*

c. A **Complex Sentence** contains one or more subordinate clauses: *He stayed until it got dark.*

III. INFLECTION

19. Inflection is a change in the form of a word to indicate a change in its meaning or use: *book, books; he, him; live, lives, lived.*

Declension

20. The inflection of a noun or pronoun is called its **Declension.** Nouns and pronouns are declined to show number and case.

a. A noun or pronoun is in the **Singular Number** when it denotes one person, place, or thing: *man, chair, I;* in the **Plural Number** when it denotes more than one: *men, chairs, we.*

b. There are four cases:

(1) The **Nominative**, used chiefly as the subject of the sentence: *The **boy** ate the apple.*

(2) The **Genitive**, used to denote possession: *the **boy's** hat.*

(3) The **Dative**, used as the indirect object: *I gave the **boy** the ball.*

(4) The **Accusative**, used as the direct object and as the object of a preposition: *I gave the boy the **ball**.*

Gender

21. A noun denoting a male is of the **Masculine Gender**: *man, boy, father;* a noun denoting a female is of the **Feminine Gender**: *woman, girl, mother;* a noun denoting neither a male nor a female is of the **Neuter Gender**: *table, wall, tree.*

Comparison

22. The inflection of adjectives and adverbs to denote degree is called **Comparison**. There are three degrees of comparison, the **Positive**, the **Comparative**, and the **Superlative**: positive *high*, comparative *higher*, superlative *highest*.

Conjugation

23. The inflection of a verb is called **Conjugation**. Verbs are conjugated to show voice, mood, and tense, and the number and person of the subject.

Voice

24. Voice is the change in the form of a verb which indicates whether the subject acts or is acted on.

a. The **Active Voice** represents the subject as acting: *John painted the house.*

b. The **Passive Voice** represents the subject as being acted on: *The house was painted by John.*

c. A verb used intransitively usually has the active voice only.

Mood

25. Mood is a change in the form of a verb to denote the manner in which its action or state is expressed.

a. The **Indicative Mood** is used essentially to state a fact or ask a question concerning a fact: *Henry lost his pen. Why are you laughing?*

b. The **Subjunctive Mood** is used essentially to express volition, wish, and condition contrary to fact: *I move that Mr. Brown be made chairman of the meeting. Heaven help us! If James were here, he would repair it.*

c. The **Imperative Mood** is used to express a command, request, or entreaty: *Go home at once. Lend me your book, please. Don't whip him!*

Infinitive and Gerund

26. The **Infinitive** and the **Gerund** are verbal nouns. Like nouns they have case construction. Like verbs they may have an object and adverbial modifiers.

a. The **Infinitive** is usually preceded by the preposition *to*: *To see is to believe. He forgot to close the door.*

b. The **Gerund** ends in *-ing*: *Seeing is believing. He spent the afternoon in writing letters.* The present participle also ends in *-ing,* but it is an adjective; the gerund is a noun.

Participle

27. The **Participle** is a verbal adjective. Like an adjective it may modify a noun; like a verb it may have an object and adverbial modifiers: *Hearing a noise in the room, I opened the door. The horse, frightened by the cars, ran away.* The participle has two forms, present and past: *watching, watched; breaking, broken.*

Tense

28. Tense is a change in the form of a verb to indicate the time of the action or state expressed by the verb.

a. The **Present Tense** indicates that the action takes place in present time: *There comes your father. I see him now.*

b. The **Past Tense** indicates that the action took place in past time: *We played tennis this morning. He went to the movies last night.*

c. The **Present Perfect Tense** indicates that the action was completed before the present time: *I have written the letter.*

d. The **Past Perfect Tense** indicates that the action was completed before a certain time in the past: *When I called, he had already left the house.*

e. The **Future Tense** indicates that the action will take place in future time: *I shall help you tomorrow. She will bake the cake this evening.*

f. The **Future Perfect Tense** indicates that the action will be completed before a certain time in the future: *They will have departed before then.* The future perfect tense is rarely used in ordinary speech.

Person and Number

29. A verb agrees with its subject in person (first, second, and third) and in number (singular and plural).

PRESENT INDICATIVE

	Singular	Plural
First Person:	I write	we write
Second Person:	you write	you write
Third Person:	he writes	they write

Progressive and Emphatic Tense Forms

30. *a.* The **Progressive Forms** consist of the verb *be* as auxiliary, followed by the present participle of the verb that is being conjugated: *I am writing, he was writing.*

b. The **Emphatic Forms** consist of the verb *do* as auxiliary, followed by the present infinitive of the verb that is being conjugated: *I do write, he did write.* In negative and interrogative sentences *do* is not emphatic: *I do not speak Italian. Do you speak Spanish?*

Principal Parts

31. The **Principal Parts** of a verb are the forms which, if we know them, enable us to give all its forms, or conjugate it. The principal parts are the present infinitive, the past indicative, and the past participle:

PRESENT INFINITIVE	PAST INDICATIVE	PAST PARTICIPLE
love	loved	loved
watch	watched	watched
sing	sang	sung

Synopsis

32. The following is a synopsis, in the third person singular, of the indicative of the verb *watch*:

ACTIVE VOICE

	Ordinary	*Progressive*	*Emphatic*
Present:	he watches	he is watching	he does watch
Past:	he watched	he was watching	he did watch
Present Perfect:	he has watched	he has been watching	
Past Perfect:	he had watched	he had been watching	
Future:	he will watch	he will be watching	
Future Perfect:	he will have watched	he will have been watching	

PASSIVE VOICE

	Ordinary	*Progressive*
Present:	he is watched	he is being watched
Past:	he was watched	he was being watched
Present Perfect:	he has been watched	
Past Perfect:	he had been watched	
Future:	he will be watched	
Future Perfect:	he will have been watched	

VOCABULARIES

EXPLANATIONS

Separable compound verbs are indicated by a vertical line between the prefix and the rest of the verb: auf'|ſtehen.

Verbs that take ſein in the perfect tenses are so indicated. When no auxiliary is given, the verb takes haben.

The principal parts of the simple strong verbs are given in the German-English Vocabulary, and of both the simple and the compound strong verbs in the English-German Vocabulary: fallen (er fällt, er fiel, er iſt gefallen), aus'|ſehen (er ſieht aus, er ſah aus, er hat ausgeſehen).

The genitive singular and the nominative plural of nouns are indicated as follows:

* das Meſſer (-s, —) = nom. sg. das Meſſer, gen. sg. des Meſſers, nom. pl. die Meſſer
  der Baum (-es, ⸚e) = nom. sg. der Baum, gen. sg. des Baumes, nom. pl. die Bäume
  die Kälte (—) = nom. sg. die Kälte, gen. sg. der Kälte, no plural

The dieſer-words and the kein-words are given in the nominative singular masculine, feminine, and neuter forms: dieſer (dieſe, dieſes), kein (keine, kein).

The comparative and superlative forms of adjectives are indicated when they show modification of the stem vowel or are irregular: alt (⸚er, ⸚eſt) = positive alt, comparative älter, superlative älteſt.

Since the uninflected form of the German adjective may be used as an adverb, the latter is not, as a rule, listed separately.

Accents are used to indicate the pronunciation when the stress is not on the first syllable, and also in the case of separable compound verbs: Ita'lien, enthal'ten, ab'|nehmen.

The length of vowels whose quantity is doubtful or irregular is indicated by means of the long and short signs, - and ˘, placed above the vowel: Būch, Băch, wērden.

ABBREVIATIONS

abbrev. = abbreviation	*indef.* = indefinite	*poss.* = possessive
acc. = accusative	*indic.* = indicative	*pred.* = predicate
adj. = adjective	*infin.* = infinitive	*pref.* = prefix
adv. = adverb	*infl.* = inflection	*prep.* = preposition
art. = article	*insep.* = inseparable	*pres.* = present
aux. = auxiliary	*interj.* = interjection	*pron.* = pronoun
card. = cardinal	*interrog.* = interrogative	*recip.* = reciprocal
compar. = comparative	*intr.* = intransitive	*refl.* =reflexive
cond. = conditional	*irreg.* = irregular	*rel.* = relative
conj. = conjunction	*masc.* = masculine	*sep.* = separable
contr. = contraction	*mod.* = modal	*sg.* = singular
coörd. = coördinating	*neut.* = neuter	*str.* = strong
dat. = dative	*nom.* = nominative	*subj.* = subjunctive
def. = definite	*num.* = numeral	*subord.* = subordinating
dem. = demonstrative	*ord.* = ordinal	*superl.* = superlative
fem. = feminine	*part.* = participial or participle	*tr.* = transitive
fut. = future		*w.* = with
gen. = genitive	*perf.* = perfect	*wk.* = weak
impers. = impersonal	*pers.* = personal	
indecl. = indeclinable	*pl.* = plural	

GERMAN-ENGLISH VOCABULARY

The asterisks indicate the words used in sections *A*, *B*, and *C*. Words which are not starred occur in section *D*, optional reading selections.

ab'|bilden (*wk.*) depict
ab'|brennen (*irreg., aux.* fein) burn down
der *Abend (–8, –e) evening; abends of an evening, in the evening; am Abend in the evening; geftern abend last night; zu Abend effen eat supper
das *Abendeffen (–8, —) supper
der Abendfonnenfchein (–8) evening sunshine
die Abendftunde (—, –n) evening hour
*aber *coörd. conj.* but, however; *interj.* why
der Aberglaube (–n8) superstition
ab'|hängen (*str.*) *w.* von *dat.* depend on
ab'|holen (*wk.*) call for
die Abkürzung (—, –en) abbreviation
*ab'|küffen (*wk.*) kiss heartily *or* repeatedly
*ab'|laden (*str.*) unload
ab'|lehnen (*wk.*) refuse, decline
*ab'|nehmen (*str.*) *tr.* take off; *intr.* decrease (in length), grow shorter
*ab'|schicken (*wk.*) send off, send
der *Abschied (–8, –e) leave, parting; beim Abschied at (*or* on) parting
ab'|fitzen (*str.*) sit out
das Abteil (–8, –e) compartment
ab'|zahlen (*wk.*) pay off

*ach ah, oh; ach fo oh, I see
*acht eight
acht'|geben (*str.*) pay attention
*achtzehnt eighteenth
der Ackerbau (–8) agriculture
der Ackerboden (–8, — *or* ⁻) arable soil, soil fit for cultivation
der *Adler (–8, —) eagle
die Adref'fe (—, –n) address
der Advokat' (v = w) (–en, –en) attorney, lawyer
der Affe (–n, –n) monkey
Afrika (*neut.*) (–8) Africa
ähnlich similar; ähnlich fehen resemble, look like
akade'mifch academic
der *Alarm' (–8, –e) alarm
*all *declined like* diefer *but often uninflected before the def. art. or demonstratives or possessives* all, every; alles all, everything; vor allem above all
*allein' *in poetry sometimes* allei'ne alone
allerdings' to be sure
*allerlei' all kinds of, all sorts of
al'lerun'glücklichft most unhappy of all
allgemein' universal, general, common
allhier' *emphatic* here
alljähr'lich annual
die Alpen *pl.* the Alps

*als *subord. conj.* when, as; *after compar.* than; *after negative* but, except; als ob as if

*alfo accordingly, therefore, then; alfo fehr so very much

*alt (⁼er, ⁼eft) old; der Alte *adj. infl.* old man

altdeutfd *adj.* Old German

*am *contr. of* an dem

*Amerifa (*neut.*) (–s) America

die Amerifafahrt (—, –en) trip (*or* flight) to America

der *Amerifa'ner (–s, —) American

*amerifa'nifd American

Amor (*masc.*) (–s, Amoret'ten) Cupid

amüfie'ren (*wk.*) amuse; *refl.* enjoy oneself

*an *prep. w. dat. or acc.* to, at, on

der Anblicf (–s, –e) sight, spectacle

an'|bredjen (*str., aux.* fein) dawn

*ander other; von etwas anderem about something else *or* something different

ändern (*wk.*) change, alter

*anders *adv.* otherwise; anders fein be different; anders werden change

anderswo elsewhere

anderwärts elsewhere

an'|deuten (*wk.*) intimate [other

aneinan'der to one another, to each

an'|erfennen *irreg.* acknowledge

der *Anfang (–s, ⁼e) beginning; Anfang Oftober at the beginning of October; zu Anfang at the beginning

*an'|fangen (*str.*) begin

der *Anfänger (–s, —) beginner

die Anforderung (—, –en) demand, requirement; diefelben Anforde= rungen ftellen have the same requirements

an'|führen (*wk.*) cite, mention

an'|gehen (*str., aux.* fein) be prac-

ticable, be possible; wie geht's nur an how on earth is it possible

an'|gehören (*wk.*) belong to, be a member of

*angenehm agreeable, pleasant; acceptable

angefehen looked up to, of consequence, distinguished

das Angefidt (–s, –e) face, countenance

an'|hängen (*wk.*) hang on, suffix, add

die Anflage (—, –n) accusation

*an'|fommen (*str., aux.* fein) arrive

an'|fünden (*wk.*) announce, proclaim

die Anlage (—, –n) laying out, construction; (manufacturing) plant, works

an'|mädjen (*wk.*) make *or* light *or* kindle (a fire)

an'|nehmen (*str.*) accept, take

das Anpflanzen (–s) planting

*ans *contr. of* an das

anfdaulid distinct, clear

an'|fehen (*str.*) look at; fid (*dat.*) etwas anfehen look at closely, gaze at

das Anfehen (–s) regard, esteem; in hohem Anfehen ftehen enjoy great esteem

*anftatt' *prep. w. gen.* instead of

die Anftellung (—, –en) employment, appointment

*an'|ftimmen (*wk.*) strike up *or* begin (a song)

der *Anteil (–s) share, part, interest; Anteil nehmen an *dat.* take an interest in

die *Antwort (—, –en) answer

*antworten (*wk.*) *dat. of person* answer

die Anzahl (—) number

*an'|ziehen (*str.*) put on (clothes); *refl.* dress

der *Anzug (–ß, –̈e) suit (of clothes)

an'|zünden (*wk.*) light, kindle

der *Apfel (–ß, –̈) apple

der *April' (–(ß), –e) April

die *Arbeit (—, –en) work

*arbeiten (*wk.*) work

die *Arbeitsstunde (—, –n) working hour

das *Arbeitszimmer (–ß, —) workroom

das Archiv' (–ß, –e) archives

*arm (–̈er, –̈ft) poor, unfortunate; die Armen the poor

der *Arm (–eß, –e) arm

die Armut (—) poverty

die *Art (—, –en) kind, sort; way, manner; nach meiner Art in my way

der *Arzt (–eß, –̈e) physician, doctor

das Aschenloch (–ß, –̈er) ash pit, place for the ashes

der Ast (–eß, –̈e) limb (of a tree)

der *Athlet' (–en, –en) athlete

*atmen (*wk.*) breathe

*auch also; auch nicht gut not good either; auch kein Heft no notebook either; ich auch nicht nor I either *or* neither do I

die Au (—, –en) meadow

*auf *prep. w. dat. or acc.* upon, on; at, to

der Aufenthalt (–ß, –e) stay, sojourn

auffallend striking, conspicuous

die *Aufführung (—, –en) performance

die *Aufgabe (—, –n) exercise, lesson

*auf'|geben (*str.*) give up

*auf'|gehen (*str., aux.* sein) rise; open, blossom

*aufgeregt excited

auf'|heben (*str.*) do away with, abolish

*auf'|hören (*wk.*) cease, stop

die Auflage (—, –n) edition

*auf'|machen (*wk.*) open

die Aufnahmeprüfung (—, –en) examination for admission

auf'|pflanzen (*wk.*) plant, set up

*aufs *contr. of* auf das

der *Aufsatz (–eß, –̈e) essay, composition

auf'|schlagen (*str.*) put up, erect (a stage)

die Aufsicht (—) control, supervision

auf'|stehen (*str., aux.* sein) stand up, get up, rise

auf'|stellen (*wk.*) raise, furnish

auf'|treten (*str., aux.* sein) appear

das Auftreten (–ß) appearance (in public), bearing

*auf'|wachen (*wk., aux.* sein) awake, wake up

auf'|wachsen (*str., aux.* sein) grow up

auf'|zählen (*wk.*) enumerate

auf'|ziehen (*str.*) bring up, raise

das *Auge (–ß, –n) eye; große Augen machen open one's eyes wide

der Augenarzt (–ß, –̈e) oculist

das Augenleiden (–ß, —) disease of the eye

der Augenspiegel (–ß, —) eye mirror, ophthalmoscope

der *August' (–(e)ß *or* —, –e) August

*aus *prep. w. dat.* out of, from; *adv.* out

aus'|bilden (*wk.*) instruct, train, educate

aus'|brechen (*str.*) break out, burst forth

der Ausdruck (–ß, –̈e) expression; zum Ausdruck bringen express; zum Ausdruck kommen be expressed, find expression *aus'|drücken (wk.) express

der *Ausflug (-8, "e) outing; einen Ausflug machen go on an outing

aus'|geben (str.) spend (money)

*ausgebrannt gutted

*aus'|gehen (str., aux. sein) go out

aus'|graben (str.) dig out or up

das Ausland (-8) foreign country; im Auslande abroad

aus'|malen (wk.) paint; sich (dat.) etwas ausmalen picture a thing to oneself

die Ausnahme (—, -n) exception

*aus'|sehen (str.) look, appear

*außer prep. w. dat. out of; besides, except

*außerdem adv. besides

*außerhalb prep. w. gen. outside of

der Ausspruch (-8, "e) utterance, saying

die Ausstattung (—, -en) fitting out, equipment

aus'|stopfen (wk.) stuff

aus'|tauschen (wk.) exchange

aus'|üben (wk.) exercise, exert

aus'|wischen (wk.) wipe out, erase

aus'|zeichnen (wk.) distinguish

aus'|ziehen (str.) take off (clothes); refl. undress

das Auto (-8, -8) automobile

das *Automobil' (-8, -e) automobile

der *Bäch (-es, "e) brook

die Backe (—, -n) cheek

der Bäcker (-8, —) baker

das Backwerk (-8) pastry, cakes

das *Bad (-es, "er) bath

*baden (wk.) bathe; kalt (warm) baden take a cold (warm) bath

das *Badezimmer (-8, —) bathroom

die *Bahn (—, -en) track, road;

(= Eisenbahn) railroad; von der Bahn holen meet at the station

die Bahnfahrt (—, -en) railroad trip, trip on the train

der *Bahnhof (-8, "e) (railroad) station

der Bahnsteig (-8, -e) platform

*bald soon

der Balken (-8, —) beam

der *Ball (-es, "e) ball

die Ballade (—, -n) ballad

das *Band (-es, -e) bond, tie; (pl. "er) ribbon

bangen (wk.) be afraid, fear; langen und bangen "fret and sorrow"

die *Bank (—, "e) bench

der Bär (-en, -en) bear

der Barbier' (-8, -e) barber

der *Bärensee (-8) Bear Lake

der Bart (-es, "e) beard

der Bau (-es, Bauten) building, construction, structure, edifice

*bauen (wk.) build; cultivate or raise (crops); auf einen bauen rely on one

der *Bauer (-8 or -n, -n) peasant, farmer

die *Bäuerin (—, -nen) peasant woman, farmer's wife

das *Bauernhaus (-hauses, -häuser) peasant house, farmhouse

der *Baum (-es, "e) tree

der Baumstamm (-8, "e) tree trunk

der Baumstumpf (-8, "e) tree stump

die Baumwolle (—) cotton

bayrisch (ay = ai) Bavarian

der Beam'te adj. infl. official

*beant'worten (wk.) answer

beauf'sichtigen (wk.) superintend

bebau'en (wk.) cultivate

der *Becher (-8, —) drinking-cup

*bedau'ern (wk.) regret

*bede'cken (wk.) cover

bedeu'ten (*wk.*) mean, signify, portend; bedeutend *part. adj.* significant, important, considerable

die Bedeu'tung (—, –en) meaning, significance

bedrü'cken (*wk.*) oppress, distress

been'digen (*wk.*) end

die Been'digung (—) ending, termination

das Beet (–es, –e) bed (of flowers *or* vegetables)

*befeh'len (er befiehlt, er befahl, er hat befohlen) *dat. of person* command, order

befe'ftigt fortified

befin'den (*str.*) *refl.* be found, be

das *Befinden (–s) health

beför'dern (*wk.*) forward, convey

befreun'det on friendly terms, friendly, allied

begabt' gifted, talented

*begeh'ren (*wk.*) desire

*begei'stern (*wk.*) fill with enthusiasm, inspire

der Beginn' (–s) beginning; zu Beginn at the beginning

*begin'nen (er beginnt, er begann, er hat begonnen) begin

*beglei'ten (*wk.*) accompany

begra'ben (*str.*) bury

begrei'fen (*str.*) comprehend, grasp, understand

der Begrün'der (–s, —) founder

begrü'ßen (*wk.*) greet, salute

behan'deln (*wk.*) handle, treat

die Behand'lung (—, –en) treatment

*behaup'ten (*wk.*) assert, maintain

beherr'fchen (*wk.*) govern, dominate

*bei *prep. w. dat.* by, at, at the house of, with, during

*beide both, two

*der Beifall (–s) applause

*bei'|legen (*wk.*) inclose

*beim *contr.* of bei dem

das *Bein (–es, –e) leg; auf den Beinen fein be on one's feet

beina'he nearly, almost

beifam'men beside each other *or* one another, together

das Beifam'menfein (–s) gathering

das *Beifpiel (–s, –e) example; zum Beifpiel for example

*beißen (er beißt, er biß, er hat gebiffen) bite

bei'|stehen (*str.*) *dat.* aid, help

*bei'wohnen (*wk.*) *dat.* be present at, attend

die Bekämp'fung (—, –en) combating

bekannt' known, well known, familiar; Bekannte acquaintances

beken'nen *irreg.* confess, acknowledge

der Beken'ner (–s, —) confessor: professor *or* follower (of a religion)

bekla'gen (*wk.*) lament, regret

*bekom'men (*str.*) get, obtain, receive

beküm'mert grieved, sorrowful

bele'cken (*wk.*) lick

bele'gen (*wk.*) overlay, face

die Belei'digung (—, –en) offense, insult

Belgien (ie = i + e) (*neut.*) (–s) Belgium

beliebt' beloved, liked, popular

*bellen (*wk.*) bark

*bemer'fen (*wk.*) remark, notice

der *Bengel (–s, —) (little) rascal

benut'zen (*wk.*) use, employ

bepflan'zen (*wk.*) plant; wieder bepflanzen restock

bereits' already

der *Berg (–es, –e) mountain

bergig mountainous

berid}'ten (*wk.*) report, relate

*Berlin' (*neut.*) (-8) Berlin

Bern (*neut.*) (-8) Bern (city in Switzerland)

der *Beruf' (-e8, -e) profession, business, calling

beru'fen (*str.*) call, summon

der Berufs'borer (-8, —) professional boxer

*berühmt' famous

die Beschäf'tigung (—, -en) occupation, business

die Besche'rung (—, -en) bestowal of presents

beschlie'ßen (*str.*) close, conclude, end

*beschrei'ben (*str.*) describe

besetzt' trimmed

besin'gen (*str.*) sing, sing of

der Besit' (-e8, -e) possession

besit'zen (*str.*) possess, own

der Besit'zer (-8, —) possessor, owner

beson'der special

*beson'ders especially

besor'gen (*wk.*) attend to; procure

die Beftän'digkeit (—) constancy

*beste'hen (*str.*) exist, consist; bestehen aus *dat.* consist of

bestim'men (*wk.*) fix, decree, prescribe; bestimmt *part. adj.* definite

die Bestre'bung (—, -en) endeavor, pursuit

der *Besuch' (-8, -e) visit, company, attendance; viel Besuch a great deal (*or* lots) of company; einen Besuch machen pay a visit

*besu'chen (*wk.*) visit, attend (a school)

der Besu'cher (-8, —) visitor

beten (*wk.*) pray

beto'nen (*wk.*) lay stress on, emphasize

betrach'ten (*wk.*) consider, reflect on

betrübt' dejected, sorrowful, sad, grieved

betrun'fen drunk

das *Bett (-e8, -en) bed

das Bettelkind (-8, -er) beggar child

betteln (*wk.*) beg

*bevor' *subord. conj.* before

bewal'det wooded

bewoh'nen (*wk.*) inhabit, live in

der Bewoh'ner (-8, —) inhabitant

der Bewun'derer (-8, —) admirer

bewun'dern (*wk.*) admire

bezeich'nen (*wk.*) mark, designate, characterize

der Bezirf' (-8, -e) district

die Bibel (—, -n) Bible

die *Bibliothef' (—, -en) library

*biegen (er biegt, er bog, er hat gebogen) bend; *intr., aux.* sein turn

die *Biene (—, -n) bee

das *Bier (-e8, -e) beer

der Bierzipfel (-8, —) watch fob (worn by students)

*bieten (er bietet, er bot, er hat geboten) offer

das *Bild (-e8, -er) picture, figure

*bilden (*wk.*) form

billig cheap; für billiges Geld for a moderate sum

die Billigfeit (—) cheapness

*binden (er bindet, er band, er hat gebunden) bind, tie

die *Birne (—, -n) pear

*bis *prep. w. acc.* until, to, up to, as far as; bis *is usually followed by another prep., as* bis an die Gartenstraße as far as Garden Street; *subord. conj.* until

der Bischof (-8, ⁻e) bishop

*bisher' till now, up to the present

*bißchen: ein bißchen a bit, a little

die Bitte (—, -n) request

*bitten (er bittet, er bat, er hat gebeten) ask, request; bitten um *acc.* ask for; bitte please

bitter bitter

die Bitterkeit (—, -en) bitterness

bläß (blasser *or* blässer, blassest *or* blässest) pale

das Blatt (-es, ⸗er) leaf

*blau blue

bläulich bluish

*bleiben (er bleibt, er blieb, er ist geblieben) remain, stay

der *Bleistift (-s, -e) pencil

der Blick (-es, -e) look, glance

blicken (*wk.*) look

blind blind

*blitzen (*wk.*) lighten, flash, gleam, shine

*bloß merely

*blühen (*wk.*) bloom

das Blümchen (-s, —) little flower

die *Blume (—, -n) flower

der Blumengarten (-s, ⸗) flower garden

die Bluse (—, -n) blouse

das Blut (-es) blood

die Blüte (—, -n) blossom

der *Boden (-s, — *or* ⸗) ground, soil; (= Fußboden) floor

die Bodenfläche (—) surface, area

der Bogen (-s, — *or* ⸗) sheet; ein Bogen Papier a sheet of paper

die Bohne (—, -n) bean

die Borste (—, -n) bristle

*böse bad, evil, angry, "cross"

böslich wickedly, willfully

der Branntwein (-s, -e) brandy

der Brauch (-es, ⸗e) custom, usage

*brauchen (*wk.*) need

brauen (*wk.*) brew

braun brown

brausen (*wk.*) roar, rush

die Braut (—, ⸗e) betrothed, bride elect, (on the wedding day) bride

das Brautgewand (-s, ⸗er) bridal dress, wedding gown

das Brautpaar (-s, -e) betrothed couple

*brechen (er bricht, er bräch, er hat gebrochen) break

*breit broad, wide

die Breite (—, -n) breadth, width

*brennen (er brennt, er brannte, er hat gebrannt) burn, bake (of tiles etc.); es hat gebrannt *impers.* there was a fire

der Brennstoff (-s, -e) fuel

das *Brett (-es, -er) board

der Brettersitz (-es, -e) board seat

die Bretterwand (—, ⸗e) board wall

der *Brief (-es, -e) letter

der Briefkasten (-s, — *or* ⸗) letter box

die Briefmarke (—, -n) stamp

der Briefumschlag (-s, ⸗e) envelope

*bringen (er bringt, er brachte, er hat gebracht) bring, take

das *Brot (-es, -e) bread, loaf of bread

das Brötchen (-s, —) roll

der *Bruder (-s, ⸗) brother

das Brüderlein (-s, —) little brother

der Brunnen (-s, —) well, fountain

die Brust (—, ⸗e) breast

der Bube (-n, -n) boy, lad; rascal, rogue

das *Buch (-es, ⸗er) book

der Buchenwald (-s, ⸗er) beech forest

das Buchgewerbe (-s, —) book trade

die *Bühne (—, -n) stage

*bunt variegated, gay-colored

die Burg (—, -en) castle

bürgerlich civil, civilian

die Burg'rui'ne (—, -n) castle ruins, ruined castle

der *Bursche (-n, -n) fellow

die Burschenschaft (—, -en) Burschenschaft, students' club

die Bürste (—, -n) brush

bürsten (wk.) brush

die Büste (—, -n) bust

die *Butter (—) butter

das *Butterbrot (-s, -e) (slice of) bread and butter

der Chargier'te (ch like sch; g as in French) adj. infl. officer (of a students' club)

der Christ (-en, -en) Christian; (= Christus) Christ

der *Christbaum (-s, ⸚e) Christmas tree

die Christenheit (—) Christendom

das *Christkind (-s) the child Jesus; Santa Claus

christlich Christian

die Christnacht (—) night before Christmas

*Christoph (masc.) (-s) Christopher

Christus (masc.) indecl., or declined as in Latin Christ

die *Cousi'ne (ou = u) (—, -n) (female) cousin

*da adv. then, there, here; subord. conj. since (causal), as (causal), when

dabei' thereby, while (or in) doing so, at the same time; dabei sein be present, be of the party

das Dach (-es, ⸚er) roof

dadurch' thereby, in that way, by that means

*dafür' for it, as a result of it; da'für for that

*dage'gen against it; on the other hand

*dahin' thither, there; bis da'hin till then

damals at that time, then

die *Dame (—, -n) lady

*da'mit adv. with that; damit' adv. with it, with them; damit' subord. conj. in order that

dane'ben beside it, besides

Dänemark (neut.) (-s) Denmark

der *Dank (-es) thanks; vielen Dank many thanks

*dankbar thankful, grateful

*danken (wk.) dat. of person thank; danke sehr (or schön) thank you very much

*dann then, afterwards, later

daran' on it

darauf' thereupon, after that, on it, on them

*daraus' out of it, out of them; dar'aus wird nichts nothing will come of that, "nothing doing"

darin' in it, in them

darin'nen within, inside

dar'|stellen (wk.) represent

*darü'ber over it, about it, at it

darun'ter under it, among it, among them

das Dasein (-s) existence

*daß subord. conj. that

das *Datum (-s, Daten) date

*dauern (wk.) last

davon' of it, of them; da'von of that, of this

*da'zu to that, for that

die Decke (—, -n) ceiling

*decken (wk.) cover; den Tisch decken set the table

*dein (deine, dein) adj. your, thy; indecl. pred. pron. yours, thine

*deiner (deine, dein(e)s) *pron.* yours, thine

*denken (er denkt, er dachte, er hat ge= dacht) think; denken an *acc.* think of; sich (*dat.*) denken imagine

das Denkmal (–s, ⁻er *or* –e) monu- ment, memorial

*denn *coörd. conj.* for; *adv.* then (*not temporal*); *in questions* pray, I wonder

*der (die, das) *def. art.* the; *dem. pron. or adj.* that, that one, he, she, it; *rel. pron.* who, which, that

derjenige (diejenige, dasjenige; *pl.* die= jenigen) *adj. or pron.* that, that one, the one, he

*derselbe (dieselbe, dasselbe; *pl.* die= selben) *adj. or pron.* the same; dasselbe *pron.* the same thing

*deshalb on that account, there- fore

*deutsch *adj.* German; Deutsch *indecl. neut. or* das Deutsche *adj. infl.* German (language); der Deutsche *adj. infl.* German (man); die Deutschen Germans; auf deutsch in German

*Deutschland (*neut.*) (–s) Germany

der *Dezem'ber (–(s), —) Decem- ber

d. h. = das heißt that is

*dicht thick, dense, tight; dicht da- bei close by it

der *Dichter (–s, —) poet, writer

die *Dichtung (—, –en) poetry, poem, (poetical) work, writing

*dick thick

der *Dieb (–es, –e) thief

dienen (*wk.*) *dat.* serve

der Diener (–s, —) servant

der *Dienst (–es, –e) service

der *Dienstag (–s, –e) Tuesday

das *Dienstmädchen (–s, —) servant girl

*dieser (diese, dieses) *adj. or pron.* this, this one, the latter

*diesseit(s) *prep. w. gen.* on this side of

das Ding (–es, –e) thing

die Disziplin' (—) discipline

*doch *adv. or coörd. conj.* yet, but, still, however, nevertheless, any- way, after all; surely, really, you know, why; *w. subj. of wish* only; *used w. the imperative for emphasis* schweigt doch hush, I tell you *or* be quiet, will you

der *Doktor (–s, Dokto'ren) doctor; Herr Doktor *in direct address* Doctor; Herr Doktor Karsten Doc- tor Karsten (*in reference to Doc- tor Karsten*)

der Doktorgrad (–s, –e) doctor's de- gree

der Dom (–es, –e) cathedral

die Donau (—) Danube

der Donner (–s, —) thunder

*donnern (*wk.*) thunder

der *Donnerstag (–s, –e) Thursday; (am) Donnerstag nachmittag (on) Thursday afternoon

doppelt double

das *Dorf (–es, ⁻er) village

die Dorfkirche (—, –n) village church

der Dorn (–es, –e *or* –en *or* ⁻er) thorn

*dort there

dorthin thither, there; dorthin, wo to the place where

das *Drama (–s, Dramen) drama

der Drama'tiker (–s, —) dramatist

drama'tisch dramatic

dran *contr. of* daran'; dran denken think of it

drängen (*wk.*) crowd, press

drauß = draußen

*braußen outside, out of doors, out in the world; braußen im Walde out in the forest

drehen (*wk.*) turn, twist

*drei three

der Dreikönigstag (–s, –e) Epiphany (twelfth day after Christmas)

drein *contr. of* darein' into it *or* them, in it *or* them

dreißig thirty

dreizehnt thirteenth

dreschen (er drischt, er drosch, er hat gedroschen) thresh

die Dresch'maschi'ne (—, –n) threshing machine

drin *contr. of* darin'

dringen (er dringt, er drang, er ist gedrungen) press forward, press

*dritt third

das Drittel (–s, —) third

drittens in the third place, thirdly

drohen (*wk.*) *dat.* threaten

drüben over there

*du you, thou

*dumm (⁓er, ⁓st) stupid

die Dummheit (—, –en) stupidity

*dunkel dark, dim, vague

dunkeln (*wk.*) become dark

*dünn thin

*durch *prep. w. acc.* through

durchaus' completely, absolutely; *w. negative* at all

der Durchgangszug (–s, ⁓e) vestibule train; through train, "Flyer," "Limited"

*dürfen (er darf, er durfte, er hat gedurft) be permitted to, may; *w. a negative often* must not

der Durst (–es) thirst

*durstig thirsty

das *Dutzend (–s, –e) dozen; ein halbes Dutzend half a dozen

der D=Zug *contr. of* Durchgangszug

*eben *adj.* even, level, smooth; *adv.* just

ebenfalls likewise

*ebenso just as

echt genuine, real

die *Ecke (—, –n) corner; an der Ecke at the corner

*edel noble

der Edelstein (–s, –e) precious stone

Eduard (*masc.*) (–s) Edward

*ehe (*also* eh) *subord. conj.* before

die Ehe (—, –n) marriage

ehern bronze

die Ehre (—, –n) honor; neu zu Ehren kommen become popular again

ehren (*wk.*) honor

ehrenhaft honorable

der Ehrenplatz (–es, ⁓e) place of honor

das *Ei (–es, –er) egg

die Eiche (—, –n) oak

der Eichenbaum (–s, ⁓e) oak tree

das Eichhörnchen (–s, —) squirrel

*eigen own

*eigentlich real

*eilen (*wk., aux.* sein) hurry

der Eilzug (–s, ⁓e) fast train

*ein (eine, ein) *indef. art.* a, an; *num. adj.* one; ein so + *adj.* such a + *adj.*

*einan'der *indecl. recip. pron.* each other, one another

der *Eindruck (–s, ⁓e) impression

*einer (eine, ein(e)s) *pron.* one

*einfach simple, plain

der Einflüß (–flusses, –flüsse) influence

ein'|führen (*wk.*) introduce, usher in *or* into

der Eingang (–s, ⁓e) entry, entrance, admission

die Einheit (—, –en) unit

*einiges something; einiges über den Konjunktiv something *or* some remarks about the subjunctive; einige *pl. adj. or pron.* some

die Einigkeit (—) unity

*ein'|laden (*str.*) invite

*ein'mal one time, once; einmal' once, once upon a time; *w. imperative* just; noch ein'mal once more, again; nicht einmal' not even

einsam lonely, solitary

die Einsamkeit (—) solitude, seclusion

ein'|schlafen (*str., aux.* sein) fall asleep

ein'|schließen (*str.*) inclose

*einst once, once upon a time, formerly, some day

ein'|steigen (*str., aux.* sein) get in, get on (a train)

ein'|teilen (*wk.*) divide

*ein'|treten (*str., aux.* sein) enter, set in (of the weather)

ein'|weihen (*wk.*) consecrate, dedicate

der Einwohner (-s, —) inhabitant

die Einzelheiten *pl.* details

einzeln single, individual

*einzig single, sole, only

das *Eis (Eises) ice

die *Eisbahn (—, -en) place where one skates, ice for skating; auf der Eisbahn on the ice; auf die Eisbahn gehen go skating

das Eisen (-s) iron

*die Eisenbahn (—, -en) railroad

Eisenbart (*masc.*) (-s) *literally* Ironbeard, name of a quack doctor

die Eisentür (—, -en) iron door

der Elefant' (-en, -en) elephant

elek'trisch electric

elend miserable, wretched, pitiful

der *Ellbogen (-s, —) elbow

die *Eltern *pl.* parents

empfan'gen (*str.*) receive

empor'|ragen (*wk.*) tower

das *Ende (-s, -n) end; am Ende at the end, finally; zu Ende sein be over; gegen Ende März toward the end of March; glücklich zu Ende führen bring to a happy conclusion, terminate successfully

enden (*wk.*) end

*endlich *adj.* final; *adv.* finally, at last

der Engel (-s, —) angel

*englisch *adj.* English; Englisch *indecl. neut. or* das Englische *adj. infl.* English (language)

der *Enkel (-s, —) grandson

die Enkelin (—, -nen) granddaughter

entde'cken (*wk.*) discover

die Entde'ckung (—, -en) discovery

die *Ente (—, -n) duck

entfernt' removed, distant

entgeg'nen (*wk.*) reply, retort

entge'hen (*str., aux.* sein) *dat.* escape

*enthal'ten (*str.*) contain

*entlang' *adv.* along; den Weg nach dem Dorfe entlang schauen look along the way toward the village

entschei'den (*str.*) decide

entspre'chen (*str.*) *dat.* correspond to

entsprin'gen (*str., aux.* sein) rise (of a river); entspringen aus *dat.* spring (arise, come) from

entste'hen (*str., aux.* sein) arise, originate, have its origin

*enttäuscht' disappointed

entwer'fen (*str.*) sketch, design

entwi'ckeln (*wk.*) unfold, develop; *refl.* develop

die Entwick'lung (—, -en) development

*entzü′cfen (*wk.*) enrapture

*er he, it

erbau′en (*wk.*) build, erect, construct, found (a city)

der Erbe (-n, -n) heir, inheritor

die *Erbfe (—, -n) pea

die Erdbeere (—, -n) strawberry

die *Erde (—, -n) earth; auf Erden *old dat. sg.* on earth

erfah′ren (*str.*) learn, ascertain

die *Erfah′rung (—, -en) experience

erfin′den (*str.*) invent

der Erfin′der (-s, —) inventor

die Erfin′dung (—, -en) invention

der Erfolg′ (-s, -e) success

erfreu′en (*wk.*) gladden, cheer

das Erfrie′ren (-s) freezing to death

erfül′len (*wk.*) fulfill

erge′ben (*str.*) yield; prove; *refl.* result, follow

*ergrei′fen (*str.*) catch (*or* take) hold of, grasp, seize

ergrün′den (*wk.*) fathom, investigate

*erhal′ten (*str.*) receive; preserve

*erhe′ben raise, elevate; *refl.* rise, stand up, arise

*erin′nern (*wk.*) *w. an acc.* remind of, mention; *refl. w. an acc.* remember

*erfäl′ten (*wk.*) *refl.* catch cold; fich ftarf erfälten catch a bad cold

erfen′nen *irreg.* recognize

*erflä′ren (*wk.*) explain, declare

erflin′gen (*str., aux.* fein) sound, resound, ring out

erfran′fen (*wk., aux.* fein) fall ill

erle′ben (*wk.*) experience; go through (of edition of a book)

das Erleb′nis (Erlebniffes, Erlebniffe) experience

erleich′tern (*wk.*) make easy, facilitate

erler′nen (*wk.*) acquire (by study), learn

ermü′den (*wk., aux.* fein) grow weary

*ernft earnest, serious

ero′bern (*wk.*) conquer

die Erqui′cfung (—, -en) refreshment

der Erre′ger (-s, —) exciter; cause

errei′chen (*wk.*) reach

erret′ten (*wk.*) rescue, save; erretten vor *dat.* save from

errich′ten (*wk.*) erect

erfchei′nen (*str., aux.* fein) appear

erfchie′ßen (*str.*) shoot (dead)

erfchre′cfen (*str., aux.* fein) be frightened

*erft first, only, not until; erft um halb fechs not until half past five; der erftere the former

*erftaunt′ astonished

erftens in the first place, first

ertap′pen (*wk.*) catch, detect

*erwä′chen (*wk., aux.* fein) awake, wake up

erwach′fen grown, grown up

erwä′gen (*str.*) weigh, consider

erwäh′nen (*wk.*) mention; näher erwähnen mention in detail

*erwar′ten (*wk.*) expect

*erwe′cfen (*wk.*) awaken; zu neuem Leben erwecfen bring back to life

erwei′fen (*str.*) show; render

erwei′tern (*wk.*) widen, expand

erwer′ben (*str.*) acquire, gain

das Erz (-es, -e) ore, metal, bronze

*erzäh′len (*wk.*) relate, tell

der Erzbifchof (-s, -e) archbishop

erzeu′gen (*wk.*) beget, produce

*es *pers. or indef. pron.* it; *expletive* there, it

der *Efel (-s, —) donkey

*effen (er ißt, er āß, er hat gegeffen) eat

das *Essen (-s) eating, meal, dinner, supper

das *Eßzimmer (-s, —) dining-room

*etwa perhaps, perchance, as you might suppose; approximately, about

*etwas indef. pron. something, anything, some; adv. somewhat, a little; etwas Unangenehmes something unpleasant

*euer (eu(e)re, euer) adj. your

*eu(e)rer (eu(e)re, eu(e)res) pron. yours

die *Eule (—, -n) owl

Euro'pa (neut.) (-s) Europe

europä'isch European

ewig adj. eternal, everlasting; adv. always

das Exa'men (-s, pl. (Latin) Exa'mina) examination; ein Examen machen take an examination

die *Fabrik' (—, -en) factory

der Fabrikant' (-en, -en) manufacturer

das Fach (-es, ⸚er) branch (of knowledge), subject or department (of study), field (sphere of activity)

die Fachsprache (—, -n) technical language

der Faden (-s, ⸚) thread, string

*fahren (er fährt, er fuhr, er ist gefahren) drive, ride, go, travel; zweiter Klasse (gen.) fahren ride second class

das Fahrrad (-s, ⸚er) bicycle

die *Fahrt (—, -en) drive, ride, journey; (= Wanderfahrt) hike

der *Fall (-es, ⸚e) fall; case

*fallen (er fällt, er fiel, er ist gefallen) fall; in den Monat September fallen come in the month of September

fällen (wk.) fell, cut down, cut

das Fällen (-s) felling, cutting

*falls subord. conj. in case (that)

falsch false, wrong

falten (wk.) fold

die *Fami'lie (ie = i + e) (—, -n) family

*fangen (er fängt, er fing, er hat gefangen) catch

die Farbe (—, -n) color

farbentragend color-wearing, wearing their colors

farbig colored

*fast almost

*faul lazy

der *Faulpelz (-es, -e) lazy person, lazybones

der *Februar' (-(s), -e) February

die *Feder (—, -n) pen

der Federhut (-s, ⸚e) hat with feathers

fehlen (wk.) be lacking, lack; an Wirtshäusern fehlt es nicht there is no lack of inns

der Fehler (-s, —) mistake, error, fault, defect

die Feier (—, -n) celebration (of a festival), observance (of a day)

feierlich festive, solemn, formal

feiern (wk.) celebrate, observe

der *Feiertag (-s, -e) holiday

fein fine, delicate; lovely, beautiful

das *Feld (-es, -er) field

die *Feldarbeit (—, -en) work in the field(s)

der *Felsen (-s, —) rock, cliff

das Felsenriff (-s, -e) rocky reef

das *Fenster (-s, —) window

die *Ferien (ie = i + e) pl. vacation

fern far, distant

fern'|bleiben (str., aux. sein) w. dat. keep aloof from

die Ferne (—, -n) distance

*fertig finished, done, ready; mit etwas fertig sein be through with something; ohne etwas fertig werden manage without something

*fest firm, solid, tight

das Fest (–es, –e) feast, festival, celebration

fest'|halten (str.) hold fast, give permanence to, grasp

festlich festive

die Festlichkeit (—, –en) festivity

*feucht damp, moist

das *Feuer (–8, —) fire

die Feurung (—, –en) fire box

der Fichtenwald (–8, ⸚er) pine forest

das *Fieber (–8, —) fever; wie im Fieber spellbound

die Figur' (—, –en) figure

*finden (er findet, er fand, er hat gefunden) find; sich in etwas (acc.) finden reconcile or adapt oneself to something

der *Finger (–8, —) finger; sich in den Finger schneiden cut one's finger

der Fingerhut (–8, ⸚e) thimble

der *Fisch (–es, –e) fish

*fischen (wk.) fish, fish for; fischen gehen go fishing

der Fischer (–8, —) fisher, fisherman

fläch flat, level

die Flamme (—, –n) flame

die *Flasche (—, –n) bottle

flattern (wk.) flutter, flit

der Flegel (–8, —) flail

das *Fleisch (–es) meat

der Fleischer (–8, —) butcher

der Fleiß (–es) diligence, industry

*fleißig diligent, industrious

*fliegen (er fliegt, er flog, er ist geflogen) fly

*fliehen (er flieht, er floh, er ist geflohen) flee

*fließen (es fließt, es floß, es ist geflossen) flow

die Flinte (—, –n) gun

das Flüglein (–8, —) little wing

der *Flugplatz (–es, ⸚e) airport; auf den Flugplatz gehen go to the airport

das *Flugzeug (–8, –e) airplane; mit dem Flugzeug reisen travel by airplane

der Flur (–es, –e) entrance hall, hall

die Flur (—, –en) plain, fields

der *Fluß (Flusses, Flüsse) river

das Flußbett (–8, –en) river bed

das *Flüßchen (–8, —) small river

der Flußhafen (–8, ⸚) river harbor, river port

das Flüsterwort (–8, –e) whispered word

*folgen (wk., aux. sein) dat. follow

fordern (wk.) demand

die Form (—, –en) form, shape

der *Förster (–8, —) forester

der Forstmeister (–8, —) superintendent of a (or the) forest

die *Fortbildungsschule (—, –n) continuation school

fort'|fallen (str., aux. sein) be discontinued

*fort'|gehen (str., aux. sein) go away

der Fortschritt (–8, –e) progress

die *Fortsetzung (—, –en) continuation

die Fracht (—, –en) freight

das Frachtschiff (–8, –e) freight boat, merchantman

die *Frage (—, –n) question

*fragen (wk.) ask; fragen nach dat. ask about

Frankreich (neut.) (–8) France

*Franz (masc.) (Franz' or –ens) Francis, Frank

*franzö′fifch *adj.* French; Französisch
indecl. neut. or das Französische
adj. infl. French (language)

die *Frau (—, -en) woman, wife;
Frau Braun Mrs. Braun

das *Fräulein (-s, —) young lady;
Fräulein Müller Miss Müller;
mein Fräulein *in direct address*
Miss (*plus the name of the lady*)

*frei free, unrestrained, informal;
frei haben have a holiday, have no
school; im Freien in the open air

die *Freiheit (—, -en) freedom, lib-
erty

freilich to be sure

der *Freitag (-s, -e) Friday

*fremd strange, foreign; der Fremde
adj. infl. stranger

*fressen (er frißt, er fraß, er hat ge-
fressen) eat (of animals)

die *Freude (—, -n) joy; mit vielen
Freuden with much joy; große
Freude an etwas (*dat.*) haben take
great delight in something

freudlos joyless, cheerless

freudvoll joyful

*freuen (*wk.*) please; es freut mich
I am glad; *refl.* rejoice, be glad;
sich freuen über *acc.* be glad of

der *Freund (-es, -e) friend; ein
Freund von mir a friend of mine

*freundlich friendly

der *Frieden (-s) *or* der Friede (-ns)
peace

Friedrich (*masc.*) (-s) Frederick

*frieren (er friert, er fror, er hat
gefroren) be *or* feel cold

frisch fresh

*Fritz (*masc.*) (Fritz' *or* -ens) Fred

Fritzchen (*neut.*) (-s) Freddie

*froh glad, happy

*fröhlich merry, joyful

fromm (-er, -st) pious

*früh early; früher earlier, former,
sooner, formerly

der *Frühling (-s, -e) spring

das *Frühstück (-s, -e) breakfast;
gleich beim Frühstück right off at
breakfast; zum Frühstück for *or*
at breakfast

der *Fuchs (Fuchses, Füchse) fox; a
student in his first semester,
freshman

fühlen (*wk.*) feel

*führen (*wk.*) lead

der Führer (-s, —) leader, guide

*füllen (*wk.*) fill

die *Füllfeder (—, -n) fountain pen

*fünf five

das Fünftel (-s, —) fifth

fünfundsechzig sixty-five

*fünfundzwanzig twenty-five

fünfundzwanzigst twenty-fifth

fünfzig fifty

der Funke (-n, -n) *or* der Funken (-s,
—) spark

funkeln (*wk.*) sparkle, glisten, glitter

*für *prep. w. acc.* for

*furchtbar fearful, frightful

*fürchten (*wk.*) fear; *refl.* be afraid;
sich fürchten vor *dat.* be afraid of

*fürchterlich frightful, terrible

*fürs *contr. of* für das

der *Fürst (-en, -en) prince

der *Fuß (-es, -̈e) foot; zu Fuß on
foot

der *Fußball (-s) football

das *Fußballspiel (-s) football game

der Fußboden (-s, -̈) floor

die Fußspitze (—, -n) point *or* tip
of the foot

die Fußwanderung (—, -en) walking
tour

das Futter (-s) fodder

füttern (*wk.*) feed

die Gabe (—, -n) gift

die *Gabel (—, -n) fork

der Gang (-es, ⸚e) corridor, aisle

die *Gans (—, Gänse) goose

*ganz *adj.* whole, entire; *adv.* wholly, entirely, quite; im ganzen on the whole; ganz und gar absolutely

*gar *adv.* actually, really; gar nicht not at all; gar kein Kinn no chin at all

die Garbe (—, -n) sheaf

der *Garten (-s, ⸚) garden

der Gartenbau (-s) gardening

die *Gartenstraße (—) Garden Street

die Gasse (—, -n) narrow street; *in southern Germany* street (in general)

der *Gast (-es, ⸚e) guest, visitor

die *Gaststube (—, -n) public room

der Gau (-es, -e) region

geä'dert veined

das *Gebäu'de (-s, —) building

*geben (er gibt, er gab, er hat gegeben) give; es gibt *impers.* there is, there are

das Gebiet' (-s, -e) territory, domain; field, sphere

das Gebir'ge (-s, —) mountain range, mountains

gebir'gig mountainous

die Gebirgs'gegend (—, -en) mountainous region

*gebo'ren (*past part.* of gebä'ren bear) born; wann sind Sie geboren when were you born

das Gebot' (-s, -e) command, commandment

der Gebrauch' (-s, ⸚e) use

*gebrau'chen (*wk.*) use; gebrauchen zu *dat.* use for

gebräuch'lich customary

gebräunt' browned, tanned

die Gebürt' (—, -en) birth, nativity

der Geburtstag (-s, -e) birthday

das *Geburts'tagsgeschenk' (-s, -e) birthday present

Gedach'tes *adj. infl.* ideas, mental conceptions

der *Gedan'ke (-ns, -n) thought

die Gedan'kenlyrik (—) lyrics of thought

gedan'kenvoll deep in thought, pensive

die Gedan'kenwelt (—, -en) world of thought

das Gedei'hen (-s) prosperity

geden'ken *irreg.* think; gedenken an *acc.* think of

das *Gedicht' (-s, -e) poem

geeig'net suitable

die Gefahr' (—, -en) danger

*gefähr'lich dangerous

der Gefähr'te (-n, -n) companion

*gefal'len (*str.*) *dat.* please; es gefällt ihm he likes it

*Gefro'renes *adj. infl.* ice cream

das Gefühl' (-s, -e) feeling

*gegen *prep. w. acc.* against, toward

die Gegend (—, -en) region, parts, neighborhood

der Gegenstand (-s, ⸚e) object, matter, subject matter

das Gegenstück (-s, -e) counterpart

die Gegenwart (—) presence

gegenwärtig *adj.* present; *adv.* at present

der Gegner (-s, —) opponent, antagonist

*gehen (*in poetry often* gehn) (er geht, er ging, er ist gegangen) go, walk; es geht mir gut I am well

das Gehirn' (-s, -e) brain

*gehö'ren (*wk.*) belong; *dat. of person* belong to

der Geist (–es, –er) spirit

*gelb yellow

das *Geld (–es, –er) money

der *Geldbeutel (–s, —) pocketbook

gele'gen situated

die Gele'genheit (—, –en) opportunity, occasion

*gelin'gen (es gelingt, es gelang, es ist gelungen) dat. succeed; es gelingt ihm, es zu tun he succeeds in doing it

*gelten (er gilt, er galt, er hat gegolten) be worth, be of value, be valid, be in force; dat. of person be intended for; gelten als be considered as

die Gemein'de (—, –n) community, parish, congregation

das *Gemü'se (–s, —) vegetable

der Gemü'segarten (–s, ⁻) vegetable garden

gemüt'lich comfortable, cozy, pleasant, agreeable, sociable

*genau' exact, accurate

genie'ßen (er genießt, er genöß, er hat genossen) enjoy

*genug' enough

der Genüß' (Genusses, Genüsse) enjoyment, pleasure

Georg' (masc.) (–s) George

*gera'de adj. straight; adv. just, exactly

die Gerech'tigkeit (—) righteousness, justice

*Gerhard (masc.) (–s) Gerard

das Gericht' (–s, –e) court (of justice)

gering' slight, insignificant

germa'nisch Germanic

*gern(e) (lieber, am liebsten) adv. gladly, willingly; ich spiele gern Tennis I like to play tennis; ich esse gern Erbsen I like peas

die Gerste (—) barley

*Gertrud (fem.) (–s) Gertrude

gesamt' whole, entire, total

der Gesang' (–s, ⁻e) singing, song

das *Geschäft' (–s, –e) business, mercantile establishment, store; ins Geschäft gehen go to one's place of business; im Geschäft sein be at one's place of business; an seine eignen Geschäfte gehen go about one's own affairs

*gesche'hen (es geschieht, es geschah, es ist geschehen) happen

das *Geschenk' (–s, –e) present

die Geschich'te (—, –n) story, history

die Geschick'lichkeit (—) skill

geschickt' skilled, skillful

der Geschmack' (–s, ⁻e) taste

das Geschmei'de (–s, —) jewelry, jewels

die *Geschwi'ster pl. brother and sister, brothers and sisters

*geschwol'len swollen

der Gesel'le (–n, –n) companion, fellow

die Gesell'schaft (—, –en) society

die Gesell'schaftsklasse (—, –en) class of society

das Gesetz' (–es, –e) law

das *Gesicht' (–s, –er) face; mit erstauntem Gesicht with a look of astonishment

die Gestalt' (—, –en) figure

geste'hen (str.) confess

*gestern yesterday

das *Gesträuch' (–s, –e) shrubs, bushes

*gesund' (–er or ⁻er, –est or ⁻est) healthy, well, healthful

die Gesund'heit (—) health

das Getrei'de (–s, —) grain

*getreu' faithful

gewal'tig powerful, mighty, stupendous

gefunden – found

das Gewand' (–s, ⸚er) garment

gewellt' rolling

*gewin'nen (er gewinnt, er gewann, er hat gewonnen) win, gain

gewiß' sure, certain

das Gewiſ'ſen (–s, —) conscience

gewöh'nen (wk.) accustom; ſich ge= wöhnen an acc. accustom oneself to, get used to

*gewöhn'lich usual, ordinary

der Giebel (–s, —) gable, gable end

*gießen (er gießt, er göß, er hat ge= goſſen) pour

der *Gipfel (–s, —) top, mountain top, hilltop

*glänzen (wk.) glitter, glisten, shine

das *Glas (Glaſes, Gläſer) glass; ein Glas Waſſer a glass of water

glaſie'ren (wk.) glaze

*glatt (–er or ⸚er, –eſt or ⸚eſt) smooth

der Glaube (–ns) belief, faith

*glauben (wk.) dat. of person be- lieve

*gleich adj. like, equal, same; adv. alike, equally, immediately

gleichen (wk.) dat. be like, re- semble

gleichfalls likewise

gleich'|kommen (str., aux. ſein) dat. match, equal

*gleiten (er gleitet, er glitt, er iſt ge= glitten) glide

das Glied (–es, –er) limb

die Glocke (—, –n) bell

das *Glück (–es) luck, fortune, hap- piness; zum Glück fortunately, luckily; Glück haben be lucky

*glücklich happy, fortunate

glühen (wk.) glow; glühend part. adj. glowing, ardent

*gnädig gracious, merciful; gnädige Frau madam; gnädiger Herr sir

das *Gold (–es) gold

golden golden

gönnen (wk.) grant, allow

gotiſch Gothic

der *Gott (–es, ⸚er) God, god

der Gottesdienſt (–s, –e) divine serv- ice

*Gottfried (masc.) (–s) Godfrey

die Göttin (—, –nen) goddess

göttlich divine

das Grab (–es, ⸚er) grave

*graben (er gräbt, er grub, er hat ge= graben) dig

das Grabmal (–s, ⸚er or –e) tomb

der *Grabſtein (–s, –e) tombstone

der Grad (–es, –e) degree

das *Gras (Graſes, Gräſer) grass

grau gray

grauen (wk.) turn gray

das *Grauen (–s) horror, terror

graugrün sea-green, dull green

greinen (wk.) whine, cry, weep

der Greis (Greiſes, Greiſe) old man

die Grenze (—, –n) boundary, bor- der, limit

grenzen (wk.) border

griechiſch adj. Greek; Griechiſch indecl. neut. Greek (language)

grob (⸚er, ⸚ſt) coarse, heavy or strong (of shoes)

der Groll (–es) resentment, ill will, rancor, grudge

*groß (⸚er, ⸚t) large, tall (of per- sons), great

großartig grand, magnificent

die *Großeltern pl. grandparents

die *Großmutter (—, ⸚) grand- mother

der *Großvater (–s, ⸚) grandfather; beim (zum) Großvater at (to) grandfather's

*grün green

der Grund (–es, ⸚e) ground, reason

grünben (*wk.*) found, establish

gründlich thorough

die Grundschule (—, –n) elementary school

der Grundstein (–s, –e) corner stone

die Gründung (—, –en) founding

grünen (*wk.*) be green

die Gruppe (—, –n) group

der *Gruß (–es, ⸗e) greeting; *in the conclusion of a letter* regards, love; viele Grüße lots of love; mit ben herzlichsten Grüßen with best regards, with (best) love

*grüßen (*wk.*) greet; grüße ihn von mir remember me to him

die Gunst (—) favor

*gut (besser, best) *adj.* good; *adv.* well; einem gut sein be fond of one; schon gut all right; bas Gute *adj. infl.* the good, that which is good

bas *Gut (–es, ⸗er) estate, farm, goods

bas Gymna'sium (–s, Gymna'sien; ie = i + e) gymnasium (secondary classical school, preparing for the university)

bas Haar (–es, –e) *often used in the pl. contrary to English usage* hair

*haben (er hat, er hatte, er hat gehabt) have

hacken (*wk.*) chop

die Hafenstadt (—, ⸗e) seaport

der Hafer (–s) oats

der Hahn (–es, ⸗e) cock, rooster

*halb half; eine halbe Mark half a mark; halb sechs half past five

bas *Halbjahr (–s, –e) half-year

die *Hälfte (—, –n) half

der Hals (Halses, Hälse) neck

bas *Halsband (–s, ⸗er) necklace, collar (of a dog)

die Halsbinde (—, –n) necktie, neck cloth, scarf

*halten (er hält, er hielt, er hat gehalten) hold, keep; stop; halten für *acc.* consider

halt'|machen (*wk.*) halt, stop

die *Hand (—, ⸗e) hand; er gab ihnen die Hand he shook hands with them

der *Handel (–s) trade, business, transaction of business

handeln (*wk.*) act; handeln von *dat.* treat of

bas Hand'gelenk' (–s, –e) wrist

die Handlung (—, –en) action, plot (of a drama)

der Handschuh (–s, –e) glove

bas *Handtuch (–s, ⸗er) towel

bas *Handwerk (–s, –e) handicraft, trade

hangen *or* hängen (er hängt, er hing, er hat gehangen) *intr.* hang

*hängen (*wk.*) *tr.* hang

*Hanno'ver (v = w) (*neut.*) (–s) Hanover

*Hans (*masc.*) (Hans' *or* Hansens) Jack

Hänschen (*neut.*) (–s) Jackie, Johnnie

der Harfenspieler (–s, —) harpplayer, minstrel

harmo'nisch harmonious

hart (⸗er, ⸗est) hard

der Hase (–n, –n) hare

der Haß (Hasses) hate, hatred

der Hauch (–es, –e) breath

*häufig frequent

bas Haupt (–es, ⸗er) head

der Hauptmann (–s, Hauptleute) captain

die Hauptsache (—, –n) chief thing, main point

die Hauptstadt (—, ⸗e) capital

das *Haus (Hauses, Häuser) house;
zu Hause at home; nach Hause
gehen go home

das *Häuschen (–s, —) small house

die *Hausfrau (—, –en) housewife,
lady of the house

der Haushalt (–s, –e) household

das Haustier (–s, –e) domestic animal

die Hautkrankheit (—, –en) skin disease

*heben (er hebt, er hob, er hat gehoben)
lift, raise; *refl.* rise (of a curtain)

das Heer (–es, –e) army

das *Heft (–es, –e) notebook

heftig vehement, violent, passion-
ate

hegen (*wk.*) tend

die Heide (—, –n) heath; auf der
Heiden (*old inflected dat. sg.*) on
the heath

das Heidenröslein (–s, —) little rose
of the heath

heidnisch heathen

heilig holy

heilsam wholesome, beneficial

die Heilung (—, –en) healing, cure

das Heimatland (–s, –e *or* ⸚er) native
land *or* country

heim'|führen (*wk.*) take home (one's
bride)

heim'|kommen (*str., aux.* sein) come
home

heimlich secret

heim'|reiten (*str., aux.* sein) ride
home

der *Heimweg (–s) way home

*Heinrich (*masc.*) (–s) Henry

*Heinz (*masc.*) (Heinz' *or* –ens)
Harry

die Heirat (—, –en) marriage

heiratsfähig marriageable

*heiß hot, ardent

*heißen (er heißt, er hieß, er hat ge-
heißen) *intr.* be called; *tr.* bid,
call; wie heißen die Kinder what
are the names of the children;
das heißt that is

heiter serene, bright, cheerful

heizen (*wk.*) heat

der Held (–en, –en) hero

*Hele'ne (*fem.*) (–s) Helen

*helfen (er hilft, er half, er hat gehol-
fen) *dat.* help

*hell bright, light

das Hemd (–es, –en) shirt

her hither; her und hin *more commonly* hin und her back and forth,
to and fro

heran'|kommen (*str., aux.* sein) ap-
proach, draw near

heran'|treten (*str., aux.* sein) *w.* an
acc. step up to

heran'|wachsen (*str., aux.* sein) grow
up

*herauf'|kommen (*str., aux.* sein)
come up

heraus'|geben (*str.*) give forth, de-
liver up, give back

*heraus'|kommen (*str., aux.* sein)
come out

der *Herbst (–es, –e) autumn, fall

der Herd (–es, –e) hearth

*herein'|kommen (*str., aux.* sein)
come in

*her'|kommen (*str., aux.* sein) come
here

*Hermann (*masc.*) (–s) Herman

hernie'der|stürzen (*wk., aux.* sein)
rush *or* gush down

der *Herr (–n, –en) gentleman, Lord,
master; Herr Braun Mr. Braun;
Herr Lehrer *in direct address* Mr.
(*plus the name of the instructor*);
Herr Pfarrer *in direct address*
Parson

*herrlid) magnificent, glorious, splendid, delightful

herrfdjen (*wk.*) rule, prevail; rage (of diseases)

bie Herftellung (—, -en) manufacture

*herun'ter|fommen (*str., aux.* fein) come down

bas *Herz (-ens, -en) heart; etwas auf bem Herzen haben have something on one's mind

Herze *archaic for* Herz

ber Herzenswunfd) (-es, ⸗e) heart's desire

herzig dear, sweet, darling

*herzlich hearty, cordial, affectionate

bas Heu (-es) hay

*heulen (*wk.*) howl

ber Heufd)uppen (-s, —) hay shed

*heute today; heute abend (morgen, nachmittag) this evening (morning, afternoon)

heutig of today, today's, present-day, modern

bie Hexe (—, -n) witch

*hier here

hierher hither, to this place, here

bie Hilfe (—) help

ber *Himmel (-s, —) heaven; sky; unter freiem Himmel in the open air

himmelhod) as high as heaven

bas Himmelsfenfter (-s, —) window of heaven

himmlifd) heavenly

*hin thither; hin und wieder now and then

*hinauf'|gehen (*str., aux.* fein) go up

hinauf'|fd)auen (*wk.*) look up

*hinauf'|fteigen (*str., aux.* fein) climb up

*hinaus'|gehen (*str., aux.* fein) go out

hinaus'|fommen (*str., aux.* fein) *w.* über *acc.* go beyond

hinburd)' *adv.* through, throughout; bie ganze Nad)t hinburd) all night long

*hinein' *adv.* into; bis weit in ben Sonntag hinein until far into Sunday

hinein'|führen (*wk.*) lead into

*hinein'|gehen (*str., aux.* fein) go in; zur Tür hineingehen go in at the door

hinein'|fd)leichen (*str., aux.* fein) sneak *or* glide *or* steal into!

hinein'|fpringen (*str., aux.* fein) spring *or* jump into, project

*hin'|gehen (*str., aux.* fein) go there, go

hin'|legen (*wk.*) lay down

hinten *adv.* behind, at the back

*hinter *prep. w. dat. or acc.* behind; *adj.* back, rear

ber Hintergrund (-s, ⸗e) background

hinterm = hinter bem

hinun'ter *adv.* downward, down

*hinun'ter|gehen (*str., aux.* fein) go down

hinzu'|fügen (*wk.*) add

ber Hirfd) (-es, -e) stag, deer

ber Hirfd)fänger (-s, —) hunting knife

ber Hirt (-en, -en) shepherd

bas Hirtenhaus (-haufes, -häufer) shepherd's cottage

hifto'rifd) historical

*hod), *when inflected* hoh⸗ (höher, höd)ft) high; höhere Schule advanced *or* secondary school (prepares for the university)

hod)'entwi'delt highly developed

ber Hod)mut (-s) haughtiness, pride

die *Hochſchule (—, -n) institution of learning of university rank; die techniſche Hochſchule engineering school, institute of technology

hochſchulkundlich academic

der *Hochwald (-s, ⸚er) forest of tall trees, big timber

der *Hof (-es, ⸚e) court, yard, back yard; auf dem Hofe in the yard

hoffen (wk.) hope, hope for; hoffen auf acc. hope for

hoffentlich adv. I hope

die Hoffnung (—, -en) hope

höflich polite

die Höhe (—, -n) height; in die Höhe upward, up, on high

hold sweet, gracious, charming

*holen (wk.) fetch, get

das Holz (-es, ⸚er) wood, timber, lumber

der Holzdieb (-s, -e) wood thief, one stealing wood

der Honig (-s) honey

*hören (wk.) hear, listen

die Hoſe (—, -n) trousers, breeches

das *Hoſpital' (-s, Hoſpitäler) hospital

*hübſch pretty; hübſch müde very tired, "good and tired"

die Hüfte (—, -n) hip

der *Hügel (-s, —) hill

das *Huhn (-es, ⸚er) chicken

humani'ſtiſch humanistic

der Humor' (-s) humor

der *Hund (-es, -e) dog

hundert hundred, a hundred; Hunderte hundreds

hundertmal a hundred times

der Hunger (-s) hunger

*hungrig hungry

*hurra' hurrah

der *Hut (-es, ⸚e) hat; den Hut vom Kopfe nehmen take off one's hat

*hüten (wk.) guard, tend; das Bett hüten müſſen be confined to one's bed

die Hütte (—, -n) hut, cabin, cottage

*ich I

die Idee' (—, Ide'en) idea, conception

idyl'liſch idyllic

*ihr (ihre, ihr) adj. her, its, their; pron. you, ye

*Ihr (Ihre, Ihr) adj. your; pron. in letters you

*ihrer (ihre, ihres) pron. hers, theirs

*Ihrer (Ihre, Ihres) pron. yours

*im contr. of in dem

*immer always

immergrün evergreen

*in prep. w. dat. or acc. in, into

*indem' subord. conj. while

der Inhalt (-s, -e) contents

inner inner

*innerhalb prep. w. gen. inside of, within

*ins contr. of in das

die Inſchrift (—, -en) inscription

das Inſtrument' (-s, -e) instrument

intereſſant' interesting

das Intereſ'ſe (-s, -n) interest

irgend adv. any, some; irgend ein anderer any other, some other; auf irgend eine Weiſe in some manner or other; irgend ein Kurſus any course

irren (wk., aux. ſein) wander

*Ita'lien (ie = i + e) (neut.) (-s) Italy

*italie'niſch (ie = i + e) adj. Italian; Italieniſch indecl. neut. or das Italieniſche adj. infl. Italian (language)

*ja yes; indeed, you know, to be
sure

die Jagd (—) hunting, hunt, chase

die Jagdhütte (—, -n) hunting lodge

die Jagdlust (—) fondness for the
chase

jagen (*wk.*) hunt, chase

der Jäger (-s, —) hunter, hunts-
man

die Jägertracht (—, -en) hunting
costume

das *Jahr (-es, -e) year; mit vierzehn Jahren aus der Schule kommen
leave school at the age of fourteen

jahraus': jahraus, jahrein year in
and year out

der Jahresanfang (-s) beginning of
the year

die *Jahreszeit (—, -en) season

das Jahrhun'dert (-s, -e) century

der Jahrmarkt (-s, ⸚e) (annual) fair

das Jahrzehnt' (-s, -e) decade

*Jakob (*masc.*) (-s) Jacob, James

der *Januar (-s), -e) January

jauchzen (*wk.*) shout (for joy), ex-
ult; himmelhoch jauchzend "shout-
ing with great joy"

*jawohl' yes indeed

*je *adv.* ever; *distributive w. num.*
each

*jedenfalls *adv.* in any case, at any
rate

*jeder (jede, jedes) each, each one,
every, everyone; ein jeder everyone, everybody

*jener (jene, jenes) that, that one,
the former

*jenseit(s) *prep. w. gen.* on the
other side of

das Jesuskind (-es) the child Jesus

*jetzt now

Johann (*masc.*) (-s) John

das Johan'nisfeuer (-s, —) St.
John's fire

der Jude (-n, -n) Jew

jüdisch Jewish

die *Jugend (—) youth (period, *or*
young people collectively)

die Ju'gendbewe'gung (—, -en) youth
movement

der *Ju'li (-(s), -s) July

*jung (⸚er, ⸚st) young; bei Jung
und Alt with young and old

der *Junge (-n, -n) boy

die *Jungfrau (—, -en) virgin, maid,
maiden; „Die Jungfrau von Orleans" (*pronounce* Orleans *as in
French*) "The Maid of Orleans"
(Joan of Arc)

der Jüngling (-s, -e) youth, young
man

der *Juni (-(s), -s) June

der Junitag (-s, -e) June day, day
in June

die Kachel (—, -n) tile

der Kachelofen (-s, ⸚) tile stove

der *Kaffee (-s) coffee

kahl bald, bare, bleak

der Kahn (-es, ⸚e) boat

der Kaiser (-s, —) emperor

die Kaiserin (—, -nen) empress

der *Kalbsbraten (-s, —) roast veal

Kalkut'ta (*neut.*) (-s) Calcutta

*kalt (⸚er, ⸚st) cold

die *Kälte (—) cold, coldness

das Kamel' (-s, -e) camel

der Kamerad' (-en, -en) comrade

die Kamerad'schaft (—) comrade-
ship

der Kamm (-es, ⸚e) comb

kämmen (*wk.*) comb

der Kampf (-es, ⸚e) combat, fight,
contest, bout

kämpfen (*wk.*) fight, contend

der Kämpfer (–s, —) combatant,
fighter, contestant, fencer

der Kanal' (–s, Kanäle) canal

*Karl (masc.) (–s) Charles

die *Karlsschule (—) military acad-
emy founded by Duke Karl
Eugen of Württemberg; auf der
Karlsschule at the Karlsschule

die *Karte (—, –n) card, ticket;
(= Landkarte) map

die *Kartof'fel (—, –n) potato

der *Kartof'felbrei (–s) mashed potatoes

der Karzer (–s, —) university lockup
or prison

der *Käse (–s, —) cheese

der Kater (–s, —) tomcat

das Katerherz (–ens, –en) tomcat
heart

Käthe (fem.) (–s) Kate

katho'lisch Catholic

die *Katze (—, –n) cat

*kaufen (wk.) buy

der *Käufer (–s, —) buyer, purchaser

das Kaufgeld (–s) purchase money

der *Kaufmann (–s, Kaufleute) merchant

*kaufmännisch mercantile, commer-
cial

*kaum scarcely, hardly

keck bold, daring

kehren (wk.) sweep

*kein (keine, kein) adj. no, not a,
not an, not any

*keiner (keine, kein(e)s) pron. not
any, not anyone, not one, no
one, none, (of two) neither

keineswegs by no means

*keinmal not a single time, not
once; einmal ist keinmal once does
not count

der *Kellner (–s, —) waiter

*kennen (er kennt, er kannte, er hat
gekannt) know, be acquainted
with; kennen lernen become acquainted with, make the ac-
quaintance of

der Kenner (–s, —) connoisseur,
(critical) judge

die Kerze (—, –n) candle

die Kette (—, –n) chain

der Kieferwald (–s, "er) pine forest

das Kilogramm' (–s, –e) kilogram
(2.2 pounds)

das (or der) Kilome'ter (–s, —) kilo-
meter (.62 of an English mile)

das *Kind (–es, –er) child

das *Kinderzimmer (–s, —) children's room, nursery

das Kindlein (–s, —) baby

das Kinn (–es, –e) chin

das *Kino (–s, –s) movies; ins
Kino gehen go to the movies

die *Kirche (—, –n) church; zur (or
in die) Kirche gehen (kommen) go
(come) to church

die Kir'chenmusik' (—) sacred music

die Kirsche (—, –n) cherry

das Kissen (–s, —) cushion, pillow

klagen (wk.) lament, complain

der Klang (–es, "e) sound

*klar clear; sich (dat.) über etwas
klar werden become fully aware
of something, comprehend or
grasp a thing clearly

*Klara (fem.) (–s) Clara

die *Klasse (—, –n) class

das Klassenzimmer (–s, —) classroom

der Klassiker (–s, —) classical author
or writer; Klassiker im Reiche der
Musik classical composer

klassisch classical

*klatschen (wk.) applaud, clap;
gossip

*Klaus (*masc.*) (Klaus' *or* Klausens) Nicholas

das *Klavier' (v = w) (–s, –e) piano; Klavier spielen play the piano

das *Kleid (–es, –er) dress; *pl.* dresses, clothes

kleiden (*wk.*) clothe, dress

die Kleidung (—, –en) clothing

das Kleidungsstück (–s, –e) article of clothing

*klein small, little; kleiner smaller, lesser, minor

klingen (es klingt, es klang, es hat geklungen) sound

*klopfen (*wk.*) knock; es klopft somebody knocks *or* is knocking

das Kloster (–s, –") cloister, monastery

*klug (–"er, –"st) intelligent, bright, smart

der *Knabe (–n, –n) boy

knapp concise

der Knecht (–es, –e) (*cognate with* knight) servant, hired man; Knecht Ruprecht (a kind of) Santa Claus

die Kneipe (—, –n) students' meeting *or* gathering for convivial purposes

die Knospe (—, –n) bud

der Koch (–es, –"e) cook

*kochen (*wk.*) cook; eine Suppe kochen make soup

der Kohl (–s) cabbage

die Kohle (—, –n) coal

der Kollege (–n, –n) colleague

Köln (*neut.*) (–s) Cologne

komisch comical

*kommen (er kommt, er kam, er ist gekommen) come

der Kommers' (Kommerses, Kommerse) formal drinking bout

komponie'ren (*wk.*) compose, set to music

der Komponist' (–en, –en) composer

der *König (–s, –e) king

der Königssohn (–s, –"e) king's son

die Königstochter (—, –") king's daughter

der *Konjunktiv' (–s, –e) subjunctive (mood)

*können (er kann, er konnte, er hat gekonnt) be able to, can, know, know how to

der Kontinent' (–s, –e) continent

der *Kopf (–es, –"e) head

das Köpfchen (–s, —) little head

der *Korb (–es, –"e) basket

der Korbball (–s) basket ball

das Körbchen (–s, —) small basket

das Korn (–es, –"er) grain

der Körper (–s, —) body

körperlich bodily, physical

das Korps (—, —) (*pronounced* Kōr (*nom.*), Kōrs (*gen.*), Kōrs (*pl.*)) corps, students' club

*korrigie'ren (*wk.*) correct

die *Kost (—) food, board

kosten (*wk.*) cost

die Kraft (—, –"e) strength, **power**; efficacy, virtue

kräftig strong, vigorous

der Kraftwagen (–s, —) automobile

krähn (= krähen, *wk.*) crow

*krank (–"er, –"st) sick

kränken (*wk.*) hurt, offend, grieve

die Krankheit (—, –en) sickness, disease

der *Kranz (–es, –"e) wreath, garland; Kränze binden make wreaths

das Kraut (–es, –"er) herb, plant

der *Kraut'salat' (–s) slaw, coleslaw

die *Kreide (—, –n) chalk

der Kreidestrich (–s, –e) chalk line

der *Kreis (Kreises, Kreise) circle

das Kreuz (–es, –e) cross

*kriechen (er kriecht, er kroch, er ist
gekrochen) creep; auf Händen und
Füßen kriechen creep on one's
hands and knees

der *Krieg (–es, –e) war

die Krippe (—, –n) crib, manger

kritisch critical

krönen (wk.) crown

krumm (–er or ″er, –st or ″st) crooked

die *Küche (—, –n) kitchen

der *Kuchen (–s, —) cake

die Kuh (— ″e) cow

*kühl cool

das Kultur′volk (–s, ″er) civilized
people

kummervoll sorrowful, full of sorrow or grief

künftig future, to come

die Kunst (—, ″e) art, skill

die Kunstform (—, –en) artistic form

der Künstler (–s, —) artist, crafts-
man

die Kunststraße (—, –n) turnpike,
macadamized highway

das Kunstwerk (–s, –e) work of art

die Kupfermünze (—, –n) copper
coin

kurie′ren (wk.) cure

*kurz (″er, ″est) short, brief; vor kur=
zem recently; kurz darauf′ shortly
afterwards

der *Kuß (Kusses, Küsse) kiss

küssen (wk.) kiss

*lachen (wk.) laugh

*laden (er lädt, er lud, er hat geladen)
load

der Laden (–s, ″) shop, store

die Lage (—, –n) position, situation

das Lager (–s, —) camp; festes Lager
permanent camp

lahm lame

das *Land (–es, ″er) land, country;
auf dem Lande in the country;
aufs Land gehen go to the country

der Landarzt (–es, ″e) licensed physician

die Landkarte (—, –n) map

ländlich rural

landschaftlich pertaining to the (or
a) landscape; landschaftliche Reize
charms or beauties of landscape

der Landsmann (–s, Landsleute) fellow countryman

die Landsmannschaft (—, –en) society
of compatriots, club of students
from the same country

*lang (″er, ″st) long; tall and lanky

*lange adv. long, a long time, for
a long time; lange nicht far from,
not . . . by far

die Länge (—, –n) length

langen (wk.) long for, long

*langsam slow

der *Lärm (–es) noise

*lärmend noisily

*lassen (er läßt, er ließ, er hat gelassen)
leave, let, have (something done
or someone do a thing); fallen
lassen let fall, drop; laufen lassen
let go, let escape; rufen lassen
send for; laß das Stehlen leave
off (or quit) stealing

das Latein′ (–s) Latin (language)

latei′nisch adj. Latin

die Laube (—, –n) arbor

der *Lauf (–es) course

die Laufbahn (—, –en) career

*laufen (er läuft, er lief, er ist gelau=
fen) run; (= Schlittschuh laufen)
skate

lauschen (wk.) listen

*laut adj. loud; adv. loudly, aloud

die Laute (—, –n) lute

lauten (*wk.*) be worded, run, read

die Lawi'ne (—, -n) avalanche

*leben (*wk.*) live; leben von *dat.* live on; lebe wohl farewell, good-by; lebend living, alive

das *Leben (-s, —) life; ins Leben rufen found

leben'dig living, active

die Lebensarbeit (—) life work

die Le'benserfah'rung (—, -en) personal experience

das *Lebewohl (-s) farewell, good-by

lebhaft lively

das *Leder (-s) leather; aus Leder of leather

die Lederschürze (—, -n) leather apron

leer empty

*legen (*wk.*) lay

die Lehre (—, -n) teaching, precept, advice, doctrine

*lehren (*wk.*) teach

der *Lehrer (-s, —) teacher (man)

die *Lehrerin (—, -nen) teacher (woman)

die *Leh'rerinnenprü'fung (—, -en) teachers' examination

der *Lehrgang (-s, ⸗e) course of instruction

der *Lehrling (-s, -e) apprentice

die *Lehrzeit (—) apprenticeship

der Leib (-es, -er) body

die Leibesübung (—, -en) physical exercise

der Leichenzug (-s, ⸗e) funeral procession

*leicht light, easy; fickle

*leid *pred. adj.*: es tut mir leid um ihn *or* er tut mir leid I am (*or* feel) sorry for him; was tut ihm leid what is he sorry about

das *Leid (-es) sorrow, grief

leiden (er leidet, er litt, er hat gelitten) suffer, endure, tolerate

das Leiden (-s, —) suffering, affliction, sorrow

leidvoll sorrowful

leise low, soft, gentle

die Leistung (—, -en) accomplishment

der Leiter (-s, —) leader, director

die Lerche (—, -n) lark

*lernen (*wk.*) learn, study

das Lesebuch (-s, ⸗er) reader

*lesen (er liest, er las, er hat gelesen) read

der Leser (-s, —) reader

*letzt last; der letztere the latter

letztemal: das letztemal the last time

leuchten (*wk.*) shine, gleam

die *Leute *pl.* people

das *Licht (-es, -er) light; (*pl.* -e) candle

*lieb dear; ihr Lieben you dear ones

die *Liebe (—) love; Liebe zu love for

*lieben (*wk.*) love

die Liebesgabe (—, -n) gift of love

die Lie'besgeschich'te (—, -n) love story

der Liebeskuß (-kusses, -küsse) kiss of love, loving kiss

lieb'|haben *irreg.* be fond of, love, like

das *Lied (-es, -er) song

das Liedchen (-s, —) little song

*liegen (er liegt, er lag, er hat gelegen) lie

die Lilie (ie = i + e) (—, -n) lily

lind mild, gentle

die Linde (—, -n) linden

link left

*links *adv.* to the left

die *Lippe (—, -n) lip

die List (—, -en) cunning, wile

die Literatur' (—, -en) literature
das Lob (-es) praise
locken (wk.) lure, entice
lockig curly
der *Löffel (-s, —) spoon
der *Lohn (-es, ⸚e) salary, wages
die Lokomoti've (v = w) (—, -n) loco-
motive, engine
die Lorelei (—) name of a steep
cliff on the Rhine and of the
beautiful water sprite haunting
it; title of a poem by Heine
der Loreleifelsen (-s) Lorelei rock
or cliff
*los'|brechen (str., aux. sein) break
loose, burst forth
los'|werden (str., aux. sein) get rid of
der Löwe (-n, -n) lion
die *Luft (—, ⸚e) air
die *Lufthansa (—) Airway Corporation
das Luftschiff (-s, -e) airship
die Luftschiffahrt (—) aviation
der Luft'verkehr' (-s) air traffic, air
service
die Lunge (—, -n) lung
die Lust (—, ⸚e) pleasure, joy; desire
das Lustspiel (-s, -e) comedy
die Lyrik (—) lyric poetry
der Lyriker (-s, —) lyric poet
lyrisch lyric

M abbrev. of Mark
m abbrev. of Meter
*machen (wk.) make, do
die *Macht (—, ⸚e) power
mächtig mighty, huge, immense
das *Mädchen (-s, —) girl
das Mädel (-s, —) girl, sweetheart
die Mägd (—, ⸚e) maidservant,
maid
das Mägdlein (-s, —) maiden

mähen (wk.) mow
die Mahlzeit (—, -en) meal
die Mäh'maschi'ne (—, -n) mowing
machine
*mahnen (wk.) admonish, reprove
der *Mai (-(e)s or —, -e) May
der Maikönig (-s, -e) May king
die Maikönigin (—, -nen) May queen
das Mailied (-s, -er) May song
der Mais (Maises) maize, (Indian)
corn
das *Mal (-es, -e) time; zum ersten
Male for the first time; zwei mal
fünf two times five
*man indecl. indef. pron. one, we,
you, they, people, a person
*mancher (manche, manches) many
a, many a one, some; manches
many a thing, many things
*manchmal sometimes
mangeln (wk.) lack, be wanting
der *Mann (-es, ⸚er) man; husband
mannicher dialectic = mancher
die Mannschaft (—, -en) team, crew
der *Mantel (-s, ⸚) cloak
*Marburger indecl. adj. (of) Mar-
burg
das Märchen (-s, —) fairy tale,
story
Mari'a (fem.) (-s) Mary
*Marie' (fem.) (-s) Mary
die *Mark (—, —) mark (about
24 cents)
der *Markt (-es, ⸚e) market, market
place
der Marktschreier (-s, —) barker;
seinen eignen Marktschreier machen
act as one's own barker
der Marmor (-s, -e) marble
der *März (-(es), -e) March
die Maschi'ne (—, -n) machine
die Masse (—, -n) mass; eine Masse
Geld a lot of money

mäßig moderate

die Mäßigkeit (—) moderation, temperance

die Mathematik' (—) mathematics

die *Matte (—, -n) mat

die Mauer (—, -n) wall

die *Maus (—, ⸗e) mouse

mausestill as still as a mouse

der *Mecha'niker (-s, —) mechanic

das Meer (-es, -e) sea

*mehr indecl. more; nicht mehr not any more, no longer; immer mehr more and more

*mehrere pl. several

mehrmals several times

die Meile (—, -n) mile (the German mile = about 4⅔ English miles)

meilenweit for miles

*mein (meine, mein) adj. my; indecl. pred. pron. mine

*meiner (meine, mein(e)s) pron. mine

*meist adj. most; adv. mostly, for the most part; die meisten anderen Knaben most of the other boys

*meistens adv. mostly, for the most part, generally

der *Meister (-s, —) master

die Meisterschaft (—) championship

der Meisterschaftskampf (-s, ⸗e) championship contest

die Melodie' (—, Melodi'en) melody

der *Mensch (-en, -en) man (in general), human being, person

das Menschenkind (-s, -er) human being, person

die Menschheit (—) humanity, mankind

*menschlich human

die Mensur' (—, -en) (students') fencing bout; auf die Mensur gehen engage in a fencing bout or in fencing bouts

*merken (wk.) note; sich (dat.) etwas merken note something carefully

der *Merksatz (-es, ⸗e) sentence to be noted carefully

die Merkwürdigkeit (—, -en) curiosity

das *Messer (-s, —) knife

der Messi'as (—) the Messiah

die Messingplatte (—, -n) brass plate

das (or der) Meter (-s, —) meter (39.37 inches)

die Metho'de (—, -n) method

der Metzger (-s, —) butcher

die *Milch (—) milk

*mild sometimes milde mild, gentle

die Million' (—, -en) million

die Minderzahl (—, -en) minority

*mindestens at least

die *Minu'te (—, -n) minute

*mit prep. w. dat. with

*mit'|gehen (str., aux. sein) go along

das Mitglied (-s, -er) member

der Mitmensch (-en, -en) fellow man, fellow being

*mit'|singen (str.) join in singing

der *Mittag (-s, -e) noon; zu Mittag essen eat dinner

das *Mittagessen (-s, —) dinner; zum Mittagessen for or at dinner

die Mitte (—) middle, midst

das Mittel (-s, —) means, remedy

*mitten adv. amidst; mitten in dat. or acc. in (into) the middle (midst) of

die *Mitternacht (—, ⸗e) midnight

mittler adj. (compar. of mittel adj., which it has supplanted) middle, central

der *Mittwoch (-s, -e) Wednesday

der *Mittwochnachmittag (-s, -e) Wednesday afternoon

das Möbel (-s, —) piece of furniture; pl. furniture

modern' modern

*mögen (er mag, er mochte, er hat gemocht) like, like to, care to; may

*möglich possible; möglichst viele as many as possible

der *Monat (-s, -e) month; im Monat September in the month of September

der Mönch (-es, -e) monk

der *Mond (-es, -e) moon

der *Mondschein (-s) moonlight

der *Montag (-s, -e) Monday; (am) Montag morgen (on) Monday morning

*morgen tomorrow; morgen abend tomorrow evening

der *Morgen (-s, —) morning; morgens in the morning; am Morgen in the morning; gestern morgen yesterday morning

der Morgenfriede (-ns) peace of morning

morgenschön beautiful as the morning

die Morgenstunde (—, -n) morning hour

das Motorrad (-s, "er) motor cycle

*müde tired, weary

die Mühe (—, -n) effort, toil, trouble, pains

der *Mühlbach (-s) Mill Brook

die Mühle (—, -n) mill

der Müller (-s, —) miller

München (neut.) (-s) Munich

der Mund (-es, "er) mouth

die Mündung (—, -en) mouth (of a river)

die Münze (—, -n) coin

das *Murmeltier (-s, -e) marmot; wie ein Murmeltier schlafen sleep like a log or top

die Muse (—, -n) muse

das Muse'um (-s, Muse'en) museum

die Musik' (—) music

musika'lisch musical

das Musik'drama (-s, -dramen) music drama

der Musik'freund (-s, -e) lover of music

*müssen (er muß, er mußte, er hat gemußt) be obliged to, have to, must

das Muster (-s, —) model, pattern

der Mut (-es) courage

die *Mutter (—, ") mother

die *Mütze (—, -n) cap

der Myrtenkranz (-es, "e) myrtle wreath

*nach prep. w. dat. after, to, according to

der Nachbar (-s or -n, -n) neighbor

*nachdem' subord. conj. after

der Nachfolger (-s, —) successor

*nachher' afterwards

der *Nachmittag (-s, -e) afternoon; am Nachmittag in the afternoon

*nach'|sehen (str.) look into it, investigate

nächstgrößt next largest

die *Nacht (—, "e) night, darkness; in der Nacht at night; nachts at night

der Nachteil (-s, -e) disadvantage, injury, loss

die Nachtigall (—, -en) nightingale

der *Nachtisch (-es) dessert; zum Nachtisch for dessert

das Nachtlied (-s, -er) night song

die Nadel (—, -n) needle

*nah(e) (näher, nächst) near, close; nächst nearest, closest, next

die Nähe (—) nearness, neighborhood, vicinity

*nähen (wk.) sew

*näl)ern (*wk.*) *refl. w. dat.* approach

ber Name (–ns, –n) name; namens
named, by the name of

*nämlid) namely, you see, you
must know, for

ber *Narr (–en, –en) fool

bie Nafe (—, –n) nose

näß (näffer, näffeft) wet

bie Nation' (—, –en) nation

bie *Natur' (—) nature; in ber Natur
in nature

*natür'lid) naturally, of course

bie Natur'wiffenfd)aft (—, –en) natural science

*neben *prep. w. dat. or acc.* beside

ber Nebenflüß (–fluffes, –flüffe) trib-
utary

bas Nedartal (–s) valley of the
Neckar

ber *Neffe (–n, –n) nephew

*nel)men (er nimmt, er nal)m, er l)at
genommen) take

*neigen (*wk.*) incline

*nein no

*nennen (er nennt, er nannte, er l)at
genannt) name, call

*neu new; neuer newer, modern

bie Neuigfeit (—, –en) (piece of)
news

bas *Neujal)r (–s, –e) New Year

*neulid) recently

*neun nine

*Neuyorf' (*neut.*) (–s) New York;
aus Neuyorf from New York

*nid)t not

bie *Nid)te (—, –n) niece

*nid)ts nothing, not anything

niden (*wk.*) nod

*nie never

nieber down, downward

nie'ber|laffen (*str.*) let down; *refl.*
settle, establish oneself, take up
one's domicile

niemanb (–s) nobody, no one

*nimmer never

nimmermel)r nevermore

*nirgenbs nowhere, not anywhere

ber Nobelpreis (–preifes, –preife)
Nobel prize

*nöd) still, yet; *after negatives* nor,
or; nod) nid)t not yet; nod) fein
not yet a; nod) immer still; nod)
nie never yet

*nöd)mals once more, again

Norbbeutfd)lanb (*neut.*) (–s) North
Germany

ber Norben (–s) north

nörblid) northern

bie Norbfee (—) North Sea

Norbweftbeutfd)lanb (*neut.*) (–s)
northwest Germany

bie Not (—, ⁺e) necessity, need;
trouble

ber *Novem'ber (v = w) (–(s), —)
November

nüd)tern sober

*nun *adv.* now; *interj.* well

*nur only; *w. imperative* just

Nürnberg (*neut.*) (–s) Nuremberg

bie *Nüß (—, Nüffe) nut

ber Nußen (–s, —) use, profit, gain

nüßlid) useful

*öb *subord. conj.* whether, if (*in
indirect questions*)

*oben *adv.* up, above, upstairs, at
the top; l)ier oben up here; bort
oben up there; von oben bis unten
from top to bottom; nad) oben
gel)en go upstairs; nad) oben fom=
men come up *or* to the top

*ober upper

ber Oberförfter (–s, —) chief forester

*oberl)alb *prep. w. gen.* above

*obgleid)' *subord. conj.* although

*obſchon' *subord. conj.* although

das *Obſt (–es) fruit

der Obſtgarten (–s, ⸗) orchard

obwohl' *subord. conj.* although

der Ochs (Ochſen, Ochſen) ox

*oder *coörd. conj.* or

der Ofen (–s, ⸗) stove

das Ofenrohr (–s, –e) stovepipe

*offen open

öffentlich public

der *Offizier' (–s, –e) officer

der *Offiziers'kreis (–kreiſes, –kreiſe) officers' class; in Offiziers'kreiſen in the officers' class

*öffnen (*wk.*) open

*oft (⸗er, am ⸗eſten) often

*ohne *prep. w. acc.* without

das *Ohr (–es, –en) ear

der *Okto'ber (–(s), —) October

der *Onkel (–s, —) uncle

die Oper (—, –n) opera

die *Ordnung (—, –en) order; es ganz in der Ordnung finden think it quite right *or* natural *or* proper

die Orgel (—, –n) organ

der *Ort (–es, –e *or* ⸗er) place; an kleinen Orten in small places

der Oſten (–s) east

*Oſtern *pl.*, *but usually takes verb in sg.* Easter

Öſterreich (*neut.*) (–s) Austria

öſtlich east, eastern

die Oſtſee (—) Baltic Sea

das *Paar (–es, –e) pair, couple; ein Paar Schlittſchuhe a pair of skates; ein paar *indecl.* a few

*paarmal: ein paarmal a few times

das *Papier' (–s, –e) paper; *pl.* documents

das Papier'geld (–s, –er) paper money

Paris' (*neut.*) Paris

der Park (–es, –e) park

die *Parkſtraße (—) Park Street

der Päß (Paſſes, Päſſe) pass

*paſſen (*wk.*) *dat. of person* fit, suit; paſſend *part. adj.* fitting, suitable

der *Paſtor (–s, Paſto'ren) pastor, minister

die Pauke (—, –n) kettledrum; (*student language*) fencing bout

die Pein (—) pain, torment; in ſchwebender Pein "in painful suspense"

die Peitſche (—, –n) whip

die *Penſion' (en *nasal as in French*) (—, –en) pension

die Perio'de (—, –n) period

die Perle (—, –n) pearl

die Perſon' (—, –en) person

der Perſo'nenzug (–s, ⸗e) local passenger train

perſön'lich personal

Pf. *abbrev. of* Pfennig

der Pfarrer (–s, —) parson, clergyman

*pfeifen (er pfeift, er pfiff, er hat gepfiffen) whistle

der *Pfennig (–s, –e) pfennig, a small coin, equivalent to one one-hundredth of a mark

das *Pferd (–es, –e) horse

das Pferdehaar (–s, –e) horsehair

der Pferdekopf (–s, ⸗e) head of a horse

*Pfingſten *pl.*, *but usually takes verb in sg.* Whitsuntide, Pentecost

die Pflaume (—, –n) plum

die Pflege (—) care

pflegen (*wk.*) nurse, care for

die Pflicht (—, –en) duty

philoſo'phiſch philosophical

phyſika'liſch physical

der *Platz (–es, ⸚e) place, seat;
square (in a town); bis auf den
letzten Platz down to the last seat
plaudern (wk.) chat, gossip
*plötzlich sudden
die Poesie' (—, Poesi'en) poetry
Polen (neut.) (–s) Poland
poli'tisch political
der *Polizei'diener (–s, —) policeman
die *Portion' (—, –en) helping or
plate (of meat etc.); drei Por=
tionen Kalbsbraten roast veal for
three
die Post (—, –en) post office
die *Postkarte (—, –n) post(al) card
die Postsachen pl. mail
prächtig splendid, magnificent
*prachtvoll magnificent, gorgeous
predigen (wk.) preach
der Prediger (–s, —) preacher
der *Preis (Preises, Preise) price;
prize
die Preßkohle (—, –n) briquette
(made of ground coal, pressed in
the shape of bricks with rounded
corners)
Preußen (neut.) (–s) Prussia
die Prinzes'sin (—, –nen) princess
die *Privat'schule (v = w) (—, –n)
private school
der Profes'sor (–s, Professo'ren) professor
prosit: prosit Neujahr Happy New
Year
prüfen (wk.) test, examine; prüfend
searchingly
die *Prüfung (—, –en) test, examination; eine Prüfung machen take
an examination
der Pudel (–s, —) poodle
das *Pult (–es, –e) desk
der *Punkt (–es, –e) point, dot, speck

*putzen (wk.) polish; trim or deco-
rate (Christmas tree); sich (dat.)
die Zähne putzen brush one's teeth

die Quelle (—, –n) spring, source

rächen (wk.) avenge, revenge
ragen (wk.) project, tower
der *Rand (–es, ⸚er) edge
rasch swift, quick
rasie'ren (wk.) shave
rasseln (wk.) rattle
der Rat (–es) piece of advice, advice,
counsel; Rat halten take counsel
*raten (er rät, er riet, er hat geraten)
dat. of person advise; guess
das Rathaus (–hauses, –häuser) city
hall
das Rätsel (–s, —) riddle
rauben (wk.) take away; einem et=
was rauben rob one of something
der *Räuber (–s, —) robber
das *Räuberlied (–s, –er) robber
song, "The Song of the Robbers"
*rauchen (wk.) smoke
der Raum (–es, ⸚e) space, room
*rechnen (wk.) calculate, figure
*recht right, real, genuine
das *Recht (–es, –e) right; recht
haben be right
*rechts adv. to the right
der Rechtsanwalt (–s, –e or –anwälte)
attorney at law
*reden (wk.) talk, speak; vom Ar=
beiten gar nicht zu reden not to
mention work, let alone work
das Reden (–s) talk, talking
redlich honest
die *Regel (—, –n) rule
regeln (wk.) regulate
der *Regen (–s, —) rain
die Regie'rung (—, –en) government
*regnen (wk.) rain

das *Reh (–es, –e) deer

*reich rich, abundant

das Reich (–es, –e) realm, common-
wealth

*reichen (wk.) reach, hand, extend

die Reichsmark (—, —) reichsmark

der Reichspfennig (–s, –e) reichspfennig

der Reichtum (–s, ⁻er) riches, wealth

der Reigen (–s, —) procession, row
of dancers; Reigen von Amoretten
wreath (row, string) of Cupids

die Reihe (—, –n) row; der Reihe
nach by turns

rein clean, pure; mere

die *Reise (—, –n) trip, journey;
Zeit zu der Reise time for the trip

das Reisehandbuch (–s, ⁻er) guide-
book

*reisen (wk., aux. sein) travel

der Reisende adj. infl. traveler

*reiten (er reitet, er ritt, er ist geritten)
ride (on an animal)

die Reithose (—, –n) riding breeches

der Reiz (–es, –e) charm, attraction

der Rektor (–s, Rekto'ren) rector or
president (of a university)

religiös' religious

die Rennbahn (—, –en) race course

*rennen (er rennt, er rannte, er ist
gerannt) run, race

das *Restaurant' (pronounce as in
French) (–s, –s) restaurant

*retten (wk.) save, rescue

der Retter (–s, —) rescuer, de-
liverer; Savior, Redeemer

der Rhein (–s) Rhine

das Rheinufer (–s, —) bank of the
Rhine

richten (wk.) judge

der Richter (–s, —) judge

*riechen (er riecht, er roch, er hat ge-
rochen) smell

der Riese (–n, –n) giant

*riesig gigantic, immense

die Rinderpest (—, –en) cattle plague

der Ring (–es, –e) ring

*ringen (er ringt, er rang, er hat ge-
rungen) struggle, wrestle

rinnen (es rinnt, es rann, es ist geron-
nen) run, flow

RM abbrev. of Reichsmark

der *Rock (–es, ⁻e) coat; ohne Rock
without a coat

der Roggen (–s) rye

der Rohstoff (–s, –e) raw material

die Rolle (—, –n) roll; rôle, part

Rom (neut.) (–s) Rome

der Roman' (–s, –e) novel

roma'nisch Romanic, Romanesque

der Römer (–s, —) Roman

der Römerturm (–s) Roman tower

römisch Roman

die Röntgenstrahlen pl. Röntgen rays

die Rose (—, –n) rose

der Rosengarten (–s, ⁻) rose garden

*rosicht rosy

das Röslein (–s, —) little rose

das Roß (Rosses, Rosse) horse, steed

*rot (⁻er, ⁻est) red

das Rotkehlchen (–s, —) robin

Rpf abbrev. of Reichspfennig

die *Rübe (—, –n): gelbe (weiße, rote)
Rübe carrot (turnip, beet)

der *Rücken (–s, —) back

der Rucksack (–s, ⁻e) knapsack

der Rückweg (–s, –e) way back

Rudolf (masc.) (–s) Rudolph

der Ruf (–es, –e) call, shout

*rufen (er ruft, er rief, er hat gerufen)
call, cry, exclaim

das *Rugbyspiel (–s) Rugby game

die Ruhe (—) rest, quiet, repose,
peace; zur Ruhe bringen put to
sleep

*ruhen (wk.) rest, repose, lie

ruhig quiet, calm

der Ruhm (–es) fame, renown

der Rumpf (–es, ⸚e) trunk, body

rund round, in round numbers

die Rute (–, –n) rod

der Säbel (–s, —) saber [affair

die *Sache (—, –n) thing, matter, Sachsen (*neut.*) (–s) Saxony

sackartig sacklike

säen (*wk.*) sow

die Sage (—, –n) legend

*sagen (*wk.*) say, tell

das Salz (–es, –e) salt

sammeln (*wk.*) collect, gather

der Samt (–es, –e) velvet

der *Sand (–es) sand

*sanft soft, gentle, peaceful

Sankt *adj. uninflected* St., Saint; Sankt Nikolaus Saint Nicholas

der *Satz (–es, ⸚e) sentence

die Satzreihe (—, –n) sentence series

sauber clean

schade too bad, a pity; es ist schade um *acc.* it is a pity about

schaden (*wk.*) *dat.* hurt, harm, injure

schadhaft damaged; schadhaft werden get out of order

das Schaf (–es, –e) sheep

schaffen (er schafft, er schuf, er hat geschaffen) create, make

*schämen (*wk.*) *refl.* be ashamed; *w. gen.* be ashamed of; schäme dich shame on you

scharf (⸚er, ⸚ft) sharp

der *Schatten (–s, —) shade, shadow

das Schätzchen (–s, —) sweetheart

schätzen (*wk.*) value, esteem

die Schaubühne (—, –n) stage

*schauen (*wk.*) look, behold, see; auf die Tafel schauen look at the blackboard

der *Schauspieler (–s, —) actor

das Schauspielhaus (–hauses, –häuser) playhouse, theater

die Schaustellung (—, –en) exhibition

das *Schauturnen (–s) gymnastic exhibition

scheiden (er scheidet, er schied, er ist geschieden) part, depart

der Schein (–es, –e) light, gleam, glow

*scheinen (es scheint, es schien, es hat geschienen) shine; seem

die Schelle (—, –n) (small) bell

*schenken (*wk.*) give (as a present), present with

die Schere (—, –n) shears, scissors

scheren (er schiert, er schor, er hat geschoren) shear, cut (the hair)

die Scheu (—) shyness, timidity

die Scheune (—, –n) barn

*schicken (*wk.*) send

*schießen (er schießt, er schöß, er hat geschossen) shoot

das Schiff (–es, –e) ship, boat

der Schiffer (–s, —) boatman, sailor

der Schimmel (–s, —) white (*or* gray) horse

schimmern (*wk.*) glisten, glitter, gleam

der Schlaf (–es) sleep

*schlafen (er schläft, er schlief, er hat geschlafen) sleep

das *Schlafzimmer (–s, —) bedroom

der Schlag (–es, ⸚e) part of a forest where wood is felled, clearing; wood to be felled

der *Schlagball (–s) baseball

*schlagen (er schlägt, er schlug, er hat geschlagen) strike, beat, fight, engage in; *refl.* fight, engage in a fencing bout; mit ihren eignen Worten schlagen rout with her own words; schlagend *part. adj.* fencing (*of student clubs*)

der Schläger (–s, —) rapier
*schlecht bad
schlicht simple
*schließen (er schließt, er schloß, er hat
geschlossen) close; einen Kreis schlie=
ßen form a circle
schließlich finally, in the end, after
all
der *Schlittschuh (–s, –e) skate
das *Schloß (Schlosses, Schlösser)
castle; auf dem Schloß at the
castle
der *Schluß (Schlusses, Schlüsse) close,
conclusion; zum Schluß in conclusion
das Schlüsselein (–s, —) little key
*schmecken (wk.) taste
schmeichelhaft flattering
schmeicheln (wk.) dat. flatter
der *Schmerz (–es, –en) pain
das Schmerzenslager (–s, —) bed of
suffering
der *Schmetterling (–s, –e) butterfly
der Schmied (–es, –e) smith, black-
smith; builder or architect (of
one's own fortune)
schmieden (wk.) forge
*schmücken (wk.) adorn, decorate
das Schmuckstück (–s, –e) ornamental
piece, ornament
*schmutzig dirty
der *Schnee (–s) snow
der Schneesturm (–s, –e) snowstorm
*schneiden (er schneidet, er schnitt, er
hat geschnitten) cut
der Schneider (–s, —) tailor
*schneien (wk.) snow
*schnell quick, fast
der Schnellzug (–s, –e) express train
die Schnur (—, –e) cord, lace
*schon already; all right, never fear
*schön beautiful, pretty, fine, hand-
some, nice

die *Schönheit (—, –en) beauty
Schön=Rohtraut Beauty Rohtraut
die Schöp'fungsgeschich'te (—, –n)
history of creation
der *Schreck (–es, –e) terror, fright;
vor Schreck from fright
*schrecklich terrible
*schreiben (er schreibt, er schrieb, er hat
geschrieben) write
*schreien (er schreit, er schrie, er hat
geschrieen) shout, scream
die Schrift (—, –en) writing
der Schriftleiter (–s, —) editor
der *Schriftsteller (–s, —) author,
writer
der Schuh (–es, –e) shoe
der Schuhmacher (–s, —) shoemaker
die *Schularbeit (—, –en) school
work, lesson; seine Schularbeiten
machen do one's lessons
das Schulbuch (–s, –er) schoolbook
*schuld responsible, to blame; er
ist daran' schuld he is the cause of
it, he is to blame for it
die *Schuld (—) fault, guilt; durch
eigne Schuld through one's own
fault
schuldig guilty
die *Schule (—, –n) school; in der
Schule at school; zur (or in die)
Schule gehen go to school; nach
der Schule after school
schulen (wk.) school, train
der *Schüler (–s, —) pupil (boy)
die *Schülerin (—, –nen) pupil (girl)
*schulfrei free from lessons; zehn
schulfreie Wochen ten weeks' vacation
das Schul'gebäu'de (–s, —) school
building
das Schuljahr (–s, –e) school year
die *Schulprüfung (—, –en) exhibition test (to which the school

commissioners and parents are invited)

die Schulſtunde (—, -n) school hour

der *Schultag (-s, -e) school day

die *Schulter (—, -n) shoulder

die *Schulwöche (—, -n) school week

das Schulzeugnis (-zeugniſſes, -zeugniſſe) school report

das Schulzimmer (-s, —) school-room

der Schüſter (-s, —) cobbler

ſchütteln (wk.) shake

der Schutz (-es) protection

die Schutzbrille (—, -n) goggles

*ſchützen (wk.) protect

*ſchwach ("er, "ſt) weak

die Schwäche (—, -n) weakness, foible

ſchwächlich weakly

die Schwalbe (—, -n) swallow

das Schwänzchen (-s, —) little tail

*ſchwarz ("er, "eſt) black

ſchwarzbraun dark brown, nut-brown

der Schwarzwald (-s) Black Forest

ſchweben (wk.) hover

ſchweifen (wk., aux. ſein or haben) roam

*ſchweigen (er ſchweigt, er ſchwieg, er hat geſchwiegen) be silent; ſchweigend silent, in silence

das Schweigen (-s) silence; nach längerem Schweigen after a prolonged silence

das Schwein (-es, -e) hog

die Schweiz (—) Switzerland

*ſchwer heavy, weighty; difficult, hard

die *Schweſter (—, -n) sister

ſchwierig difficult

*ſchwimmen (er ſchwimmt, er ſchwamm, er iſt geſchwommen) swim

das Schwimmen (-s) swimming

der *Schwimmer (-s, —) swimmer

das Schwirren (-s) whiz, whir

*ſechs six

ſechsundzwanzig twenty-six

ſechzig sixty

der *See (-s, Se'en) lake

die Seekrankheit (—) seasickness

die Seele (—, -n) soul

das Seelenleben (-s, —) emotional (or inner) life

der Segen (-s, —) blessing

*ſehen (in poetry often ſehn) (er ſieht, er ſah, er hat geſehen) see

die Sehenswürdigkeit (—, -en) object of interest; pl. sights

das Sehnen (-s) longing

*ſehr very, very much; ſo ſehr so very much

die Seide (—, -n) silk

*ſein (er iſt, er war, er iſt geweſen) be

*ſein (ſeine, ſein) adj. his, its

*ſeiner (ſeine, ſein(e)s) pron. his, its

*ſeit prep. w. dat. since; subord. conj. since (temporal)

*ſeitdem' subord. conj. since (temporal)

die Seite (—, -n) side; page

die *Sekun'de (—, -n) second

*ſelber intensive pron. indecl. myself, yourself, himself, etc.

*ſelbſt intensive pron. indecl. myself, yourself, himself, etc.; adv. even; von ſelbſt of one's own accord

ſelbſtändig independent, of its own

das Selbſtſtudium (-s, -ſtudien; ie = i + e) private study, study by oneself

ſelig blessed

ſelten seldom

das Seme'ſter (-s, —) semester

die Seminar'arbeit (—) seminar work

*fenben (er ſendet, er ſandte, er hat ge=
ſandt; *also regular wk.*) send

die Senſe (—, -n) scythe

der *Septem'ber (-(s), —) September

der Septem'bera'bend (-s, -e) September evening

*ſeßen (*wk.*) set; *refl.* seat oneself,
sit down

*ſich *indecl. refl. pron.* oneself, himself, yourself, etc.; *recip. pron.*
each other, one another

*ſicher sure, certain, safe

ſichtbar visible

*ſie *sg.* she, it; *pl.* they

*Sie you

*ſieben seven

das *Siebtel (-s, —) seventh

ſiebzehn seventeen

ſiebzehnt seventeenth

das Siebzehntel (-s, —) seventeenth

der Sieg (-es, -e) victory, triumph

der Sieger (-s, —) victor

die Silbe (—, -n) syllable

das *Silber (-s) silver, silverware

der Silve'ſtera'bend (v = w) (-s, -e)
New Year's Eve

der Sims (Simſes, Simſe) cornice

*ſingen (er ſingt, er ſang, er hat geſun=
gen) sing

*ſinken (er ſinkt, er ſank, er iſt geſunken)
sink

der Sinn (-es, -e) mind, heart;
sense, meaning

die Sitte (—, -n) custom

der Siß (-es, -e) seat

*ſißen (er ſißt, er ſaß, er hat geſeſſen)
sit

die Sißung (—, -en) session

ſkandina'viſch (v = w) Scandinavian

*ſo so, thus, then; ſo + *adj. or
adv.* + wie as + *adj. or adv.* + as

*ſobald' *subord. conj.* as soon as

der Sockel (-s, —) base

ſofort' at once, immediately

ſogar' even

ſogenannt so-called

die Sohle (—, -n) sole

der *Sohn (-es, ⁻e) son

*ſolan'ge (*or* ſolang') *subord. conj.*
as long as, while

*ſolcher (ſolche, ſolches) such, such a;
ſolch ein such a; ein ſolcher such
a, such a one

der Soldat' (-en, -en) soldier

*ſollen (er ſoll, er ſollte, er hat geſollt)
be to (= be expected to), ought
to, be said to, shall

der *Sommer (-s, —) summer

die *Sommerferien (ie = i + e) *pl.*
summer vacation

das *Sommerhaus (-hauſes, -häuſer)
summerhouse

das *Sommerhäuschen (-s, —) small
summerhouse

das Som'merſeme'ſter (-s, —) summer semester

die *Sommerwärme (—) summer
heat, heat of the summer

die Sommerzeit (—) summer time

*ſondern *coörd. conj.* but

der *Sonnabend (-s, -e) Saturday;
am Sonnabend vormittag (on) Saturday forenoon

der *Sonnabendnachmittag (-s, -e)
Saturday afternoon

die *Sonne (—, -n) sun

der *Sonntag (-s, -e) Sunday

*ſonſt else, otherwise; ſonſt noch
etwas anything else; ſonſt nichts
nothing else

die *Sorge (—, -n) care, worry;
habe keine Sorge don't worry

ſorgen (*wk.*) be uneasy, worry; ſor=
gen für *acc.* take care of, look after

ſorgſam careful

soviel' so much, as much

sowie' as also

sowohl' ... als both ... and; sowohl wie as well as

*spanisch adj. Spanish; Spanisch indecl. neut. or das Spanische adj. infl. Spanish (language)

die *Sparbüchse (—, -n) savings box or bank

sparsam saving, economical

*spät late

der *Spazier'gang (-s, ¨e) walk; einen Spaziergang machen take a walk

die *Speisekarte (—, -n) bill of fare, menu

der Sperling (-s, -e) sparrow

der *Spiegel (-s, —) mirror

das *Spiel (-es, -e) play, game

*spielen (wk.) play

der Spielplatz (-es, ¨e) playground, athletic grounds or field

die Spielregel (—, -n) rule of the game

die Spielsache (—, -n) toy

spinnen (er spinnt, er spann, er hat gesponnen) spin

die Spitze (—, -n) point, peak, head

der Sporn (-es, Sporen or sometimes, poetical, Spornen) spur

der Sport (-es, -e) sport

die *Sprache (—, -n) language

*sprechen (er spricht, er sprach, er hat gesprochen) speak, talk, say; sprechen über acc. speak about

der Spreehafen (-s, ¨) Spree harbor, harbor on the Spree

das Sprichwort (-s, ¨er) proverb

*springen (er springt, er sprang, er ist gesprungen) jump, leap, spring, (of sparks) fly; burst, burst open

der Spruch (-es, ¨e) pithy saying, aphorism

das *Sprungbrett (-s, -er) diving-board

die Spur (—, -en) track, trace

spüren (wk.) perceive, notice

der *Staat (-es, -en) state; die Vereinigten Staaten United States

das Staats'exa'men (-s, -exa'mina) state examination

die *Stadt (—, ¨e) city, town; in die Stadt gehen go downtown (to town, to the city)

das *Städtchen (-s, —) small town

die Stadt'gemein'de (—, -n) municipality

das *Stadt'thea'ter (-s, —) municipal theater

der Stall (-es, ¨e) stable

der Stamm (-es, ¨e) trunk (of a tree)

stammen (wk.) w. aus dat. originate or come or date from

der Stand (-es, ¨e) rank, station

das Standbild (-s, -er) statue

die Stange (—, -n) pole

*stark (¨er, ¨st) strong; (w. verbs such as snow or rain) hard

*statt prep. w. gen. instead of

statt'|finden (str.) take place

stäupen (wk.) whip or flog (in public)

*stechen (er sticht, er stach, er hat gestochen) prick, stick, sting

stecken (wk.) stick, put

*stehen (in poetry often stehn) (er steht, er stand, er hat gestanden) stand

*stehlen (er stiehlt, er stahl, er hat gestohlen) steal

steif stiff

*steigen (er steigt, er stieg, er ist gestiegen) mount, climb; auf einen Berg steigen climb a mountain

steil steep, precipitous

der *Stein (-es, -e) stone

das Steinbild (–s, –er) statue
steinern stone
die Stelle (—, –n) place, spot
stellen (wk.) place, put
die *Stellung (—, –en) position
*sterben (er stirbt, er starb, er ist gestor=
ben) die; sterben an dat. die of or
from
das Sternlein (–s, —) little star
stets always
der Stiefel (–s, —) boot
das Stiefmütterchen (–s, —) pansy
der Stil (–es, –e) style
*still (sometimes stille) still, silent
stillen (wk.) still, quiet, allay
still|schweigen (str.) be silent, keep
still
die Stimme (—, –n) voice
die Stirn (—, –en) forehead, brow
der *Stock (–es, ⸚e) stick, cane
der Stoff (–es, –e) stuff, material,
subject, subject matter
*stolz proud
der Stolz (–es) pride
der Storch (–es, ⸚e) stork
die Störchin (—, –nen) female stork
die Strafe (—, –n) punishment
strafen (wk.) punish, whip
der *Strand (–es, –e) strand, beach
Straßburg (neut.) (–s) Strasbourg
die *Straße (—, –n) street; in wel=
cher Straße on what street
das Straßentreiben (–s) bustle and
stir (or noise and traffic) of the
streets
streben (wk.) strive
die *Strecke (—, –n) extent, distance; nach kurzer Strecke after a
short distance
der Streich (–es, –e) stroke, blow
der *Streifen (–s, —) stripe, streak
der Streit (–es, –e) conflict, strife,
contest

streiten (er streitet, er stritt, er hat
gestritten) quarrel, contend
streng severe, strict
streuen (wk.) strew, scatter
der Strich (–es, –e) stroke
stricken (wk.) knit
das Strohseil (–s, –e) straw rope
der Strom (–es, ⸚e) stream, river
die Stromesflut (—, –en) river wa-
ters
die Strömung (—, –en) current
die Strophe (—, –n) strophe, stanza
der Strumpf (–es, ⸚e) stocking
das *Stück (–es, –e) piece; play;
das Stück Kreide piece of chalk
der *Student' (–en, –en) student
das Studen'tenleben (–s) student life
das *Studen'tenlied (–s, –er) student
song
die Studen'tensprache (—, –n) student language, student slang
die Studen'tenverbin'dung (—, –en)
students' club
studen'tisch student
*studie'ren (wk.) study (at a univer-
sity); studiert part. adj. learned,
educated
das Studium (–s, Studien; ie = i + e)
study
der *Stuhl (–es, ⸚e) chair
stumpf blunt, dull
die *Stunde (—, –n) hour; lesson;
eine halbe Stunde half an hour
der *Sturm (–es, ⸚e) storm
*stürmisch stormy
*stützen (wk.) support, prop, rest
suchen (wk.) seek, look for
Südafrika (neut.) (–s) South Africa
Süddeutschland (neut.) (–s) South
Germany
der Süden (–s) south
südlich southern
der Südosten (–s) southeast

der *Südwind (–8, –e) south wind;
Südwind haben have a south wind
die *Sünde (—, –n) sin
der *Sünder (–8, —) sinner, offender
die *Suppe (—, –n) soup
süß sweet

die *Tafel (—, –n) blackboard; an
die Tafel schreiben write on the
blackboard
der *Tag (–es, –e) day; guten Tag
how do you do
der *Tagesanbruch (–8) break of day
*täglich daily
das *Tal (–es, –er) valley
das *Talent' (–8, –e) talent
talent'los untalented
der *Taler (–8, —) thaler (= 3 marks)
das *Talglicht (–8, –e) tallow candle
der *Tannenbaum (–8, –e) fir tree
der *Tannenwald (–8, –er) fir forest
die *Tante (—, –n) aunt
tanzen (wk.) dance
tapfer brave
die *Tasche (—, –n) pocket
das *Taschentuch (–8, –er) handkerchief
die *Tasse (—, –n) cup; eine Tasse
Kaffee a cup of coffee; bei einer
Tasse Kaffee over a cup of coffee
die Tat (—, –en) deed; in der Tat
indeed, in fact, in reality
tätig active
die *Taube (—, –n) pigeon, dove
*tauchen (wk.) dive
der *Taucher (–8, —) diver
taufen (wk.) baptize
täuschen (wk.) deceive
*tausend thousand, a thousand;
viele Tausende many thousands
tausendfältig thousandfold, in a
thousand ways
tausendmal a thousand times

technisch technical
der *Tee (–8) tea
der *Teil (–es, –e) part; zum großen
Teil mostly
*teilen (wk.) divide; geteilt durch
divided by
*telephonie'ren (wk.) telephone
der *Teller (–8, —) plate
das *Tennis (—) tennis
der Teppich (–8, –e) carpet, rug
*teuer dear, expensive
das *Thea'ter (–8, —) theater; ins
Theater gehen go to the theater
das Thema (–8, Themen or Themata)
theme, subject
Thü'ringer indecl. adj. Thurin'gian
*tief deep
das *Tier (–es, –e) animal
das *Tierverschen (–8, —) animal
verse
der Tiger (–8, —) tiger
die *Tinte (—, –n) ink
Tirol' (neut.) (–8) the Tyrol
der *Tisch (–es, –e) table; zu Tisch
gehen sit down to dinner (supper,
etc.); sich zu Tisch setzen sit down
to dinner (supper, etc.)
das *Tischtuch (–8, –er) tablecloth
der Titel (–8, —) title
die *Tochter (—, –) daughter
das *Töchterchen (–8, —) little
daughter
das *Töchterlein (–8, —) little
daughter
der *Tod (–es) death; zum Tode unto
death, mortally
*toll mad; toll vor Freude mad with
joy
der *Ton (–es, –e) clay
der *Ton (–es, –e) tone, sound
tönen (wk.) sound
die *Tonerde (—, –n) medicated clay
der *Tonkünstler (–8, —) musician

der Tor (–en, –en) fool

das *Tor (–es, –e) gate; zum Tore (= Stadttor) hinausgehen go out of the city

der Torni'ster (–s, —) haversack

*tot dead

*tragen (er trägt, er trug, er hat getragen) carry, wear

das Tragen (–s) wearing

die Tra'gik (—) tragic fate

tragisch tragical

die Träne (—, –n) tear

die Traube (—, –n) bunch of grapes; pl. grapes or bunches of grapes

trauen (wk.) dat. trust

der *Traum (–es, –e) dream; im Traume reden talk in one's sleep

träumen (wk.) dream

traurig sad

traut beloved, dear

*treffen (er trifft, er traf, er hat getroffen) meet, hit, strike; treffend part. adj. striking, forcible

treiben (er treibt, er trieb, er hat getrieben) drive, impel, urge, force

das Treiben (–s) bustle, stir, activity, doings, contending

trennen (wk.) separate, divide

die *Treppe (—, –n) (flight of) steps or stairs

*treten (er tritt, er trat, er ist getreten) step

treu true, faithful

treulos faithless

der Trieb (–es, –e) impulse, love

*trinken (er trinkt, er trank, er hat getrunken) drink

das Trinken (–s) drinking

trocknen (wk.) dry

der Trompe'ter (–s, —) trumpeter, bugler

der Tröst (–es) consolation, comfort

die Trösterin (—, –nen) comforter, consoler

*trotz prep. w. gen. in spite of

trotzdem' notwithstanding, nevertheless

trotzen (wk.) dat. brave, defy

*trübe cloudy, overcast

der Trug (–es) deception

die Tsche'choslowakei' (—) Czechoslovakia

das Tuch (–es, –er) cloth, broadcloth

die Tüchtigkeit (—) fitness, efficiency

die Tugend (—, –en) virtue

die Tulpe (—, –n) tulip

*tun (er tut, er tat, er hat getan) do

die *Tür (—, –en) or die Türe (—, –n) door; vor der Tür sein be close at hand; vor der Tür sitzen sit outside the door

der Türknopf (–s, –e) doorknob

der Turm (–es, –e) tower, steeple

das Turnen (–s) gymnastics

die *Turnhalle (—, –n) gymnasium

der Turnvater (–s, –) founder of gymnastics

der Turn'verein' (–s, –e) gymnastic club

typisch typical

das Übel (–s, —) evil, malady

der Übeltäter (–s, —) evildoer

*über prep. w. dat. or acc. over, above; w. acc. about, concerning

überall' everywhere

das Überbleibsel (–s, —) remainder, remnant; relic

ü'ber|gehen (str., aux. sein) pass over or on, pass

*überhaupt' for that matter, anyway, aside from that, at all

überlas'sen (str.) leave, abandon

überra'schen (wk.) surprise

überset'zen (wk.) translate

die Überſet′zung (—, -en) translation
übertra′gen (str.) translate, render
übertref′fen (str.) surpass, excel
übertrei′ben (str.) exaggerate
*überzeu′gen (wk.) convince
übrig remaining
die Übung (—, -en) practice
das *Ufer (-s, —) bank, shore; am
Ufer on the bank
die *Uhr (—, -en) timepiece, watch,
clock; o'clock; um drei Uhr at
three o'clock; wieviel′ Uhr iſt es
what time is it
*um prep. w. acc. around; um drei
Uhr at three o'clock; um zu w.
infin. in order to
*umar′men (wk.) embrace
um′|bauen (wk.) alter, reconstruct
umflat′tern (wk.) flutter about
die *Umgangsſprache (—, -n) colloquial speech
umgau′keln (wk.) flit around
die Umge′bung (—, -en) surround-
ings, environs
um′|hängen (wk.) hang round
*um′|kehren (wk., aux. ſein) intr.
turn back; tr. turn round or
over; umgekehrt inverted, vice
versa
*ums contr. of um das
der Umſchlag (-s, ⸚e) envelope
um′ſinken (str., aux. ſein) sink down
umſonſt′ in vain
um′|ſtürzen (wk., aux. ſein) fall
down, fall
um′|werfen (str.) overturn, (of the
wind) blow down
*um . . . willen prep. w. gen. for the
sake of
umwin′den (str.) swathe, bandage
der Umzug (-s, ⸚e) procession
*unangenehm unpleasant
unbegriffen uncomprehended

unbeweglich immovable, motionless
*und coörd. conj. and
unecht not genuine, artificial
ungefähr′ about
ungehorſam disobedient
ungelöſt unsolved
ungeſtüm impetuous
das *Unglück (-s) ill luck, misfortune
unglücklich unhappy, unfortunate
das Unheil (-s) evil, harm, calamity
die Uniform′ (—, -en) uniform
die Univerſität′ (v = w) (—, -en) university
unmäßig immoderate
*unrecht: unrecht haben be wrong;
damit hatte er unrecht he was wrong
about that
unſchätz′bar inestimable, priceless
die Unſchuld (—) innocence
*unſer (unſ(e)re, unſer) adj. our
*unſ(e)rer (unſ(e)re, unſ(e)res) pron.
ours
der Unſinn (-s) nonsense
unſterb′lich immortal
die Unſterb′lichkeit (—) immortality
*unten adv. below, beneath, under,
downstairs; da unten down there
*unter prep. w. dat. or acc. under,
beneath, among
*unterbre′chen (str.) interrupt
*un′ter|gehen (str., aux. ſein) set (of
the sun)
*unterhalb prep. w. gen. below
*unterhal′ten (str.) refl. converse;
ſich unterhalten über acc. converse
about
unterm contr. of unter dem
das Unterneh′men (-s, —) under-
taking, enterprise
der Unterricht (-s) instruction
der Unterſchied (-s, -e) difference
unterſtüt′zen (wk.) support

bie **Untreue** (—) unfaithfulness, infidelity

unverföhn'lich irreconcilable, implacable

bas **Urteil** (-8, -e) judgment, decision; bas Urteil fprechen pass judgment

*ufw. *abbrev. of* unb fo weiter and so forth

ber ***Vater** (-8, ⁔) father

bas **Vaterland** (-8, ⁔er) fatherland, native (*or* home) country

bas **Veilchen** (-8, —) violet

verän'bern (*wk.*) change, alter

verber'gen (*str.*) hide, conceal; im Verborgenen in secret

verbef'fern (*wk.*) correct

bie **Verbef'ferung** (—, -en) betterment, improvement, better things

verbin'ben (*str.*) connect

bie ***Verbin'bung** (—, -en) club, fraternity

verbit'tern (*wk.*) embitter

*verblei'ben (*str., aux.* fein) remain

verbrin'gen *irreg.* spend *or* pass (time)

bas **Verbun'benfein** (-8) interdependence

verban'fen (*wk.*) owe

verbie'nen (*wk.*) earn; fein Brot verbienen earn one's living *or* livelihood

ber **Verein'** (-8, -e) club, society, association

verei'nen (*wk.*) unite

verfau'len (*wk., aux.* fein) rot, decay

verfeh'len (*wk.*) miss

verge'ben (*str.*) give away

*verge'hen (*str., aux.* fein) pass (away)

*vergef'fen (er vergißt, er vergäß, er hat vergeffen) forget

bas **Vergiß'meinnicht** (-8, -e) forget-me-not

bas ***Vergnü'gen** (-8, —) pleasure, amusement, enjoyment; ich wünfche Ihnen viel Vergnügen I hope you will have a good time

vergön'nen (*wk.*) grant, permit

vergrö'ßern (*wk.*) enlarge

bas **Verhält'nis** (Verhältniffes, Verhältniffe) relation

verhau'en (*str.*) thrash

verherr'lichen (*wk.*) glorify

verhü'ten (*wk.*) prevent, avert

verir'ren (*wk.*) *refl.* lose one's way

*verfau'fen (*wk.*) sell

verflei'ben (*wk.*) disguise

bie **Verflei'bung** (—, -en) disguise, make-up

verflin'gen (*str., aux.* fein) die away

bas **Verlan'gen** (-8) desire

*verlaf'fen (*str.*) leave, forsake, desert; bie Verlaffene *adj. infl.* the deserted girl

verlei'hen (*str.*) lend, confer, bestow, give; einem etwas verleihen bestow something on one

*verlie'ren (er verliert, er verlor, er hat verloren) lose

verpfle'gen (*wk.*) take care of, look after

*verrüct' crazy; ihr macht mich noch verrüct you will drive me crazy yet

ber **Vers** (Verfes, Verfe) verse

verfchie'ben different, diverse, varied, various

verfchlin'gen (*str.*) devour, swallow, engulf

verfchmel'zen (*wk. or str.*) melt together, blend, unite

verfchüt'ten (*wk.*) overwhelm, bury

verfchwin'ben (*str., aux.* fein) disappear

verſpre'chen (*str.*) promise

verſtänd'lich intelligible, comprehensible

*verſte'hen (*str.*) understand

der Verſúch' (–s, –e) attempt, trial, experiment

*verſú'chen (*wk.*) try, attempt; tempt

verſun'ken lost, absorbed

die Vertei'lung (—, –en) distribution

vertrau'en (*wk.*) trust, confide

vertre'ten (*str.*) represent

die Verwal'tung (—, –en) management, administration

der *Verwand'te *adj. infl.* relative

verwen'den *irreg.* employ, use; *w. auf acc.* bestow upon, devote to

verwor'ren confused

die Verwün'ſchung (—, –en) curse

verza'gen (*wk.*) lose courage, despond

der *Vetter (–s, –n) cousin (male)

*viel *often uninflected in sg.* (mehr, meiſt) much; viele *pl.* many; wie viele how many

vielleicht' perhaps

vieltauſendmal many thousands of times

*vier four

das *Viertel (ie = ĭ) (–s, —) quarter

das *Vierteljahr (ie = ĭ) (–s, –e) quarter (of the year)

vierundzwanzig twenty-four

vierundzwanzigſt twenty-fourth

das *Vierundzwanzigſtel (–s, —) twenty-fourth

*vierzehn (ie = ĭ) fourteen

vierzehnt (ie = ĭ) fourteenth

*vierzig (ie = ĭ) forty

vierzigſt (ie = ĭ) fortieth

der *Vogel (–s, ˮ) bird

das Vögelchen (–s, —) little bird

das Vög(e)lein (–s, —) little bird

das Volk (–es, ˮer) people, nation

das Volkslied (–s, –er) folk song

der Volksmund (–s) mouth of the people, popular speech

die *Volksſchule (—, –n) public (elementary, grade) school

die Volksſeele (—) soul of the people

die Volksweiſe (—, –n) air *or* melody of a folk song

*voll full; voller *indecl. masc. form used in the pred. and attributively after the noun:* das Haus war voller Gäſte the house was full of guests; ein Haus voller Gäſte a house full of guests

vollen'den (*wk.*) finish, complete

vollkom'men perfect, complete

vollwertig full-fledged

*vom *contr. of* von dem

*von *prep. w. dat.* of, from, by

*voneinan'der of each other, of one another

*vor *prep. w. dat. or acc.* before, in front of; vor drei Monaten three months ago

voraus'|ſagen (*wk.*) foretell, predict

*vorbei'|fliegen (*str.*, *aux.* ſein) fly by

vor'|bereiten (*wk.*) prepare

die Vorbildung (—, –en) preparation, preparatory education

die Vorderſeite (—, –n) front side, front

*vorgeſtern day before yesterday

der *Vorhang (–s, ˮe) curtain

*vorher' *adv.* before, beforehand; am Tage vorher on the day before

vor'|herrſchen (*wk.*) prevail, predominate

*vor'|leſen (*str.*) read aloud, read to (one)

die Vor'leſung (—, –en) lecture

der *Vormittag (–s, –e) forenoon;

am Vormittag in the forenoon *or* morning

vorn *adv.* in front

vor'|schreiben (*str.*) prescribe

die Vorsicht (—) foresight, prudence

vor'stellen (*wk.*) present, introduce; sich (*dat.*) vorstellen imagine, conceive

*vortreff'lich excellent

vorwärts forward

der Vorzug (-s, ⸗e) advantage, merit

wach awake; wach werden awake

wachen (*wk.*) be awake, watch

*wachsen (er wächst, er wuchs, er ist gewachsen) grow

das Wachslicht (-s, -e) wax candle

wagen (*wk.*) dare

der *Wagen (-s, —) wagon; coach (of a train)

wählen (*wk.*) choose, elect

der Wahn (-es) delusion

*wahr true; nicht wahr is it not so, aren't you, isn't she, isn't it, etc.; viel Wahres much that is true, much truth

*während *prep. w. gen.* during; *subord. conj.* while

die Wahrheit (—, -en) truth

wahrscheinlich probable

das Wahrzeichen (-s, —) token

die Waise (—, -n) orphan

der *Wald (-es, ⸗er) forest

das Wald'gespräch' (-s, -e) conversation in the forest

das Waldhorn (-s, ⸗er) hunting horn, bugle

die *Waldmühle (—, -n) forest mill; über die Waldmühle gehen go by way of the forest mill

die Waldwirtschaft (—) forestry

die Wand (—, ⸗e) wall

der *Wanderer (-s, —) wanderer

wandern (*wk., aux.* sein) wander, go

die *Wanderung (—, -en) wandering, walking, walking tour

der Wandervogel (-s, ⸗) bird of passage; scout, youthful hiker

die Wandtafel (—, -n) blackboard

die Wanduhr (—, -en) clock

die *Wange (—, -n) cheek

*wann when

die *Ware (—, -n) article (of commerce); *pl.* goods, merchandise

*warm (⸗er, ⸗st) warm

die Wärme (—) warmth, heat

*warten (*wk.*) wait; warten auf *acc.* wait for

*warum' why

*was *interrog. pron.* what; *rel. pron.* that which, what, whatever, that; (= warum) why; (=etwas) something; was für (ein) *or* was . . . für (ein) what kind of, what (a); was da whatever

*waschen (er wäscht, er wusch, er hat gewaschen) wash; sich (*dat.*) die Hände waschen wash one's hands

das *Wasser (-s, —) water

die Wasserstraße (—, -n) waterway

der Wasserweg (-s, -e) waterway; auf dem Wasserwege by water

weben (er webt, er wob, er hat gewoben) weave

wechseln (*wk.*) change

*wecken (*wk.*) waken

*weder . . . noch neither . . . nor

der *Weg (-es, -e) way; sich auf den Weg machen start (up)on one's way

*wegen *prep. w. gen.* on account of

*weg'|laufen (*str., aux.* sein) run away; *dat.* run away from

das Weh (-es) woe, grief, pain; weh tun *dat.* hurt

die Wehmut (—) melancholy

wehren (*wk.*) prevent, check; *refl.* defend oneself

das Weib (–es, –er) woman, wife; (*in* „Waldgespräch") lass

weiblich female, feminine

*weich soft

die *Weihnachten (—, —) Christmas; zu Weihnachten at Christmas

der Weihnachtsabend (–s, –e) Christmas Eve

der Weihnachtsbaum (–s, ̈e) Christmas tree

der Weihnachtsfeiertag (–s, –e) Christmas holiday

das Weihnachtsfest (–s, –e) celebration of Christmas, Christmas festivities

das *Weih'nachtsgeschenk' (–s, –e) Christmas present

das Weihnachtslied (–s, –er) Christmas carol

der Weihnachtsmann (–s) Santa Claus

der *Weihnachtstag (–s, –e) Christmas Day; am Weihnachtstag (on) Christmas Day

die Weihnachtszeit (—) Christmas time

das Weihnachtszimmer (–s, —) Christmas room

*weil *subord. conj.* because

die *Weile (—) while, (space of) time; eile mit Weile hasten slowly

der Wein (–es, –e) wine

*weinen (*wk.*) cry, weep; weinen um *acc.* weep for

weise wise

die *Weise (—, –n) manner, way; auf alle möglichen Weisen in all the ways possible

weisen (er weist, er wies, er hat gewiesen) show, point out

die Weisheit (—, –en) wisdom

*weiß white

*weit wide, far; weiter wider, farther, further, on; und so weiter and so forth

der Weizen (–s) wheat

*welcher (welche, welches) *interrog. pron. or adj.* which, which one, what; *rel. pron.* who, which, that; *indef. pron.* some, any; welch *uninflected, in exclamations* what (a)

die Welle (—, –n) wave, ripple

die *Welt (—, –en) world; auf der Welt in the world

die Weltfahrt (—, –en) trip (*or* flight) around the world

der Weltkrieg (–s) World War

*wenden (er wendet, er wandte, er hat gewandt; *also regular wk.*) turn

*wenig *often uninflected in sg.* little; wenige *pl.* few, a few; weniger less, fewer; wenigst least, fewest

*wenigstens at least

*wenn *subord. conj.* if; when, whenever; wenn auch *or* wenn . . . auch even if; wenn . . . nicht if not, unless

wenngleich' *subord. conj.* although

*wer *interrog. pron.* who; *rel. pron.* he who, whoever; wer da whoever, whosoever

*werden (er wird, er wurde, er ist geworden) become, get; *aux. of the fut. tense* shall, will; *aux. of the passive voice* be; werden aus *dat.* become of

*werfen (er wirft, er warf, er hat geworfen) throw

das *Werk (–es, –e) work (of art *or* literature)

der Wert (–es, –e) worth, value

das Wesen (–s, —) being, essence, nature, character; in seinem Wesen in his temperamental make-up, in outlook and temperament

der Westen (—8) west

Westfalen (*neut.*) (—8) Westphalia

westlich western

das *Wetter (—8) weather

der Wettkampf (—8, ⸚e) contest

wetzen (*wk.*) whet

der Wichs (Wichses, Wichse) uniform (of members of a student club), regalia

wichtig important

*wider *prep. w. acc.* against, contrary to

widmen (*wk.*) devote

*wie *adv. or subord. conj.* as, like; how

*wieder again

wie'der|gewin'nen (*str.*) regain

*wie'der|holen (*wk.*) fetch back, bring back

*wiederho'len (*wk.*) repeat, review

*wie'der|kehren (*wk., aux.* sein) return

das *Wiedersehen (—8) seeing again, meeting again; auf Wiedersehen till we meet again, good-by

die Wiege (—, —n) cradle

wiegen (er wiegt, er wog, er hat gewogen) weigh

das Wiegenlied (—8, —er) lullaby, cradle song

Wien (*neut.*) (—8) Vienna

die *Wiese (—, —n) meadow; auf der Wiese in the meadow

wieso' how so, how is that

*wieviel' how much

*wieviel'mal how many times

*wievielt' which (by number); der wievielte ist heute what day of the month is it

wild wild; Wilde *student language* barbarians, "barbs"

das Wild (—es) game

der Wilddieb (—8, —e) poacher

das Wildern (—8) poaching

*Wilhelm (*masc.*) (—8) William

*willen: um ... willen *prep. w. gen.* for the sake of

*willkom'men welcome

der *Wind (—es, —e) wind

der *Winter (—8, —) winter

der Wipfel (—8, —) tree top

*wir we

*wirklich real

die Wirklichkeit (—, —en) reality

die Wirksamkeit (—) effectiveness, efficiency

das *Wirtshaus (—hauses, —häuser) inn

der Wischer (—8, —) (blackboard) eraser

*wissen (er weiß, er wußte, er hat gewußt) know

das Wissen (—8) knowledge

die Wissenschaft (—, —en) science

der Wissenschaftler (—8, —) scientist

der Wissensdurst (—) thirst for knowledge

der Witz (—es, —e) joke

*wo where

wobei' whereby, in connection with which

die *Woche (—, —n) week

der *Wochenmarkt (—8, ⸚e) weekly market

*woher' whence, from where, from what place

*wohin' whither, where

*wohl well; indeed, probably; *sometimes not susceptible of translation, serving merely to lend emphasis to a statement*

die Wohlfahrt (—) welfare

wohlhabend well-to-do, wealthy

der Wohllaut (—8) harmony, melody

*wohnen (*wk.*) live, dwell, reside

die Wohnung (—, —en) dwelling

das *Wohnzimmer (–s, —) living-room

der *Wolf (–es, ⸗e) wolf; wie die Wölfe essen eat like wolves

die *Wolke (—, –n) cloud

die Wolle (—) wool

*wollen (er will, er wollte, er hat gewollt) want, want to, intend to, be about to, claim to, will; ich wollte (*past subj.*), er wäre hier I wish he were here

*womit' with what, with which

die Wonne (—, –n) delight, bliss, rapture

*woraus' out of what, from what, out of which, from which

das *Wort (–es) word; *pl.* Wörter (single, individual) words; *pl.* Worte (connected) words, discourse, speech

das Wörterbuch (–s, ⸗er) dictionary

wörtlich literal

*worü'ber about what

*wovon' of what, about what, of which, about which

*wozu' for what, for which

der Wundarzt (–es, ⸗e) surgeon

das Wunder (–s, —) wonder, miracle, marvel

wunderbar wondrous, wonderful

wundersam wonderful, marvelous

wunderschön most beautiful, wondrous fair

der Wunsch (–es, ⸗e) wish

*wünschen (*wk.*) wish

die Würde (—, –n) dignity, honor, office

würdigen (*wk.*) estimate, appreciate

die *Wurst (—, ⸗e) sausage

wüten (*wk.*) rage

die *X=Strahlen *pl.* X rays

zahlen (*wk.*) pay

*zählen (*wk.*) count, number

zahlreich numerous

der Zahn (–es, ⸗e) tooth

zart tender

zärtlich tender, fond

die Zauberin (—, –nen) sorceress

das Zauberland (–s, ⸗er) fairy land

der Zauberschein (–s) magic gleam

der Zaun (–es, ⸗e) fence

z. B. = zum Beispiel for example

die Zehe (—, –n) toe

*zehn ten

zehnt tenth

das Zeichen (–s, —) sign, signal

*zeichnen (*wk.*) draw

die *Zeichnung (—, –en) drawing

*zeigen (*wk.*) show

die *Zeile (—, –n) line

die *Zeit (—, –en) time; Zeit zum Schreiben time for writing; eine Zeitlang for some time, for a while; in der guten alten Zeit in the good old times; zu Goethes Zeiten in Goethe's time; vor alten Zeiten many years ago, in times of old

der Zeit'genos'se (–n, –n) contemporary

die Zelle (—, –n) cell

das Zelt (–es, –e) tent

*zerbre'chen (*str.*) break, break to pieces

*zerrei'ßen (*str.*) tear, sever, rend

die Ziege (—, –n) goat

*ziehen (*in poetry often* ziehn) (er zieht, er zog, er hat gezogen) draw, pull; *intr., aux.* sein move, go, march, flow; Kreise ziehen make (*or* form) circles

das Ziel (–es, –e) goal, aim

zielen (*wk.*) aim

*ziemlich tolerably, rather

die Zierde (—, -n) ornament
zieren (wk.) ornament, decorate, adorn
zierlich elegant, pretty, dainty
das *Zimmer (-8, —) room; auf seinem Zimmer in one's room; auf sein Zimmer gehen go to one's room
*zu prep. w. dat. to; adv. too; zu Onkel Heinrich gehen go to Uncle Henry or to Uncle Henry's; zu Sträßburg at Strasbourg
zu'|bringen irreg. spend or pass (time)
der *Zucker (-8) sugar
die Zuckerrübe (—, -n) sugar beet
das Zuckerzeug (-8) candy
zu'|decken (wk.) cover up
*zuerst' adv. at first, first
zufällig accidental
*zufrie'den satisfied, pleased
der Zug (-es, "e) train
zugleich' at the same time
zugu'te: einem zugute kommen be to one's benefit, be of service to one
die Zukunft (—) future
zuletzt' at last, last
*zum contr. of zu dem
*zu'|machen (wk.) close
zünden (wk.) light, kindle
die Zunge (—, -n) tongue
*zur contr. of zu der
zurück'|eilen (wk., aux. sein) hurry back
zurück'|kommen (str., aux. sein) come back
zurück'|werfen (str.) throw back
der Zuruf (-8, -e) call, shout
zu'|rufen (str.) dat. of person call to
die Zusam'menarbeit (—) coöperation

zusam'men|bleiben (str., aux. sein) stay together
zusam'men|bringen irreg. bring together, assemble, unite
zusam'men|finden (str.) find together; refl. meet, be gathered; sie fanden sich in Wien zusammen they made Vienna their home
zusam'men|kommen (str., aux. sein) come together, assemble
zusam'men|laufen (str., aux. sein) run together, converge
zusam'men|schlagen (str.) strike together
der Zuschauer (-8, —) spectator
zu'|schließen (str.) lock
zu'|schrauben (wk.) screw up, screw shut
der Zwang (-es, "e) compulsion, constraint, restraint
*zwar to be sure, it is true; und zwar particularizes a preceding statement and . . . too
der Zweck (-es, -e) purpose
*zwei two
der Zweig (-es, -e) branch
*zweimal two times, twice
zweitens in the second place, secondly
zweiundachtzig eighty-two
*zweiundvierzig (ie = î) forty-two
der Zwerg (-es, -e) dwarf
der Zwillingsbruder (-8, ") twin brother
*zwingen (er zwingt, er zwang, er hat gezwungen) force, compel; ihn mit den Schultern auf die Matte zwingen force his shoulders against the mat
*zwischen prep. w. dat. or acc. between
zwölfjährig of twelve years
*zwölfmal twelve times

ENGLISH–GERMAN VOCABULARY

a, an ein (eine, ein); **three times a week** dreimal die Woche

able: be able to können (er kann, er konnte, er hat gekonnt)

about: be about to wollen (er will, er wollte, er hat gewollt) *usually accompanied by* eben: **I was about to telephone when** . . . ich wollte eben telephonieren, als . . .

above *prep.* über *dat. or acc.*

accompany beglei'ten (*wk.*)

account: on account of wegen *prep. w. gen.*; **on my account** meinetwegen; **on our account** unsretwegen *or* unsertwegen; **on their account** ihretwegen; **on his account** seinetwegen; **on your account** deinetwegen, euretwegen *or* euertwegen, Ihretwegen

accurate genau'

acquaint: become acquainted with kennen lernen

actor der Schauspieler (-s, —)

adapt: adapt oneself to something sich in etwas (*acc.*) finden

admonish mahnen (*wk.*)

advanced: advanced school die höhere Schule

advise raten (er rät, er riet, er hat geraten) *dat. of person*

afraid: be afraid sich fürchten (*wk.*) (**of** vor *dat.*)

after *prep.* nach *dat.*; *subord. conj.* nachdem'

afternoon der Nachmittag (-s, -e); **this afternoon** heute nachmittag;

in the afternoon am Nachmittag; **of an afternoon** nachmittags *or* des Nachmittags

afterwards nachher'

again wieder

against *prep.* gegen *acc.*; **be so very much against it** so sehr dage'gen sein

ago vor *prep. w. dat.*; **three months ago** vor drei Monaten

air die Luft (—, ⁼e); **in the open air** unter freiem Himmel

airplane das Flugzeug (-s, -e); **travel by airplane** mit dem Flugzeug reisen

airport der Flugplatz (-es, ⁼e); **go to the airport** auf den Flugplatz gehen

Airway Corporation die Lufthansa (—); **be with the Airway Corporation** bei der Lufthansa sein

alarm der Alarm' (-s, -e)

all all; *pl.* alle; **not at all** gar nicht

almost fast

alone allein'

already schon

also auch

although obgleich', obschon'

always immer

America Ame'rika (*neut.*) (-s)

American *adj.* amerika'nisch; (**man**) der Amerika'ner (-s, —)

among *prep.* unter *dat. or acc.*

and und

angry böse

animal das Tier (-es, -e)

answer antworten (*wk.*) *dat. of person*; **answer a letter** einen Brief

539

beantworten *or* auf einen Brief ant=
worten

any: not any *adj.* kein (keine, kein)

anything: not anything nichts

anyway doch

anywhere: not anywhere nirgends

applaud klatschen (*wk.*)

applause der Beifall (–s); **there
was loud and long applause** es
wurde laut und lange geklatscht

apple der Apfel (–s, ˮ)

apprentice der Lehrling (–s, –e)

apprenticeship die Lehrzeit (—)

approach sich nähern (*wk.*) *dat.*

April der April' (–(s), –e)

arm der Arm (–es, –e)

arrive an'|kommen (er kommt an, er
kam an, er ist angekommen)

as *subord. conj.*, *of manner* wie;
of cause da; *of time* als; **as (so)** +
adj. or adv. + **as** so + *adj. or adv.*
+ wie; **as far as** bis an *acc.*; **as if**
als ob

ashamed: be ashamed sich schämen
(*wk.*) (of *gen.*)

ask (= inquire) fragen (*wk.*); (=
request) bitten (er bittet, er bat, er
hat gebeten)

assert behaup'ten (*wk.*)

astonished erstaunt'

at *prep. denoting position* an *dat.*;
at the window (table, desk) am
Fenster (Tische, Pulte); **at home**
zu Hause; **at school** in der Schule;
at five o'clock um fünf Uhr

athlete der Athlet' (–en, –en)

attempt versü'chen (*wk.*)

attend besü'chen (*wk.*)

August der August' (–(e)s *or* —, –e)

aunt die Tante (—, –n)

author der Schriftsteller (–s, —)

automobile das Automobil' (–s, –e)

autumn der Herbst (–es, –e); **in au-**
tumn im Herbst; **during autumn**
während des Herbstes

awake erwachen (*wk.*, *aux.* sein);
auf'|wachen (*wk.*, *aux.* sein)

back der Rücken (–s, —); **they lie
on their backs** sie liegen auf dem
Rücken

bad schlecht

ball der Ball (–es, ˮe)

bark bellen (*wk.*)

baseball der Schlagball (–s)

basket der Korb (–es, ˮe)

basket ball der Korbball (–s)

bath das Bad (–es, ˮer); **take a cold
bath** kalt baden

bathe baden (*wk.*)

be sein (er ist, er war, er ist gewesen);
aux. of the passive voice werden;
German has no progressive form:
he is playing tennis er spielt Tennis,
the letter is being written der
Brief wird geschrieben; **there is
(are)** es ist (sind), es gibt (*see page
204*); **is it you, Fred** bist du es,
Fritz; **it is I** ich bin es; **be to**
(= be expected to) sollen (er soll,
er sollte, er hat gesollt)

beach der Strand (–es, –e); **on the
beach** am Strande

beat schlagen (er schlägt, er schlug, er
hat geschlagen)

beautiful schön

because weil

become werden (er wird, er wurde,
er ist geworden)

bed das Bett (–es, –en); **go to bed**
zu Bett gehen

bedroom das Schlafzimmer (–s, —)

bee die Biene (—, –n)

beer das Bier (–es, –e)

before *prep.* vor *dat. or acc.*; *subord.
conj.* bevor', ehe; *adv.* vorher'

begin begin'nen (er beginnt, er begann, er hat begonnen), an'|fangen (er fängt an, er fing an, er hat angefangen)

beginner der Anfänger (-s, —)

beginning der Anfang (-s, "e); at the beginning of October Anfang Oktober

behind *prep.* hinter *dat. or acc.*

believe glauben (*wk.*) *dat. of person*

belong: belong to gehö'ren (*wk.*) *dat. of person*

bench die Bank (—, "e)

bend biegen (er biegt, er bog, er hat gebogen)

Berlin Berlin' (*neut.*) (-s)

beside *prep.* neben *dat. or acc.*

besides *adv.* außerdem

best best

better besser

between *prep.* zwischen *dat. or acc.*

bird der Vogel (-s, ")

bite beißen (er beißt, er biß, er hat gebissen)

black schwarz ("er, "est)

blackboard die Tafel (—, -n); write on the blackboard an die Tafel schreiben; go to the blackboard an die Tafel gehen; look at the blackboard auf die Tafel schauen

blame: he is to blame for it er ist daran' schuld

blue blau

board das Brett (-es, -er); (=food) die Kost (—)

bond das Band (-es, -e)

book das Buch (-es, "er)

both beide

bottle die Flasche (—, -n)

boy der Knabe (-n, -n)

bread das Brot (-es); bread and butter das Butterbrot (-s, -e)

break brechen (er bricht, er bräch, er hat gebrochen); (objects) zerbre'chen; break one's arm (leg) sich (*dat.*) den Arm (das Bein) brechen

breakfast das Frühstück (-s, -e); right off at breakfast gleich beim Frühstück

bright hell

bring bringen (er bringt, er brachte, er hat gebracht)

brook der Bach (-es, "e)

brother der Bruder (-s, "); brothers and sisters die Geschwi'ster *pl.*

build bauen (*wk.*)

building das Gebäu'de (-s, —)

burst: burst forth los'|brechen (er bricht los, er bräch los, er ist losgebrochen)

business das Geschäft' (-s, -e)

but aber, sondern (*see page 202*)

butter die Butter (—)

buy kaufen (*wk.*)

buyer der Käufer (-s, —)

by *prep.* von *dat.*

cake der Kuchen (-s, —)

call rufen (er ruft, er rief, er hat gerufen)

can können (er kann, er konnte, er hat gekonnt)

cane der Stock (-es, "e)

cap die Mütze (—, -n)

care: care to mögen (er mag, er mochte, er hat gemocht); for all we care unsretwegen *or* unsertwegen

carrot gelbe Rübe (—, -n)

carry tragen (er trägt, er trug, er hat getragen)

case der Fall (-es, "e); in case (that) falls *subord. conj.*

castle das Schloß (Schlosses, Schlösser); Marburg castle das Marburger (*indecl. adj.*) Schloß

cat die Katze (—, -n)

catch fangen (er fängt, er fing, er hat gefangen)

cease auf'|hören (*wk.*)

certain ficher

chair der Stuhl (-es, ⸚e)

chalk die Kreide (—, -n)

Charles Karl (*masc.*) (-s)

cheek die Wange (—, -n)

cheese der Käfe (-s, —)

chicken das Huhn (-es, ⸚er)

child das Kind (-es, -er)

Christmas die Weihnachten (—, —); at Christmas zu Weihnachten

Christmas present das Weih'= nachtsgeschenk' (-s, -e)

Christmas tree der Christbaum (-s, ⸚e)

Christopher Christoph (*masc.*) (-s)

circle der Kreis (Kreises, Kreise)

city die Stadt (—, ⸚e)

claim: claim to wollen (er will, er wollte, er hat gewollt)

Clara Klara (*fem.*) (-s)

class die Klasse (—, -n)

clay: medicated clay die Tonerde (—, -n)

clear klar

climb steigen (er steigt, er stieg, er ist gestiegen); climb a mountain auf einen Berg steigen; climb up hin= auf'|steigen (*aux.* fein)

cloak der Mantel (-s, ⸚)

close zu'|machen (*wk.*)

close der Schluß (Schlusses, Schlüsse); until the close bis zum Schluß

close: close by *prep.* dicht bei *dat.*; be close at hand vor der Tür fein

clothes die Kleider *pl.*

cloud die Wolke (—, -n)

coat der Rock (-es, ⸚e); without a coat ohne Rock

coffee der Kaffee (-s)

cold kalt (⸚er, ⸚est); be cold (of per-

sons) frieren (er friert, er fror, er hat gefroren)

cold: catch (a bad) cold fich (ftark) erkälten (*wk.*)

coldness die Kälte (—)

collar (of a dog) das Halsband (-s, ⸚er); catch hold of by the collar beim Halsband ergrei'fen

come kommen (er kommt, er kam, er ift gekommen); come here her'|kom= men (*aux.* fein); come in herein'|= kommen (*aux.* fein); come out heraus'|kommen (*aux.* fein)

company der Befuch' (-s, -e); lots of company viel Befuch

composition der Auffat (-es, ⸚e)

concerned: so far as I am con= cerned meinetwegen; so far as we are concerned unfretwegen *or* unfertwegen

confine: be confined to one's bed das Bett hüten müssen

continuation school die Fortbil= dungsschule (—, -n)

converse fich unterhal'ten (er unter= hält fich, er unterhielt fich, er hat fich unterhalten) (about über *acc.*)

convince überzeu'gen (*wk.*)

cool kühl

corner die Ecke (—, -n); at the corner an der Ecke

correct korrigie'ren (*wk.*)

could (= was able to) *past indic. or pres. perf. indic.* of können; (= should (*or* would) be able to) *past subj.* of können; he could have done it er hätte es tun können

country das Land (-es, ⸚er); in the country auf dem Lande; go to the country aufs Land gehen

course der Lauf (-es); course of instruction der Lehrgang (-s, ⸚e); of course natür'lich

cousin (male) der Vetter (–s, –n); (female) die Cousi'ne (or Kusi'ne) (—, –n)

cover decken (*wk.*)

crazy verrückt'; **drive crazy** verrückt machen

creep kriechen (er kriecht, er kroch, er ist gekrochen); **creep on one's hands and knees** auf Händen und Füßen kriechen

cross böse

cry weinen (*wk.*)

cup die Tasse (—, –n); **a cup of coffee** eine Tasse Kaffee; **three cups of coffee** drei Tassen Kaffee

curtain der Vorhang (–s, ⸚e)

cut schneiden (er schneidet, er schnitt, er hat geschnitten)

damp feucht

dangerous gefähr'lich

dark dunkel

date das Datum (–s, Daten)

daughter die Tochter (—, ⸚)

day der Tag (–es, –e); **one day** *indef. time* eines Tages; **day before yesterday** vorgestern

dead tot

decorate schmücken (*wk.*)

deep tief

deer das Reh (–es, –e)

delight: take great delight in something große Freude an etwas (*dat.*) haben

delightful herrlich

dense dicht

desk das Pult (–es, –e); **at the desk** am Pulte; **go to the desk** ans Pult gehen

dessert der Nachtisch (–es); **for dessert** zum Nachtisch

die sterben (er stirbt, er starb, er ist gestorben)

different: it is quite different es ist ganz anders *adv.*

dig graben (er gräbt, er grub, er hat gegraben)

diligent fleißig

dining-room das Eßzimmer (–s, —)

dinner das Mittagessen (–s, —); **after dinner** nach dem Mittagessen; **eat dinner** zu Mittag essen

disappointed enttäuscht'; **very much disappointed** sehr enttäuscht

dive tauchen (*wk.*)

divide teilen (*wk.*); **divided by** geteilt durch

do machen (*wk.*), tun (er tut, er tat, er hat getan); *German has no aux. corresponding to* do: **do you believe that** glaubst du das, **I do not believe it** das glaube ich nicht; **how do you do** guten Tag; **they already know it, do they not** sie wissen es schon, nicht wahr

doctor der Doktor (–s, Dokto'ren); **Doctor** *in direct address* Herr Doktor; **Doctor Karsten** *in reference to Dr. Karsten* Herr Doktor Karsten

dog der Hund (–es, –e)

donkey der Esel (–s, —)

don't = **do not**

door die Tür (—, –en)

downstairs unten

dozen das Dutzend (–s, –e); **half a dozen** ein halbes Dutzend

drama das Drama (–s, Dramen)

draw zeichnen (*wk.*)

drawing die Zeichnung (—, –en)

dress das Kleid (–es, –er)

drink trinken (er trinkt, er trank, er hat getrunken)

drinking-cup der Becher (–s, —)

drive fahren (er fährt, er fuhr, er ist gefahren)

drop fallen lassen

duck die Ente (—, –n)

during *prep.* während *gen.*

each jeder (jede, jedes); **each one** jeder (jede, jedes); **each other (one another)** einan'der, *or may be expressed by the refl. pron. except after a prep.*; **with each other** miteinan'der

eagle der Adler (–s, —)

early früh; **earlier and earlier** immer früher

earth die Erde (—, –n)

Easter Ostern *pl., but usually takes verb in sg.*; **at Easter** zu Ostern

easy leicht

eat essen (er ißt, er aß, er hat gegessen)

egg das Ei (–es, –er)

eight acht

eighteenth achtzehnt *adj. infl.*

either: not good either auch nicht gut; **no book either** auch kein Buch

elbow der Ellbogen (–s, —)

else sonst; **anything else** sonst noch etwas; **nothing else** sonst nichts

end das Ende (–s, –n); **toward the end of March** gegen Ende März

engineering school die technische Höchschule (—, –n)

English *adj.* englisch; *(language)* Englisch *indecl. neut.,* das Englische *adj. infl.*

enough genug'

enrapture entzü'cken *(wk.)*

enter ein'|treten (er tritt ein, er trat ein, er ist eingetreten)

entire ganz

essay der Aufsatz (–es, –̈e)

etc. usw. = und so weiter

even *adv.* selbst; **even if** wenn ... auch

evening der Abend (–s, –e); **this**

evening heute abend; **one evening** *indef. time* eines Abends; **of an evening** abends *or* des Abends; **in the evening** am Abend, (= **of an evening**) abends *or* des Abends *or* am Abend

every jeder (jede, jedes); **everyone** jeder (jede, jedes)

everything alles; **everything that** alles, was

exact genau'

examination die Prüfung (—, –en); **take an examination** eine Prüfung machen; **teachers' examination** die Leh'rerinnenprü'fung (—, –en)

except *prep.* außer *dat.*

excited aufgeregt

exclaim rufen (er ruft, er rief, er hat gerufen)

exhibition: gymnastic exhibition das Schauturnen (–s)

exist beste'hen (es besteht, es bestand, es hat bestanden)

expect erwar'ten *(wk.)*

expensive teuer

eye das Auge (–s, –n); **open one's eyes wide** große Augen machen

face das Gesicht' (–s, –er); **with a serious face** mit ernstem Gesicht

factory die Fabrik' (—, –en)

faithful getreu'

fall fallen (er fällt, er fiel, er ist gefallen)

fall der Herbst (–es, –e)

far weit; **until far into Sunday** bis weit in den Sonntag hinein'

farm das Gut (–es, –̈er)

fast schnell

father der Vater (–s, –̈)

fault die Schuld (—); **through one's own fault** durch eigne Schuld

fear fürchten *(wk.)*

February der Februar' (–(s), –e)
fellow der Bursche (–n, –n)
few: a few ein paar *indecl.*
figure rechnen (*wk.*)
figuring das Rechnen (–s)
fill füllen (*wk.*)
finally endlich
find finden (er findet, er fand, er hat
gefunden)
fine schön
finger der Finger (–s, —); **cut one's
finger** sich in den Finger schneiden
fir tree der Tannenbaum (–s, ⸚e);
by a large fir tree bei einem großen
Tannenbaum
fire: there was a fire es hat ge=
brannt *impers.*
firm fest
first erst; **at first** *adv.* zuerst'
fish: go fishing fischen gehen
fish der Fisch (–es, –e)
five fünf
flee fliehen (er flieht, er floh, er ist
geflohen)
flow fließen (es fließt, es floß, es ist
geflossen)
flower die Blume (—, –n)
fly fliegen (er fliegt, er flog, er ist ge=
flogen); **fly by** vorbei' fliegen (*aux.*
sein)
foot der Fuß (–es, ⸚e); **on foot** zu
Fuß; **be on one's feet auf** den
Beinen sein
football der Fußball (–s)
football game das Fußballspiel (–s)
for *prep.* für *acc.*; *coörd. conj.*
denn; *rendered by the acc. without
a prep. in expressions denoting
time elapsed:* **they played tennis
for an hour** sie spielten eine Stunde
Tennis; **for that** da'für; **for it**
dafür'
force zwingen (er zwingt, er zwang,

er hat gezwungen); **force his shoulders against the mat** ihn mit den
Schultern auf die Matte zwingen
forest der Wald (–es, ⸚er)
forest mill die Waldmühle (—, –n);
go by way of the forest mill über
die Waldmühle gehen; **come to
the forest mill an** die Waldmühle
kommen
forget vergef'sen (er vergißt, er ver=
gaß, er hat vergessen)
fork die Gabel (—, –n)
form bilden (*wk.*); (circles) ziehen
(er zieht, er zog, er hat gezogen)
formerly früher
forth: and so forth und so weiter
forty-eight achtundvierzig (ie = i)
fountain pen die Füllfeder (—, –n)
four vier
fourteen vierzehn (ie = i)
Frank Franz (*masc.*) (Franz' *or*
–ens)
Fred Fritz (*masc.*) (Fritz' *or* –ens)
French *adj.* franzö'sisch; (*language*)
Franzö'sisch *indecl. neut.,* das
Franzö'sische *adj. infl.*
Friday der Freitag (–s, –e)
friend der Freund (–es, –e)
frightful furchtbar
from *prep.* von *dat.*; (= out of)
aus *dat.*
fruit das Obst (–es)
full voll; **full of guests** voller Gäste

garden der Garten (–s, ⸚)
Garden Street die Gartenstraße
(—); **on Garden Street** in der
Gartenstraße
Gerard Gerhard (*masc.*) (–s)
German *adj.* deutsch; (language)
Deutsch *indecl. neut.,* das Deutsche
adj. infl.; (man) der Deutsche *adj.
infl.*

Germany Deutschland (*neut.*) (–s);
  go (come) to Germany nach
  Deutschland gehen (kommen)
Gertrude Gertrud (*fem.*) (–s)
get (= fetch) holen (*wk.*); (= obtain, receive) bekom'men (er be=
  kommt, er bekam, er hat bekommen)
girl das Mädchen (–s, —)
give geben (er gibt, er gab, er hat gege=
  ben); (= present) schenken (*wk.*);
  give up auf'|geben
glad: be glad of it sich darü'ber
  freuen
glass das Glas (Glases, Gläser);
  a glass of water (milk) ein Glas
  Wasser (Milch); **two glasses of
  water (milk)** zwei Glas Wasser
  (Milch)
glide gleiten (er gleitet, er glitt, er ist
  geglitten)
glorious herrlich
go gehen (er geht, er ging, er ist gegan=
  gen); **go along** mit'|gehen (*aux.*
  sein); **go out** aus'|gehen (*aux.*
  sein); **go away** fort'|gehen (*aux.*
  sein); **go up** hinauf'|gehen (*aux.*
  sein)
God der Gott (–es)
Godfrey Gottfried (*masc.*) (–s)
gold das Gold (–es)
good gut (besser, best)
good-by das Lebewohl (–s); *uttered
  at parting* auf Wiedersehen!
goods die Waren *pl.*
goose die Gans (—, Gänse)
gorgeous prachtvoll
grandfather der Großvater (–s, ⸚)
grandmother die Großmutter (—, ⸚)
grandson der Enkel (–s, —)
grateful dankbar
great groß (⸚er, ⸚t)
green grün
greet grüßen (*wk.*)

ground der Boden (–s, — *or* ⸚)
grow wachsen (er wächst, er wuchs, er
  ist gewachsen); **grow shorter** ab'|=
  nehmen (er nimmt ab, er nahm ab,
  er hat abgenommen)
guess raten (er rät, er riet, er hat
  geraten)
guest der Gast (–es, ⸚e)
gutted ausgebrannt
gymnasium die Turnhalle (—, –n)

half *adj.* halb; **half an hour** eine
  halbe Stunde; **two and a half years**
  zwei und ein halbes Jahr; **half past
  six (eight)** halb sieben (neun); *noun*
  die Hälfte (—, –n); **half of the
  apples** die Hälfte der Äpfel
hand reichen (*wk.*)
hand die Hand (—, ⸚e); **shake
  hands with one** einem die Hand
  geben
handkerchief das Taschentuch (–s,
  ⸚er)
Hanover Hanno'ver (v = w) (*neut.*)
  (–s)
happen gesche'hen (es geschieht, es
  geschah, es ist geschehen)
happy glücklich
hard (of rain or snow) stark (⸚er, ⸚st)
hardly kaum
Harry Heinz (*masc.*) (Heinz' *or* –ens)
hasn't = has not
hat der Hut (–es, ⸚e)
have haben (er hat, er hatte, er hat
  gehabt); *as aux. of the perfect
  tenses* haben *or* sein (*see page 135*);
  (= cause) lassen (er läßt, er ließ, er
  hat gelassen); **have to** müssen (er
  muß, er mußte, er hat gemußt)
he er; *often, when emphatic,* der
  dem. pron.; **he who** wer *used as
  compound rel. pron.*
head der Kopf (–es, ⸚e)

healthful gesund' (–er or ̈er, –est or
̈est)
healthy gesund' (–er or ̈er, –est or
̈est)
hear hören (wk.)
hearty herzlich
heat: heat of the summer die
Sommerwärme (—)
heavy schwer
Helen Hele'ne (fem.) (–s)
help helfen (er hilft, er half, er hat
geholfen) dat.
Henry Heinrich (masc.) (–s); **go to
Uncle Henry's** zu Onkel Heinrich
gehen
her adj. ihr (ihre, ihr)
here hier; (= hither) her
Herman Hermann (masc.) (–s)
hers ihrer (ihre, ihres)
herself refl. pron. sich dat. or acc.;
intensive pron. selbst indecl., selber
indecl.
high hoch, when inflected hoh= (höher,
höchst)
himself refl. pron. sich dat. or acc.;
intensive pron. selbst indecl., selber
indecl.
his adj. sein (seine, sein); pron. seiner
(seine, sein(e)s)
hold halten (er hält, er hielt, er hat
gehalten)
hold: catch hold of ergrei'fen (er
ergreift, er ergriff, er hat ergriffen)
holiday der Feiertag (–s, –e)
home: at home zu Hause; **go (come)
home** nach Hause gehen (kommen)
**hope: I hope you will have a
good time** ich wünsche Ihnen viel
Vergnügen
horse das Pferd (–es, –e)
hospital das Hospital' (–s, Hospi=
täler)
hot heiß

hour die Stunde (—, –n)
house das Haus (Hauses, Häuser);
small house das Häuschen (–s, —)
how wie; **how much** wieviel'
however aber
howl heulen (wk.)
human menschlich
hundred hundert; **a hundred** hun=
dert
hungry hungrig
hurrah hurra'
hurry eilen (wk., aux. sein)
husband der Mann (–es, ̈er)

I ich
ice das Eis (Eises); **on the ice** auf
der Eisbahn
ice cream Gefro'renes adj. infl.
if wenn
ill luck das Unglück (–s)
immediately gleich
in prep. in dat. or acc.
inclose bei'|legen (wk.)
indeed: yes indeed jawohl'
industrious fleißig
ink die Tinte (—, –n)
inn das Wirtshaus (–hauses, –häuser);
drive to the inn nach dem Wirts=
haus fahren
instead of prep. statt or anstatt'
gen.; **instead of studying** (an)statt
zu studieren
intelligent klug (̈er, ̈st)
intend: intend to wollen (er will,
er wollte, er hat gewollt); **be intended** gelten (er gilt, er galt, er
hat gegolten) (for dat.)
interrupt unterbre'chen (er unter=
bricht, er unterbräch, er hat unter=
brochen)
into prep. in acc.
investigate nach'|sehen (er sieht nach,
er sah nach, er hat nachgesehen)

invite ein'laden (er lädt ein, er lud ein, er hat eingeladen)

isn't he (she, it) nicht wahr

it *pers. pron., masc.* er, *fem.* sie, *neut.* es (*see page 31*); **it (they)** *in expressions of identity* es (*see page 183*)

Italian *adj.* italie'nisch (ie = i + e); (language) Italie'nisch *indecl. neut.*, das Italie'nische *adj. infl.*

Jack Hans (*masc.*) (Hans' or Han- sens)

James Jakob (*masc.*) (-s)

January der Januar (-(s), -e); **in January** im Januar; **until the first of January** bis zum ersten Januar

joy die Freude (—, -n)

July der Ju'li (-(s), -s); **in July** im Juli

June der Juni (-(s), -s); **the tenth of June** der zehnte Juni

just *adv.* gera'de, eben; *w. impera- tive* nur; **just as** + *adj. or adv.* + **as** ebenso (*or* gerade so) + *adj. or adv.* + wie

Karlsschule die Karlsschule (—); **at the Karlsschule** auf der Karls- schule

kind: what kind of was für ein, *before pl. nouns and generally before abstracts and nouns denot- ing material* was für; **all kinds of** allerlei'

kiss: kiss heartily ab'|küssen (*wk.*)

kiss der Kuß (Kusses, Küsse)

kitchen die Küche (—, -n)

knife das Messer (-s, —)

knock klopfen (*wk.*); **somebody knocks** es klopft

know (a fact) wissen (er weiß, er wußte, er hat gewußt); (= be ac- quainted with) kennen (er kennt, er kannte, er hat gekannt); (a lan- guage) können (er kann, er konnte, er hat gekonnt); **know how to** können

Kreuzberg der Kreuzberg (-s)

lady die Dame (—, -n)

lake der See (-s, Se'en); **go to the lake** an den See gehen

language die Sprache (—, -n)

large groß ("er, "t)

last dauern (*wk.*)

last letzt; **at last** endlich

late spät

latter: the latter dieser (diese, dieses)

laugh lachen (*wk.*) (**about** über *acc.*)

lay legen (*wk.*)

lazy faul

lazybones der Faulpelz (-es, -e)

learn lernen (*wk.*)

least: at least mindestens, wenig- stens

leather das Leder (-s); **of leather** aus Leder

leave lassen (er läßt, er ließ, er hat gelassen); (= quit) verlaf'sen; **leave off crying (reading)** laß das Wei- nen (das Lesen); **leave school at the age of fourteen** mit vierzehn Jahren aus der Schule kommen

leg das Bein (-es, -e)

less weniger

lesson die Aufgabe (—, -n); **be through with one's lessons** mit seinen Schularbeiten fertig sein; **do one's lessons** seine Schularbeiten machen

let lassen (er läßt, er ließ, er hat ge- lassen); *w. imperative force, see page 388*; **let go** laufen lassen

letter der Brief (-es, -e)

lie liegen (er liegt, er lag, er hat gelegen)

life das Leben (–s, —); **bring back to life** zu neuem Leben erwecken
light hell
lighten blitzen (*wk.*)
like *or* **like to** mögen (er mag, er mochte, er hat gemocht), *often accompanied by* gern: **she doesn't like cats** sie mag Katzen nicht, **I should like to go along** ich möchte (gern) mitgehen; **like** (**like better, like best**) gern (lieber, am liebsten) *with an appropriate verb* (*see page 182*): **I like to study German** ich lerne gern Deutsch, **I like peas** ich esse gern Erbsen; (= be pleased with) gefal'len (*str.*) *dat.* *of person*: **they like it there very well** es gefällt ihnen dort sehr gut
like *adv.* wie
lip die Lippe (—, –n)
little (= small) klein; (of amount, quantity, degree) wenig; **a little** ein wenig, ein bißchen
live (= reside) wohnen (*wk.*)
living-room das Wohnzimmer (–s, —)
load laden (er lädt, er lud, er hat geladen)
log: **sleep like a log** wie ein Murmeltier schlafen
long *adj.* lang (–er, –st); *adv.* (of time) lange; **no longer** *adv.* (=not any more) nicht mehr
look schauen (*wk.*); (= appear) aus'|sehen (er sieht aus, er sah aus, er hat ausgesehen); **look along the way toward the village** den Weg nach dem Dorfe entlang schauen
lose verlie'ren (er verliert, er verlor, er hat verloren)
lot: **lots of** viel *sg.*, viele *pl.*; **lots of company** viel Besuch'; **lots of love** *at end of letters* viele Grüße
loud laut

love: **with best love** *in the conclusion of a letter* mit den herzlich= sten Grüßen
lucky: **be lucky** Glück haben

mad toll; **mad with joy** toll vor Freude
madam gnädige Frau
magnificent prachtvoll
maid die Jungfrau (—, –en); "**The Maid of Orleans**" „Die Jungfrau von Orleans" (*pronounce Orleans as in French*)
make machen (*wk.*)
man der Mann (–es, ¨–er)
many viele; **many a** mancher (manche, manches)
March der März (–(es), –e)
mark die Mark (—, —)
market: **weekly market** der Wö= chenmarkt (–s, ¨–e)
market place der Markt (–es, ¨–e`
Mary Marie' (*fem.*) (–s)
master der Meister (–s, —)
mat die Matte (—, –n)
may (= be permitted to) dürfen (. darf, er durfte, er hat gedurft); *conceding possibility* mögen (er mag, er mochte, er hat gemocht); *for may expressing a wish see page 387*
May der Mai (–(e)s *or* —, –e)
meadow die Wiese (—, –n); **in the meadow** auf der Wiese
meat das Fleisch (–es)
mechanic der Mecha'niker (–s, —)
medicated: **medicated clay** die Tonerde (—, –n)
meet treffen (er trifft, er traf, er hat getroffen); **meet at the station** von der Bahn holen
mercantile kaufmännisch; **mercantile business** der kaufmännische Beruf'

merchant der Kaufmann (–s, Kauf=
leute)
merry fröhlich
middle: in the middle of summer
mitten im Sommer
might (= be permitted to) dürfte
mild mild
milk die Milch (—)
Mill Brook der Mühlbach (–s); go
to the Mill Brook an den Mühl=
bach gehen
mind: have something on one's
mind etwas auf dem Herzen haben
mine meiner (meine, mein(e)s); a
friend of mine ein Freund von mir
minister der Pastor (–s, Pasto'ren)
minute die Minu'te (—, –n)
mirror der Spiegel (–s, —)
Miss Fräulein; Miss Müller Fräu=
lein Müller
moist feucht
money das Geld (–es, –er)
month der Monat (–s, –e); three
times a month dreimal den Monat
moonlight der Mondschein (–s)
more denoting number, amount,
quantity mehr indecl.; indicating
the compar. degree of adjectives or
adverbs, see page 153; more and
more immer mehr
morning der Morgen (–s, —); this
morning heute morgen; in the
morning (= of a morning) mor=
gens; one morning indef. time
eines Morgens
most denoting number, amount,
quantity meist preceded by the def.
art. and declined weak: most of
the other boys die meisten anderen
Knaben; indicating the superl. degree of adjectives or adverbs, see
page 153
mother die Mutter (—, ⸚)

mountain der Berg (–es, –e)
mouse die Maus (—, ⸚e)
movies das Kino (–s, –s); go to the
movies ins Kino gehen
Mr. Herr; Mr. Braun Herr Braun
Mrs. Frau; Mrs. Braun Frau Braun
much viel
must müssen (er muß, er mußte, er
hat gemußt); must not nicht dürfen
(er darf, er durfte, er hat gedurft)
my mein (meine, mein)
myself refl. pron. mir dat., mich
acc.; intensive pron. selbst indecl.,
selber indecl.

name: what is his name wie heißt
er; his name is Oswald er heißt
Oswald
namely nämlich
naturally natür'lich
nature die Natur' (—); in nature
in der Natur
need brauchen (wk.)
neither . . . nor weder . . . noch
nephew der Neffe (–n, –n)
never nie; never yet noch nie
new neu
New York Neuyork' (neut.) (–s);
from New York aus Neuyork'
next nächst
nice schön
niece die Nichte (—, –n); Your
loving niece at end of letters
Deine Dich liebende Nichte
night die Nacht (—, ⸚e); at night
in der Nacht
nine neun
ninety-two zweiundneunzig
no adj. kein (keine, kein); adv. nein
noble edel
noise der Lärm (–es)
none keiner (keine, kein(e)s)
noon der Mittag (–s, –e)

nor: nor I either ich auch nicht

not nicht; not a(n) fein (feine, fein)

notebook das Heft (-es, -e)

nothing nichts; nothing new nichts Neues

November der Novem'ber (v = w) (-(s), —); on the twentieth of November am zwanzigsten November

now jetzt

nowhere nirgends

nut die Nuß (—, Nüsse)

oblige: be obliged to müssen (er muß, er mußte, er hat gemußt)

o'clock Uhr; at one (five) o'clock um ein (fünf) Uhr

of prep., generally expressed by gen. without a prep., especially when denoting possession; preferably von (dat.) in certain phrases: two of the pupils zwei von den Schülern; sometimes not rendered at all, the appositional construction being used: a glass of water ein Glas Wasser, in the month of September im Monat September, the city of Berlin die Stadt Berlin; omitted in dates: the tenth of June der zehnte Juni

offer bieten (er bietet, er bot, er hat geboten)

officer der Offizier' (-s, -e)

often oft (⸗er, am ⸗esten)

oh ach

old alt (⸗er, ⸗est)

on prep. (a horizontal surface, as table, desk, chair, floor, etc.) auf dat. or acc.; (an inclined or a vertical surface, as blackboard, wall, etc.) an dat. or acc.

once: once more nochmals; at once sofort'

one adj. ein (eine, ein); pron. einer (eine, ein(e)s); indef. pron. man; not translated after adjectives: which hat did you buy, the green one or the red one welchen Hut haben Sie gekauft, den grünen oder den roten; that one jener (jene, jenes)

only adj. einzig; adv. nur; w. subj. of wish nur, döch; he is only seven years old er ist erst sieben Jahre alt; it is only two o'clock es ist erst zwei Uhr

open öffnen (wk.), auf'|machen (wk.)

open offen

or oder

order die Ordnung (—, -en); in order that damit' subord. conj.; in order to um zu

ordinary gewöhn'lich

other ander

otherwise sonst

ought: ought to past or past perf. subj. of sollen: I ought to go ich sollte gehen, I ought to have gone ich hätte gehen sollen

our unser (uns(e)re, unser)

ours uns(e)rer (uns(e)re, uns(e)res)

out adv. aus; out of prep. aus dat.

outing der Ausflug (-s, ⸗e); go on an outing einen Ausflug machen

outside: outside the door vor der Tür

over prep. über dat. or acc.; be over (= be at an end) zu Ende sein

overcast trübe

owl die Eule (—, -n)

own eigen

pain der Schmerz (-es, -en)

pair das Paar (-es, -e); a pair of skates ein Paar Schlittschuhe

paper das Papier' (-s, -e)

parents die Eltern pl.

Park Street die Parkſtraße (—)
part der Teil (–es, –e)
parting: on parting beim Abſchied
pay der Lohn (–es, ⁀e)
pea die Erbſe (—, –n)
peace der Frieden (–s)
pear die Birne (—, –n)
peasant der Bauer (–s *or* –n, –n);
　peasant house das Bauernhaus
　(–hauſes,–häuſer); peasant woman
　die Bäuerin (—, –nen)
pen die Feder (—, –n)
pencil der Bleiſtift (–s, –e)
people die Leute *pl.*
permit: be permitted to dürfen (er
　darf, er durfte, er hat gedurft)
person der Menſch (–en, –en)
pfennig der Pfennig (–s, –e)
physician der Arzt (–es, ⁀e)
piano das Klavier' (v = w) (–s, –e);
　play the piano Klavier ſpielen
picture das Bild (–es, –er)
piece das Stück (–es, –e); a piece of
　chalk (cheese, bread) ein Stück
　Kreide (Käſe, Brot)
pigeon die Taube (—, –n)
place der Ort (–es, –e *or* ⁀er); in
　small places an kleinen Orten
plate der Teller (–s, —)
play ſpielen (*wk.*)
playing das Spielen (–s)
pleasant angenehm
please (= I beg of you) bitte
pocketbook der Geldbeutel (–s, —)
poet der Dichter (–s, —)
policeman der Polizei'diener (–s, —)
polish putzen (*wk.*)
poor arm (⁀er, ⁀ſt)
position die Stellung (—, –en)
post(al) card die Poſtkarte (—, –n)
potato die Kartof'ſel (—, –n);
　mashed potatoes der Kartof'ſel=
　brei (–s)

pour gießen (er gießt, er göß, er hat
　gegoſſen)
power die Macht (—, ⁀e)
prefer lieber *with an appropriate
　verb*: I prefer to stay at home
　ich bleibe lieber zu Hauſe, I prefer
　milk to coffee ich trinke Milch lieber
　als Kaffee
present das Geſchenk' (–s, –e); up
　to the present bisher' *adv.*
pretty ſchön
prize der Preis (Preiſes, Preiſe)
probably wohl
public: public school die Volks=
　ſchule (—, –n); public room die
　Gaſtſtube (—, –n)
pupil (boy) der Schüler (–s, —);
　(girl) die Schülerin (—, –nen)
put legen (*wk.*); put on (clothes)
　an'|ziehen (er zieht an, er zog an, er
　hat angezogen)

quarter das Viertel (ie = i) (–s, —);
　a quarter to eleven drei Viertel
　(auf) elf
question die Frage (—, –n)
quick ſchnell
quite ganz

rain regnen (*wk.*)
rascal *or* **little rascal** der Bengel
　(–s, —)
rate: at any rate jedenfalls *adv.*
read leſen (er lieſt, er las, er hat ge=
　leſen); read aloud vor'|leſen
reading das Leſen (–s)
ready fertig
real wirklich
receive erhal'ten (er erhält, er erhielt,
　er hat erhalten)
recently neulich, vor kurzem
red rot (⁀er, ⁀ſt)
regret bedau'ern (*wk.*)

relative der Verwand'te *adj. infl.*

remark bemer'ken (*wk.*)

remember sich erinnern (*wk.*) *w.* an *acc.*; **remember me to him** grüße ihn von mir

repeat wiederho'len (*wk.*)

rest *intr.* ruhen (*wk.*); *tr.* (= support) stützen (*wk.*)

restaurant das Restaurant' (*pronounce as in French*) (-s, -s)

review wiederho'len (*wk.*)

rich reich

ride (on an animal) reiten (er reitet, er ritt, er ist geritten)

ride die Fahrt (—, -en)

right recht; **be right** recht haben; **to the right** rechts *adv.*; **all right** (= never fear) schon; **well, all right** nun, schon gut

rise (of the sun or moon) auf'|gehen (er geht auf, er ging auf, er ist aufgegangen); (of a curtain) sich heben (er hebt sich, er hob sich, er hat sich gehoben)

roast veal der Kalbsbraten (-s, —)

robber der Räuber (-s, —)

rock der Felsen (-s, —)

room das Zimmer (-s, —); **be in one's room** auf seinem Zimmer sein; **go to one's room** auf sein Zimmer gehen

Rugby game das Rugbyspiel (-s)

run laufen (er läuft, er lief, er ist gelaufen); **run away** wĕg'|laufen (from *dat.*)

sake: **for your sake** um deinetwillen, um euretwillen *or* um euertwillen, um Ihretwillen; **for his sake** um seinetwillen; **for her sake** um ihretwillen

same: **the same** dersel'be (dieſel'be, dasſel'be; *pl.* dieſel'ben)

sand der Sand (-es)

Santa Claus das Christkind (-s)

Saturday der Sonnabend (-s, -e); **on Saturday** (= Saturdays) Sonnabends

sausage die Wurst (—, ̈e)

savings bank die Sparbüchſe (—, -n)

say ſagen (*wk.*); **be said to** ſollen (er ſoll, er ſollte, er hat geſollt)

scarcely kaum

school die Schule (—, -n); **at school** in der Schule; **after school** nach der Schule; **go to school** zur (*or* in die) Schule gehen

school work die Schularbeit (—, -en)

school year das Schuljahr (-s, -e)

season die Jahreszeit (—, -en)

seat der Platz (-es, ̈e); **down to the last seat** bis auf den letzten Platz

second die Sekun'de (—, -n)

see ſehen (er ſieht, er ſah, er hat geſehen)

seem ſcheinen (er ſcheint, er ſchien, er hat geſchienen)

sell verkau'fen (*wk.*)

send ſchicken (*wk.*)

sentence der Satz (-es, ̈e); **at the third sentence** beim dritten Satze

serious ernst

servant girl das Dienſtmädchen (-s, —)

service der Dienſt (-es, -e)

set (of the sun or moon) un'ter|gehen (er geht unter, er ging unter, er ist untergegangen); **set the table** den Tiſch decken; **set in** (of the weather) ein'|treten (er tritt ein, er trat ein, er ist eingetreten)

seven ſieben

several mehrere

sew nähen (*wk.*)

shade der Schatten (-s, —)

shall *aux. of fut. tenses* werden *irreg.*; *implying obligation or compulsion* sollen (er soll, er sollte, er hat gesollt)

shame: shame on you schäme dich, schämt euch, schämen Sie sich

she sie; *often, when emphatic,* die *dem. pron.*

shine scheinen (es scheint, es schien, es hat geschienen)

shoot schießen (er schießt, er schöß, er hat geschossen)

shore das Ufer (–s, —); on the shore am Ufer

short kurz (⸚er, ⸚est); shortly afterwards kurz darauf'

should *in cond. sentences, see page 373; expressing the imperative in indirect discourse, see page 401*

shoulder die Schulter (—, -n)

show zeigen (*wk.*)

sick krank (⸚er, ⸚st)

side: on the other side of jenseit(s) *prep. w. gen.*

silent still; be silent schweigen (er schweigt, er schwieg, er hat geschwiegen); be silent, will you schweig doch

since *prep.* seit *dat.*; *subord. conj., of cause* da; *of time* seit, seitdem'

sing singen (er singt, er sang, er hat gesungen)

single einzig

sink sinken (er sinkt, er sank, er ist gesunken)

sister die Schwester (—, -n)

sit sitzen (er sitzt, er saß, er hat gesessen); sit down sich setzen (*wk.*); sit down to dinner zu Tisch gehen; sit down to supper sich zu Tisch setzen

six sechs

skate: go skating auf die Eisbahn gehen

skate der Schlittschuh (–s, -e)

sky der Himmel (–s, —)

slaw der Kraut'salat' (–s)

sleep schlafen (er schläft, er schlief, er hat geschlafen)

sleep: talk in one's sleep im Traume reden

slice: slice of bread and butter das Butterbrot (–s, -e)

slow langsam

small klein

smart klug (⸚er, ⸚st)

smoke rauchen (*wk.*)

smooth glatt (-er *or* ⸚er, -est *or* ⸚est)

snow schneien (*wk.*)

snow der Schnee (–s)

so so

some einige

something etwas; something beautiful etwas Schönes

sometimes manchmal

somewhat etwas

son der Sohn (-es, ⸚e)

song das Lied (-es, -er); "The Song of the Robbers" „Das Räuberlied" (–s)

soon bald

sorry: I am sorry es tut mir leid (for um *acc.*); I feel sorry for them sie tun mir leid

sort: all sorts of allerlei'

south wind der Südwind (–s, -e); have a south wind Südwind haben

Spanish *adj.* spanisch; (language) Spanisch *indecl. neut.,* das Spanische *adj. infl.*

speak sprechen (er spricht, er spräch, er hat gesprochen) (about über *acc.*)

speck der Punkt (-es, -e)

spellbound: sit spellbound wie im Fieber sitzen

spite: in spite of trotz *prep. w. gen.*

spring der Frühling (-s, -e); in
spring im Frühling
stage die Bühne (—, -n)
stand stehen (er steht, er stand, er hat
  gestanden)
start: start on one's way sich auf
  den Weg machen
station der Bahnhof (-s, ⸗e); go
  to the station nach dem Bahnhof
  gehen
stay bleiben (er bleibt, er blieb, er ist
  geblieben)
steal stehlen (er stiehlt, er stahl, er hat
  gestohlen)
step treten (er tritt, er trat, er ist
  getreten)
steps (= flight of steps) die Treppe
  (—, -n)
still adj. still; adv. expressing continuation or degree noch; adversative (= nevertheless) doch
sting stechen (er sticht, er stach, er hat
  gestochen)
stone der Stein (-es, -e)
stop auf'|hören (wk.); stop laugh-
  ing hören Sie auf zu lachen
storm der Sturm (-es, ⸗e)
stranger der Fremde adj. infl.
streak der Streifen (-s, —)
street die Straße (—, -n); on what
  street in welcher Straße
strike schlagen (er schlägt, er schlug, er
  hat geschlagen)
strong stark (⸗er, ⸗st)
student der Student' (-en, -en)
student song das Studen'tenlied
  (-s, -er)
study (in schools) lernen (wk.);
  (at a university) studie'ren (wk.)
stupid dumm (⸗er, ⸗st)
succeed gelin'gen (es gelingt, es gelang, es ist gelungen) dat.; he succeeded in getting a position es ist

ihm gelungen, eine Stellung zu bekommen
such solcher (solche, solches); such
  a(n) + adj. ein so + adj.
sudden plötzlich
sugar der Zucker (-s)
summer der Sommer (-s, —); in
  summer im Sommer
summer vacation die Sommerferien
  (ie = i + e) pl.
sun die Sonne (—, -n)
Sunday der Sonntag (-s, -e); on
  Sunday am Sonntag
supper das Abendessen (-s, —);
  after supper nach dem Abendessen;
  eat supper zu Abend essen
swim schwimmen (er schwimmt, er
  schwamm, er ist geschwommen)
swollen geschwol'len

table der Tisch (-es, -e); at the
  table am Tische; go to the table
  an den Tisch gehen
take nehmen (er nimmt, er nahm, er
  hat genommen)
talk reden (wk.), sprechen (er spricht,
  er sprach, er hat gesprochen); talk in
  one's sleep im Traume reden
tall (of persons) groß (⸗er, ⸗t); tall
  and lanky lang (⸗er, ⸗st)
tea der Tee (-s)
teach lehren (wk.)
teacher (man) der Lehrer (-s, —);
  (woman) die Lehrerin (—, -nen)
tear zerrei'ßen (er zerreißt, er zerriß,
  er hat zerrissen)
telephone telephonie'ren (wk.)
tell sagen (wk.); (= relate) erzäh'len
  (wk.) (about von dat.); she told
  him to sell it sie sagte ihm, er solle
  (or sollte) es verkaufen
ten zehn
tennis das Tennis (—)

terrible ſchrecklich

than als

thank danken (*wk.*) ˙*dat. of person;*
thank you very much danke ſehr

thanks der Dank (–es); **many
thanks** vielen Dank

that *dem. pron. or adj.* jener (jene,
jenes), der (die, das); *rel. pron.* der
(die, das), welcher (welche, welches),
(*after* alles, das, es, etwas, manches,
nichts, vieles *or a neut. adj., especially a superl.*) was; *subord.
conj.* daß; **that one** jener (jene,
jenes); **that (those)** *in expressions of identity* das (*see page 183*)

the der (die, das)

theater das Thea'ter (–s, —); **go
to the theater** ins Theater gehen;
municipal theater das Stadt'-
thea'ter (–s, —)

their ihr (ihre, ihr)

theirs ihrer (ihre, ihres)

themselves *refl. pron.* ſich *dat. or
acc.; intensive pron.* ſelbſt *indecl.,*
ſelber *indecl.*

then dann; (= in that case) da;
*introducing the conclusion of a
conditional sentence* ſo; **till then**
bis da'hin

there *adv.* dort, da; *expletive* es

therefore deshalb

they ſie

thick dick

thief der Dieb (–es, –e)

thin dünn

thing die Sache (—, –n); **many a
thing** manches

think denken (er denkt, er dachte, er
hat gedacht) (of an *acc.*)

third dritt *adj. infl.*

thirsty burſtig

thirteenth dreizehnt *adj. infl.*

thirty-five fünfunddreißig

this dieſer (dieſe, dieſes); **this one**
dieſer (dieſe, dieſes); **this (these)**
in expressions of identity dies (*see
page 183*)

thought der Gedan'ke (–ns, –n); **the
thought of going to the United
States** der Gedanke, nach den Ver=
einigten Staaten zu gehen |

thousand tauſend; **a thousand** tau=
ſend

three drei

through *prep.* durch *acc.; adj.* fertig

throw werfen (er wirft, er warf, er
hat geworfen)

thunder donnern (*wk.*)

ticket die Karte (—, –n)

time (*of duration*) die Zeit (—,
–en); (*of repetition*) das Mal (–es,
–e); **for the first time** zum erſten
Male; **in the good old times** in
der guten alten Zeit; **nine times
seven** neun mal ſieben; **he dived
eleven times** er hat elfmal getaucht;
what time is it wieviel' Uhr iſt es

tired müde; **very tired** ſehr müde
or hübſch müde

to *prep., generally rendered by dat.
without a prep. when marking
the indirect object;* (a person) zu
dat.; (a place) nāch *dat.;* (objects, as window, table, desk,
blackboard, etc.) an *acc.; before
infin.* zu; *before numerals* bis
acc.; **to that** da'zu

today heute

tolerably ziemlich

tomorrow morgen; **tomorrow evening** morgen abend

too zu; **and . . . too** (*particular-
izing a preceding statement*) und
zwar

top der Gipfel (–s, —); **be at the
top** oben ſein

toward *prep.* gegen *acc.*

towel das Handtüch (–8, ⸗er)

town das Städtchen (–8, —)

trade das Handwerk (–8, –e)

transaction: transaction of business der Handel (–8)

travel reisen (*wk.*, *aux.* sein)

tree der Baum (–es, ⸗e)

trip die Reise (—, –n); time for the trip Zeit zu der Reise

true wahr

Tuesday der Dienstag (–8, –e)

turn *intr.* (= change one's direction) biegen (er biegt, er bog, er ist gebogen); **turn back** um'|kehren (*wk.*, *aux.* sein)

twentieth zwanzigst *adj. infl.*

twenty-five fünfundzwanzig

twice zweimal; twice a year zweimal das Jahr

two zwei; *after an inflected word, often* beide: with her two children mit ihren beiden Kindern

uncle der Onkel (–8, —)

under *prep.* unter *dat. or acc.*; *adv.* unten

understand verste'hen (er versteht, er verstand, er hat verstanden)

United States die Verei'nigten Staaten

unload ab'|laden (er lädt ab, er lud ab, er hat abgeladen)

until *prep.* bis *acc.*; *subord. conj.* bis; **not until** erst *adv.*; **not until half past six** erst um halb sieben

up *adv.* oben; **come up again** wieder nach oben kommen

upon *prep.* auf *dat. or acc.*

upstairs oben; **go upstairs** nach oben gehen

use gebrau'chen (*wk.*) (**for** zu *dat.*)

usual gewöhn'lich

vacation die Ferien (ie = i + e) *pl.*

valley das Tal (–es, ⸗er); **come to a valley** an ein Tal kommen

vegetable das Gemü'se (–8, —)

very sehr

village das Dorf (–es, ⸗er)

visit besu'chen (*wk.*)

wagon der Wagen (–8, —)

wait warten (*wk.*) (**for** auf *acc.*)

waiter der Kellner (–8, —)

waken wecken (*wk.*)

walk der Spazier'gang (–8, ⸗e); **take a walk** einen Spaziergang machen

wanderer der Wanderer (–8, —)

want *or* **want to** wollen (er will, er wollte, er hat gewollt)

war der Krieg (–es, –e)

warm warm (⸗er, ⸗ft)

wash waschen (er wäscht, er wüsch, er hat gewaschen); **wash one's hands** sich (*dat.*) die Hände waschen

watch die Uhr (—, –en)

water das Wasser (–8, —)

way der Weg (–es, –e); (= manner) die Weise (—, –n); **a long way to the city** ein langer Weg bis zur Stadt; **in all the ways possible** auf alle möglichen Weisen; **way home** der Heimweg (–8)

we wir

weak schwäch (⸗er, ⸗ft)

wear tragen (er trägt, er trug, er hat getragen)

weather das Wetter (–8)

Wednesday der Mittwöch (–8, –e); **Wednesday and Saturday afternoon** Mittwoch⸗ und Sonnabend⸗nachmittag

week die Wöche (—, –n)

well *adv.* gut; *interj.* nun; **he is well again** es geht ihm wieder gut

what *pron.* was; *adj.* welcher (welche,

welches); what (a) *in exclamations*
was für (ein), welch (ein); **with
what** womit'; **out of what** woraus'
when als, wenn, wann (*see page 203*)
where wo; (= whither, to what
place) wohin'
whether ob
which *interrog. pron. or adj.* welcher
(welche, welches); *rel. pron.* der (die,
das), welcher (welche, welches); **which
one** welcher (welche, welches)
while während *subord. conj.*
while die Weile (—); **up to a short
while ago** bis vor kurzem
whistle pfeifen (er pfeift, er pfiff, er
hat gepfiffen) (**to** *dat.*)
white weiß
Whitsuntide Pfingsten (*pl.*, *but
usually takes verb in sg.*); **at
Whitsuntide** zu Pfingsten
who *interrog. pron.* wer; *rel. pron.*
der (die, das), welcher (welche, welches)
whoever wer *used as compound
rel. pron.*
whole ganz
why warum'; *interj.* aber
will *aux. of fut. tense* werden (*irreg.*);
*expressing willingness or inten-
tion* wollen (er will, er wollte, er
hat gewollt)
William Wilhelm (*masc.*) (—s)
win gewin'nen (er gewinnt, er gewann,
er hat gewonnen)
window das Fenster (—s, —); **at
the window** am Fenster; **go to
the window** ans Fenster gehen; **sit
down by the window** sich ans
Fenster setzen
winter der Winter (—s, —); **in winter** im Winter
wish wünschen (*wk.*); **I wish I had
stayed at home** ich wollte (*past
subj.*), ich wäre zu Hause geblieben

with *prep.* mit *dat.*; (= in the
house of, at the home of) bei
dat.; **with that** da'mit, **with it**
damit'
without *prep.* ohne *acc.*; **without
laughing** ohne zu lachen
wolf der Wolf (—es, —e); **eat like
wolves** wie die Wölfe essen
woman die Frau (—, -en)
word das Wort (—es, Wörter = single,
individual words, Worte = connected words, discourse, speech)
work arbeiten (*wk.*); **let alone
work** vom Arbeiten gar nicht zu
reden
work die Arbeit (—, -en); (of literature) das Werk (—es, -e); **work
in the field(s)** die Feldarbeit (—,
-en)
working hour die Arbeitsstunde (—,
-n)
world die Welt (—, -en)
worry: don't worry habe keine Sorge
would *in cond. sentences, see page
373; in indirect discourse, see
page 400*
wreath der Kranz (—es, —e); **make
wreaths** Kränze binden
wrestle ringen (er ringt, er rang, er
hat gerungen)
write schreiben (er schreibt, er schrieb,
er hat geschrieben)
writing das Schreiben (—s); **time
for writing** Zeit zum Schreiben
wrong: be wrong unrecht haben

yard der Hof (—es, —e); **in the yard**
auf dem Hofe
year das Jahr (—es, -e); **New Year**
das Neujahr (—s, -e)
yellow gelb
yes ja
yesterday gestern

yet *expressing continuation or degree* nǒdj; *adversative* (= nevertheless) bǒdj; *not yet* nod̄ nid̄t
you bu, i̧̇r, Sie (*see page 36*)
young jung (=er, =ft)
your bein (beine, bein), euer (eu(e)re, euer), Ihr (Ihre, Ihr) (*see page 59*)

yours beiner (beine, bein(e)s), eu(e)rer (eu(e)re, eu(e)res), Ihrer (Ihre, Ihres)
yourself *refl. pron.* bir *dat.*, bidj *acc.*, fid̄ *dat. or acc.*; *intensive pron.* felbft *indecl.*, felber *indecl.*
youth bie Iugenb (—)

INDEX

[The references are to pages]